Histoire du Chevalier des Grieux et de Manon Lescaut

Abbé Prévost

Histoire du Chevalier des Grieux et de Manon Lescaut

Éditions Garnier
8, rue Garancière
PARIS

ISBN 2-7050-0069-0
ISBN 2-7370-0113-7

Texte établi avec introduction,
notes, relevé des variantes,
bibliographie, glossaire et index
par

Frédéric Deloffre
Professeur à la Sorbonne
et
Raymond Picard
Professeur à la Sorbonne

Édition illustrée
de 34 reproductions

AVANT-PROPOS

DANS l'œuvre immense de l'abbé Prévost [1], le public du xxe siècle ne connaît guère que *Manon Lescaut*. Cet état de choses, qu'il est permis de regretter, — mais qui n'est pas inexplicable, on le verra, — impose à l'éditeur des devoirs particuliers. En effet, si le lecteur moderne ne songe pas à réduire Marivaux à *la Vie de Marianne* ou Diderot au *Neveu de Rameau*, il est tenté au contraire d'identifier en quelque sorte l'abbé Prévost à *Manon Lescaut*. Dans notre galerie officielle des gloires littéraires, la figure étonnante de Prévost n'apparaît qu'à l'occasion de ce roman. Mieux encore, on ne craint pas de donner à cette œuvre privilégiée une signification autobiographique, qui, ajoute-t-on, rendrait compte de sa réussite singulière. L'éditeur de *Manon Lescaut* ne peut donc se dispenser d'étudier de près le personnage de l'abbé Prévost, de rassembler et de critiquer les documents, d'établir enfin les faits, ne serait-ce que pour décider si, à la lumière sans complaisance d'une histoire rigoureuse, il demeure possible d'accepter l'étrange explication de l'œuvre et de sa genèse que suggère certaine mythologie littéraire.

Mais même si la biographie avait bien la valeur éclairante qu'on lui attribue quelquefois, il va de soi qu'on ne saurait s'en contenter. L'action du roman est profondément engagée dans l'époque. Elle est colorée, infléchie, déterminée par des conditions historiques, sociologiques ou

---

1. L'édition la moins incomplète, celle des *Œuvres choisies*, — qui ne reprend rien des vingt volumes in-12 du *Pour et Contre*, ni des seize volumes in-4° de *l'Histoire des Voyages*, — comprend trente-neuf volumes in-8°, Amsterdam et Paris, Hôtel Serpente, 1783. Elle fut à nouveau publiée à Paris, Imprimerie Leblanc, en 1810-1816. Sauf indication contraire, c'est à cette dernière édition que nous renvoyons pour tous les romans de Prévost, sauf *Manon Lescaut*. Sur le choix de cette édition, voyez la *Note sur l'établissement du texte.*

littéraires qu'il importe de bien connaître. Les personnages participent d'une certaine psychologie et d'une, ou plutôt de plusieurs morales, qui orientent leur comportement et qui contribuent à donner à l'œuvre sa signification littéraire. Bref, il était nécessaire de mener le plus loin possible des enquêtes diverses et complexes : nous avons jugé que nous ne serions pas trop de deux pour y parvenir. Bien que nous soyons l'un et l'autre responsables de l'ensemble de l'édition, Frédéric Deloffre s'est surtout occupé des problèmes de genèse, tant biographiques qu'historiques (en particulier, pages III à XCIII), ainsi que de l'établissement du texte, et du glossaire; Raymond Picard, de son côté, s'est plus spécialement intéressé aux problèmes de l'interprétation psychologique et littéraire (en particulier, pages XCIV à CLVI).

La présente édition est donc constituée comme suit :

L'Introduction comprend trois parties; aux deux premières, qui sont proprement explicatives et qui concernent respectivement la *genèse* et la *signification* de l'œuvre, nous avons cru bon d'en joindre une troisième qui reproduit les principaux *jugements contemporains*. Vient ensuite le texte, dûment annoté, de *Manon Lescaut;* c'est celui de l'édition de 1753 : on trouvera les raisons de ce choix dans une *Note sur l'établissement du texte* qui précède le relevé des *variantes*. Cette partie est complétée par une *Bibliographie des éditions*, due au bibliophile Max Brun, et une *Bibliographie des travaux cités*. Un *Appendice* groupe ensuite quelques textes et documents essentiels. Puis, dans une *Note sur l'iconographie*, nous présentons les documents et les gravures que nous avons choisis pour les reproduire; en effet, un effort particulier a été fait pour l'illustration, qui constitue un commentaire vivant et parfois irremplaçable du texte. Un *Glossaire*, où figurent les mots précédés dans le texte d'un astérisque, et un *Index* terminent le volume.

Il nous reste à souhaiter que tout cet appareil d'explication — que nous avons cherché à alléger le plus possible, en particulier grâce à l'illustration — n'alourdisse pas ce texte délicat, mais qu'au contraire il lui conserve sa grâce et la rende mieux sensible au lecteur.

INTRODUCTION

I

GENÈSE DE « MANON LESCAUT »

AU temps de ses amours avec Gretchen, le jeune Gœthe avait si bien pris l'Histoire du chevalier des Grieux et de Manon Lescaut *pour une histoire vraie qu'il prétendit rivaliser de tendresse avec le chevalier. Longtemps après, fort de sa propre expérience d'écrivain, il vit l'œuvre sous un jour nouveau, et se mit dès lors à y admirer la profondeur de conception et l'inégalable habileté d'exécution*[1]. *Ce changement d'attitude de Gœthe à l'égard du chef-d'œuvre de Prévost est instructif. Lorsque des lecteurs, consciemment ou non, considèrent les aventures de Manon et de son chevalier comme historiquement vraies, ils ne font que rendre hommage à la réussite de l'écrivain. Mais les critiques ne devraient-ils pas se garder de la même illusion ? Or, comme ils finissent par découvrir la supériorité de* Manon Lescaut *dans la vie et le naturel qui l'animent, ils s'imaginent souvent que, dans la mesure où ils retrouveront dans l'ouvrage un « roman plus vécu », ils en feront, selon le mot de Brunetière*[2], *un « éloge plus complet ». Sainte-Beuve n'affirme pas seulement que le livre est vrai « de cette vérité qui n'a rien d'inventé et qui est toute copiée*

---

1. *Gœthes sämtliche Werke,* Jubiläums Ausgabe, Band XXI *(Dichtung und Wahrheit),* p. 296. Une note du tome XXIV, p. 272, précise que l'analyse de *Manon Lescaut* à laquelle nous faisons allusion figure parmi les notes préparatoires de *Wilhelm Meister*. Voyez p. CLXXVI.

2. Dans un article informé et lucide, *l'abbé Prévost,* paru dans la *Revue des Deux Mondes* en 1885, repris dans les *Études critiques,* troisième série, Paris, 1887.

sur la nature », ce qui pourrait encore se soutenir, il se refuse à le considérer comme une création littéraire : « si l'on pouvait, dit-il, supposer que l'auteur en a conçu un moment le projet, l'invention, dans un but quelconque, on ne le supporterait pas[1] ».

La faiblesse d'une telle proposition, vingt fois répétée[2], *est pourtant évidente. Outre qu'elle supprime le problème capital de l'interprétation de l'œuvre, elle restreint dangereusement celui de sa genèse, puisqu'elle exclut* a priori *toute considération de source ou de genre. Faut-il pour autant négliger tous les travaux qui ont prétendu identifier la « véritable » Manon ou le « véritable » des Grieux ? On n'oserait le soutenir, à une époque où certaines de ces théories sont communément admises, tandis que d'autres, plus spécieuses encore, apparaissent déjà. Du reste, la vigilance nécessaire dans l'examen des constructions à base biographique ne doit pas faire négliger ce qu'elles peuvent avoir de positif. Il n'en est presque aucune, en effet, qui ne mette en lumière dans le chef-d'œuvre de Prévost, sinon la vérité anecdotique qu'elles prétendent y trouver, du moins une autre vérité, plus générale, mais plus solide. Ainsi, le bilan que nous allons dresser, avant de reprendre la question sous un autre point de vue, servira de commentaire historique à* l'Histoire du chevalier des Grieux et de Manon Lescaut[3].

---

1. *Le Buste de l'abbé Prévost,* lundi 7 novembre 1853, édit. Garnier, p. 134, *XVIIIe siècle, Romanciers et moralistes.*

2. Un exemple dans l'édition Joseph Aynard (1926) : « L'abbé Prévost était sans doute un impulsif qui écrivait sous l'impression du moment, comme il agissait, sans bien se rendre compte de la portée de ses actes. » Plus loin, il est dit que cela est vrai surtout de *Manon Lescaut* qui, par son caractère autobiographique, « fait contraste » avec tout le reste de l'œuvre romanesque de Prévost (p. XXV). Tout récemment encore, on trouve une vue analogue dans un remarquable ouvrage de Georges May. Le roman, croit pouvoir constater ce critique, n'est qu'un « accident heureux qui s'explique en partie par la biographie de Prévost, et qui demeure en partie mystérieux, comme tout chef-d'œuvre authentique ». (*le Dilemme du Roman au XVIIIe siècle,* P.U.F., 1963, p. 192.)

3. Tel est, bien entendu, le seul titre véritable du roman de Prévost. Quand on le rencontrera dans la suite, sous la forme de *Manon Lescaut* ou de *Manon,* il s'agira uniquement d'une abréviation commode et consacrée par l'usage. On verra plus loin (pp. LXXXIII et suiv.) l'importance du titre original.

PETITE HISTOIRE ET SOURCES ANECDOTIQUES

Quoique le Journal de la Cour et de Paris *du 12 octobre 1733 eût laissé entendre que l'auteur de « l'Histoire de Manon Lescaut » faisait « jouer à gens en place des rôles peu dignes d'eux »*[1]*, et malgré le goût du temps pour les clés, aucun témoignage, semble-t-il, ne nous livre celles du roman de Prévost. A la fin du XIX*e *siècle pourtant, la curiosité des érudits, encouragés par le succès de recherches analogues, prétendit découvrir la réalité qui se cachait derrière les épisodes romanesques. La première tentative, encore prudente*[2]*, fut celle de Lescure. Dans la préface de l'édition Quentin (1879), il fit la première étude historique du contexte du roman. C'est lui qui montra, grâce à des documents tels que* l'Histoire de la Régence *de Buvat, que les maisons de jeu tenues par de grands seigneurs, comme l'Hôtel de Transylvanie, avaient bien existé; que le garde du corps Lescaut, loin d'être un personnage imaginé, est un type; que les filles de mœurs légères qui n'appartenaient pas à un théâtre pouvaient être enfermées à l'Hôpital à la discrétion de la police; qu'en 1719 1720 des convois de ces prisonnières furent envoyées au « Mississipi », au milieu de la commisération publique, etc.; en un mot que les mœurs dépeintes dans* Manon Lescaut *représentent fidèlement celles de quelques milieux parisiens à l'époque de la Régence et du « Système ».*

Dans une partie plus hasardeuse de son étude, Lescure tenta d'identifier les personnages désignés dans le roman par une initiale, dans l'espoir de retrouver la trace d'une histoire vécue. Parmi les noms fournis par les listes de fermiers et receveurs généraux du

---

1. Page 229 du manuscrit, dans la *Revue rétrospective*, 2e série, t. VII, p. 104, cité par Harrisse, *l'Abbé Prévost*, p. 176.

2. Prudente au moins dans le détail, car Lescure, comme Sainte-Beuve, voit dans le roman « une confession à peine déguisée » : « C'est en un mot, à n'en pas douter, l'histoire de l'abbé Prévost lui-même, héros et victime d'une de ces passions que n'effarouchait pas le complaisant théâtre de la Régence, et, au sortir du cloître bénédictin, demandant aux libraires de Hollande, habitués à de tels pensionnaires, le pain de l'exil payé du récit des aventures qui l'avaient causé. » Sur cette théorie mettant en rapport la sortie de Saint-Germain-des-Prés et la genèse du roman, voir ci-après, pp. XXXVI-XL.

temps, quelques-uns commencent par B : Bonnier de la Mosson, Lallemant de Betz, Live de Bellegarde. C'est ce dernier que Lescure propose de voir dans « M. de B. », premier rival de des Grieux. Mais le seul argument qu'il avance, à savoir que M. de Bellegarde a demeuré successivement dans deux rues proches de la « rue V. », c'est-à-dire Vivienne, où se sont installés nos amants, est cruellement insuffisant. En outre, la présence d'un autre M. de B. dans les Mémoires d'un Homme de qualité[1] *marque peut-être simplement une prédilection de l'auteur pour cette initiale. Autre hypothèse moins sûre encore, celle qui ferait du « vieux G. M. » M. de Guéménée-Montbazon. Car, ainsi que l'observe M. Légier-Desgranges[2], Guéménée-Montbazon est de la première noblesse de France, tandis que G. M. est d'une naissance commune[3].*

Sur la voie ouverte par Lescure, quelques résultats positifs semblent avoir été obtenus. En 1905, Léo Mouton[4] reconnut François II Rakoczi, prince de Transylvanie, dans le « prince de R. » du roman. Mais ce personnage ne joue aucun rôle dans l'intrigue et n'est même pas présent à Paris quand elle se déroule[5]. Deux conjectures de M. Légier-Desgranges présentent plus d'intérêt. Selon cet érudit, on pourrait voir dans G. M., le baron Élizée Gilly de Montaud, fermier général en 1720 seulement, directeur, à ce titre, de la Compagnie des Indes, et chargé spécialement de la Louisiane. Par sa position, un tel personnage

---

1. C'est le gendre de l'Homme de qualité, qui apparaît au tome VI, livre XII, *éd. cit.*, t. III, pages 26 à 47.

2. Dans un article inédit intitulé *Manon Lescaut à la Salpêtrière,* qu'il a bien voulu nous communiquer.

3. Voir ci-après, p. 153 : « Apprends que je suis d'un sang plus noble et plus pur que le tien. »

4. *L'Hôtel de Transylvanie,* article publié dans le *Bulletin de la Société historique du VIe arrondissement,* 1905, pp. 169-224, et voyez aussi *ibid.*, 1909, p. 49 (cité par Lasserre, *Manon Lescaut*, p. 40).

5. Le narrateur note que le prince « demeurait alors à Clagny » (p. 64). Comme Rakoczi, réfugié en France en 1713, ne demeura à Clagny que jusqu'en 1714, il faudrait en déduire que l'action de *Manon Lescaut* se déroule en 1714. Du reste, les officiers du prince quittèrent l'Hôtel en 1716. Cependant, les déportations à La Nouvelle-Orléans n'eurent lieu qu'en 1719-1720. Voir ci-après la chronologie probable du roman (p. XC, note 2).

aurait sans doute pu obtenir une déportation en Louisiane par la procédure la plus sommaire[1]. *Suivant une seconde hypothèse de M. Légier-Desgranges, le « M. de T. », dont le fils aide des Grieux à faire évader Manon de l'Hôpital, serait Charles de Trudaine de Montigny, qui devient, en 1720 également, Prévôt des Marchands, et, à ce titre*[2], *administrateur de l'Hôpital. Son fils, Daniel-Charles, né en 1703, et qui mourra en 1737, a dû avoir ses entrées dans l'établissement et a pu jouer le rôle qu'on lui prête dans le roman.*

De telles identifications sont probablement les meilleures auxquelles puisse parvenir l'érudition. Leur convergence sur l'année 1720, dont l'importance apparaîtra plus loin, est impressionnante. Il faut pourtant observer qu'elles reposent sur un postulat : que Prévost s'est servi des initiales des personnes qu'il avait en vue, s'il avait quelqu'un en vue. En outre, supposé qu'il ait voulu désigner Gilly de Montaud ou M. de Trudaine, cela ne signifie encore nullement qu'ils aient joué un rôle dans des événements comparables à ceux de Manon Lescaut.

Si l'on passe des personnages secondaires aux personnages principaux, toute tentative visant à déchiffrer leur identité réelle par leur nom de roman paraît infiniment plus hasardeuse. Que faut-il penser d'une remarque du Nouveau Dictionnaire historique[3] *à propos de Louis Tiberge, abbé d'Andrès, directeur du séminaire des Missions Étrangères, suivant laquelle « c'est ce pieux ecclésiastique qui joue un rôle si touchant dans le roman des amours du chevalier des Grieux » ? Au mieux, cela signifie peut-être que Prévost lui a emprunté son nom, avec quelques traits, pour composer le portrait d'un ami dévoué et d'un prêtre, car cet ecclésiastique, mort le 9 octobre 1730 dans un âge certainement assez avancé, pouvait-il avoir été dix ou douze ans plus tôt séminariste en même temps que quelque des Grieux ? Et pour celui-ci, qu'a-t-il de commun avec un Charles-Alexandre de Grieux, né en 1690 d'une famille des environs de Lisieux, mort en 1769,*

---

1. Noter pourtant que Prévost, dans l'édition originale, appelait le personnage M. G., ce qui va à l'encontre de l'identification proposée.
2. Voyez ci-après, p. 99, notes 1 et 2.
3. De l'abbé Chaudon, qui a dû connaître Prévost. Voyez l'article *Prévost* de ce dictionnaire (première édition, 1765).

dont une note, relevée au Cabinet des Titres par Mlle C.-É. Engel[1], *retrace ainsi la carrière :*

Le chevalier de Grieux – belle voix – musicien – venait au café des Beaux-Esprits[2] – 1714 – alors commandeur apparemment – ami du Grand Prieur – passa six mois à Hausvilliers – 1730 – obtint une commanderie – 1741 – amateur de peinture.

Rien apparemment, car c'est chose différente que de mettre en scène sous leur nom des personnages plus ou moins publics, morts depuis quelque temps et souvent étrangers, comme Prévost venait de le faire dans ses Mémoires d'un Homme de qualité[3], *et de raconter les aventures privées de contemporains que l'on pouvait rencontrer tous les jours dans la rue. Aussi n'a-t-on jamais cherché, que nous sachions, à tirer quelque chose du nom de Lescot ou Lescaut, qui n'est pourtant pas inventé, puisqu'on le trouve dans le nord de la France et spécialement dans la bourgeoisie parisienne du temps : c'est par des méthodes moins sommaires que l'on a tenté de connaître « l'histoire vraie » dont se serait inspiré Prévost. Pour les uns, cette histoire serait à découvrir dans la vie de l'auteur ; pour les autres, elle lui serait étrangère, et il en aurait eu seulement connaissance ; d'autres encore ont songé à une solution combinant ces deux hypothèses.*

Il est dans le roman un épisode d'allure romanesque, la déportation au Mississippi, qui relève, ainsi qu'on l'a montré, d'une réalité historique précise. Quoique le transport aux Antilles ou

---

1. *Le Véritable Abbé Prévost*, Monaco, 1958, pages 149-150.

2. A cette époque, il s'agit probablement du café Gradot, quai de l'École, dont les habitués comprenaient La Motte, l'abbé de Pons, Marivaux, etc.

3. Dans deux articles importants, A. Coimbra Martins a montré comment Prévost met en scène dans cet ouvrage, d'une part, au t. I, sous le nom de marquis de Rosambert, François de Forbin, et d'autre part, au t. IV, liv. IX, sous le nom de prince D. M... ou prince de Portugal, l'infant dom Manuel, fils de dom Pedro II. Voir *l'Histoire du marquis de Rosambert, Mémoires ou roman ?* dans les *Annales de la Faculté des Lettres d'Aix*, t. XXXIV, pp. 53-86, et *O Padre Prévost e as suas « Memorias do principe de Portugal »*, dans la *Rivista da Faculdade das Letras de Lisboa*, t. XXII (1956), pp. 234-262.

à Cayenne de filles tirées des hôpitaux généraux du royaume[1] eût été couramment pratiqué au XVIIe siècle, surtout après le « double règlement » de Colbert en 1684[2], ce mode de peuplement ne fut appliqué à la colonie du Mississippi que plus tard et pour une période limitée. En 1907, Pierre Heinrich[3] compara la déportation de Manon avec divers convois réels. Le premier, qui embarqua à Rochefort pour la Louisiane dans l'été de 1719, comprenait seize femmes seulement. La plupart étaient des condamnées de droit commun, ce qui fait soupçonner que le convoi était destiné primitivement à la Guyane, et fut ensuite détourné sur la Louisiane. D'autres, en août, octobre, novembre 1719, etc., intéressent davantage le roman par le mode de recrutement. En effet, à côté de femmes entrées à la Salpêtrière pour « débauches », « débauche et ivrognerie, » c'est-à-dire par sentence de police, il en est d'autres qui sont déportées à la requête de leur famille ou de quelque personnage influent. Dans ce cas, d'ailleurs plus rare, satisfaction est donnée aux demandes après enquête et sur avis du lieutenant de police : c'est la procédure adoptée dans Manon Lescaut. *D'autres détails sont aussi à retenir. Ainsi, le convoi qui partit le 27 mars 1720, par Le Havre et non plus, comme les autres, par Rochefort, comprenait vingt-quatre voitures, transportant cent quarante captives. Pour des raisons de concentration dramatique faciles à*

1. A côté de leurs fonctions d'hôpitaux pour les incurables et de maisons de retraite, ces établissements servaient aussi de lieu de détention pour les mendiants, les vagabonds ou les femmes de mauvaises mœurs.

2. P. Heinrich, dont il est question ci-après, renvoie à une lettre de La Fontaine à Saint-Évremond du 18 décembre 1687 :

> *Sage Saint-Évremond, le mieux est de m'en taire,*
> *Et surtout n'être plus chroniqueur de Cythère,*
> *Logeant dans mes vers les Chloris*
> *Quand on les chasse de Paris.*
> *On va faire embarquer ces belles ;*
> *Elles s'en vont peupler l'Amérique d'Amours.*

(Édit. *des Grands Écrivains*, Hachette, t. IX, p. 410 et note 3.) Voir aussi la gravure de la planche VII.

3. Dans une thèse complémentaire de doctorat, intitulée, de façon trop large, *Prévost historien de la Louisiane*, Paris, 1907. Un tel titre semblerait comprendre l'étude des passages de *l'Histoire des Voyages* relatifs à la Louisiane : l'ouvrage n'y fait pas allusion.

comprendre, celui du roman est moins important, mais le chargement de chaque voiture est du même ordre, avec douze prisonnières pour deux voitures. Dans l'histoire, une trentaine d'archers, commandés par un lieutenant de robe courte, constituaient l'escorte. Selon Buvat, des jeunes gens, montés sur plusieurs carrosses, accompagnèrent le convoi à sa sortie de Paris. A la première étape, quelques gardes du corps parvinrent à faire évader six prisonnières, dont Marie-Antoinette Néron, qui devint la maîtresse de Cartouche et fut exécutée avec lui. Si l'on ajoute que la description dans le roman des malheureuses assises sur des bottes de paille et enchaînées, l'évocation de la pitié qu'elles excitent auprès des populations, sont confirmées par divers témoignages contemporains[1], *on conviendra que Prévost a respecté la vérité historique, générale et particulière, avec un scrupule rare parmi les romanciers du temps.*

Faut-il aller plus loin, et considérer qu'une des prisonnières fut la « véritable » Manon Lescaut ? Rien ne permet de le penser, même si plusieurs portent le surnom de Manon, fréquent à l'époque. A plus forte raison considérera-t-on avec méfiance les thèses d'un autre historien de la Louisiane, Marc de Villiers, qui, une dizaine d'années après Heinrich, prétendit avoir identifié tous les personnages de l'épisode américain[2]. *Peu importe que l'on nous donne le nom du gouverneur de la Louisiane, la Mothe-Cadillac. Révoqué en 1715, il ne fut d'ailleurs jamais gouverneur de La Nouvelle-Orléans, fondée deux ans plus tard. Il en est de même pour l'abbé le Maire, curé de l'Ile Dauphine. Prévost avait-il besoin de ce personnage, dont il ignorait tout, pour concevoir le rôle insignifiant de l'aumônier de La Nouvelle-Orléans ?*

Pourtant, les deux protagonistes « découverts » par Villiers doivent être examinés de plus près. Le « héros de l'abbé Prévost » serait un certain René du Tremblier, né à Angers, et qui se faisait appeler Avril de la Varenne. « Manon » aurait été une femme

---

1. On en trouvera qui ont échappé à Heinrich dans un article bien documenté d'Henry Légier-Desgranges, *De la Salpêtrière au Mississippi,* publié dans *Miroir de l'Histoire*, juin 1952, nº 29, pp. 83-96, et juillet 1952, nº 30, pp. 35-45.

2. Dans l'ouvrage intitulé *Histoire de la Fondation de la Nouvelle-Orléans* (1717-1722).

connue sous le nom de Froget ou Quentin, mais dont l'identité véritable n'a pas été établie. Ils partirent ensemble de Nantes le 6 mars 1715, sur la flûte La Dauphine, *à destination du Biloxi, port de débarquement de la Louisiane à l'époque. Là, ils se donnèrent pour mari et femme. Mais le gouverneur apprit bientôt que si la femme avait été mariée, ce n'était pas au sieur de la Varenne, pas plus que n'étaient de lui les trois enfants qu'elle avait laissés en France. Elle l'avait seulement séduit, au « grand déplaisir de toute sa parenté », et l'avait obligé à quitter la France. Au reste, pendant que ce prétendu mari était en mission commerciale chez les Illinois, la femme Froget entretenait des relations coupables avec un nommé Raujon, patron de son mari, et qui, curieuse coïncidence, l'avait déjà aidée à s'évader des prisons de Nantes. Finalement, La Varenne et la femme Froget retournèrent en France où l'on perd leur trace. A part le mariage allégué, et les difficultés que les deux personnages éprouvèrent à en contracter un véritable, peut-on considérer qu'il y ait là la « véritable histoire » de Manon Lescaut, même si l'on remarque quelques coïncidences curieuses, mais sans lien organique avec l'épisode lui-même, comme le fait qu'un certain de Grieux, cousin de celui qu'on a rencontré plus haut, commanda quelque temps le vaisseau* Comte de Toulouse, *qui fit, plus tard, le service du Biloxi*[1] ?

Ce qui manque à de telles histoires pour être des sources convaincantes du roman, c'est que, si l'on peut à la rigueur concevoir que Prévost en ait eu connaissance, on voit mal comment elles auraient pu ébranler sa sensibilité et son imagination au point qu'il en tirât le sujet de son œuvre. Un autre témoignage semblerait

---

1. En 1718, le *Comte de Toulouse,* appartenant à la Compagnie des Indes, transporte de La Rochelle à la Louisiane un contingent d'émigrants volontaires. Mais Gaston-Jean de Grieux de Saint-Aubin n'est plus commandant de ce navire. Il a été « rayé pour absence » le 23 avril 1713 (Claire-Éliane Engel, *le Véritable Abbé Prévost*, p. 174). Sur l'ensemble des thèses de Villiers, voir les critiques pertinentes d'André Beaunier, dans un article paru dans la *Revue des Deux Mondes*, 1918, pp. 697-708, sous le titre *la Véritable Manon Lescaut.* E. Lasserre, dans son ouvrage intitulé *Manon Lescaut,* Malfère, 1930, tenta de réagir (pp. 87-88) contre l'hypercritique de Beaunier, mais ne put apporter aucun argument nouveau en faveur de Villiers.

prévenir cette objection. Selon Édouard Gachot[1], *qui aurait eu connaissance des notes d'un certain M. de Vigny, propriétaire des Grands Communs de l'ancien château d'Autouillet, l'abbé Prévost, venu de Rouen à Évreux, serait arrivé à Autouillet le 9 ou le 10 juin 1728, pour un séjour d'une semaine chez Armand Nompar de Caumont-Vivonne, duc de la Force. Rentrant à Paris, l'abbé Prévost et le duc, qui l'accompagnait, arrivèrent à Pacy à midi, à la Porte de l'Eure. C'est là qu'ils rencontrèrent un convoi de filles déportées, avec le modèle de Manon et le modèle de des Grieux. Certes, ce récit est d'un vif intérêt. Mais est-il vrai ? Car, s'il n'est pas exclu que des convois de filles déportées aient encore été organisés en 1728, alors qu'un arrêt du Conseil, du 9 mai 1720, avait supprimé les départs pour la Louisiane des pensionnaires de la Maison de Force, il n'est pas davantage établi qu'aucun convoi ait eu lieu à cette date. Par quelle fatalité aussi Édouard Gachot attend-il que les notes sur lesquelles il fonde sa thèse aient disparu pour en publier le contenu, et encore même pas textuellement ? Enfin, on ne nous dit pas ce que le « modèle de des Grieux » aurait raconté à Prévost. Certainement pas, en tout cas, le dénouement de l'aventure, la conversion et la mort de Manon, qui n'avaient pas eu lieu, puisqu'il était seulement sur le chemin de l'exil. Mais peut-être les épisodes parisiens de l'histoire du Chevalier et de Manon? Nouvelle difficulté, chronologique cette fois, puisque, de l'avis général, ces épisodes prennent place vers 1717-1720.*

Ainsi, de quelque manière que l'on prenne les choses, on ne peut accorder à la rencontre des déportées, si on en admet la réalité, que le rôle de l'incident initial qui mit en branle l'imagination de l'auteur : la vue d'une jeune fille descendant du coche d'Arras, et conduite au couvent malgré elle, aurait pu en faire autant. Il est difficile d'y voir la source des situations, à plus forte raison des sentiments décrits dans le roman. Aussi, parvenus à ce point, lès critiques sont-ils contraints de faire appel à un autre mode d'explication. C'est dans sa propre expérience que Prévost aurait puisé l'idée fondamentale des rapports unissant le chevalier des

---

1. Édouard Gachot, *l'Abbé Prévost à Autouillet*, article paru dans le *Figaro* du 1er août 1926. Analyse détaillée dans P. Hazard, *Études sur Manon Lescaut*, p. 108, avec une erreur sur la date de l'article (1er avril au lieu du 1er août).

Grieux et Manon Lescaut. Mais si les spécialistes s'entendent jusque-là, ils diffèrent sur le point de savoir quel épisode, dans la vie de Prévost, lui aurait inspiré son roman. Harrisse, dans son livre d'ailleurs estimable[1]*, a imaginé une théorie où la vérité prouvée et l'hypothèse se combinent si bien que, faute d'une extrême attention, le lecteur peut penser, comme cela est arrivé à plus d'un critique*[2]*, qu'il énonce des faits positifs là où il se livre à son imagination. D'autres, après lui, ont essayé de s'en tenir aux documents, et sont arrivés à des conclusions différentes. Nous les reprendrons à notre tour, les daterons et les compléterons. C'est au cours de cette étude chronologique que nous examinerons, dans l'ordre où elles se présenteront à nous, les quatre théories expliquant la genèse du roman par la vie même de l'auteur.*

VIE DE PRÉVOST ET SOURCES AUTOBIOGRAPHIQUES

Les origines de l'abbé Prévost sont connues, et honorables. Né à Hesdin, en Artois, le 1er avril 1697, il reçut les prénoms d'Antoine-François. Comme la plupart des grands écrivains de son temps, il appartenait à cette bourgeoisie aisée en passe d'accéder, par les charges de judicature, à la petite noblesse de

---

1. Henry Harrisse, *l'Abbé Prévost, Histoire de sa vie et de ses œuvres d'après des documents nouveaux*. Paris, Calmann-Lévy, 1896. C'est à cet ouvrage que nous renverrons quand nous citerons « Harrisse » sans autre précision. Le même auteur a aussi composé une excellente bibliographie de *Manon Lescaut* (seconde édition, 1877) et une étude sur *la Vie monastique de l'abbé Prévost* (Paris, Leclerc, 1903). Malgré tous les travaux entrepris depuis cette date, on peut estimer que Harrisse, à lui seul, a mis au jour plus de documents sur Prévost que les autres chercheurs réunis. Les défauts de son ouvrage, à côté d'un parti pris apologétique, consistent dans quelques erreurs inévitables, dans des citations légèrement déformées, dans des jugements injustes sur des témoignages importants (Bois-Jourdain, Ravanne, etc.). Enfin, ainsi qu'on le verra plus loin, il a eu le tort de présenter comme attestées, sur la vie de Prévost entre 1713 et 1728, toute une série de précisions chronologiques qui sont en fait de simples hypothèses.

2. Comme Hugo Friedrich, dans son ouvrage *Abbé Prévost in Deutschland*, d'ailleurs bien informé et important.

robe[1]. *Dès le début du XVIIe siècle, son arrière-grand-père est receveur des tailles, fonction élective dont étaient chargés des hommes réputés pour leur intégrité. Son grand-père, Liévin Prévost, maître-brasseur de son état, exerça les charges honorables de trésorier de la ville et d'échevin. Son père, de même nom, époux de Marie Duclaie, acheta la charge de conseiller du Roi, qui conférait la noblesse à titre personnel sans comporter d'obligations précises, et celle, plus effective, de procureur du Roi au bailliage d'Hesdin. Il n'existait qu'une charge plus importante, celle de lieutenant du Roi, et l'un des frères de Prévost l'exercera*[2]. *Outre quatre filles qui ne vécurent pas, Liévin Prévost II eut cinq fils, dont les vocations représentent bien les différentes aspirations de la famille. L'aîné, Norbert, devint Jésuite, mais ne resta pas dans l'ordre*[3] *et termina ses jours chanoine à la cathédrale de Cambrai. Le plus jeune, Bernard-Joseph, fut prémontré, puis abbé de Blanchelande. Deux autres fils furent magistrats. L'un, Jérôme-Pierre, avocat, conseiller du Roi en ses conseils, exerça, comme on l'a dit, la charge de lieutenant civil et criminel ; l'autre, Louis-Eustache, devint aussi conseiller du Roi et maître des eaux et forêts, mais non sans avoir été d'abord officier.*

Antoine-François, le futur « abbé Prévost », second des cinq garçons, poussa plus loin ses hésitations qu'aucun de ses frères. Ses allées et venues entre la profession ecclésiastique et le métier des armes, quoique moins surprenantes à l'époque que de nos jours, n'en furent pas moins si fameuses qu'un académicien de la fin du siècle, Gaillard, lui appliqua ce vers de Voltaire à propos de frère Ange de Joyeuse :

Il prit, quitta, reprit la cuirasse et la haire[4].

---

1. Voir sur tout ceci Harrisse, pp. 83-89, qui donne les références et les documents.

2. Ainsi s'explique la demi-erreur de Bois-Jourdain, relevée sévèrement par Harrisse, p. 198 : « Prévost est fils de lieutenant de Roi à Hesdin ». La brève biographie de Bois-Jourdain, si on la date, comme on doit le faire, de 1734 au lieu de 1737, paraîtra au demeurant remarquablement informée. Voir ci-après, p. XLIV, note 2.

3. Cf. ci-après, p. XIX et note 2.

4. Cité par Harrisse (*l'Abbé Prévost*, p. 96), ce vers se trouve dans *la Henriade*, chant IV, vers 24 (édit. de Kehl, t. X, p. 92). On le trouve déjà appliqué par Chevrier au P. Norbert, sous la forme suivante :

Le détail de ces vocations n'est pas connu. Les différentes versions qu'on en donne ne s'accordent guère. Les recherches d'archives, qui seules permettront de faire la lumière, ne donnent encore que des résultats fragmentaires. Enfin, Harrisse, en présentant comme « tirées des archives des RR. PP. *Jésuites » des informations provenant en fait de compilations peu sûres*[1], *a si bien embrouillé les choses qu'on en arrive à parler, non plus de deux, mais de* trois *noviciats chez les Jésuites et de* trois *engagements dans l'armée ! Voici ce que l'on peut avancer de moins incertain.*

Ce n'est, dit-on[2], *qu'à la mort de sa mère, survenue le 28 août 1711, que son père, qui jusque-là aurait pris soin de l'éducation de son fils, le mit au collège des Jésuites d'*Hesdin. *Déjà, cette façon de présenter les études du jeune homme, fondée sur une phrase ambiguë de* Harrisse[3], *ne résiste guère à l'examen. Il serait surprenant que* Liévin Prévost, *père de cinq garçons d'âge varié, eût pris sur lui la charge de leur éducation, alors qu'il existait à quelques centaines de mètres de chez lui un collège de Jésuites renommé*[4]. *Dom Dupuis, le premier biographe de Prévost, auquel renvoie* Harrisse, *dit seulement que ce père de famille « présida » à l'éducation de ses enfants, et que l'abbé fit « sous les*

« Vicieux, pénitent, vagabond, solitaire, / Il a quitté deux fois la besace et la haire. » (*Le Colporteur*, à Londre, chez Jean Nourse, l'an de la vérité, p. 33.)

1. Suivant toute apparence, le P. de Rochemonteix, allégué comme source par Harrisse, lui communiqua les renseignements tirés des fichiers concernant les anciens Jésuites, qui existent d'ailleurs toujours. Mais ces fichiers, établis au XIXe siècle, acceptent sans contrôle les renseignements fournis par les divers biographes, Feller par exemple. Les seuls documents authentiques connus du P. Rochemonteix seront cités plus loin *in extenso*. Ils sont relatifs à l'année 1717. Le P. de Rochemonteix a implicitement démenti les indications données par Harrisse dans une communication adressée au chanoine Froger, et dont celui-ci résuma la teneur dans un article, *l'Auteur de « Manon Lescaut » au Maine*, paru dans les *Annales fléchoises*, 1906, p. 19.

2. Paul Vernière, dans son édition de *Manon Lescaut*, Bibliothèque de Cluny, p. 9, H. Roddier, *l'Abbé Prévost, l'Homme et l'Œuvre*, p. 9, etc.

3. « C'est au collège des Jésuites d'Hesdin que Prévost fit ses humanités y compris deux années de philosophie, de 1711 à 1713. » Cette phrase est placée sous la rubrique « 1711-1713 ».

4. Ce collège abrite de nos jours l'hôpital d'Hesdin, mais les bâtiments actuels ne remontent qu'à 1734.

yeux de son père » ses humanités au collège d'Hesdin[1]. *Un passage des* Mémoires d'un Homme de qualité, *qui semble autobiographique, confirme exactement la version de Dom Dupuis*[2]. *Quant aux « deux années de philosophie » à Hesdin, universellement attribuées à Prévost, sur la foi de Harrisse, elles n'ont jamais existé. Le contrat de fondation du collège stipulait que les Jésuites instruiraient les enfants « jusques à la rhétorique inclusivement et pour les rendre capables d'entrer en la Philosophie ès universités*[3] ». *Le collège comprenait en conséquence cinq classes comprenant l'enseignement du latin et du grec. Les élèves qui avaient accompli ces cinq années d'études pouvaient ensuite suivre les cours de l'Université de Douai; mais l'état de guerre rendit la chose impossible pendant les années 1711-1712. Enfin, un document qui sera reproduit plus loin*[4] *atteste qu'en 1717, alors qu'il était à La Flèche, Prévost était considéré comme ayant fait deux ans de rhétorique, mais pas de philosophie.*

Que fit le jeune homme à la fin de ses études à Hesdin ? Il s'en est expliqué en des termes assez obscurs, dans la fameuse apologie du Pour et Contre, *qu'il écrivit plus tard pour répondre aux attaques de Lenglet-Dufresnoy :*

Il est vrai que me destinant au service, après avoir été quelques mois chez les RR. PP. Jésuites que je quittai à l'âge de seize ans, j'ai porté les armes dans différents emplois, d'abord en qualité de volontaire, dans un temps où les emplois étaient très rares (c'était la fin de la dernière

---

1. *Abrégé de la vie de M. l'abbé Prévost*, pp. v et vi, en tête des *Pensées de M. l'abbé Prévost*, Amsterdam, 1764, auquel nous serons amenés nous-mêmes à nous référer souvent.

2. « On nous élevait avec une attention incroyable; mon père s'appliquait lui-même à nous former l'esprit et le sentiment. J'allais en classe chez les Pères Jésuites, mais il ne se reposait pas tellement sur eux de mon instruction, qu'il ne veillât sur mon travail. » (Édit. des *Œuvres choisies*, 1810, t. I, p. 20.)

3. Cité par P. Delattre, *les Établissements des Jésuites en France*, p. 818, colonne *b*. A noter que le collège ne comprenait pas de professeur de philosophie, ainsi que l'attestent les catalogues des Jésuites.

4. P. XIX, note 4. C'est le R. P. Hugues Beylard qui a attiré notre attention sur ce document important, dont le R. P. Dehergne nous a communiqué le texte intégral.

guerre), et dans l'espérance commune à une infinité de jeunes gens d'être avancé aux premières occasions [1].

Si l'on en croyait Harrisse, Prévost serait entré en septembre 1713, soit à l'âge requis de seize ans, au noviciat des Jésuites à Paris. Il y serait resté deux ans, aurait été envoyé au collège de La Flèche, l'aurait quitté en 1716 pour s'engager. L'expression « la fin de la dernière guerre » désignerait la situation de l'Europe à la veille de la conclusion de la Triple-Alliance, et Prévost aurait eu ainsi dix-neuf ans, et non seize, lors de son engagement comme volontaire dans l'armée [2]. Cette version des faits est insoutenable. Non seulement Prévost ne figure pas sur les registres de la Compagnie de Jésus à cette époque, mais on ne trouve même pas son nom parmi ceux des novices renvoyés (dimissi) *: ceci n'exclut pas absolument qu'il ait passé quelques mois au noviciat — les registres d'admission*, ingressus novitiorum, *manquent — mais rend impossible qu'il y ait fait même une année scolaire. En outre, ainsi que l'a remarqué* H. Roddier [3], *une mention manuscrite dans l'exemplaire du* Pour et Contre *ayant appartenu à Prévost* [4] *précise qu'il s'est engagé* avant *seize ans, ce qui rend très improbable une erreur de trois ans. Enfin les mots « la fin de la dernière guerre » ne peuvent s'appliquer à une période de paix comme le furent les années 1716-1717, pendant lesquelles d'hypothétiques volontaires auraient eu de la peine à trouver la moindre « occasion » de « s'avancer ».*

C'est donc pendant la guerre de la Succession d'Espagne, terminée en 1713 par la paix d'Utrecht, que Prévost aurait servi pour la première fois. Mais s'engagea-t-il dans l'armée de Villars, qui menait à une dizaine de lieues d'Hesdin la campagne couronnée,

1. Feuille XLVII, rédigée vers mai-juin 1734 (t. IV, pp. 32-48). Le texte complet de cet important document est reproduit dans l'*Appendice* avec les variantes manuscrites dont il va être question
2. *Ouvr. cit.*, p. 93.
3. *Ouvr. cit.*, p. 10.
4. Sur cet exemplaire du *Pour et Contre* conservé à la Bibliothèque Municipale de Lyon, voyez F. Deloffre, *Un morceau de critique en quête d'auteur, le jugement du « Pour et Contre » sur « Manon Lescaut »*, dans la *Revue des Sciences Humaines*, 1962, p. 205.

le 24 juillet 1712, par la victoire de Denain[1]*, ou dans celle de Berwick, ainsi que le conjecture ingénieusement Jean Sgard, c'est ce que l'on ne peut encore décider. Reste d'ailleurs à expliquer, si l'on admet la date de 1712 ou 1713 pour l'engagement volontaire, ce que signifie l'expression « après avoir été quelques mois chez les* RR. PP. *Jésuites ». A cet âge*[2]*, et à Hesdin, il ne peut être question d'un véritable noviciat. Quoique l'expression « quelques mois » puisse désigner pour Prévost une période d'un ou deux ans*[3]*, il ne semble pas non plus vouloir dire qu'il a simplement fréquenté, en simple externe, le collège des Jésuites. Resterait une explication*[4]*. En 1697, la bienfaitrice d'Hesdin, M*[me]* de Limart, avait fondé dans le refuge de l'abbaye de Dommartin un petit séminaire, dit « de la Sainte Famille », destiné à former une douzaine de jeunes gens voués au sacerdoce, et qui suivaient les cours des pères jésuites du collège*[5]*. Prévost aurait-il été le pensionnaire de cet établissement ? L'hypothèse n'est pas dénuée de vraisemblance, mais on ne peut en dire davantage pour le moment.*

Cet engagement comme volontaire devait apparemment prendre fin avec la paix d'Utrecht (avril 1713). C'est peut-être à la rentrée scolaire suivante que Prévost fit au collège d'Harcourt[6]

1. De nombreux témoignages attestent avec quelle attention passionnée furent suivies localement les opérations du printemps et de l'été 1712. Voir plus loin, p. XXII, une explication de l'engagement de Prévost qui ne nous paraît pas convenir à cette époque. Il n'existe guère non plus de confirmation à la thèse d'H. Roddier (p. 10) suivant laquelle une « première mésaventure amoureuse » expliquerait cette vocation militaire précoce.

2. En principe, les Jésuites n'admettaient pas au noviciat les jeunes gens de moins de seize ans.

3. Voir ci-après, p. LXI.

4. Elle nous a été communiquée, à titre d'hypothèse, par M. Jean Sgard.

5. Sur cette fondation, et sur les rapports entre cet internat et le collège des Jésuites, qui ne fonctionne que comme externat, voir l'ouvrage du P. Delattre, *les Établissements des Jésuites en France*, p. 820, colonne *b* (HESDIN).

6. Harrisse, qui croit que Prévost est alors au noviciat chez les Jésuites, place cette rhétorique au collège Louis-le-Grand, tenu par les Jésuites. Le fait que Dom Dupuis précise qu'elle eut lieu à Harcourt confirme, au contraire, que Prévost *n'était pas* chez les Jésuites. Voyez la note suivante.

une seconde année de rhétorique attestée par Dom Dupuis[1]. *La coutume de redoubler une année de rhétorique dans les grands collèges parisiens lorsque la première année avait été faite en province explique assez ce fait. Au reste, si le jeune homme s'était engagé au printemps de 1712, cette première année avait dû être écourtée. Que devint-il jusqu'à son entrée chez les jésuites, le 11 mars 1717? On ne le sait*[2]. *Ce qui est assuré, c'est que les Jésuites, qui n'avaient pas « perdu de vue » leur ancien élève*[3], *le reçurent au noviciat, installé à Paris, rue du Pot-de-Fer, à la date que nous venons de citer, puis l'envoyèrent après les six mois de probation faire sa philosophie au collège de La Flèche. C'est là qu'il se trouve à la rentrée d'octobre 1717 comme élève de logique, première année du cours de philosophie*[4]. *Il est considéré par ses*

---

1. *Abrégé de la vie de M. l'abbé Prévost*, p. VI. Dom Dupuis place l'entrée au noviciat au sortir de cette année de rhétorique.

2. La version de Harrisse (noviciat de 1711 à 1713, une année de philosophie à La Flèche de 1715 à 1716, disparition de La Flèche en 1716 et engagement comme volontaire) est en contradiction absolue avec les indications fournies par les catalogues des Jésuites, qui ne citent pas Antoine-François avant 1717, pas plus que les listes de *dimissi*, consultées pour nous par le R. P. Dehergne, quoiqu'ils contiennent tous les renseignements sur son frère, Liévin-Norbert, entré au noviciat de Paris le 8 septembre 1712, y passant deux années de probation (1712-1713 et 1713-1714), envoyé comme professeur à Alençon (1714-1717), puis à Arras (1717-1720), etc. Ces derniers renseignements seuls sont connus de Harrisse (*ouvr. cit.*, p. 333), à qui ils avaient été communiqués par les PP. de Rochemonteix et Sommervogel.

3. La formule est de Dom Dupuis, p. VI.

4. Ces renseignements sont tirés de deux documents conservés aux archives de la Congrégation à Rome, mais dont une reproduction photographique existe aux archives de la province de France à Lille, et qui nous ont été obligeamment communiqués par les PP. H. Beylard et Dehergne. Le premier est le *catalogus brevis* (catalogue annuel) *exeunte* 1717 (année scolaire 1717-1718), cote romaine Francia 25-II, f° 425, v°, où l'on trouve, pour le collège de La Flèche, parmi les *logici... professores non sacerdotes,* sous le numéro 14, « Antonius Prevost. Hesdinus. Vis. Prec. » (Le *vis*[*itator*] *prec*[*ationis*] est chargé du contrôle de la prière du matin; Prevost, élève de philosophie, enseigne en outre les lettres dans une petite classe.) Le second document, le plus important, est constitué par le catalogue triennal dressé en 1717, cote romaine Francia 18, f° 243, v°, qui contient, pour La Flèche, sous le numéro 48, la notice suivante sur l'abbé Prévost :

maîtres comme un excellent humaniste, d'un esprit et d'un jugement supérieurs, aux talents variés, à la santé robuste et au tempérament modéré[1]. *Quoique le nom de* La Flèche, *quinze ans plus tard, lui semblât devoir rester « toujours cher à sa mémoire*[2] », *Prévost n'y demeura guère : pas plus d'une année scolaire*[3]. *Selon Dom Dupuis, apparemment bien renseigné sur cette période, il serait « resté à Paris pour y faire sa philosophie », entendons sans doute la seconde année :*

Maître en quelque sorte de lui-même, il donna dans quelques petits écarts de jeunesse, qui n'avaient d'autre source que son inexpérience et la vivacité de son imagination. Dès que la réflexion eût dissipé le prestige, il revint à lui-même. Les Jésuites lui tendirent les bras, et le reçurent une seconde fois au noviciat : exemple rare dans cette société, et qui prouve la droiture et les talents que cette société pénétrante avait découverts dans ce jeune homme[4].

NOMEN	PATRIA	AETAS	VIRES	TEMPUS ADMISSIONIS	TEMPUS STUDIORUM	TEMPUS MINISTERIORUM	GRADUS IN LITERIS	GRADUS IN SOCIETATE
Ant. Franc. Prevost	Hesdinaeus	natus 1. april 1697	firmae	11 mart. 1717	Rhetor. 2	o	o	o

1. Voici le texte de l'appréciation sur Prévost envoyée à Rome par ses maîtres de La Flèche : *Ingenium et judicium optimum ; profectus in literis humanis multus ; talentum ad multa, uti creditur ; complexio temperata ; vires optimae.* Cette notice fut communiquée par le P. de Rochemonteix au chanoine Louis Froger dans une lettre du 4 décembre 1905, dans laquelle il donnait également la date du 11 mars 1717 comme celle où Prévost fut « admis dans la Compagnie de Jésus » (L. Froger, *l'Auteur de « Manon Lescaut » au Maine,* dans les *Annales fléchoises,* 1906, p. 19). L'appréciation relative à Prévost apparaît bien plus favorable encore quand on la compare à celle qui fut communiquée dans les mêmes conditions sur son frère Norbert : « *Ingenium* (nous corrigeons le texte de Harrisse, qui porte *judicium*) *mediocre, judicium dubium ; curiosus rerum non suarum, profectus in literis mediocris, quia vacat rebus non suis ; habet tamen talentum, si docilis fuisset et non dissipatus* » (cité par Harrisse, pp. 333-334).

2. *Le Pour et le Contre,* t. IV, p. 38.

3. Il ne figure plus dans le *catalogue bref* de l'année suivante.

4. *Ouvr. cit.,* p. VII.

Cette seconde tentative de noviciat eut-elle lieu en 1719, comme le dit Harrisse *? C'est possible, mais les catalogues ne le confirment pas. On ne peut davantage fixer les dates du second passage de Prévost à l'armée, sur lequel il s'exprime ainsi, dans le passage de son apologie qui suit celui qui a été cité plus haut*[1] *:*

Je me lassai pourtant d'attendre [*i. e.* une « occasion de s'avancer », lors du premier engagement dans l'armée], et je retournai chez les Pères Jésuites, d'où je sortis quelque temps après pour reprendre le métier des armes avec plus de distinction et d'agrément[2].

On croit comprendre que, cette fois, Prévost est devenu officier, peut-être avec le concours de sa famille, qui lui aurait permis d'acheter une commission[3]. *Dans ce cas, il aurait pu profiter de l'occasion fournie par la guerre avec l'Espagne en 1719*[4]. *Le* Nouveau Dictionnaire historique, *dont l'auteur, déjà cité, semble bien renseigné sur Prévost*[5], *parle de quelques années passées « dans les plaisirs de la vie voluptueuse d'un officier*[6] *». Ce que l'on ignore, une fois de plus, c'est quand il faut placer un séjour en Hollande. Dom Dupuis, muet sur les activités militaires de Prévost, semble plus à l'aise pour parler de ce voyage :*

Cette seconde vocation[7] ne fut pas plus heureuse. Craignant, sur son inconstance, les remontrances d'un père tendre, mais rigide, il ne retourna point à la maison pater-

---

1. Ci-dessus, p. XVII.
2. *Pour et Contre,* t. IV, p. 38.
3. Cela pourrait être confirmé par une lettre du pasteur Dumont, qui, ayant recueilli ses confidences, parlait de lui le 30 novembre 1728 à un correspondant comme d' « un homme de naissance, qui, ayant fait ses études, ne s'accommodait point du métier des armes que ses parents l'engagèrent d'embrasser ». L'expression « ayant fait ses études » semble reporter à 1718 ou 1719 plutôt qu'à la période du premier engagement. Sur la lettre de Dumont, voyez p. XLV.
4. L'hypothèse est de H. Roddier, *ouvr. cit.*, p. 12. Notez qu'il est deux fois question de cette expédition, dans les *Aventures de Pomponius* (ci-après, p. XXVII). Ainsi : « [le Régent] récompensa les officiers qui l'avaient le mieux servi avec du papier qui en ce temps-là était l'argent du pays » (éd. orig. 1724, p. 184).
5. Voir ci-dessus, p. VII, note 3, et ci-après, p. CLXXI, note 3.
6. Article *Prévost.*
7. Le second noviciat chez les Jésuites. Le passage cité ici fait immédiatement suite à celui qui l'a été ci-dessus, p. XX.

nelle. Il s'associa pour voyager avec un ami, qui fournissait à la plus grande partie des frais. Il passa en Hollande. L'heureuse physionomie dont la nature l'avait favorisé, la douceur de son caractère, le progrès qu'il avait fait dans les belles-lettres[1], lui ouvrirent la porte des meilleures maisons. Il s'y distingua même par plusieurs productions d'esprit, soit en vers, soit en prose. Cette absence a donné lieu de l'accuser de bien des légèretés qui, fussent-elles réelles, ne déshonoreraient point à cet âge ni son cœur ni son esprit[2].

Un article d'un nouvelliste permettrait peut-être de concilier ces deux versions en faisant de l'épisode hollandais une fuite consécutive à une désertion[3]*, mais on ne saurait lui accorder un grand crédit. Que Prévost y ait épousé deux femmes, comme l'avance Voisenon dans un ouvrage peu digne de foi*[4]*, relève de la légende. Quant aux productions en vers et en prose remontant à cette époque, on est tenté d'en chercher la trace dans les périodiques hollandais du temps, mais aucun article n'est signé de Prévost dans les recueils de la* Bibliothèque ancienne et moderne *ou du* Journal littéraire *de la Haye. Des surprises restent possibles.*

---

1. Cette formule rappelle l'appréciation des Jésuites sur Prévost, au temps de ses études à La Flèche : *profectus in literis humanis multus* (voyez p. XX, note 1).

2. *Ouvrage cité,* pp. VII-VIII.

3. « ...il entre dans l'ordre des Jésuites à quinze ans, s'en repent six mois après, les quitte; la même inconstance le ramène à eux à l'âge de seize ans, mais il est refusé. Il entreprend d'aller en demander l'ordre à Rome, au général; tombe malade en chemin; son argent consommé, se met à l'hôpital, reçoit des secours d'un officier qui prétend les avoir donnés pour son engagement, et le fait marcher. Indigné de ce procédé, il passe en Hollande. La paix est faite et le Roi mort, Monsieur le duc d'Orléans étant régent, il écrit et demande à jouir de l'amnistie et à se réconcilier avec les Jésuites, obtient tout, revient à Paris, rentre à la société, et commence son noviciat... » (13 juillet 1733, dans la *Revue rétrospective,* 2e série, t. V, pp. 410-412.)

4. Il s'agit d'un recueil d'*Anecdotes littéraires, historiques et critiques, sur les auteurs les plus connus,* dans lequel Voisenon sacrifie surtout au goût de l'épigramme. Ici : « l'Abbé Prévost... deux fois Jésuite et deux fois militaire. Il demeura quelque temps en Hollande, où l'on prétend qu'il épousa deux femmes. Il les abandonna, revint en France, et se fit Bénédictin de la Congrégation de Saint-Maur. » (*Œuvres complètes,* Paris, 1781, t. IV, p. 95, mentionné par Harrisse, p. 98.)

Cependant si l'on en juge par un morceau que l'on a supposé pouvoir dater de cette époque, un quatrain d'octosyllabes dans lequel la vue des marchands d'Amsterdam aurait renouvelé une inspiration toute horatienne [1], *il est douteux que l'on trouve dans ces écrits la moindre confidence autobiographique.*

Ainsi, les recherches attentives auxquelles on a pu se livrer jusqu'ici sur l'adolescence de Prévost n'en donnent qu'une image incertaine. Son propre récit des événements est trop vague, celui de Dom Dupuis trop charitable, ceux des nouvellistes postérieurs trop mal informés et trop malveillants pour satisfaire. Quant à Harrisse, ordinairement si scrupuleux, il semble qu'il se soit ici complètement fourvoyé et qu'il ait fourvoyé après lui tous ceux qui se sont fiés à lui. Il apparaît pourtant que, si l'on peut parler d'une période instable, déchirée entre plusieurs vocations, trouble assurément, rien ne permet de dire que Prévost ait déjà rencontré ces orages du cœur dont sa vie et son œuvre vont désormais donner tant d'exemples.

La première crise vraiment grave, celle qui marque la fin de sa jeunesse, lui-même la raconte dans des termes d'une élégante mélancolie :

Quelques années se passèrent. Vif et sensible au plaisir, j'avouerai, dans les termes de M. de Cambrai, que la sagesse demande bien des précautions qui m'échappèrent. Je laisse à juger quels devaient être, depuis l'âge de vingt jusqu'à vingt-cinq ans, le cœur et les sentiments d'un homme qui a composé le *Cleveland* à trente-cinq ou trente-six. La malheureuse fin d'un engagement trop tendre me conduisit au *tombeau :* c'est le nom que je donne à l'ordre respectable où j'allai m'ensevelir, et où je demeurai quelque temps si bien mort, que mes parents et mes amis ignorèrent ce que j'étais devenu[2].

---

1. Voici ce quatrain, inséré dans *le Pour et Contre*, tome IV, p. 8, feuille XLVI, et cité par H. Roddier, p. 12 :

> Du marchand l'espérance avide
> Pénètre au bout de l'Univers.
> L'avare intérêt qui le guide
> Le rassure au milieu des mers.

2. *Pour et Contre,* t. IV, p. 38, à la suite du passage cité p. xxi.

Le ton remarquable de cette confidence ne pouvait manquer de retenir l'attention. On en rapproche une lettre écrite par Prévost à l'un de ses frères quelque temps après sa profession :

Je connais la faiblesse de mon cœur, et je sens de quelle importance il est pour son repos de ne point m'appliquer à des sciences stériles, qui le laisseraient dans la sécheresse et dans la langueur : il faut, si je veux être heureux dans la religion, que je conserve dans toute sa force l'impression de grâce qui m'y a amené. Il faut que je veille sans cesse à éloigner tout ce qui pourrait l'affaiblir. Je n'aperçois que trop tous les jours de quoi je redeviendrais capable, si je perdais un moment de vue la grande règle, ou même si je regardais avec la moindre complaisance certaines images qui ne se présentent que trop souvent à mon esprit, et qui n'auraient encore que trop de force pour me séduire, quoiqu'elles soient à demi effacées. Qu'on a de peine, mon cher frère, à reprendre un peu de vigueur, quand on s'est fait une habitude de sa faiblesse; et qu'il en coûte à combattre pour la victoire, quand on a trouvé longtemps de la douceur à se laisser vaincre[1].

On comprend qu'Harrisse, frappé de ce double aveu, et sachant que l'action de Manon Lescaut *se place vers les années 1719-1720, ait voulu trouver dans les aventures de Prévost, avant son entrée chez les Bénédictins de Saint-Maur, la trame de l'histoire du chevalier des Grieux et de Manon. Ce qui surprend, c'est le développement qu'il donne à cette hypothèse. Selon lui, Prévost serait rentré repentant de Hollande en 1719. Repoussé par les Jésuites, dégoûté du métier des armes, il aurait formé le projet d'entrer dans l'Ordre de Malte qui lui permettait de concilier sa double aspiration militaire et religieuse. Un jour, il se serait rendu à Amiens avec son ami « Tiberge » pour solliciter les conseils ou l'appui de M. Dargnies, grand pénitencier de l'évêque d'Amiens et son parent. C'est*

---

1. Lettre écrite de Saint-Ouen de Rouen, reproduite par Dom Dupuis, *Pensées de M. l'abbé Prévost, précédées de l'abrégé de sa vie*, pp. XIV-XVI, sans indication de source. Adressée sans doute à Liévin-Norbert, elle a pu être communiquée à Dom Dupuis par Bernard-Joseph, abbé de Blanchelande.

là qu'aurait eu lieu la rencontre de « Manon ». Il l'aurait enlevée, conduite à Paris. Un soir que son amant se trouvait à l'Hôtel de Transylvanie, elle se serait laissé séduire et l'aurait quitté. Il l'aurait retrouvée, la vie commune aurait repris pour quelque temps, mais le père de Prévost, alerté par quelque « M. de B. », serait venu rechercher son fils, et, par précaution, aurait fait arrêter et déporter Manon. Le jeune Prévost aurait échappé à la surveillance de son père, aurait suivi Manon sur la route de l'exil, jusqu'au jour où, près d'Yvetot, ses forces l'auraient trahi. Il se serait alors réfugié dans le couvent tout proche de Saint-Wandrille, dont les moines l'auraient secouru : « La malheureuse fin d'un engagement trop tendre me conduisit au tombeau...[1] »

Peu s'en faut que le bon Harrisse, à son tour, ne conduise l'abbé Prévost jusqu'à La Nouvelle Orléans. Il serait à peine besoin de dire que tout cela n'est que fiction si, on l'a vu[2], *certains critiques ne s'y étaient laissé prendre. Revenons aux faits. Vers octobre 1720 au plus tard*[3], *Prévost va chercher l'oubli du monde dans un couvent de Bénédictins, Saint-Wandrille ou plus probablement Jumièges. C'est à Jumièges, en tout cas, que s'écoula son noviciat et qu'il fit profession, le 9 novembre 1721, de rester fidèle à la règle de saint Benoît, dans la congrégation de Saint-Maur, la plus austère des congrégations bénédictines. Le texte autographe de cette profession a été retrouvé*[4], *et l'on y lit la signature attendue,* frater Antonius Fr. Prevost. *En revanche, le registre des moines*

---

1. Nous résumons fidèlement Harrisse, pp. 7-14.
2. Ci-dessus, p. XIII, note 2.
3. La date limite est le 8 novembre 1720, puisque Prévost fit profession le 9 novembre 1721, et que le temps minimum de noviciat fixé par les conciles est d'une année. H. Roddier (*op. cit.*, p. 13) place la demande d'admission chez les Bénédictins en 1719, immédiatement après la tentative de réintégration chez les Jésuites. Cette date, qui suppose un noviciat de plus de deux ans, paraît trop précoce.
4. Par E. Edmont, qui le découvrit à la Bibliothèque Municipale de Saint-Pol-sur-Ternoise et le publia, sous le titre *l'Abbé Prévost à l'abbaye de Jumièges* (1721), dans le *Bulletin des antiquaires de la Morinie*, 1893, t. IX, pp. 263-264. Il a été ensuite reproduit par Harrisse, pp. 105-106, et par V. Schroeder, *l'Abbé Prévost, sa vie et ses romans*, pp. 13-14. Ce document, contenu dans le *Liber continens professiones novitiorum*, ms. de l'abbaye de Jumièges, a disparu dans les déménagements de la bibliothèque de Saint-Pol pendant la dernière guerre.

profès de la Congrégation de Saint-Maur[1] *l'appelle* Le Prévost, *et le même nom se retrouve dans d'autres documents*[2]. *Peut-être ne faut-il pas accorder d'importance à ce détail, mais il pourrait aussi marquer le désir de Prévost de rompre avec le passé. Selon Dom Grenier, grâce à qui l'on possède quelques-uns des plus précieux documents conservés sur Prévost*[3], *son père, assistant à sa profession, aurait déclaré en présence de la communauté que,* « *s'il manquait de son vivant aux engagements qu'il était parfaitement libre de faire ou de ne pas faire, il le chercherait par toute la terre pour lui brûler la cervelle*[4] ». *Ce que Liévin Prévost ne pouvait savoir, c'est que son fils, s'il faut l'en croire lui-même, n'avait formulé ses vœux qu'avec* « *toutes les restrictions intérieures qui pouvaient l'autoriser à les rompre*[5] ».

La suite de la carrière ecclésiastique de l'abbé Prévost est, dans les grandes lignes, à peu près connue. A la sortie du noviciat, il passa à l'abbaye de Saint-Ouen, à Rouen, où il eut une polémique avec le P. Lebrun, Jésuite[6]. *De là, il fut envoyé à l'abbaye du*

---

1. Dans les trois manuscrits de la Bibliothèque Nationale signalés par Harrisse (p. 107), latin 12795, 12796, et 12597, sous les numéros matricules respectifs 5621, 5614 et 5620.

2. Dans la lettre du pasteur Dumont citée plus haut (p. XXI, n. 3), qui dit expressément : « Il était connu dans son ordre sous le nom de Dom Le Prévost, et il s'appelle de l'Islebourg, d'une bonne maison des Flandres »; comme signature de la lettre à Dom la Rue, son confrère à Saint-Germain (Harrisse, p. 164); dans la levée d'écrou découverte à Londres par Mysie Robertson (édition du t. V des *Mémoires d'un Homme de qualité,* Paris, 1934, p. 14). La substitution des prénoms Marc-Antoine à Antoine-François dans ce dernier document, l'adoption de divers pseudonymes (de l'Islebourg, d'Exiles), semblent témoigner d'une tendance analogue.

3. Les lettres du 18 octobre 1728 et du 10 novembre 1731. Voir l'*Appendice*, où elles sont reproduites.

4. Note de Dom Grenier, ms. de la Bibliothèque Nationale, collection de Picardie, vol. 103, folio 53, cité par Harrisse, p. 104.

5. Lettre à Dom Clément de la Rue, du 10 novembre 1731.

6. Dom Dupuis, qui raconte cette affaire, la fait remonter à l'année 1721 : « On apprend seulement par une lettre de M. l'abbé Prévost en 1721 que l'avantage lui resta, et que son imprimeur fut très fâché de ce qu'il lui avait retiré un manuscrit qui eût encore plus manifesté son triomphe » (p. XII). On ne voit donc pas pourquoi Harrisse date ce séjour à Saint-Ouen de « 1722-1723 ».

Bec, dans l'Eure, pour y étudier la théologie, dont le cours d'études durait habituellement trois ans. Il y fit la connaissance de Louis de Brancas, duc de Villars, qui s'y était retiré le 30 septembre 1721 dans le dessein d'y faire oublier une vie qui n'avait pas toujours été exemplaire[1]*. Selon une conjecture de Sainte-Beuve, c'est la retraite de ce grand seigneur qui aurait donné à Prévost l'idée de son « Homme de qualité retiré du monde ». Encore faut-il préciser que ce personnage ne ressemble guère à celui de Prévost, et que, comme il vivait encore au moment de la composition des* Mémoires d'un Homme de qualité, *il ne pouvait être question pour l'écrivain de peindre ses véritables aventures.*

Un problème plus important se pose ici. Suivant Dom Grenier, celui-ci aurait commencé « à faire connaître son goût pour les lettres par une pièce contre les amours du Régent », mais l'aurait lui-même supprimée avant que les supérieurs n'en fussent instruits, « par un quiproquo heureux pour son auteur et pour le corps dont il était[2] *». La description que donne Dom Grenier de l'ouvrage convient, à peu de chose près*[3]*, à un célèbre écrit satirique du temps,* les Avantures de Pomponius, chevalier romain, ou l'histoire de notre tems, *publié en 1724*[4]*, mais composé en 1722. Divers indices confirment, sinon que Prévost*

---

1. « Un grand seigneur avait quitté la cour pour se retirer dans cette solitude. Dom Prévost ne tarda point à mériter son estime et ses attentions. » (Dom Dupuis, pp. xii-xiii.) L'identification de ce « grand seigneur » se trouve dans les *Mémoires pour servir à l'histoire de l'abbaye du Bec*, cité par Harrisse, p. 109.

2. Note manuscrite, conservée à la Bibliothèque Nationale, collection de Picardie, vol. 103, folio 53, citée par Harrisse, p. 110.

3. *Les Aventures de Pomponius, chevalier romain,* traitent bien, entre autres choses, des amours du Régent, mais en les excusant. Par exemple : « L'amour fut son défaut, si cependant c'en est un : car il faut avouer que cette passion a quelque chose de si doux et de si naturel, qu'il n'est pas besoin d'être épicurien pour aimer : il suffit d'être homme » (p. 156). Le portrait du Régent est très favorable : « esprit vif, sublime, agissant, pénétrant et universel... » (p. 125). Ou encore, en des termes qui évoquent le portrait de des Grieux, dans l'Avis au Lecteur de *Manon Lescaut :* « On admira le progrès généreux que faisait ce prince dans tout ce qu'une fortune élevée a de brillant » (p. 200).

4. « A Rome, chez les héritiers de Ferrante de Pallavicini » (en fait, en Hollande), 1 volume de 14 + 224 p., 1724, in-12.

en fut le seul auteur, du moins qu'il participa à sa rédaction[1]. *Lui-même s'en vanta peut-être lorsqu'il crut pouvoir le faire. En effet, la Barre de Beaumarchais, qui connut Prévost pendant son séjour en Hollande, de 1730 au début de 1733, raconte que celui-ci, après avoir dû quitter l'Angleterre pour des raisons qui seront examinées plus loin*[2], *commença, dans son nouveau séjour, par « s'attribuer un ouvrage anonyme, dont l'auteur lui est peut-être inconnu. Il a vu imprimer ce livre pendant qu'il faisait son apprentissage de savant sous la direction d'un Père de l'Église*[3]. *» Cet ouvrage pourrait être le* Pomponius[4].

Sans doute sera-t-on surpris de voir le jeune profès qu'est alors Prévost présenter des moines le tableau sans illusion que voici :

---

1. On l'attribue ordinairement à Bernard Labadie, religieux de la Congrégation de Saint-Maur, qui mourut le 26 mai 1723 « après avoir demandé qu'on jetât tous ses écrits au feu » (Dom Tassin, *Histoire littéraire de la Congrégation de Saint-Maur*, p. 464, dans Harrisse, p. 111). Févret de Fontette, dans la *Bibliothèque historique de la France* (édit. de 1768, t. II, n° 25672, dans Harrisse, p. 111), dit que Prévost révisa et prépara l'ouvrage pour l'impression. C'est assez probable. L'attribution à Thémiseul de Sainte-Hiacinthe est niée par la *Bibliothèque française* d'Amsterdam de mars-avril 1726, p. 280 et p. 324. C. E. Jordan, dans son *Voyage littéraire*, cite comme auteur « D. F. D. P. ». Mais s'il pense à « Des Fontaines de Paris », il se trompe sans doute, car plusieurs indices montrent que l'ouvrage a été écrit par un bénédictin. La partie où l'on croit surtout reconnaître la collaboration de Prévost commence avec l'histoire des voyages de Pomponius (chap. VIII, p. 29 et suivantes de l'édition originale, à laquelle nous nous reporterons), inspirée, suivant Le Duchat, qui lui accorde une attention spéciale (*Ducatiana*, t. I, p. 206), d'*Endémie*, ouvrage satirique latin de Janus Nicius Erythreus, imprimé en 1644. La chronique et les pièces diverses qui terminent l'ouvrage sont, selon la *Bibliothèque française*, d'une autre main.

2. Pp. L-LIII.

3. *Lettres sérieuses et badines*, t. VIII, pp. 253-254. Nous remercions Jean Sgard qui a attiré notre attention sur cette suite, parue en 1740, des *Lettres sérieuses et badines*, dont la première série fut interrompue par décision de justice, en juillet 1733.

4. On peut aussi songer à la *Gallia Christiana*, à laquelle Prévost dit avoir collaboré dans le prospectus de *l'Histoire de Thou*. Mais les auteurs des t. IV (1728) et V (1731), auxquels Prévost pourrait prétendre avoir collaboré, lui seraient-ils inconnus ? Pourtant, un doute subsiste.

Il y en a qui n'ont que du ventre; d'autres ont des qualités pour lesquelles ils deviennent chers au beau sexe (...) ils vivent ensemble sans s'aimer, et meurent sans se regretter (...) ils ne croient pas qu'il y ait de Dieu, ils s'imaginent que les âmes meurent avec les corps; ils croient tout permis, et qu'il n'y a que le scandale de défendu (...) ils boivent tous du vin[1]....

Mais on trouverait difficilement dans son œuvre un passage favorable à la vie conventuelle[2]. *De même, on s'aperçoit que les Bénédictins malmenés dans le voyage de Pomponius sont ceux que Prévost n'aime pas. Le P. de Sainte-Marthe, accusé de partialité envers les écrivains qu'il étudie dans la* Gallia Christiana, *selon le degré de « stoïcisme », c'est-à-dire de jansénisme, dont il fait lui même extérieurement profession*[3], *est un adversaire de Dom Le Cerf de la Viéville, que l'on va trouver lié avec Prévost. Dom Martianay, autre adversaire de Le Cerf, se voit reprocher ici d'être un « épicurien caché », c'est-à-dire favorable aux Jésuites, et le même reproche est adressé au P. de Montfaucon, que Prévost critique sévèrement au livre III des* Mémoires d'un Homme de qualité[4]. *Au reste, le procédé du « catalogue des druides gaulois » expliqué par un guide aux visiteurs de la Bibliothèque de la Lune annonce la visite de l'Homme de qualité et de ses compagnons aux moines de l'Escurial, dont le caractère est à tour de rôle révélé aux voyageurs par le procureur du monastère de Saint-Laurent.*

Entre les « stoïciens » ou Jansénistes et les « épicuriens » ou

---

1. P. 68.

2. C'est ainsi qu'au cinquième livre des *Mémoires d'un Homme de qualité* (t. II, p. 394), il approuve les Anglais d'avoir transformé les couvents en institutions charitables : « Quel est l'homme de bon sens qui ne [les] préférât... à nos couvents et à nos monastères, où l'on ne sait que trop que la fainéantise et l'inutilité s'honorent quelquefois du nom de haine du monde et de contemplation des vérités célestes » (passage cité par H. Roddier, p. 28).

3. P. 127.

4. Édit. de 1810, t. II, pp. 89-95, cité par Harrisse, pp. 120-124. Noter que Prévost use discrètement, dans ce passage, du procédé de l'anagramme (Martin Bouquet devient *Quibetos,* par exemple), qui est constant dans *Pomponius,* où *Cipolang* est Polignac, *Remonituen* Tournemine, *Jusdob* Dubois, etc.

Jésuites, l'auteur du Pomponius *ne prend pas nettement position. Si leurs débats l'intéressent, c'est uniquement dans la mesure où ils touchent au problème moral*[1]. *Les complications de la « religion gauloise*[2] *» n'ont à ses yeux aucune importance. On est surpris en revanche, de la précision avec laquelle est tracée, dans l'ouvrage, le tableau de la Régence. A côté des portraits traditionnels dans ce genre d'ouvrage, les uns favorables*[3], *les autres franchement satiriques*[4], *il contient en effet, sur l'histoire de la Banque de Law et de la Compagnie du Mississippi, sur l'origine de la fortune du duc de La Force, sur la conspiration de Cellamare et l'expédition d'Espagne, sur un fait divers tel que l'exécution du comte de Horn, des détails qui révèlent un témoin intelligent et bien informé. Si l'on se demandait comment Prévost a pu si bien connaître le Paris de la Régence dont il fait le cadre de* Manon Lescaut, *c'est ici, avant tout, qu'il faudrait chercher la réponse.*

C'est pourtant dans le domaine des goûts et des idées que les rapprochements semblent s'imposer entre l'auteur des Avantures de Pomponius *et celui des* Mémoires d'un Homme de qualité *ou de* Cleveland. *L'expression, estime le premier, a dans un*

---

1. Voici comment est présentée la position des Jésuites sur le libre arbitre : « Ils abandonneront, dit Samar, le principe des stoïciens sur la force imaginaire du libre-arbitre [c'est-à-dire l'idée que le libre arbitre n'existe que dans l'imagination], mais ils ne s'en écarteront pas beaucoup, puisqu'ils admettront une volonté victorieuse dans les dieux pour les déterminer à suivre le bien et à éviter le mal, ce qui leur tient lieu de libre-arbitre » (p. 104). On verra que ce problème de la liberté morale restera essentiel pour Prévost (ci-après, pp. CXXV à CXXX).

2. « Quelque embrouillée que doive être la religion gauloise... » (P. 119.) Ni lors de sa conversion au protestantisme (ci-après, p. XLV), ni au moment de son retour à l'Église catholique (p. LXIX), les problèmes du dogme ne compteront pour Prévost.

3. Ceux du Régent, de sa fille l'abbesse de Chelles, d'Argenson, « un des plus éclairés magistrats de son temps », du duc de La Force, etc.

4. Par exemple ceux du cardinal de Rohan, du P. Tellier, du cardinal de Rohan, de Polignac, Dubois, etc. Noter que Voltaire est traité sévèrement pour ses *Philippiques,* mais d'une manière qui ne témoigne pas que l'auteur du *Pomponius* le connaisse : « Le Poëte fut puni par un rude exil, et peut-être qu'une main vengeresse éteindra un jour dans le sang cette ardeur de rimer » (p. 187).

ouvrage la prééminence sur le fond, comme le prouve l'exemple du Télémaque :

Je demande cependant autre chose que du bon sens dans un ouvrage. La *délicatesse des pensées, l'élégance et le tour des phrases,* le *choix dans les mots* sont des choses qui ne doivent pas être négligées, et qui seules sont souvent capables de soutenir un livre. *Télémaque* (...) n'aura pas en effet d'autre mérite, pèchera même contre la vérité de l'histoire. Il s'écartera d'Homère. En un mot il n'aura d'autre fondement que les idées creuses du prélat, mais ce roman sera bien écrit. L'auteur y fera briller son talent pour les romans. On y croira voir le portrait de quelques personnes de la cour. Il n'en faudra pas davantage pour lui donner la vogue; tous les autres ouvrages du druide de Cambrai seront avec le temps ensevelis dans un éternel oubli; son seul *Télémaque* rendra son nom immortel, et les amateurs des pièces fabuleuses souhaiteront que le prélat n'eût jamais écrit que des romans[1].

Il est piquant d'entendre un témoin raconter comment, en arrivant sept ou huit ans plus tard en Hollande, Prévost utilise la même argumentation pour tirer un bon prix de ses Mémoires d'un Homme de qualité *ou de son* Cleveland, *parlant de* tours neufs, *de* délicatesse d'expression, *d'un* certain art *de* fondre finement ses idées[2]. *Mais le libraire, selon le témoin, ne s'en rapporte pas à lui ; un lecteur est désigné, qui compte pour peu de chose « élégance, fleur de style, délicatesse », car le fond de l'ouvrage, estime-t-il, n'est pas assez « chargé de matières intéressantes ». Et le pauvre auteur est obligé de céder contre cinq ou six pistoles un ouvrage dont il en attendait vingt, pour n'avoir pas compris encore qu'aux yeux de ses contemporains, la traduction de l'*Histoire *de Messire Jacques de Thou serait plus estimée que* Manon Lescaut.

Mais les passages les plus précieux pour nous du Pomponius *sont ceux où l'auteur, abandonnant tout propos satirique ou dogma-*

---

1. P. 150.
2. *Lettres sérieuses et badines,* t. VIII, p. 258. On notera que, peu après, Prévost affectera de mépriser les ouvrages légers en entreprenant la traduction de l'*Histoire de M. de Thou.* Voyez p. LXIV et l'*Appendice.*

tique, livre ses goûts intimes, goût pour la lecture[1], *goût pour l'amour, surtout, qui s'exprime, comme entre des Grieux et Tiberge, par un dialogue contradictoire. L'amour procède de la nature, c'est donc être sage, selon Pison, « que de suivre le penchant de la nature*[2] *». Priscus a beau objecter que seul un « amour bien réglé » peut être utile, et qu'il n'y a rien de plus nuisible que cet amour, « pour peu qu'il prenne le large », on sent que l'auteur est avec Pison :*

> L'amour est si essentiel à la divinité, qu'ôtez l'amour, et il n'y a plus de dieux (...) Ainsi, aimer, être aimé, selon moi doit faire toute la béatitude de l'homme[3].

Ou pour trouver une autre forme de cette apologie dialectique : il est vrai que l'amour est « un esclavage[4] *», que l'amour et la liberté sont « diamétralement opposés » ; mais, il n'en reste pas moins que « c'est aimer les dieux que d'aimer ce qui leur ressemble ».*

> J'ai cru que c'était la marque d'un esprit bien fait que d'aimer ce qui est aimable (...) pourquoi les dieux ont-ils fait la beauté, si ce n'est pour tracer un crayon de leur image ? c'est aimer les dieux que d'aimer ce qui leur ressemble[5].

---

1. « Quelque penchant que j'aie pour l'amour, rien ne me charme tant que la vue d'une belle bibliothèque. Quand je vois un livre, je suis dans mon élément. « (P. 141.) On reconnaît des Grieux cherchant à se consoler de la perte de Manon par une « bibliothèque composée de livres bien choisis », Cleveland s'échappant des bras de Fanny pour lire en paix, et Prévost lui-même, évoquant le temps, peu éloigné de celui-ci, où ses livres mêmes « étaient morts pour lui » (voir ci-après, p. XL).
2. P. 147.
3. P. 143, ainsi que la citation précédente.
4. L'expression *esclave de l'amour* est caractéristique. Elle est si bien suggérée par l'Avis au Lecteur de *Manon Lescaut* qu'elle vient sous la plume du critique qui en rend compte (voir p. CLXIV). Et Prévost lui-même en fait l'usage *(Pensées de M. l'abbé Prévost*, p. 101).
5. Page 93, ainsi que les deux citations qui précèdent. On se rappelle, dans *Manon Lescaut*, la formule de des Grieux parlant de Manon comme d'une « figure capable de ramener l'univers à l'idolâtrie » (p. 178).

Un peu plus tard, en 1725 ou 1726, c'est encore à propos de littérature que Prévost marque son passage à l'abbaye de Fécamp : il y servit d'intermédiaire entre Dom Le Cerf de la Viéville, à qui ses supérieurs refusaient l'autorisation de publier sa Bibliothèque historique et critique de la Congrégation de Saint-Maur, *et le libraire hollandais Jean Le Clerc*[1]. *Vers 1726, on l'envoya enseigner les humanités au collège de Saint-Germer, en Beauvaisis*[2], *où il professa, dit-on, « avec applaudissement*[3] ». *C'est peut-être aussi à Saint-Germer qu'il fut ordonné prêtre par Mgr Sabbatier, évêque d'Amiens, venu sans doute en voisin*[4]. *Puis, comme la ville d'Évreux demandait aux Bénédictins un prédicateur, Prévost y fut envoyé. Malgré son succès*[5], *cette nouvelle mission ne le retint guère*[6] *: peut-être un carême, moins d'un an en tout cas, puisqu'on doit encore tenir compte d'un autre séjour aux environs de Sées, non loin d'Alençon, pendant lequel, selon Prévost lui-même, il aurait travaillé à la*

1. D'après Dom Tassin, *Histoire littéraire de la Congrégation de Saint-Maur*, p. 646, cité par Harrisse, p. 112. L'ouvrage fut imprimé à La Haye en 1726 (Harrisse, *Vie monastique de l'abbé Prévost*, p. 27).

2. Dom Dupuis, p. xiii; Bois-Jourdain, *Mélanges historiques, satiriques et anecdotiques*, Paris, 1807, t. III, pp. 149-152.

3. Dom Grenier, cité par Harrisse, p. 113.

4. Dom Dupuis, p. xvi. Une lettre conservée à la Bibliothèque Municipale d'Amiens et adressée à Firmin Gontier, chanoine de Chartres, est signée « Prévost prêtre ». Si elle était de notre abbé, elle prouverait qu'à cette date (novembre 1724) il était déjà consacré. En fait, une étude de l'écriture nous a montré qu'elle n'était pas de l'auteur de *Manon Lescaut*, dont la main est plus ferme, plus simple et plus élégante. Il n'y a donc pas à en tenir compte. En revanche, au tome II des *Mémoires d'un Homme de qualité*, un religieux, dont l'histoire rappelle celle de l'abbé Prévost, se plaint de ses supérieurs qui retardent le moment de lui conférer la prêtrise (voir ci-après, p. xlvii, note 1). Sur le fait que Prévost était prêtre du diocèse de Rouen et non d'Amiens, voyez p. xlii, note 3.

5. Meunier de Querlon, éditeur de la continuation de l'*Histoire des Voyages*, 1768, dit, dans une notice sur Prévost (t. XVIII, p. xxx), que « quelques particuliers d'Évreux (...) se souviennent encore de l'onction, de la force, du vrai pathétique qu'il mettait dans tous ses discours ».

6. Dom Dupuis, p. xiii.

traduction de l'Histoire du Président de Thou, sous la direction de M. de Monguillon [1].

Après une longue attente, Prévost fut appelé à Paris. Sa première résidence fut le monastère bénédictin des Blancs-Manteaux, d'où il passa bientôt, soit à la fin de 1727, soit au début de 1728, dans la célèbre abbaye bénédictine de Saint-Germain des Prés [2]. *Prêcha-t-il pendant cette période ? Ce n'est pas impossible* [3]. *Mais il est sûr qu'il collabora avec deux autres bénédictins à la rédaction du tome V de la* Gallia Christiana, *et qu'il touchait pour ce travail*

---

1. Voir le *Projet d'une nouvelle traduction de l'Histoire de M. de Thou, qui s'imprime actuellement chez Gosse et Neaulme,* dans le *Journal littéraire* de La Haye, t. XVII, pp. 256-257. L'établissement bénédictin de Sées était l'abbaye de Saint-Martin qui comprenait « un abbé régulier et une nombreuse communauté » (Thomas Corneille, *Dictionnaire géographique,* tome III, p. 427).

2. Dom Dupuis, p. XIII, et, pour les dates, Harrisse, pp. 115-117. Le monastère des Blancs-Manteaux avait été cédé aux Bénédictins en 1618. Son nom lui venait du temps (jusqu'à la fin du XIIIe siècle) où il avait été occupé par des religieux mendiants observant la règle de saint Augustin (Harrisse, *la Vie monastique de l'abbé Prévost,* p. 28).

3. Deux documents semblent l'attester. L'un est une anecdote rapportée par Bois-Jourdain sous le titre de *Conte sur l'aventure de l'abbé Prévost qui quitta son sermon, prêchant aux Quinze-Vingts, parce qu'il fut interrompu par des coups de sifflet :* le siffleur était un merle venu des jardins de l'hospice (*Mélanges historiques, satiriques et anecdotiques,* Paris, 1807, t. III, p. 135). Harrisse, qui cite cette anecdote, a tort de lui dénier toute valeur sous prétexte qu'elle est datée de 1740, époque à laquelle Prévost ne prêchait pas : nous avons déjà dit (p. XIV, note 2) que les dates attribuées par l'éditeur aux pièces de ce recueil sont fantaisistes, et qu'il n'y a pas lieu d'en tenir compte. Le second document est le récit d'un voyageur suisse, faisant partie d'une *Dissertation sur l'horaire des messes* insérée dans le *Mercure Suisse* de mai 1748. Il a été découvert et commenté par C. E. Engel (*le Véritable Abbé Prévost,* pp. 200-201). Pendant le carême, le voyageur, qui a entendu « parler avantageusement » de « l'abbé Prévost » se rend aux Quinze-Vingts et l'entend faire un sermon sur « le respect dû aux prêtres ». Mais il faut prendre garde que vers 1718 (date à laquelle renvoie le texte), quand on parle de « l'abbé Prévost », on pense à un prédicateur qui n'est pas Antoine Prévost, lequel ne se fit appeler ainsi qu'à son retour en France, en 1735. Dans les *Pièces libres de M. Ferrand,* à Londres, chez Godwin Harald, 1744, p. 148, alors qu'il est question des prédicateurs célèbres, « les *Mabouls*, les *du Jarys*, les *Anselmes*, les *Prévots* », une note précise à propos du dernier nom : « Celui-ci n'est pas l'auteur de *Manon Lescaut* ».

une pension annuelle de 600 livres[1]. *Selon Prévost lui-même, un visiteur de l'Ordre, se vantant d'avoir contribué à le faire venir à Paris, en donnait pour raison « qu'il y serait moins dangereux qu'ailleurs, et qu'il fallait tirer de lui tout ce qu'on pouvait du côté des sciences, puisqu'il serait contre la prudence de lui confier des emplois*[2] ».

En fait, le premier effet de la venue de Prévost à Paris fut, semble-t-il, de lui donner l'occasion d'exploiter ses talents littéraires. L'année précédente, il avait manqué de peu le premier prix de l'Académie de Marseille pour une Ode à la gloire de Saint François Xavier, apôtre des Indes. *Quoiqu'elle eût déjà été publiée*[3], *le* Mercure *de mai 1728 la réimprima sous le nom de « Dom Antoine Prévost, bénédictin de Saint-Germain-des-Prés »*[4], *attirant sur l'auteur l'attention du public. Entre temps, Prévost faisait remettre au Garde des Sceaux, le 15 février 1728, le manuscrit d'un roman intitulé provisoirement* les Aventures d'un Homme de qualité qui s'est retiré du monde, *pour lequel un privilège fut accordé le 16 avril. L'ouvrage parut, en deux volumes, vers le début de juillet*[5]. *Dès cette époque, Prévost travaillait aux deux volumes suivants, qui devaient obtenir l'approbation le 29 novembre de la même année 1728. Encouragé par le succès de la première livraison de son roman, aussi utile, dit*

---

1. Sur cette pension, voir ci-après, p. XLV. La part prise par Prévost dans la *Gallia Christiana* est discutée par Harrisse, pp. 118-119. Bois-Jourdain dit crûment qu'il « ne fit rien » et qu'il « était occupé » à faire les *Mémoires d'un Homme de qualité* (*ouvr. cit.*, t. III, pp. 149-152).

2. Lettre à Dom Thibault, du 18 octobre 1728 (reproduite dans l'*Appendice*).

3. Dans le *Recueil de plusieurs pièces présentées à l'Académie des Belles-Lettres de Marseille pour le prix de l'année M.DCC.XXVI*... Marseille, s. d., in-12 (découvert par Harrisse, *la Vie monastique*..., p. 32).

4. Avec la devise choisie par l'auteur : *Nimis honorati sunt amici tui, Deus (Psalm.* 138). Découvert par V. Schrœder, *l'Abbé Prévost, sa vie et ses romans* (1898), qui estime que ce poème peut remonter à l'époque du noviciat chez les Jésuites. On sait que ceux-ci révèrent saint François Xavier.

5. Il est annoncé dans le supplément (volume II) du *Mercure* de juin, qui est imprimé, ordinairement, dans la seconde quinzaine de juillet (p. 1412). Une annonce et un compte rendu favorable figurent aussi dans le *Journal de Verdun* de septembre 1728, pp. 160-161.

le Nouveau Dictionnaire historique, *« à sa bourse qu'à sa gloire », reçu dans les meilleures maisons de Paris*[1], *Prévost allait-il enfin goûter le « bonheur d'un simple religieux (...) qui aime son état et ses devoirs » célébré au même moment par Dom Robert Morel, bénédictin comme lui à Saint-Germain-des-Prés*[2]*? Tout au contraire : juste alors éclate une seconde crise, qu'il faut examiner de près, car elle a pu passer, elle aussi, pour jouer un rôle décisif dans la genèse de* Manon Lescaut. *Cette fois encore, l'abbé Prévost serait des Grieux*[3]. *Resterait à découvrir Manon.*

A la fin du règne de Louis XIV, vivait à Paris un certain Jean Levieux, ancien contrôleur aux vivres et fourrages du Roussillon, puis commis des gabelles. Sa fille, Antoinette, dite Toinon, devait lui donner bien des soucis. Orpheline de sa mère, elle s'était enfuie en province. A Lyon, elle avait eu, d'un nommé Aydou, échappé des galères, une fille, née le 3 septembre 1707 et prénommée Marie-Madeleine, dite Manon. Après la mort de son amant et diverses autres aventures, Antoinette Levieux, qui se faisait appeler la veuve Aydou, revint à Paris. Son père retira de ses mains la petite Manon, âgée de cinq ans, et la fit élever de son mieux. Mais quand elle eut douze ans, sa mère songea à exploiter ses charmes et la fit enlever par un soldat du régiment des Gardes. Son premier amant fut un certain Louis-Antoine de Viantaix, âgé de vingt et un ans, ancien mousquetaire, fils d'un conseiller au présidial de Besançon, qui devint son protecteur en titre. Il enleva à son tour la petite, « qu'il appelait sa femme », et la mit chez une appareilleuse. Les démêlés se succédèrent entre la mère, la fille et son Chevalier, jusqu'au jour où le grand-père Levieux, craignant, suivant les termes d'un placet qu'il adresse alors au lieutenant de police, « que cette jeune malheureuse que Viantaix tient avec lui aujourd'hui dans un endroit et demain dans un autre, avec une cabale de coupe-jarrets, ne soit comprise dans ces vols et

---

1. Voir ci-après, page XLV.

2. *Du bonheur d'un simple religieux et d'une simple religieuse, qui aiment leur état et leurs devoirs*, Paris, Jacques Vincent, 1725.

3. C'est, sous cette forme, la thèse de Lescure (voir p. V, note 2), qui place la composition de *Manon Lescaut* en 1728-1730, pendant l'exil en Angleterre, et met en rapport la sortie de Saint-Sulpice avec la sortie de Saint-Germain-des-Prés, dont il va être question.

désordres, et ne soit pendue avec eux », *sollicita une lettre de cachet* « *pour la faire enfermer pour sa vie, n'ayant voulu se corriger, ni suivre les bons conseils de messieurs Aubert et Tourton, commissaires, qui* [*l*]*'avaient obligé de la pardonner plusieurs fois*[1] ». *Il demandait en même temps le secret, exposant que Viantaix l'avait menacé* « *de lui passer une épée au travers du corps* » *s'il cherchait à faire enfermer sa petite-fille. Non sans hésitation, les autorités accordèrent la lettre de cachet, et, le 9 décembre 1721, Manon Aydou, âgée de quatorze ans, fut enfermée à la Salpêtrière.*

Assez sordide jusque-là, l'histoire prend un tour nouveau par les réactions inattendues du chevalier de Viantaix. Loin de se résigner à la perte de sa Manon, et ne sachant comment la tirer de l'Hôpital, il imagine de reprendre un ancien projet de mariage. Il écrit au grand-père et à la nièce de celui-ci, qui passe pour avoir de l'influence sur lui. Ces deux lettres sont conservées, et la seconde, où il prie la tante Levieux de favoriser ses desseins sur « *la personne qu'il adore* », *vaut qu'on la cite* :

Étant aussi accomplie que j'entends dire que vous l'êtes, madame, il est sûr que vous avez fait naître de grandes passions : vous êtes donc en état de juger de tout le bien et de tout le désordre qu'elles peuvent causer, et je ne ferai aucune difficulté de vous avouer que la mienne est telle que rien n'est capable dans la vie de me soulager que la possession légitime de l'objet qui la forme, ou, à défaut, une mort de désespoir; daignez, madame, de ressentir quelque pitié en faveur de l'infortuné qui vous écrit : il me semble que vous ne pourriez, sans injustice, être insensible à ma disgrâce, et je suis persuadé que vous avez l'âme trop belle pour ne pas y compatir.

Ni ces lettres, ni les démarches qui suivirent n'eurent de succès, et les importunités de Viantaix finirent par le faire reléguer à

1. Ces citations, ainsi que toute l'histoire de Manon Aydou, sont tirées d'un article d'Henry Légier-Desgranges, *la Légende de Manon Lescaut à la Salpêtrière,* reproduit avec des coupures dans *Médecine de France*, n° 96, 1958, pp. 37-48. Cette étude très sérieuse est appuyée sur des documents de la Bastille conservés à l'Arsenal (10732 et 12332) et, pour ce qui concerne Viantaix, sur les Dossiers Bleus de la Bibliothèque Nationale.

Besançon. Il s'y assagit, s'y maria, et y finit ses jours comme un vieux soldat « respectable, blanchi dans la profession des armes ». Quant à la pauvre Manon Aydou, elle dut attendre longtemps sa libération. Une première demande de mise en liberté échoua en 1724, après la mort du grand-père Levieux. Une seconde, présentée trois ans plus tard, aurait abouti sans l'avis défavorable de la supérieure, Mlle Bailly, qui fit état de « sa grande corruption, même dangereuse avec son sexe... » Elle ne sortit de l'Hôpital qu'en 1731, sur l'intervention inattendue du chevalier de Sarrobert, capitaine des chasses du duc de Bourbon, l'ancien premier ministre.

Il existe assurément des rapports curieux entre la destinée de Manon Aydou et le roman de Manon Lescaut. D'origine bourgeoise, jolies à ravir, plus légères que foncièrement corrompues, elles sont, en partie au moins, victimes de leur milieu. Toutes deux ont pour amant un « chevalier », cadet de famille tournant à l'aventurier, lequel consent, malgré un amour sincère, à vivre de sa maîtresse. Si l'on se borne à voir, dans l'histoire de Manon Aydou, « l'éclatante démonstration de la vérité sociale et psychologique du célèbre roman », ainsi que le fait M. Légier-Desgranges, on n'outrepasse certainement pas les règles d'une saine critique. Le problème est de savoir si l'on peut aller plus loin.

Dans une préface à une récente traduction allemande de Manon Lescaut, *intitulée significativement « La véritable Manon*[1] *» le biographe Lernet-Holenia, après avoir raconté, d'après M. Légier-Desgranges, l'histoire de Manon Aydou jusqu'à l'échec de ses démarches en 1727, la poursuit ainsi qu'on va le voir.*

Dans les premiers jours d'octobre 1728, l'abbé Prévost est désigné pour recevoir la confession des prisonnières de l'Hôpital. A l'occasion de cet emploi, il fait la connaissance de Manon Aydou et en tombe amoureux. Rendez-vous est pris pour le 18 octobre dans le parloir de Sainte-Pélagie. Pendant qu'une scène d'amour se déroule entre les deux amants, la demoiselle Bailly, jalouse de Manon Aydou, les épie et surgit au moment où la situation ne laisse plus place à la moindre équivoque. Elle se précipite sur

---

1. Alexander Lernet-Holenia, *Die wahre Manon*, MCMLIX, Paul Zsolnay Verlag, Hamburg-Wien, 207 p. L'introduction est en deux parties, dont la première occupe les pages 7 à 38. Sur la seconde, voir la note 2 de la page suivante.

Manon et la frappe, pendant que l'abbé Prévost s'enfuit. Il rentre en hâte au couvent et écrit la lettre fameuse[1] *: « Je ferai demain ce que je devrais avoir fait il y a plusieurs années », etc. Peu après, il se réfugie à Londres, et la nostalgie lui fait écrire* l'Histoire du chevalier des Grieux et de Manon Lescaut, *dans laquelle il fond, sous le nom de des Grieux, son propre personnage et celui du chevalier de Viantaix*[2].

Quoique cet exposé des faits soit assez captieux pour qu'il faille le réfuter, il ne résiste pas à un examen attentif. Il s'appuie, certes, sur un document connu, la lettre du 18 octobre, adressée sans doute à Dom Thibault. Mais pourquoi faut-il que M. Lernet-Holenia en fausse immédiatement le sens en traduisant par une phrase signifiant « je quitterai le monastère[3] *» le texte original « je quitterai la Congrégation pour passer dans le grand ordre », ce qui est tout autre chose*[4]*? On voit au reste, par la suite de la lettre, que ce passage dans le « grand ordre » ne peut être improvisé, comme il le serait si Prévost avait agi par une impulsion soudaine. En outre, aucune preuve n'est apportée, et pour cause, à l'appui de la scène du parloir. Enfin, et c'est le plus grave, Prévost n'a jamais été chargé de confesser les femmes de la Salpêtrière. Il ne pouvait l'être, pour l'excellente raison que cette tâche était confiée à des prêtres séculiers résidant sur place*[5]. *La conclusion qui s'impose, comme le remarque M. Légier-Desgranges lui-même, c'est qu' « il est peu probable que notre auteur ait pris chez [Manon*

---

1. Voyez plus bas, p. XLI, et l'*Appendice*.
2. Dans une seconde partie de l'introduction, pp. 188-191, M. Lernet-Holenia raconte que, de Londres, Prévost fit libérer Manon Aydou par l'intervention de M. de Sarrobert. Alors qu'il comptait la revoir, elle tombe malade et meurt. La fin de l'amante aurait amené Prévost à modifier le dénouement optimiste prévu initialement, d'où la suite de l'histoire sous la forme connue : « Après une navigation de deux mois, nous abordâmes... » (p. 184). La date à laquelle fut publié le roman (voir ci-après pp. LXI à LXIII) exclut absolument cette interprétation, dont nous ne tiendrons pas compte davantage.
3. « Ich werde das Kloster verlassen » (*op. cit.*, p. 31).
4. Voyez ci-après, pp. XLI et suiv.
5. Voir, dans l'ouvrage très documenté d'H. Légier-Desgranges, *Hospitaliers d'autrefois*, Paris, 1952, le chapitre consacré au clergé de la Salpêtrière, pp. 167-203, et notamment les pp. 175-181.

Aydou] les principaux traits de son héroïne[1] ». *Il est encore infiniment moins probable qu'elle ait joué le moindre rôle dans la vie de Prévost en cette année 1728.*

Quelles sont donc les raisons de son départ de Saint-Germain-des-Prés ? Il s'en explique dans son apologie déjà citée du Pour et Contre, *à la suite du passage où il raconte son entrée chez les Bénédictins :*

Cependant le sentiment me revint, et je reconnus que ce cœur si vif était encore brûlant sous la cendre. La perte de ma liberté m'affligea jusqu'aux larmes. Il était trop tard. Je cherchai ma consolation pendant cinq ou six ans dans les charmes de l'étude. Mes livres étaient mes amis fidèles; mais ils étaient comme morts pour moi. Enfin, je pris l'occasion d'un petit mécontentement, et je me retirai[2].

L'harmonie des formules ne doit pas faire mal juger de la sincérité de Prévost. Il est vrai, par exemple, qu'à sa sortie du couvent, ses livres faisaient encore « la meilleure partie de son équipage[3] ». *Ce n'est pas non plus la seule fois qu'il ait écrit que « l'amour de la liberté et de l'indépendance » était sa « passion dominante*[4] », *ou fait proclamer à ses héros qu' « on fait tout pour la liberté » ou qu'elle est « le plus cher de tous les biens*[5] ». *Pourtant, s'il ne falsifie pas la vérité, Prévost ne la dit pas tout entière. La version qu'il avait revue et complétée en vue d'une édition définitive est déjà plus explicite. La dernière phrase du passage cité y devient :*

Enfin, *las d'un joug dont je ne m'apercevais pas,* je pris l'occasion d'un petit mécontentement *que je reçus du R. P. Général et de quelques facilités qui me furent offertes pour le secouer tout à fait*[6].

---

1. *La Légende de Manon Lescaut à la Salpêtrière*, p. 44.
2. *Pour et Contre*, feuille XLVIII, t. IV, p. 39. Voyez plus haut p. XXIII.
3. Lettre du pasteur Dumont, dans C.-É. Engel, *le Véritable Abbé Prévost*, pp. 38 et suiv., cf. ci-après, p. XLV et note 1.
4. Dans une addition manuscrite au *Pour et Contre* dont on reparlera plus loin (p. LXX).
5. *Histoire du chevalier des Grieux et de Manon Lescaut*, ci-après, pp. 115 et 96.
6. Addition de l'exemplaire de Lyon, voyez l'*Appendice*.

Nul mystère dans ces « mécontentements », puisque Prévost s'en explique dans sa lettre de rupture au Supérieur Général, qui a été conservée. On « l'a soupçonné plus d'une fois des trahisons les plus noires ». Loin de présenter sa venue à Paris comme une réparation effaçant des « préventions injustes », on en a fait une précaution contre un homme dangereux, etc.[1]

Il n'y aurait pas là de quoi briser une vocation, même chancelante, sans les « facilités » dont il parle encore. Elles sont d'abord d'ordre général : la discipline civile ou ecclésiastique n'est plus en 1728 ce qu'elle était cinquante ans plus tôt. Mais il est clair que le geste de Prévost bénéficia d'encouragements précis. Ce n'est pas seulement pour l'excuser que Dom Dupuis le montre « succombant » aux « instances de ses amis, qui le pressaient de passer dans une autre branche de l'Ordre de Saint-Benoît, où, jouissant d'une plus grande liberté, il pût choisir un genre d'études plus conforme à son génie[2] *». Quoique « ces exemples ne soient point rares dans la Congrégation [de Saint-Maur]*[3] *», des appuis étaient nécessaires pour obtenir de Rome un bref de translation. Lorsque, sept ans plus tard, Prévost rentrera d'exil, sa première visite à Paris sera « chez Mme de Tencin, comme de raison*[4] *». D'autres documents donnent à penser qu'il la connaissait avant de quitter Paris*[5]*. Liée avec le parti jésuite, en relations avec Rome par son frère, l'évêque d'Embrun, Mme de Tencin, qui avait été capable elle-même de se*

---

1. Lettre à Dom Thibault, du 18 octobre 1728, déjà citée p. XXVI.
2. *Abrégé...*, p. XVI.
3. Dom Dupuis, *ibid.*
4. Lettre de Mathieu Marais au Président Bouhier, du 11 octobre 1734, dans Harrisse, p. 229.
5. Voir une lettre du 12 février 1732 à Prosper Marchand, où il est fait allusion à Fontenelle et à Tronchin, tous deux familiers de Mme de Tencin (Harrisse, *Vie monastique de l'abbé Prévost*, pp. 43-44). Cf. aussi F. Deloffre, *Un morceau de critique en quête d'auteur*, Revue des Sciences Humaines, 1962, pp. 203-212. Mlle Aïssé, autre amie de Mme de Tencin, a été parmi les premières lectrices des *Mémoires d'un Homme de qualité* (Harrisse, p. 131). On accordera moins de foi au témoignage tardif et vague de l'abbé Raynal, qui, racontant une anecdote sur les rapports de Piron et de Prévost, dit que ce dernier, « étant de retour à Paris, souhaita d'être admis dans le cercle savant de Mme de Tencin » (dans Harrisse, p. 247).

faire relever de ses vœux suivant les formes prescrites[1], *aurait été en mesure d'aider Prévost avec autant d'efficacité que de dévouement. Celui-ci a lui-même conservé des relations chez ses anciens camarades les Jésuites*[2]. *Peut-être enfin le cardinal de Bissy, abbé commendataire de Saint-Germain-des-Prés, qui interviendra en sa faveur à son retour en France, figure-t-il déjà parmi ses protecteurs.*

D'après Dom Dupuis, la procédure aboutit à l'octroi par la cour de Rome d'un bref de translation. Restait à le « fulminer », c'est-à-dire à le rendre public et valide en France, et c'est où les difficultés auraient commencé :

Rome l'adressa pour le fulminer à M. Sabbathier, évêque d'Amiens, qui lui avait conféré la prêtrise, et qui, dans une conversation fort longue qu'il avait eue avec lui, en avait conçu beaucoup d'estime. Le bref était sur la table du prélat, qui avait déjà mandé à Dom Prévost qu'il était charmé de cette occasion de l'obliger, lorsque le Pénitencier[3], qui

1. Voir l'ouvrage de Coynart, *les Guérin de Tencin*, pp. 95 et suiv. Mme de Tencin, accusée par la *Bibliothèque germanique* d'être une « défroquée », se justifia dans un article détaillé de la *Bibliothèque raisonnée des ouvrages des savants de l'Europe* (année 1730, t. IV (2), pp. 377-391). Noter que le *Nouveau Dictionnaire historique*, qui reconnaît l'existence d'un bref papal la relevant de ses vœux, ajoute qu'il ne fut point fulminé (édit. 1779, t. VI, p. 483).

2. Dans la supplique du Supérieur des Bénédictins à Hérault, Lieutenant de police, on précise que « ses principales connaissances sont chez les PP. Jésuites de la maison professe (*i. e.* rue Saint-Antoine) et du Collège [Louis-le-Grand, rue Saint-Jacques] ». Voyez ci-après, pp. XLIII-XLIV.

3. Le pénitencier de l'évêque d'Amiens était M. d'Ergny. Comme il était parent de Prévost, et que celui-ci plaçait sa confiance en lui (voyez la lettre du 18 octobre 1728 à l'*Appendice*), on s'étonne du rôle que Dom Dupuis lui fait jouer ici. Du reste, tout son récit de l'affaire présente des difficultés. Outre que l'on n'a pas retrouvé de trace de la procédure dans les archives de l'évêché d'Amiens, c'est l'évêque de Rouen, non celui d'Amiens, qui eut à connaître du procès en rémission et translation de Prévost en 1734-1735. Or, dans les pièces de ce procès, l'écrivain est désigné comme « prêtre de ce diocèse [de Rouen], religieux de l'ordre de Saint-Benoît, Congrégation de Saint-Maur, profès de l'abbaye de Jumièges » (voir l'article du chanoine Delhommeau à la *Bibliographie*). Rien de tout cela ne permet de comprendre comment Mgr Sabbatier auraient pu jouer un rôle dans la circonstance. Et l'on se demande quelles démarches Prévost fit réellement avant de fuir.

vivait avec l'évêque dans la plus grande familiarité, entra dans son cabinet. La curiosité lui fit lire le bref. Quoique, selon ses sentiments, il approuvât cette translation, il dit au prélat qu'il soupçonnait de l'inconstance dans Dom Prévost, et qu'avant d'aller plus loin, il fallait s'assurer de ses motifs. La fulmination fut suspendue. M. Sabbathier n'eut point l'attention d'en donner avis à Dom Prévost qui, comptant sur sa promesse pour le jour marqué, se livra trop aux désirs de ses amis, et sans doute alors aux siens propres. Il se rendit au Luxembourg, où on l'attendait avec un habit ecclésiastique[1]. La métamorphose se fit dans ce jardin. L'habit monacal fut renvoyé à Saint-Germain-des-Prés, et le nouvel abbé alla rejoindre les amis qui l'avaient trop pressé de consommer ce changement. C'était des personnes d'une naissance et d'un mérite distingué[2].

En l'absence de fulmination, la sortie du couvent devenait un acte répréhensible, qu'aggravaient d'autres peccadilles, telles que la publication, au tome II des Mémoires d'un Homme de qualité, *d'un passage offensant pour le duc de Toscane, qui nécessita un nouveau tirage d'après un exemplaire cartonné*[3]. *Après une douzaine de jours*[4], *les Supérieurs de la Congrégation de Saint-Maur se décidèrent à demander l'arrestation du fugitif. Le placet qu'ils envoyèrent au Lieutenant de police faisait état de la sortie du couvent « sans raison, et sans bref de translation, au moins*

---

1. Non pas la soutane, mais le « petit collet ».
2. Dom Dupuis, *op. cit.*, pp. XVI-XVIII.
3. On ne connaît pas actuellement d'exemplaire de l'édition princeps (Delaulne, Le Gras, Martin, Paris, 1728) contenant la « sottise » sur le duc de Toscane. M. Max Brun l'a découverte dans l'édition Matthieu Roguet de La Haye, 1729, et elle existe aussi dans l'édition Merville et Van der Kloot du même lieu et de la même année.
4. Harrisse place ici une tentative d'accommodement des Supérieurs, qui auraient proposé, par l'entremise de son frère, l'abbé de Blanchelande, de « le rétablir », s'il voulait revenir, « sur le même pied où il était avant son départ » (pp. 133-134). Cependant, si on lit attentivement le passage de Dom Dupuis que cite Harrisse (*Pensées de M. l'abbé Prévost*, pp. XX-XXI), on voit clairement que cette offre ne fut faite que plus tard, lorsque Prévost fut à l'étranger.

qui ait été signifié » — la formule confirme indirectement la version de Dom Dupuis. On décrivait Prévost comme « un homme d'une taille médiocre, blond, yeux bleus et bien fendus, teint vermeil, visage plein », en signalant qu'il « se promenait impunément tous les jours dans Paris », sous un vêtement ecclésiastique. Il était enfin rappelé que l'abbé était l'auteur des Mémoires d'un Homme de qualité *et de la « sottise » sur le Grand-Duc de Toscane. Le placet fut présenté à Hérault, Lieutenant de police, le 30 octobre, et le 6 novembre l'ordre d'arrêter Prévost et de le conduire en prison fut expédié à la police*[1].

Que faisait-il alors? Sa lettre du 18 octobre montre qu'il croit encore obtenir la fulmination du bref de translation, et que peut-être il se dispose à l'attendre dans sa famille. Quand il comprend que son attente est vaine, il prend la décision de fuir, plutôt que de rentrer au couvent. Mais il lui faut pour cela un lieu de retraite et de l'argent. Celui-ci fut opportunément fourni par les libraires contre le manuscrit des tomes III et IV des Mémoires d'un Homme de qualité[2], *qui obtinrent un privilège le 19 novembre 1728.*

---

1. Voir sur tout ceci Harrisse, pp. 139-141. Un important témoignage contemporain, signalé par H. Friedrich, la préface de Holtzbecher, traducteur des *Mémoires d'un Homme de qualité*, livres V-VII, datée du 1er mai 1732, présente ces événements de la façon suivante. Lorsque l'on veut imposer à Prévost l'acceptation de la bulle *Unigenitus*, il trouve dans son cœur trop de répugnance à l'accepter. Il « quitte alors sa cellule, sans attendre l'effet de la grâce pontificale (ohne die päpstliche Vergünstigung abzuwarten). Un si grand crime fut suivi d'un anathème (le mot allemand *Bann* peut signifier bannissement ou anathème), signe avant-coureur immanquable d'une prison éternelle, s'il ne s'était pas soustrait au péril. Mais il s'échappa à temps de France et se rendit en Angleterre, pour y mettre en sûreté sa personne tout autant que sa conscience. » (Voir le texte intégral et la traduction de ce document à l'*Appendice*.)

2. « Il ne fit rien sur le *Gallia Christiana,* et il s'était occupé (à Saint-Germain) à faire les *Mémoires d'un Homme de qualité,* dont il fit imprimer deux tomes avant que de partir. Il en laissa deux autres au libraire, qui lui donna de l'argent pour son voyage. » (Bois-Jourdain, *Anecdotes sur l'auteur du Pour et Contre,* dans les *Mélanges historiques, satiriques et anecdotiques de M. de B... Jourdain,* Paris, 3 vol., 1807, t. III, pp. 149-152.) Ce passage doit être daté de 1734, et non de 1737, comme on le fait d'après l'éditeur. Bois-Jourdain a eu d'excellentes informations, de Hollande probablement.

Restait le refuge, qui fut l'Angleterre. Le choix d'un pays protestant était naturel de la part d'un Français en rupture de ban avec l'Église à cette époque. Mais une découverte récente[1] *pose ici un problème curieux. Une lettre du pasteur Dumont, chapelain de l'ambassade de Hollande à Paris, à Jean Alphonse Turrettini, de Genève, datée du 30 novembre 1728, atteste que l'abbé Prévost était alors converti au protestantisme. Dumont annonce à son correspondant que des livres destinés à William Wake, archevêque de Cantorbéry, venaient de lui être remis le 22 novembre par « un prosélyte d'importance » :*

C'est un des principaux bénédictins de l'abbaye de Saint-Germain-des-Prés, savant, poli, bien fait, âgé de trente-cinq ans, et sur les mœurs duquel il n'y a point à mordre. C'est un homme de naissance qui, ayant fait des études, ne s'accommodait point du métier de la guerre que ses parents l'engagèrent à embrasser. Des livres faisaient la meilleure partie de son équipage. Il était chez les Bénédictins depuis neuf ans, avec tout l'agrément possible. Il avait une pension de 600 livres pour travailler avec deux autres religieux à la continuation de la *Gallia Christiana* de MM. de Sainte-Marthe. Et son esprit aisé et orné d'une érudition choisie lui donnait une libre entrée dans les meilleures maisons de Paris. Le dégoût pour diverses pratiques superstitieuses lui fit prendre le dessein de se mieux instruire, et la faculté de consulter les meilleurs livres lui découvrit bientôt qu'il avait été élevé dans une communion chargée d'erreurs. Je suis pourtant témoin, Monsieur, qu'il ne s'est pas rendu sans combat. Il était connu dans son ordre sous le nom de Dom Le Prévost et il s'appelle de l'Islebourg, d'une bonne maison des Flandres (...)

A Paris, le 30 de novembre 1728.

La question est de savoir si Prévost s'était converti par conviction, et quitta le couvent pour cette raison, ou s'il ne se convertit

---

1. De Claire-Éliane Engel, qui l'a publiée d'abord dans la *Revue des Sciences humaines*, sous le titre *la Vie secrète de l'abbé Prévost* (1952, pp. 199-214), puis dans son livre *le Véritable Abbé Prévost*, éditions du Rocher, Monaco, 1957, pp. 38 et suiv.

qu'après sa sortie du couvent, pour des raisons de commodité faciles à comprendre, puisque la recommandation obtenue pour l'évêque de Cantorbéry, à elle seule, lui ôtait toutes les inquiétudes que pouvait lui causer sa situation d'émigré. A l'appui de la première thèse, on pourrait alléguer certains passages des Mémoires d'un Homme de qualité[1] *et surtout de* Cleveland[2] *dans lesquels Prévost se montre favorable aux doctrines protestantes. Il ne les renie pas non plus expressément lorsqu'il se défend dans le* Pour et Contre *contre les attaques de Lenglet-Dufresnoy qui l'accuse d'avoir été « prosélyte en Angleterre, en Hollande, à Bâle, et partout ailleurs[3] ». Il affirme alors seulement que « ni discours, ni lectures n'ont jamais diminué la vénération qu'il a pour la religion chrétienne », celle qui, précise-t-il simplement, « ordonne tout à la fois la pratique de la morale et la croyance des mystères[4] ». Le mot de* catholique *n'est pas prononcé. Mais on peut tout aussi bien remarquer que nulle part, dans l'œuvre de Prévost, on ne trouve une véritable inquiétude religieuse qui justifierait une décision aussi grave que la sortie du couvent. Bien mieux, quand, par une sorte de prescience, un de ses personnages évoque une telle démarche, il ne met en avant, pour expliquer son geste, que des*

---

1. « Je gage, me dit en riant (le marquis) que les discours de M. l'Évêque de Chichester vous ont rendu protestant; car tout ce que vous me dites là sent un peu l'esprit de la Réformation. Je suis, lui répondis-je, ce que je crois devoir être en matière de religion. Ce n'est ni le nom de catholique, ni le nom de protestant qui me détermine, c'est la connaissance de la vérité que je crois avoir acquise il y a longtemps par la faveur du ciel et par mes réflexions. Mais quand je serais évêque italien, c'est-à-dire livré aux plus excessives préventions, je n'aurais pu m'empêcher en Angleterre d'ouvrir les yeux sur ce qui s'y présente, et par conséquent de reconnaître ce que j'en ai dit et ce que je ne craindrai jamais de répéter. » (T. II, pp. 394-395, passage publié au début de 1731.)

2. Dans la bouche du pasteur de Saumur (t. V, pp. 450 et suiv.). Sur l'attitude de Prévost à l'égard de la religion, on peut consulter Bérénice Cooper, *The religious convictions of the abbé Prévost*, article paru dans les *Transactions of the Wisconsin Academy of Sciences, Arts and Letters*, vol. XLI, 1952, pp. 189-199, sans oublier pourtant que l'auteur est elle-même protestante.

3. *De l'usage des romans*, t. II, p. 103.

4. Feuille XLVII, voyez l'*Appendice*.

motifs humains, rancune ou humiliation, et se moque des ministres protestants qui ajoutent foi à sa conversion[1].

Sans qu'on puisse le prouver, la conversion doit donc être postérieure à la sortie du couvent. Elle est naturelle de la part d'un fugitif qui brûle ses vaisseaux en prenant le chemin de l'exil. On la concevrait mal chez un religieux qui ménage soigneusement en Cour de Rome son passage d'une congrégation dans une autre, et signe ses lettres « Prévost B[énédictin][2] *». En 1720 et 1721, des raisons de « nécessité », disons de commodité, n'avaient-elles pas déjà engagé Prévost à se faire moine avec d'étranges restrictions de pensée ? Sans doute n'est-on pas loin de la vérité en lui prêtant, au mieux, un « christianisme éclairé » s'accommodant aussi bien d'une confession que d'une autre. Et le passage en Angleterre répond apparemment moins à une préférence pour l'anglicanisme, parmi les différentes sectes protestantes, qu'à l'élection d'un pays où la reine pensionne les docteurs de l'Église en exil*[3]*, où les grands sei-*

---

1. Dans un curieux passage des *Mémoires d'un Homme de qualité*, écrit vers l'hiver 1727-1728, et cité par H. Roddier (*ouvr. cit.*, pp. 17-18). Il s'agit d'un religieux, réduit en esclavage chez les Turcs : « Dès l'âge de quinze ans, j'entrai dans l'ordre des..., mais, n'étant pas propre à l'état religieux, je me repentis bientôt de cette démarche. Cependant des considérations d'honneur et la crainte de mes parents me retinrent dans l'état que j'avais embrassé. Je fis les exercices ordinaires des jeunes gens de mon ordre. Ma conduite, qui n'était pas des plus régulières, fit fermer les yeux à mes supérieurs sur les talents que j'avais reçus du Ciel. Ils me tinrent dans l'humiliation en me refusant de me faire prendre la prêtrise. Ce coup me fut sensible. J'avais brillé dans les études, et j'étais accoutumé à recevoir des éloges. Je ne pus digérer cette honteuse distinction qui me déshonorait... J'affectai néanmoins une vie plus sage pour cacher plus finement mon dessein. J'avais un oncle banquier en cour de Rome. Je lui écrivis une lettre touchante, par laquelle je le persuadai si bien que mes supérieurs m'avaient maltraité injustement, qu'il obtint du Saint-Siège un bref de translation, à la faveur duquel je quittai ma robe pour en prendre une moins rigoureuse. » — Noter aussi que le témoignage allemand cité plus haut, quoique émanant d'un protestant, ne mentionne nullement la conversion parmi les motifs de fuite du couvent, mais la place au contraire entre cette fuite et les aventures amoureuses de Prévost à Londres. Voir ci-après, p. LII.

2. Signature de la lettre à Dom Thibault, cf. ci-dessus.

3. Le P. Le Courayer, émigré en Angleterre en janvier 1728, après l'excommunication lancée contre lui à l'occasion de sa *Dissertation sur la validité des ordinations anglicanes* et surtout de la *Défense* de cette

gneurs protègent les Lettres, et où l'Université d'Oxford, « semblable à l'ancienne Rome », se plaît à reconnaître les étrangers pour ses enfants, « lorsqu'elle les trouve assez dignes de cet honneur, pour s'en faire un à elle-même de le leur avoir accordé[1] ».

Le premier séjour en Angleterre, que Prévost mit peut-être à profit pour écrire Manon Lescaut, *est assez mal connu. Sans doute, le livre cinquième des* Mémoires et Aventures d'un Homme de qualité, Cleveland, *le* Pour et Contre, *révèlent qu'après un moment d'émerveillement devant un pays inconnu, Prévost a su en acquérir une connaissance étendue et sûre. Lui-même expose avec fierté la méthode par laquelle il a rapidement appris l'anglais*[2], *et l'on constate que son goût en matière de littérature anglaise est plus ouvert et meilleur que celui de Voltaire*[3]. *Mais ce qui nous importe, ce sont les détails biographiques qui intéresseraient le roman. Or, curieusement, plusieurs biographes de Prévost, notamment Dom Dupuis, le font fuir directement en Hollande, et omettent complètement ce séjour*[4]. *Par Prévost, on*

---

dissertation, supprimée par arrêt du Conseil du 7 septembre 1727. Il collabora à l'édition Buckley de l'*Histoire de Thou,* et Prévost, pour cette seule raison, devait s'intéresser à lui.

1. Le *Pour et Contre,* feuille IX, t. I, pp. 205-206, à propos d'une cérémonie où l'on décerne le grade de docteur à Haendel, pendant que le P. Le Courayer siège sur l'estrade en qualité de docteur *honoris causa* de l'Université.

2. *Pour et Contre,* t. XVI, pp. 327-333, cité par H. Roddier, *op. cit.*, p. 23.

3. Voir H. Roddier, *op. cit.*, pp. 24-25.

4. Quand Dom Dupuis dit qu' « immédiatement après son arrivée en Angleterre, Prévost fit, en moins de trois mois, les deux premiers tomes de *Cleveland* », il pense au second séjour, dont il parle *après* le séjour en Hollande, après l'*Histoire métallique des Pays-Bas* et le *De Thou* (p. XXV). Cette erreur lui est facilitée par une autre inexactitude, qui consiste à placer le *Cleveland* en 1732 (p. XLVI). Il faut donc se méfier de ce témoignage sur le *Cleveland* (cf. ci-après, p. LVII). Palissot, qui suit Dom Dupuis, dit aussi que « Prévost passa une seconde fois en Angleterre, où il composa les premiers volumes de *Cleveland* » (*Nécrologe des Hommes célèbres...*, p. 60). Harrisse a également tort de citer ici le *Journal de la Cour et de Paris* quand il écrit : « Prévost passe en Angleterre, où il est actuellement gouverneur d'un jeune seigneur » (p. 143), car ce témoignage, qu'il place en 1728-1729, est en fait du 13 juillet 1733. Comme Dom Dupuis, le rédacteur croit que Prévost s'est enfui d'abord en Hollande, et ne connaît que le second voyage en Angleterre.

*sait seulement, qu'il fut en pourparlers, peu de temps après son arrivée, avec des personnes qui projetaient une traduction de l'*Histoire de Thou *mais que leurs propositions n'eurent pas de suite*[1]. *Comme il ne publia aucune œuvre nouvelle pendant ces deux ans, on ne saurait d'où provenaient ses ressources si un nouveau témoin, l'auteur inconnu des* Mémoires du chevalier de Ravanne[2], *n'intervenait ici. Selon lui, Prévost « était alors gouverneur du fils du chevalier Ey... chez qui il avait tous les agréments possibles*[3] ». *Sur cette seule donnée, Mysie Robertson a brillamment établi que l'élève de Prévost s'appelait Francis Eyles, qu'il était fils de John Eyles, ancien directeur de la Banque d'Angleterre et sous-gouverneur de la South Sea Company*[4]. *C'est en compagnie de ce jeune homme, et dans le rôle de Mentor joué par l'« Homme*

---

1. Voir p. LV, note 3.

2. Harrisse, qui eut le mérite de découvrir les *Mémoires de Ravanne*, a le tort d'en déprécier le témoignage, comme celui de Bois-Jourdain, parce qu'il contredit sa thèse d'un Prévost irréprochable. Pour montrer que « Ravanne » ne peut avoir été le secrétaire de Prévost depuis aussi longtemps qu'il le dit, Harrisse le confond à tort avec un M. de Varenne qui dirigea la traduction française de la *Physica sacra*, de Scheuchzer. « Ravanne », obscur collaborateur de l'entreprise à partir de fin 1731 ou 1732, n'a rien à voir avec Varenne dont le « mérite » et le « savoir » sont « fort connus » (*Critique désintéressée des Journaux*, La Haye, 1730, t. I, dans Harrisse, p. 154; *Historia Literaria*, Londres, vol. I, mai 1730, p. 78). Ce Varenne est-il Jacques de Varennes, auteur des *Hommes* (*Mercure* de février 1729, pp. 327-328, *Nouveau Dictionnaire historique*, etc.)? Nous ne pouvons l'affirmer. Quant à « Ravanne », sa personnalité reste à découvrir. Peut-être s'appelait-il Pavan (Harrisse, p. 154, note 3 de la p. 153). C'est sans doute lui que décrit l'auteur des *Lettres sérieuses et badines* dans un passage où il est aussi question de Prévost (voir p. XXVIII, note 3, et LIII) : « Un officier s'est battu en France, ou bien il a été compris dans quelque réforme... ne trouvant point d'emploi, il se met copiste, s'il peut. Quand il a griffonné quelques mois chez un homme de lettres, à force de faire les commissions chez les libraires, il tâche de faire comprendre à ceux-ci qu'il est homme de lettres, aussi bien que celui de la part de qui il leur parle. Il vient à bout de leur persuader qu'il a pris toute sa manière, tout son goût, toute son érudition, et qu'il fera aussi bien que lui, et à bien meilleur marché, etc. » (*Lettres sérieuses et badines*, t. VIII, pp. 250-251.)

3. Édition de 1751, t. III, p. 109; édition de 1752, t. III, p. 111.

4. Dans son importante introduction à l'édition critique du cinquième livre des *Mémoires d'un Homme de qualité*, Paris, Champion, 1927.

de qualité », au cinquième livre des Mémoires, *que Prévost pourrait avoir parcouru toute une partie du Sud de l'Angleterre, dans un voyage qui occupa peut-être neuf mois de l'année 1729*[1]. *Le reste du temps, c'est chez sir John ou chez ses amis qu'il put fréquenter les « meilleures compagnies de Londres*[2] *» et se voir honoré de la protection de « vingt seigneurs*[3] *». Libre aux lecteurs des* Mémoires d'un Homme de qualité *d'imaginer que Prévost vécut dans cette société une partie des aventures qu'il prête à son héros avec « Milady* R. *».*

Pour en rester aux faits attestés, on remarque, en juillet 1730, une édition probablement légitime[4] *des quatre premiers tomes de l'*Homme de qualité *par la Compagnie des Libraires d'Amsterdam. Le succès de cette publication, et peut-être les offres de la Compagnie des Libraires*[5], *l'engagèrent apparemment à lui donner une suite. Lui donnèrent-ils aussi l'idée de passer en Hollande ? En tout cas, un autre événement l'y détermina, sur lequel on a le témoignage de Ravanne. Celui-ci, après avoir raconté qu'un docteur de ses amis lui procura la connaissance de Prévost, et que ce dernier le secourut de ses deniers, continue en ces termes :*

[le docteur] me dit que le sieur Prev. d'Ex... se trouvait obligé de quitter la maison du Chev. Ey... Une petite affaire de cœur l'en éloignait nécessairement. Il ajouta que ce savant ne pouvait se résoudre à vivre dans Londres,

---

1. Voir H. Roddier, *op. cit.*, pp. 27-28, et C.-É. Engel, *op. cit.*, pp. 70-71.
2. Lettre à Dom La Rue, voyez l'*Appendice*.
3. *Pour et Contre, art. cit.*, Nombre XLVII, tome IV, p. 37.
4. Cela est prouvé, d'une part par la suite des relations entre Prévost et la Compagnie des Libraires, d'autre part aussi par les comptes rendus et annonces de l'ouvrage : comptes rendus du *Journal littéraire*, XVI, 1730, Ière partie, pp. 204-208 (paru vers juillet 1730) et des *Lettres sérieuses et badines*, lettre 24, III, IIème partie, pp. 424-425 (annoncée dans la *Gazette* du 25 juillet 1730); annonce des « livres nouveaux reçus des pays étrangers pendant le mois d'août 1730 » par Nicolas Prévost, libraire londonien en relations avec l'abbé Prévost (*Historia Literaria*, tome I, p. 346).
5. Sur la façon dont Prévost céda les tomes V à VII des *Mémoires d'un Homme de qualité*, on peut se reporter, sous toutes réserves, au récit des *Lettres sérieuses et badines* cité p. XXXI. Il peut en effet se rapporter aussi à *Cleveland*.

après y avoir perdu un poste si gracieux. Il m'a demandé, reprit-il, si je ne connaissais pas quelque jeune cavalier d'esprit qui voulût le suivre en Hollande[1].

On est curieux de savoir ce que fut cette « petite affaire de cœur » qui éloigne Prévost du séjour anglais. Lenglet-Dufresnoy y fait une allusion équivoque et sans bienveillance :

L'auteur de cet ouvrage *(Cleveland)* était ci-devant bénédictin, mais ne pouvant pas aisément pratiquer des romans dans son ordre, il a eu la bonté de se retirer en Angleterre, d'où on l'a chassé, parce qu'il en faisait trop[2].

Prévost, qui répond à toutes les autres attaques de Lenglet-Dufresnoy, est ici embarrassé. Sans doute est-il à l'aise pour affirmer qu'il a quitté l'Angleterre « chargé de présents, de faveurs et de caresses », ce qui est sans doute vrai, mais sur les motifs mêmes de son départ, il se dérobe :

[mon accusateur] attendra donc, pour savoir les raisons qui me firent quitter Londres, que je juge à propos de les expliquer. Mais, ce qui suffit pour la nécessité qu'il m'impose de lui répondre, je le défie de trouver la moindre chose qui puisse donner une ombre de vraisemblance aux faits qu'il avance, et je suis prêt à prouver par cent témoignages honorables que je n'eus point d'autre motif pour quitter l'Angleterre, que mon choix et ma volonté[3].

Un document nouveau, déjà utilisé plus haut à un autre propos[4]*, va nous permettre de jeter quelques lumières sur cette affaire. Il s'agit de la notice rédigée par le traducteur allemand des tomes V, VI et VII des* Mémoires et Aventures d'un Homme de qualité[5] *et qui présente la particularité d'être le plus ancien*

---

1. Édit. 1751, t. III, p. 109, dans Harrisse, pp. 144-145; édit. 1752, t. III, p. 125.
2. *De l'usage des romans,* t. II, p. 116.
3. Feuille XLVII, t. IV, p. 37.
4. Voir plus haut, p. XLIV, note 1.
5. Ce traducteur des trois derniers livres s'appelait Christian Melcher Holtzbecher. Hugo Friedrich a montré qu'il était le fils d'un peintre de Hambourg. Juriste, professeur de langues, il est surtout connu comme le rédacteur des *Niedersächsische Nachrichten von gelehrten neuen Sachen.*

document publié concernant la vie de Prévost, en même temps que l'un des mieux informés. Le héros des Mémoires, *d'après cet article, s'appelle « Mr. Prevost » et a pris le nom « d'Exil », tiré de sa condition d'exilé, pour demeurer inconnu. S'il n'est pas tombé dans les disgrâces qu'il prête à son héros, il en a connu d'autres, « partie par ses fautes, partie par la faute de son tempérament ». Après avoir quitté la France dans les conditions qu'on a vues, il s'est engagé par une promesse secrète de mariage avec la fille d'un seigneur anglais qui l'a pris dans sa maison pour présider à l'éducation de son fils et enseigner en même temps le français a sa fille, la belle Peggy D***. Pour « prévenir un plus grand mal », le seigneur, mis au courant de l'aventure, marie sa fille à un grand personnage et renvoie Prévost; qui s'est converti à l'anglicanisme, après l'avoir largement dédommagé. Celui-ci passse alors en Hollande et se console de la perte de la belle en écrivant le « présent ouvrage » et* Cleveland.

Pour estimer la valeur des renseignements fournis par Holtzbecher, qui paraissent d'ailleurs confirmés par les documents d'archives[1], *il faut se souvenir qu'à la date du 1er mai 1732, rien n'avait été publié sur la vie de Prévost. Le traducteur tire sans doute ses informations, y compris le nom de Prévost, connu d'ordinaire sous le nom de « M. d'Exiles », du milieu des journalistes et des libraires hollandais avec lesquels il est en relations. Précisément, quelques années plus tard, le rédacteur des* Lettres sérieuses et badines, *dans un article déjà cité, confirme exactement son témoignage. Dans une galerie des auteurs français vivant en Hollande vers 1732, voici le début du portrait de Prévost :*

1. Francis Eyles, que l'on donne pour « fils unique » de sir John, avait bien une sœur, Mary. Elle se maria le 22 février 1731 avec William Bumstead, subrécargue du vaisseau *South Sea*, appartenant à la Compagnie dont John Eyles était sous-gouverneur (voyez le *Monthly Chronicle*). Le mariage eut lieu discrètement à Romford, dans la maison de campagne de sir John (Archives du Guildhall, NQ. 25. XII, pp. 433 et 436). Et les époux furent envoyés dans le Warwickshire, où W. Bumstead devint sheriff (*Gentlemen's Magazine*, 1734, p. 52). Reste la difficulté du nom; mais Peggy n'est pas forcément à l'époque le diminutif de Mary, et l'initiale D... peut être conventionnelle.

Un moine noir se défroque et passe à Londres, y apprend assez d'anglais pour se produire dans une bonne maison. En quittant sa robe, il a laissé sa religion pour prendre celle qu'il *(sic)* plaira à ses patrons; il s'en fait un qui le tire de la grosse misère. Peu content d'être le commensal de son bienfaiteur, il en veut être le gendre : cette témérité le gâte dans cette famille; il faut chercher un autre refuge, il repasse la mer[1]...

On notera que cette version du départ d'Angleterre s'accorde avec celles de Ravanne[2] et de Lenglet-Dufresnoy, et explique parfaitement la discrétion de Prévost. Quant au lien entre cet épisode de la vie de l'écrivain et ses romans, notamment Manon Lescaut, *il reste, de toute évidence, purement hypothétique.*

Avec le séjour en Hollande, on aborde une période de la vie de Prévost que des documents découverts récemment éclairent d'une manière inespérée. Pourtant, les controverses à son sujet sont plus vives que sur tout autre. Pourquoi? parce qu'on touche ici au point sensible en ce qui concerne la genèse de Manon Lescaut. *Un fait est établi. Prévost a éprouvé en Hollande une grande passion pour une femme nommée sans doute Lenki Eckhardt, pour laquelle il commit, non seulement des indélicatesses, mais même un délit pouvant entraîner la peine de mort[3]. Le problème est de savoir si cette liaison a joué un rôle dans la genèse de* Manon Lescaut. *Parmi ceux qui l'affirment, il faut distinguer ceux qui pensent que Prévost a transposé dans son roman l'histoire de ses relations avec Lenki[4] et ceux qui estiment que Lenki a seulement*

---

1. *Lettres sérieuses et badines*, t. VIII, IIème partie, p. 253. Le morceau continue par le passage cité p. XXVIII : « il repasse la mer et débute par s'attribuer un ouvrage... »

2. Peut-être est-ce Ravanne qui renseigna les journalistes hollandais moins discrètement qu'il ne le fait dans ses *Mémoires*.

3. Voyez sur cette aventure les curieux détails découverts par Mysie Robertson, plus bas, p. LXVIII.

4. Surtout C.-É. Engel, qui semble considérer la chose comme acquise, et s'exprime pourtant à ce sujet en des formules assez fuyantes, ainsi : « Bien des événements se produisent [dans *Manon Lescaut*]. Et l'épisode de Lenki n'est pas suffisant pour les expliquer. » (*Le Véritable Abbé Prévost*, p. 128.) Étiemble est aussi tenté par cette

favorisé l'éclosion du chef-d'œuvre en imposant à Prévost la « suprême épreuve d'un grand amour[1] ». *Cette différence d'appréciation est liée à une autre question, celle de la date de publication de* Manon Lescaut[2]. *Comme les relations de Prévost avec Lenki n'ont pris un tour dramatique qu'en 1732 et 1733, il faut, pour soutenir la thèse selon laquelle la réalité aurait directement inspiré le roman, admettre que celui-ci n'a pas été publié avant 1733. Or cette opinion, abandonnée depuis les travaux de Harrisse*[3], *avait trouvé récemment de nouveaux défenseurs*[4]. *Malgré l'ingéniosité dont ils ont fait preuve, nul doute ne peut plus exister. Plus d'une douzaine de documents pour 1731, une demi-douzaine pour 1732, parmi lesquels des annonces de journaux et de revues, deux comptes rendus dont un très détaillé*[5], *et même une traduction allemande*[6], *presque tous datés ou datables à quelques jours près, attestent à l'évidence que la date de 1731 est la bonne. Il reste seulement qu'aucune édition ne parut en France avant 1733, et que les libraires hollandais hésitèrent à courir le risque d'y exporter leurs exemplaires en fraude ; d'ailleurs, la diffusion des livres imprimés en Hollande ne se fait*

---

hypothèse : « Ceux-là néanmoins n'ont peut-être pas tort, qui (...) composent Manon à grands coups de Lenki » (Préface à l'édition de la Pléiade).

1. Henri Roddier, *l'Abbé Prévost, l'Homme et l'Œuvre,* p. 29. L'auteur va plus loin pp. 59-61, et surtout dans sa conclusion : « Tout [dans le roman] est vrai, quoique l'auteur ne raconte pas son passé. Manon incarne Lenki, si experte, selon Ravanne, à ruiner ses amants. » (P. 193.)

2. Sainte-Beuve s'en inquiète déjà dans sa causerie *le Buste de l'abbé Prévost,* du 7 novembre 1853 (éd. Garnier, *XVIII*^e^ *siècle, Romanciers et Moralistes*, p. 132).

3. *Bibliographie de Manon Lescaut,* 1875, seconde édition, 1877, pp. 12-21.

4. Max Brun, *Contribution bibliographique sur les éditions des Mémoires et Aventures d'un Homme de qualité et de Manon Lescaut* (*Bulletin du Bibliophile,* 1955). M. Max Brun s'est depuis rallié sans réserve à nos conclusions.

5. Paru en juillet 1731 dans les *Lettres sérieuses et badines,* t. V, IIème partie, XXIIJ^e^ lettre (hebdomadaire), pp. 442-445. Voir F. Deloffre, *Un morceau de critique en quête d'auteur, le Jugement du Pour et Contre sur Manon Lescaut* (*Revue des Sciences Humaines,* 1962, pp. 203-212).

6. Cf. p. XLIV, note 1.

en France à cette époque qu'avec un retard inhabituel[1] *imputable sans doute à des difficultés administratives.*

La seule thèse encore soutenable, pour admettre une influence de Lenki, est donc celle selon laquelle l'abbé Prévost aurait composé Manon Lescaut *dans les premiers mois de 1731, au début de sa liaison avec Lenki. Il faut, pour la discuter, serrer les dates d'aussi près que possible. Les* Mémoires de Ravanne, *document essentiel, ne datent aucun des faits rapportés, mais on peut admettre que l'auteur respecte l'ordre des événements, qu'il n'a pas intérêt à modifier. Selon son témoignage, après que l'argent de l'abbé Prévost eut permis d'acquitter les dettes du secrétaire, les deux hommes s'embarquent ensemble pour Gravesend. Ils y font une première étape, et le soir ont à l'auberge de plaisantes conversations avec des dames allemandes et anglaises. Le lendemain, on se remet en route, et le bateau atteint le jour même, à la tombée de la nuit, le havre d'Helvoetshuys, à l'embouchure de la Meuse. Le lendemain, ils gagnent par terre Rotterdam, et y arrivent à l'heure du souper. Nouvelle étape, par la « barque » cette fois, et ils sont à La Haye. Ils s'y plaisent assez pour souhaiter d'y rester, « s'[ils] y [eussent] trouvé l'occasion de s'indemniser par quelque ouvrage de la grosse dépense qu'on est obligé d'y faire ». Ils n'y passent que deux jours, le temps de recevoir leurs bagages, et se rendent à Amsterdam, où Prévost est impatient de se trouver pour y « exercer sa plume ». Dès qu'ils y sont, ils se mettent aussitôt à l'œuvre*[2].

De quand date ce voyage ? Comme Prévost dit lui-même qu'il a passé deux ans en Angleterre[3], *Harrisse conclut qu'il est arrivé*

---

1. Écrivant aux auteurs de la *Bibliothèque raisonnée,* Voltaire note en 1732 « l'extrême difficulté que [l'on a] en France de faire venir des livres de Hollande » (édit. de Kehl, tome XLIX, page 37). L'annonce dans le *Mercure* des périodiques reçus de Hollande confirme la remarque de Voltaire.

2. *Mémoires de Ravanne,* édit. 1752, t. III, pp. 125-130.

3. « Étant passé en Angleterre, la même proposition (de collaborer au *De Thou*) me fut renouvelée presque aussitôt... Deux ans s'écoulent, je viens en Hollande, et j'y suis à peine arrivé que les propositions renaissent et que je me trouve engagé dans un traité avec Gosse et Neaulme, libraires à La Haye. » (*Projet d'une traduction de l'Histoire de M. de Thou,* dans le *Journal littéraire,* t. XVII, 1re partie, p. 262).

en Hollande en novembre 1730. En outre, dans une lettre du 10 novembre 1731, envoyée de La Haye à Dom de la Rüe, *Prévost regrette de s'être « vu privé ici du plaisir de voir Dom Thuillier », dont il n'a « appris l'arrivée qu'après son départ*[1] ». *Le voyage de Dom Thuillier en Hollande ayant eu lieu en octobre 1730, on a là une nouvelle preuve, selon Harrisse, que Prévost n'était pas encore à La Haye, où il serait arrivé « environ trois semaines » après*[2]. *Ce dernier argument a pu être retourné*[3]. *Si Prévost n'était pas à La Haye au moment du voyage de Dom Thuillier, on ne pourrait lui reprocher d'avoir « évité à dessein de lui parler et de le voir ». Et il aurait une excellente excuse pour ne l'avoir pas rencontré. C'est donc qu'il était à La Haye au moment de ce voyage : il faudrait donc placer son passage en Hollande, non pas en novembre, mais en septembre 1730.*

En fait, Harrisse a peut-être raison en ce qui concerne la date du voyage. Sans doute est-elle plus proche de novembre que de septembre. Suivant Prévost, « à peine arrivé en Hollande », des propositions lui sont faites concernant le De Thou, *et un contrat est signé : cela n'eut pas lieu avant décembre 1730*[4]. *Et pourtant, l'argument de Havens a quelque valeur. Prévost a dû se trouver en Hollande en même temps que Dom Thuillier : non pas à l'automne de 1730, date du premier voyage de Dom Thuillier, mais au printemps de 1731, pendant lequel celui-ci fit un second voyage dont l'existence est attestée par une lettre qu'il écrivit de La Haye le 20 mars 1731*[5]. *Ainsi se trouve du même coup résolue une difficulté à laquelle ni Harrisse ni Havens n'avaient pris garde : en 1730, Prévost ne demeure pas à La Haye, — à part les deux jours passés à l'auberge avec Ravanne, — mais, on va le voir, à Amsterdam.*

---

1. Dans Harrisse, *l'Abbé Prévost,* pp. 161-162.
2. Harrisse, *la Vie monastique de l'abbé Prévost,* p. 40.
3. Par George Havens, *Abbé Prévost and English Literature,* Princeton, Paris, 1921, pp. 20-22.
4. Voir ci-après.
5. Harrisse en reproduit lui-même le texte dans son ouvrage *la Vie monastique de l'abbé Prévost,* pp. 46-47, sans voir qu'elle lui permettrait de suppléer à l'inachèvement de la biographie de Dom Thuillier, dont il se plaint, pp. 38-39.

... Nous nous renfermâmes à l'auberge, *continue Ravanne*, dans le dessein de ne paraître qu'après avoir fini les *Mémoires de Cleveland ou le Philosophe Anglais*, que nous commençâmes en arrivant. Je dis nous, quoique je n'aie eu d'autre part à cet ouvrage que d'avoir donné l'idée de quelques aventures, et pris la peine de le mettre au net. Trois semaines de travail assidu nous conduisirent à la fin du quatrième volume. Nous avions projeté de le pousser jusqu'au septième, et nous l'aurions fait tout de suite, si un libraire[1] d'Utrecht, qui acheta le manuscrit, n'eût eu l'empressement de le publier tel qu'il était, dans l'espérance que Prév... lui donna de lui fournir incessamment le reste. Mais dès que nous eûmes touché l'argent, son ardeur pour le travail se ralentit. Il promit cependant de le continuer, et s'engagea même aux deux libraires de La Haye à traduire l'Histoire de M. de Thou et à l'enrichir de remarques intéressantes[2]...

On peut préciser la date et le lieu où fut signé le contrat de Cleveland[3] : *ce fut en décembre 1730, à Amsterdam, où* Prévost *résidait. Il s'engageait à livrer, pour le 1*er *février 1731 au plus tard, « un ouvrage fini dans le nombre d'environ 60 feuilles, la feuille à tant*[4]*..., sous le titre de* Philosophe anglais, *à compter sur le caractère et le format des* Mémoires d'un Homme de qualité, *que s'il y avait plus ou moins de feuilles, on les paierait ou on les diminuerait à proportion*[5] ». *Si l'on considère l'histoire*

1. Le texte de 1781 porte *une librairie*. Ce libraire est Étienne Neaulme.

2. *Mémoires de Ravanne*, éd. de 1752, t. III, pp. 130-131.

3. A cette époque, il est difficile de dire où en est la rédaction, et depuis quand l'ouvrage est conçu. Peut-être la mort de Charles Fitz-Roy, duc de Cleveland, fils naturel de Charles II, survenue le 9 septembre 1730 et commentée par la presse, a-t-elle joué un rôle dans son imagination. Selon les *Lettres sérieuses et badines* (article cité plus haut, pp. XXVIII et LIII), il aurait pillé un manuscrit volé dans la bibliothèque d'un seigneur anglais. Cette imputation traditionnelle laisse sceptique.

4. Probablement 12 florins par feuille.

5. *Extraits de plusieurs lettres de l'auteur des Mémoires d'un Homme de qualité, publiées par Étienne Neaulme pour se justifier de ce que la continuation du Philosophe Anglais, ou l'Histoire de M. Cleveland ne paraît pas encore* (Utrecht, 1732). Réédités par Mme de Labriolle-Rutherford dans

de la publication de Cleveland, *on voit que Ravanne exagère la rapidité de la composition. Il est vrai que les deux premières parties furent prêtes rapidement. Les premiers exemplaires en furent disponibles en juillet 1731*[1]. *Un manuscrit en fut présenté à la censure française le 2 avril 1731*[2]. *Dès le début de février de la même année, Étienne Neaulme annonçait qu'il avait l'ouvrage sous presse*[3]. *Enfin même, fait curieux et jusqu'ici négligé, la traduction anglaise, donnée comme l'original, du même* Cleveland, *livres I et II, paraissait en Angleterre au mois de mars 1731, c'est-à-dire bien avant l'édition française*[4]. *En revanche, les livres III et IV, annoncés depuis si longtemps, ne parurent qu'avec un retard qui provoqua des plaintes de la part du libraire et de la critique*[5], *au mois d'octobre 1731. Comme, dans une lettre*

French Studies, 1955, pp. 230 et suiv. Voir aussi H. Roddier, *op. cit.*, pp. 30-31. Un compte rendu de la brochure de Neaulme avait paru dans les *Lettres sérieuses et badines,* 1732, t. VII, pp. 441-442.

1. Annoncé dans la *Bibliothèque Belgique* de juillet 1731 : « Nous n'avons encore reçu que les deux premiers volumes de cet ouvrage, qui est in-12. Comme nous attendons incessamment les deux autres, nous remettons aussi à parler de ce joli roman jusqu'à ce qu'il soit complet, pour n'en pas faire à deux fois »; dans *Historia Literaria* (à Londres, chez N. Prevost) de juillet 1731, t. II, p. 510, Nr XI : « 2 vol. 12mo, à Utrecht, 1731 », etc.

2. Harrisse, *l'Abbé Prévost,* p. 156.

3. *Historia Literaria,* t. II, p. 202. Ce volume, le premier de 1731, a dû paraître en février. Tenir compte de la différence de calendrier qui fait que l'on doit ajouter onze jours aux dates anglaises. Voici le texte de l'article : « [Étienne Neaulme] is also printing les Mémoires de Mr. Cleveland, fils naturel de Cromwell, traduit de l'Anglois. In 12mo. 4 vol. The same *Memoirs* are actually printing in *London* from the original Manuscript. »

4. Voir le compte rendu et les extraits dans un long article de l'*Historia Literaria* de mars 1731 (vieux style), Nr IX, t. II, article 29, pp. 285-282 (*The Life of Mr. Cleveland, natural Son of Oliver Cromwell. Written by himself.* London. Printed for N. Prevost, overagainst Southampton street in the Strand; and E. Symon, overagainst the Royal Exchange, Cornhill, 1731. Two Vols. 8 vo). Autre annonce dans le *Monthly Chronicle* d'avril 1731, p. 81, sous la rubrique *Historical* (et non *Entertainment*). Nous n'avons pas retrouvé d'exemplaire de cette édition.

5. É. Neaulme écrit dans les *Extraits de plusieurs lettres... :* « Tout le monde sait dans quel temps les deux premières parties de ce livre ont paru, on est encore plus instruit combien le public a langui avant

du 21 février 1731, Prévost annonce à Étienne Neaulme qu'il « poussera le Cleveland *autant qu'il [lui] plaira*[1] *», peut-être en réponse à de premières instances, on peut estimer qu'à cette date il a livré les deux premiers volumes, mais pas la suite, pour laquelle il cherche à faire patienter le libraire : celui-ci préférerait publier le tout, d'où le retard de l'éditeur hollandais sur l'éditeur anglais, qui s'est satisfait de la première livraison. Quant à Prévost, c'est vraisemblablement l'entreprise de la traduction de l'*Historia Thuana, *pour laquelle il a pris des engagements, qui le détourne pour le moment d'achever* Cleveland.

Revenons à Ravanne qui continue en ces termes :

> ... et comme les libraires s'étaient aperçus qu'il avait du penchant à la dissipation, ils l'engagèrent à aller demeurer à La Haye, afin de le ſaire travailler sous leurs yeux [2].

La première annonce de la traduction du De Thou *est du 23 janvier 1731. On y lit que les libraires Gosse et J. Neaulme ont « commencé d'imprimer » cette traduction, et qu'un volume paraîtra tous les six mois*[3]*. Le 10 avril, ils distribuent gratuitement un* Projet *relatif à la publication de cette traduction par souscription. Dès lors, ils annonceront régulièrement qu'elle est imminente*[4]*, mais ne pourront exécuter leur promesse, par suite des retards de Prévost. Ce n'est apparemment pas avant le début de 1731 qu'ils s'aperçurent de son penchant à la dissipation et l'engagèrent à résider à La Haye. Peut-on préciser ? Un* terminus ante quem *est fourni par une remarque insérée dans le* Journal

---

que de voir paraître les deux autres, mais je passerai sous silence toutes les prières et les instances que j'ai faites alors pour en venir à la continuation de cette histoire » (dans M.-R. Rutherford, *French Studies*, 1955, p. 230). Voir aussi la *Bibliothèque Belgique* d'octobre 1731 : « Un avertissement placé après la préface nous annonçait dans un mois ou six semaines les deux derniers volumes... » (p. 419). La *Gazette* en annonce la publication à partir du 2 octobre 1731.

1. *Extraits de plusieurs lettres...*, p. 5, dans *French Studies*, 1955, p. 230.

2. Édit. de 1752, p. 131.

3. *Gazette d'Amsterdam* du 23 janvier 1731.

4. Par exemple dans la *Gazette* du 25 septembre 1731 : « P. Gosse et J. Neaulme donneront incessamment le premier volume de l'*Histoire de M. de Thou* traduit en français suivant leur projet in quarto. »

littéraire *vers la fin de juillet 1731*[1]. *On sait d'autre part que Prévost était à Amsterdam, non seulement à la fin de 1730, comme on l'a vu, mais encore au moins au début de 1731 : il le dit expressément dans son apologie du* Pour et Contre[2]. *Il nous paraît donc que l'installation de Prévost à La Haye doit avoir eu lieu entre février et juin 1731, la date la plus probable, si l'on tient compte des indications de Ravanne et de la coïncidence avec un voyage de Dom Thuillier, étant peut-être la fin de février ou le début de mars.*

Reprenons les Mémoires de Ravanne :

Cette précaution si sage en apparence fut la cause de la perte de Prev... Il ne fut pas longtemps sans s'y faire une maîtresse, qui le consumait si fort en dépenses, et l'occupait tellement, qu'il n'était pas possible que son travail le fît subsister[3].

Étienne Guilhou, qui a étudié de près le séjour de Prévost en Hollande, place en juillet 1731 sa venue à La Haye et à l'hiver 1731-1732 sa rencontre avec Lenki[4]. *Cette date doit être avancée.*

---

1. A propos d'une attaque de la *Bibliothèque raisonnée des Ouvrages des Savants de l'Europe,* t. VI, IIe partie, d'avril-mai-juin 1731, parue à Amsterdam vers la mi-juillet, une *Remarque communiquée aux auteurs du Journal littéraire* dit qu' « on était surpris *ici* [c'est-à-dire à La Haye] de voir le traducteur tranquille, et résolu de n'y opposer que le mépris et le silence » (dernière page non numérotée).

2. T. IV, p. 46, note 1 : « Étant à Amsterdam en 1731, on me proposa de retrancher de la *Méthode pour étudier l'Histoire* toutes les inutilités de cet ouvrage. » L'édition de cet ouvrage de Lenglet-Dufresnoy par Changuion et Humbert d'Amsterdam est annoncée « sous presse » par l'*Historia Literaria* de mars 1731, p. 300, qui, compte tenu de la différence de calendrier, ne paraît pas avant fin avril 1731. Ce numéro fait d'ailleurs allusion au prospectus de l'*Histoire de Thou* qui est du début d'avril.

3. Édit. 1752, t. III, p. 131.

4. *L'Abbé Prévost en Hollande*, pp. 32-33. Guilhou s'appuie sur le témoignage de Ravanne, mais prend juillet 1731 comme la date d'achèvement et de paiement du début de *Cleveland* (il a constaté en effet que la fuite de Prévost, en janvier 1733, semblait coïncider avec la date de publication et le paiement de l'*Histoire de Thou*, t. I). Par une argumentation ingénieuse, il montre que Prévost pourrait s'être « mis dans ses meubles » avec Lenki en mai 1732. C'est possible, mais cela n'exclut pas que la liaison ait commencé plusieurs mois auparavant.

Dès le 3 janvier 1732, Prévost a « un besoin très pressant de 100 florins » et les demande à Étienne Neaulme [1] : indice probable de la présence de Lenki à ses côtés. Dans son apologie, il déclare qu'il a dû quitter la Hollande « quelques mois » après avoir fait sa connaissance [2], et ces quelques mois ont peut-être fait un an et demi. Mais, même en admettant que Prévost se soit installé à La Haye dès février 1731, qu'il ait rencontré Lenki quelques semaines après, qu'il lui en ait encore fallu deux autres pour lier avec elle une « parfaite connaissance », comme dit le père de des Grieux, autant pour comprendre qu'il vivait l'amour de sa vie et devait en tirer un roman, il paraît difficile que Lenki ait pu inspirer à Prévost Manon Lescaut avant avril, ou à la rigueur avant fin mars 1731, en prenant chaque fois l'hypothèse la plus favorable. Reste à fixer la date la plus tardive à laquelle il peut avoir composé Manon Lescaut.

Rappelons d'abord que l'Histoire du chevalier des Grieux et de Manon Lescaut n'est que le tome VII des Mémoires et Aventures d'un Homme de qualité, et parut en même temps que les tomes V et VI. Il n'est jamais question à cette époque d'un tome VII séparé : toutes les mentions du roman font état des volumes V, VI et VII ensemble. Ils avaient été composés pour faire suite à une édition du même type des tomes I-IV, également par la Compagnie des Libraires d'Amsterdam. Ce n'est qu'ensuite que la Compagnie procéda à une édition revue et corrigée des quatre premiers volumes, de façon à former une collection parfaitement homogène de l'ouvrage complet. Pour nous en tenir donc aux tomes V, VI et VII, il est dit qu' « on [les] imprime », sous la rubrique des « Nouvelles Littéraires », dans la Bibliothèque raisonnée des Ouvrages des Savants de l'Europe, numéro de janvier-mars 1731, lequel est en vente le 18 avril, et donc n'a pu être livré à l'impression après la fin mars [3].

---

1. *Extrait de plusieurs lettres,* dans *French Studies,* 1955, pp. 230-231.
2. *Pour et Contre,* feuille XLVII, voyez l'*Appendice.*
3. T. IV, 1re partie, p. 228. L'article précise que « cette suite est du même auteur qui a donné les premiers volumes qui ont été si bien reçus du public ». Noter que la *Bibliothèque raisonnée* est publiée chez Wetstein et Smith, à Amsterdam.

Presque en même temps[1], *la* Bibliothèque française *d'Amsterdam annonce les trois volumes parmi les « livres qui se trouvent chez H. du Sauzet*[2] *» : ce libraire d'Amsterdam, l'un des plus importants de la Compagnie, chez qui se publie la* Bibliothèque française, *est le premier fourni. Il est suivi par Pierre Changuion, qui fait part à son tour dans la* Gazette *du 22 mai, du 5 juin et du 12 juin 1731 qu'il « a imprimé et débite » les* Mémoires d'un Homme de qualité, *tomes V, VI et VII. Le 19 et le 26 juin, c'est le tour de Pierre Mortier d'annoncer qu' « on trouve chez lui » la Suite des* Mémoires, *tomes V, VI et VII. En juillet, la même suite est en vente à Londres chez Nicolas Prévost*[3]*; du Sauzet annonce dans le numéro d'avril-juin 1731 de la* Bibliothèque raisonnée *qu'il débite la collection homogène de sept volumes, dont on a parlé, et le numéro suivant de la* Bibliothèque française *confirme la publication*[4]. *On pourrait suivre l'histoire de l'édition jusqu'en 1732 et au-delà*[5]. *En un an ou deux, elle*

---

1. La publication de la *Bibliothèque française* est annoncée comme imminente dans la *Gazette* du 13 avril. Cela signifie qu'elle est sous presse et va paraître dans une huitaine de jours.

2. T. XV, IIe partie. L'annonce est faite dans un catalogue au verso de la page de titre. Elle est répétée dans le cours de l'ouvrage, p. 368, et accompagnée d'un commentaire dont il sera parlé plus loin (voyez pp. CLVII-CLVIII). Il est aussi annoncé au même endroit que la Compagnie « réimprime les quatre premiers volumes de ces Mémoires ». Ces mentions échappent à Harrisse, qui ne s'intéresse qu'au tome suivant (XVI, Ire partie) de ce journal.

3. *Historia Literaria*, t. II, p. 510, Nr. XI. Catalogue des livres reçus par N. Prévost (en juin-juillet) : « Suite et Conclusion des *Mémoires d'un Homme de qualité qui s'est retiré du monde*, t. V, VI et VII. Amst. 1731. *Le Philosophe Anglais, ou Histoire de M. Cleveland, fils naturel de Cromwell,* par l'auteur des *Mémoires d'un Homme de qualité*, 2 vol. 12 mo, à Utrecht, 1731. »

4. Dans les *Livres nouveaux qui se trouvent chez H. du Sauzet*, pp. 182-183, la *Bibliothèque* publie un compte rendu d'une douzaine de lignes qui sera cité plus loin (voyez p. CLVIII). Ce numéro XVI, Ire partie, paraît avoir été rédigé en septembre ou octobre. On y trouve l'annonce de la publication de deux volumes du *Nouvelliste du Parnasse* et le second a été achevé en septembre.

5. La *Bibliothèque française* continue d'annoncer qu'on trouve des exemplaires chez du Sauzet jusqu'à l'été de 1733, sans préciser l'édition. Mais, dès le 11 mars 1732, François l'Honoré, d'Amsterdam, annonce qu'il « a imprimé et débite actuellement » les *Mémoires et Aventures*

est épuisée. Son succès en Hollande, en Angleterre, en Allemagne, où la Suite a été traduite en 1732, est tel que la Compagnie des Libraires n'a pas jugé nécessaire de tenter d'en exporter des exemplaires en France. On verra plus loin comment y furent connus, d'abord les tomes V et VI des *Mémoires*, en 1732, et enfin *Manon Lescaut*.

Nous en savons maintenant assez pour fixer à quelle date, au plus tard, le manuscrit fut remis aux libraires. Si, comme il est probable, en l'absence de toute indication contraire, il contenait la totalité de la suite, soit 914 pages d'impression, la composition, la correction, le tirage, le brochage et sans doute la reliure de cette édition soignée, comprenant vignettes sur cuivre, titres en rouge et noir, etc., ne peuvent guère avoir pris moins de trois ou quatre mois[1]. Sans doute admettra-t-on que, le tome VII étant imprimé après les autres, le manuscrit peut en avoir été remis le dernier à l'imprimeur. Mais il est difficile de croire que l'idée en soit venue à Prévost tardivement, alors que les tomes V et VI auraient été déjà presque terminés, car, dans ces conditions, l'annonce « sous presse » des tomes V et VI aurait précédé celle du tome VII, ce qui n'est pas le cas. En résumé, il est, pour des raisons matérielles, impossible que le manuscrit de *Manon Lescaut* ait été livré à l'impression plus tard que la fin de février 1731, et probable qu'il l'a été bien avant. Si l'on se souvient que, suivant toute apparence, Prévost n'a pas rencontré Lenki avant mars, et que, si on voulait mettre cette rencontre en liaison avec la composition de *Manon Lescaut*, il faudrait encore ajouter le temps de la conception, de la rédaction et de la mise au net du manuscrit, il apparaît que toute influence de Lenki sur Manon, roman ou personnage, est exclue.

Si l'on se replace dans la situation de Prévost à l'époque en question, c'est le contraire qui surprendrait. Dans cette hypothèse,

d'un Homme de qualité, 7 vol. (*Gazette d'Amsterdam*). Nous sommes du reste incapables d'identifier cette édition, qui ne semble pas répertoriée dans la Note Bibliographique figurant à la fin de ce volume.

1. Peut-être est-ce déjà à cette édition des *Mémoires* qu'il est fait allusion dans le contrat du *Cleveland* — signé, rappelons-le, à Amsterdam en décembre 1730 — où il est dit que le travail de Prévost sera estimé « à compter sur le caractère et le format des *Mémoires d'un Homme de qualité* » (ci-dessus, p. LVII).

il viendrait, à la fin de février ou au début de mars, de s'installer à La Haye, sous l'œil vigilant de Gosse et Neaulme, qui ont déjà annoncé le De Thou et en surveillent l'exécution. Et il s'adresserait aux libraires d'Amsterdam, qu'il aurait quittés depuis un ou deux mois, pour leur offrir une nouvelle œuvre légère, alors qu'Étienne Neaulme lui réclame en vain la suite de Cleveland[1]? Et pourquoi Ravanne, si fier de sa participation au Cleveland, ne mentionnerait-il pas sa contribution à Manon Lescaut, et ne songerait-il pas à rapprocher Lenki de Manon, puisqu'il la rend responsable des malheurs de l'abbé Prévost?

Mais, dit-on, la présence de Lenki n'est-elle pas sensible dans Cleveland? Il est vrai que la Fanny jalouse, obsédante, qui importune son mari de sa tendresse jusque dans son cabinet de travail, rappelle la Lenki qui « occupe tellement » Prévost qu'elle l'empêche de subsister de son travail. Mais précisément, ce personnage, qui n'apparaît sous ce jour que dans la quatrième partie, remise à l'imprimeur vers juillet et août 1731, n'a aucun rapport avec Manon. Celle-ci n'exige que la fidélité du cœur, et se passe fort bien de son Chevalier, qui du reste ne songe pas à travailler. A moins que ce ne soit en sa qualité de femme mûre, ayant été, avant Prévost, « douze ans à M. Goumouin, colonel suisse, de qui elle a eu plusieurs enfants[2] », que Lenki Eccard ou Eckardt, protestante et sans doute Hollandaise, eût suggéré à Prévost une Manon de quinze ans, menacée du couvent contre son gré? En réalité, quand on fait le rapprochement, c'est toujours à la suite des aventures de l'exilé avec Lenki que l'on songe, à ses indélicatesses envers les libraires, à ses dettes impayées, à sa fuite en Angleterre, au faux billet à ordre qui aurait pu le conduire à la

---

1. H. Roddier a fort bien montré que l'ouvrage qui compte pour Prévost à cette époque, celui auquel il est appelé « par une disposition toute particulière de la Providence », et qui du reste doit lui apporter une considération de bon aloi, digne de l'ancien bénédictin qu'il était, est la traduction du *De Thou*, non les « petits ouvrages » qui ne valent que par le style (voir la *Revue d'Histoire littéraire de la France*, avril-juin 1959, pp. 209-210). Sur une attitude différente de Prévost, à une époque antérieure, voyez pp. XXX et XXXI.

2. Bois-Jourdain, *op. cit.*, t. III, pp. 151-152. Étienne Guilhou a pu établir que trois colonels suisses de la même famille dont le patronyme était Gumoens, ce qui, francisé, donne Goumoin, furent à cette époque au service des États de Hollande (*op. cit.*, p. 32).

potence : mais encore une fois tous ces faits sont postérieurs. Qu'on dise, si l'on veut, que Prévost a peint des Grieux tel qu'il sentait qu'il pourrait être, ou tel qu'il n'osait pas être tout à fait, rien de plus plausible. Mais que Manon Lescaut *soit un chef-d'œuvre parce que l'auteur écrivait, presque au jour le jour, ce qu'il éprouvait, ou parce qu'il vivait alors l'amour de sa vie, le moins qu'on puisse dire est qu'on n'en sait absolument rien.*

Achevons rapidement, avant de reprendre sur d'autres bases la question de la genèse du livre, la biographie de l'abbé Prévost. Ravanne permet de compléter le tableau de sa vie avec Lenki :

Lenki, que toute la Haye connaissait pour une véritable sangsue, qui avait épuisé la plupart de ses amants, se donnait en ma présence des airs qui ne me convenaient point du tout. Outre qu'une créature de ce caractère ne méritait point de ménagement, j'étais trop naïf pour en user avec elle. Je la relevai un jour en présence de son amant avec des airs de mépris et en des termes peu ménagés, qu'elle sentit parfaitement bien. Quelques larmes qu'elle appela à son secours irritèrent Prev... qui voulut s'aviser de m'imposer silence. Il fut très sage de se taire lui-même, quand je le lui imposai à mon tour. Je me levai, et après avoir traité la donzelle comme elle le méritait, je sortis, résolu de ne me trouver jamais plus en sa compagnie; et quelque sollicitation que m'en ait pu faire sa dupe d'amant, rien ne fut capable de me ramener[1].

« Il en était si coiffé, continue Ravanne, qu'il se brouilla avec tous ceux qu'il avait lieu d'estimer », et même, paraît-il, avec « des femmes d'honneur auxquelles il avait de l'obligation ». A plusieurs reprises, des créanciers impatients vinrent le menacer[2] : il faisait alors appel à ses libraires ou à un prêteur occasionnel[3], séduit par cet extérieur sympathique qui lui « faisait obtenir mille grâces qu'il ne pouvait espérer de son mérite[4] ». Une fois au

---

1. Édit. 1752, t. III, p. 132.
2. *Ibid.*, t. III, p. 131.
3. Comme cette veuve Pijl, qui figure sur la liste des créanciers retrouvée par Guilhou, *op. cit.*, p. 26, ou Étienne Neaulme, qui lui avance 100 florins en janvier 1732.
4. Apologie du *Pour et Contre*, t. IV, p. 37.

moins il se vanta de rompre avec Lenki[1], *mais finit par la reprendre. Enfin, la situation devint si difficile que Prévost préféra repasser en Angleterre. Il ne laissait pas seulement derrière lui ses dettes, 900 florins, soit près de 10 000 francs, partie pour le loyer, partie pour le charbon, le pain, etc., mais il emportait encore 1 700 florins avancés par les libraires*[2]. *Deux jours après que le tribunal eut accordé aux créanciers la vente aux enchères publiques des meubles de « Marc-Antoine d'Exiles*[3] », le Glaneur historique, moral, littéraire et galant, *dans un article resté inconnu jusqu'ici, résuma l'impression produite par le séjour de Prévost en Hollande. Sous le titre anodin de* Réflexions bibliographiques, *le journaliste fait une allusion, d'abord vague, à « certains aventuriers beaux-esprits » qui, par leur « air de qualité », font leurs dupes des libraires :*

... Paraît-il un nouvel astre sur l'horizon de la République des Lettres ? Vous voyez aussitôt tout le corps de la librairie en rumeur, c'est à qui l'empaumera le premier, on se l'arrache des mains. « Comment, dit-on, un homme qui a été... officier[4], qui en a encore tout l'air et les manières[5], un auteur qui joue des instruments, qui chante[6], qui danse,

---

1. *Extraits de plusieurs lettres...*, à la date du 19 octobre 1732 : « J'ai quitté enfin ma maîtresse. Cette nouvelle vous réjouira peut-être. » (*French Studies,* 1955, p. 233.)

2. Dont 100 à Étienne Neaulme (Bois-Jourdain, *Mélanges...*, t. III, p. 151). Bruzen de la Martinière donne un chiffre comparable, 1 400 à 1 500 florins (lettre du 23 janvier 1733, dans Harrisse, p. 188). Celui de Marais, dans une lettre du 7 février 1733, 4 000 ou 5 000 florins, est très exagéré (dans Harrisse, p. 189).

3. E. Guilhou, *op. cit.*

4. On attend « moine ».

5. Selon Bois-Jourdain (*ibid.*, t. III, p. 151), Prévost se promène à cette époque vêtu en officier de cavalerie. En France, il reprendra, non pas le froc, ni la soutane, mais le petit collet.

6. Sur quelques couplets composés par Prévost à Chantilly, voir Harrisse, p. 405. Nous avons retrouvé dans le *Petit chansonnier français, ou Choix des meilleures chansons sur des airs connus*, Genève, 1778 (p. 90), la chanson suivante, intitulée *l'Énigme,* sur l'air *la Trop Innocente Colette, ou Comme v'là qu' c'est fait*, attribuée à l'abbé Prévost :

Que notre ignorance est extrême,
Toujours douter, c'est notre lot ;

qui boit, qui fait de tout, qui sait de tout, qui parle de tout. Oh ! voilà des auteurs de la tournure qu'il nous en faut; et non pas des hiboux et des crasseux comme nous, qui savent leur métier, et puis c'est tout. » Avec de si favorables préjugés, un aventurier bel-esprit ne peut manquer de faire beaucoup de chemin en peu de temps, il devient vite le coryphée de la République des Lettres, il est l'oracle de la librairie, c'est lui qui détermine le juste degré d'estime que l'on doit avoir pour chaque membre de cette république; c'est lui qui règle le prix de leurs productions, et en taxe la rétribution. Il se forme un vaste plan d'ouvrage, on y applaudit, on l'entreprend sur sa parole; on le laisse, pour ainsi dire, le maître des avantages qu'il en veut retirer, pendant qu'on cherche à rogner cinq sous sur quelque autre. Bien plus, on lui avance de grosses sommes, afin de l'encourager encore au travail. Mais qu'arrive-t-il enfin de toutes ces attentions, de toutes ces dépenses? L'astre brillant s'échappe tout à coup, et ne laisse après lui que des traces honteuses de ses dérèglements et de sa mauvaise foi[1].

Le flambeau de la raison même
N'est pour nous qu'un faible falot.
Sans savoir ni pourquoi ni comme,
On naît, on meurt presque aussitôt;
L'homme est une énigme pour l'homme :
Quand on veut chercher le mot,
On est tout sot,
On est tout sot.

1. *Le Glaneur historique*, etc. de J. B. de la Varenne, lettre VI, du 19 janvier 1733. Ce tableau satirique préfigure deux autres écrits d'inspiration analogue contre Prévost : 1° dans les *Mémoires pour servir à l'histoire de la Calotte,* nouvelle édition, à Moropolis, 1739, un *Dialogue* (seconde partie, pp. 121-156) où Prévost figure sous le nom de Lixées (anagramme d'*Exiles*), pp. 336-337; 2° l'article des *Lettres sérieuses et badines,* t. VIII, IIème partie, où plusieurs passages lui sont consacrés, pp. 253-254 (de « Un moine noir... » jusqu'à « voudra en donner la suite »), pp. 258-259 (de « Ce n'est là que l'usage... » jusqu'à « Il ne laisse pas pour cela d'écrire encore, et en six mois il dépêche trois ou quatre ouvrages différents, qu'il vend à autant de boutiques »), pp. 261-262 (de « D'autres n'y vont pas avec tant de ménagements » jusqu'à « ils feraient un procès d'injure à quiconque les appellerait auteurs. Ils n'en veulent que la gloire d'avoir fait d'excellents livres, et ils se bornent à recevoir des sommes à compte de ce que leur devra le libraire quand il fera imprimer ce qu'ils lui ont déjà vendu. Ils y travaillent et ce sera l'étonnement et le désespoir de leur siècle. »)

En passant en Angleterre, Prévost avait emmené Lenki : elle espérait, dit-il lui-même, qu' « *avec toutes les qualités et tous les petits talents qu'on peut désirer dans une personne bien élevée, [il pourrait] lui faire trouver par l'entremise de ses amis une retraite honorable et tranquille auprès de quelque dame de distinction*[1] ». *Ce ne fut sans doute pas chose facile. Et tandis que Prévost, redevenu précepteur*[2], *tentait de se faire des ressources supplémentaires en rédigeant le* Pour et Contre[3], *sa situation financière s'aggravait. Un touriste littéraire, Charles-Étienne Jordan, qui le rencontre à Londres, vers juillet-août, peut-être dans le cercle de réfugiés dont l'animateur est Desmaizeaux, le montre travaillant à un ouvrage intitulé* l'État des sciences en Europe, *et le plaint de ne pas jouir d'une meilleure fortune*[4]. *On sait comment Prévost, réduit aux abois par les besoins d'argent de Lenki, commit un acte qui faillit lui* « *coûter la vie* ». *Il s'agissait seulement d'une lettre de change falsifiée, mais une législation sévère édictait pour ce délit la peine de mort, et Prévost, si l'on en croit Ravanne*[5], *ne fut sauvé que parce que la victime, le chevalier Eyles, retira sa plainte. On conçoit qu'après cette aventure Prévost eut envie de rentrer en France. Après quelques mois de retraite*

---

1. *Pour et Contre,* feuille XLVII, t. IV, pp. 41 et suiv.

2. Le *Journal de la Cour et de Paris,* on l'a vu (p. XLVIII, note 4), dit, à la date du 13 juillet 1733, que Prévost est « actuellement gouverneur d'un jeune seigneur », et ceci est confirmé par les journaux cités par Mysie Robertson, selon lesquels il a été gouverneur chez « plusieurs gentilshommes ». Le problème, qui n'est pas résolu, est de savoir s'il exerce de nouveau ces fonctions dans la famille Eyles. Voyez p. LII.

3. L'approbation est du 24 mars 1733. Le premier numéro parut au début de juin 1733.

4. Comparant Voltaire et Prévost, il souhaite au premier une meilleure santé, et au second une meilleure fortune (*Histoire d'un voyage littéraire fait en 1733...*, La Haye, 1735, seconde édition, 1736, pp. 169 et 186).

5. « (Sa vie) lui fut conservée par ceux mêmes qu'il avait voulu duper. » (Édit. 1752, t. III, p. 134.) Cf. Bois-Jourdain : « Il a été heureux pour lui que cette lettre de change soit tombée entre les mains d'un homme de sa connaissance qui a bien voulu ne le pas poursuivre » (*Mélanges...*, t. III, pp. 149-150). On a déjà mentionné l'étude de Mysie Robertson qui a découvert une partie des pièces de l'affaire et les comptes rendus des journaux du temps (cf. ci-dessus, p. XLIX, note 4).

discrète, soit dans la province anglaise, soit aux environs de Calais, comme le dit Ravanne, sa paix faite avec l'Église, il revint à Paris, où il trouva le meilleur accueil[1]. *Sa pénitence achevée, pourvu enfin d'un bref de translation dûment fulminé, il pouvait enfin espérer, « sous ce nouvel habit (...) continuer ses romans en liberté*[2] ».

Parmi ces « romans », Prévost comprenait-il celui de Lenki ? Ravanne fournit encore un élément de réponse :

Il sortit de Londres pour se retirer à Calais, où il s'arrêta incognito pour employer ses amis à lui ménager sa paix avec l'ordre monastique dont il avait secoué le joug. Ses supérieurs[3] se donnèrent eux-mêmes le soin d'obtenir du pape un bref, qui lui permettait d'entrer dans un autre ordre, où chacun mène la vie qu'il lui plaît. Lenki, informée qu'il était en lieu de sûreté, ne tarda point à le rejoindre.

1. Il est à Paris au début d'octobre 1734 (lettre de Mathieu Marais du 11 octobre), « très bien reçu » (lettre du même, 28 novembre). « On se bat à qui l'aura » en février 1735 (*Journal des Nouvelles de Paris,* du 23 février 1735, dans Harrisse, p. 246). Bruzen de la Martinière dit encore à Gresset, par manière de parler, qu'il est « tel que Prévost, préconisé, fêté » (*Anecdotes ou Lettres secrètes pour 1736*, dans Harrisse, p. 247).

2. Lettre de l'abbé Goujet, du 7 novembre 1734, dans Harrisse, *la Vie monastique de l'abbé Prévost,* p. 48, note 3. Cf. Mathieu Marais, le 28 décembre 1735 : « Il rentre dans le *Pour et Contre,* dans les ruelles anglaises, dans le *Doyen de Killerine,* et dans tous ses romans du passé » (dans Harrisse, p. 259). Et dans les *Lettres sérieuses et badines :* « Sa rentrée dans l'état religieux ne l'empêche pas de continuer son roman » (t. VIII, IIème partie, p. 253). L'équivoque sur les « romans » vient de Lenglet-Dufresnoy. Voyez ci-dessus, p. LI.

3. Sans doute le cardinal de Bissy, abbé commendataire de Saint-Germain-des-Prés. On prêta au cardinal de Bissy l'intention de le faire collaborer à son *Traité théologique sur la Constitution Unigenitus,* 2 vol. in-4°, dont le principal rédacteur fut, dit-on, le Jésuite Germon. Voir *l'Almanach du Diable, contenant des prévisions très curieuses et absolument infaillibles pour l'année 1737,* Aux Enfers [par l'abbé Quesnel, selon Barbier]. On y lit que : « Certain doyen venu de Killerine/Pour faire fortune à Paris » sera contraint de s'en retourner, à cause du mauvais accueil qu'on lui fera : « Pauvre écrivain! que vas-tu devenir?/C'est fait de toi... mais non, chante victoire,/Bissy m'enjoint de te faire venir/Incessamment, pour lui finir/D'*Unigenit* la véridique histoire. » (Pp. 24-25; un répertoire donne pour cette prédiction le nom de l'abbé Prévost.)

Leur union se renouvela à Paris avec autant d'ardeur qu'elle s'était faite à La Haye. En changeant d'état, il n'avait pas changé d'inclination. Il avait jeûné, pendant dix ans chez Loyola, et pendant douze chez les Bénédictins : il n'était pas étonnant de le voir si affamé. Il lui faut au moins autant de temps pour se satisfaire, qu'il a langui par la privation des objets propres à la contenter. Heureux si Lenki ne lui fait point quitter Paris[1].

Comme d'habitude, ce texte pose des questions, non par un manque de bonne foi de Ravanne, mais par son insouciance à l'égard des dates. Quand Lenki vint-elle retrouver Prévost? L'expression « lieu de sûreté » s'entend probablement de sa nomination comme aumônier du Prince de Conti, aux environs du 1er janvier 1736 : Mathieu Marais remarque à cette occasion que « ses moines, ses créanciers et quelques ennemis étrangers n'oseront plus l'attaquer avec ce titre[2] ». Il est certain que Prévost est seul, par exemple, en ce monastère de La Croix-Saint-Leufroy, près d'Évreux, où il refait, comme il est d'usage dans un cas de ce genre, un noviciat qui se termina le 10 décembre 1735[3]. C'est peut-être un sentiment de lassitude amoureuse qui s'exprime dans une addition inédite du Pour et Contre, *rédigée sans doute en 1734. Après le passage de l'apologie déjà citée qui s'achève par : « Civil d'ailleurs, par l'effet d'une excellente éducation, mais peu galant ; d'une humeur douce, mais mélancolique ; sobre enfin, et réglé dans sa conduite », Prévost ajoute :*

enfin plus propre que jamais à la solitude d'un cloître, si l'amour de la liberté et de l'indépendance n'était pas sa passion dominante[4].

Mais qu'est devenue Lenki ? Dans une lettre de novembre 1735, adressée à Thiériot qui est alors à Paris, Prévost lui demande

1. Édit. 1752, t. III, pp. 133-134.
2. Lettre du 9 janvier 1736, dans Harrisse, p. 265.
3. *I am condemn'd to live here to the 10th of December,* écrit-il en novembre 1735 à Thiériot (dans Harrisse, p. 254).
4. Dans Harrisse, p. 41. L'addition figure dans l'exemplaire de Lyon, voyez l'*Appendice*.

s'il n'a pas vu « M. de Chester ». Qu'Harrisse ait bien lu[1]*, ou qu'il faille lire « M*me *de Chester », on est forcé de rapprocher ce nom de celui d'une « Madame de Chester » qui joue un grand rôle dans une lettre adressée en 1741 par Prévost, de Francfort où il est en exil, à Bachaumont. On lui offre de rester en Prusse, où le Roi lui ferait de grands avantages. Prévost préfère rentrer en France et se retirer dans sa famille, que la succession d'un oncle vient de mettre à l'aise. Il continue :*

D'ailleurs, Mme de Chester étant mariée et partie pour la province, un travail médiocre me mettra toujours en état de n'être incommode à personne. Je suis donc résolu d'aller droit au bon pays d'Artois (...)

Il est donc vrai, mon cher monsieur, que Mme de Chester est devenue Mme Dumas? Je l'ai appris d'elle-même[2]. C'est, comme vous le dites, ce qui pouvait arriver de plus heureux et pour elle et pour moi. Je suis bien éloigné de me croire absolument dispensé de prendre intérêt à son sort, et je chercherai au contraire toutes les occasions de lui être bon à quelque chose; mais je suis fâché qu'elle vous ait fait des plaintes de moi. Je ne le mérite, en vérité, pas, et vous en conviendrez vous-même quand je vous aurai dit que, malgré mes besoins pressants, je lui ai laissé à mon premier départ de Paris plus de huit cents francs à recevoir chez Prault. A la vérité, je ne lui ai rien envoyé depuis, mais c'est le pouvoir qui m'a manqué. J'ignore au reste ce qu'elle a voulu dire par les dettes qu'elle a payées pour moi[3].

*A lire ces deux lettres, on se demande si « M*me *de Chester » n'est pas Lenki. Si le « M. de Chester » de la première n'est pas*

---

1. Cette lettre, publiée en 1820 par Jacobsen, était la propriété de Harrisse quand il la publia (*l'Abbé Prévost*, pp. 253-254). Elle est rédigée en anglais. Noter que Harrisse commet quelques erreurs quand il déchiffre l'écriture du temps. C'est ainsi qu'il lit, dans une lettre de l'abbé de Blanchelande, qui est de nos jours la propriété de M. Roger Houzel et que nous avons consultée : « Cette perte arrivée après la mort de leur père, leur est, par cette raison *morne*, plus dommageable » (p. 443). Il faut évidemment lire : « par cette raison *même* ».

2. Par lettre sans doute, puisqu'il a quitté Paris depuis huit mois.

3. Dans Harrisse, *l'Abbé Prévost*, p. 325.

une fausse lecture, doit-on conclure qu'elle aurait déjà conclu à cette époque un premier mariage ? On ne sait. En tout cas, son attitude envers Prévost est bien celle de Lenki[1]. *Sans doute avons-nous là le dénouement d'une liaison qui, sans inspirer à Prévost un chef-d'œuvre, pesa d'un poids très lourd sur sa destinée.*

*Sur la période qui suivit, féconde en productions, telles que les traductions de Richardson, l'entreprise de l'*Histoire des Voyages, *etc., mais apaisée du point de vue sentimental, il n'y a plus lieu d'insister. Une lettre célèbre, à Boucher de l'Étang, montre Prévost réalisant le rêve de des Grieux, après la première trahison de Manon :*

Je commence par vous apprendre que j'ai quitté depuis trois semaines le séjour de Paris, la grand ville. A cinq cents pas des Tuileries s'élève une petite colline, aimée de la nature, favorisée des dieux, etc. C'est là que j'ai fixé ma demeure pour trois ans, par un bail en bonne forme, avec la gentille veuve ma gouvernante, Loulou[2], une cuisinière et un laquais. Ma maison est jolie, quoique l'architecture et les meubles n'en soient pas riches. La vue est charmante, les jardins tels que je les aime. Enfin, j'y suis le plus content des hommes. Cinq ou six amis, dont je me flatte que vous augmenterez le nombre à votre retour, y viennent quelquefois rire avec moi des folles agitations du genre humain. Ma porte est fermée à tout le reste de l'univers.

Qu'en dites-vous, mon cher philosophe ? Le voilà rempli, ce plan dont je vous ai tant de fois entretenu, et que vous exécuterez peut-être aussi quelque jour (...). Tôt ou tard, les gens sensés prennent le goût de la solitude. Ils perdent trop à vivre hors d'eux-mêmes[3]...

Des Grieux aussi voulait se faire « un divertissement des folles agitations des hommes[4] ». *Prévost avait-il conscience qu'il se citait lui-même ?*

---

1. Voir, sur cette question, Henri Roddier, *ouvr. cit.*, p. 44.
2. Loulou passe pour être une petite chienne.
3. Lettre de Chaillot, du 30 juillet (1746 ?), citée par Harrisse, p. 359.
4. Ci-après, p. 40.

Une des dernières images qui nous soit parvenue de Prévost donne l'impression qu'il est, vers la fin de sa vie, parvenu à une confortable aisance, gage d'un heureux équilibre physique. Le Temple de Mémoire, *écrit quelque temps après sa mort, le montre en conversation avec d'Argens et Crébillon le fils, discutant avec eux de leurs mérites respectifs de romanciers. Quoique le passage ait l'allure d'un dialogue des morts, la description de Prévost est significative :*

> L'abbé brillait d'un embonpoint charmant,
> Et digne de la prélature.
> Tout respirait dans sa figure
> La tendresse et le sentiment[1].

Et la vue de l'agréable maison de Saint-Firmin, qui existe encore aujourd'hui, où il habitait au titre de locataire de la veuve Genty[2], montre que le rêve entrevu à Chaillot ne s'est pas évanoui.

Tout a été dit par Harrisse, après des recherches admirables, sur la mort de l'abbé Prévost, survenue le 25 novembre 1763, dans la forêt de Chantilly, à Courteuil, alors qu'il revenait de dîner chez les religieux du prieuré de Saint-Nicolas-d'Acy, à une lieue de Senlis. Il avait succombé à une rupture d'anévrisme. Ses amis de Saint-Nicolas-d'Acy recueillirent son corps, et l'enterrèrent dans l'église des Bénédictins. Sa pierre funéraire, égarée à la Révolution, a été retrouvée en 1923[3]. En voici le texte et la disposition exacte :

1. *Vision de Sylvius Graphalèthès, ou le Temple de Mémoire*, à Londres, aux dépens de la Compagnie, 1767, tome II, p. 48.

2. Le nom de cette veuve Genty, ou *Gentille*, selon Gaillard, qui la dit « très attachée à la mémoire de l'abbé Prévost » (cité par Harrisse, p. 441), évoque curieusement la « gentille veuve » dont il a été question ci-dessus.

3. Épigraphie du département du Pas-de-Calais, t. VI, fasc. 6, f° 1294 v°, Hesdin, 1934. La pierre tombale de l'abbé Prévost, retrouvée parmi les ruines du prieuré de Saint-Nicolas-d'Acy, est conservée aujourd'hui dans la propriété de M. Mussat.

HIC
IACET D.
ANT. PREVOST
SACERD. MAI. ORD.
S. BENEDICTI MONACHUS
PROFESSUS QUAM PLURIMIS
(VOL)UMINIB. IN LUCEM EDITIS
INSIGNIS OBIIT 25
NOVEMBRIS 1763
Requiescat
In Pace

***

SOURCES LITTÉRAIRES ET HISTOIRE DU GENRE

Loin de confirmer que Manon Lescaut *ait été composée sur des données autobiographiques précises, l'examen des théories avancées jusqu'ici, crise de 1720, crise de 1728, départ d'Angleterre, liaison avec Lenki, a montré qu'aucune d'entre elles ne repose sur des bases solides. La plus acceptable serait la première. Si G. de M. est bien Gilly de Montaud, et M. de T. Trudaine, la seule date qui convienne est celle de 1720. C'est aussi celle à laquelle renvoient le détail du convoi de déportées, et, en gros, la mention de l'Hôtel de Transylvanie. Mais la seule signification de ces remarques est sans doute, simplement, que Prévost, comme tout romancier digne de ce nom, a pris soin de conférer à son œuvre des éléments de vérité externe suffisants pour que les lecteurs acceptent d'y croire. Si l'on connaissait le détail de ses aventures entre sa sortie de chez les Jésuites et son entrée chez les Bénédictins, peut-être serait-on surpris d'y trouver aussi peu de conformité avec celles de des Grieux que dans celles que nous connaissons effectivement. Enfin, les détails biographiques, les souvenirs d'amours anciennes ou récentes ne manquent pas dans les* Mémoires d'un Homme de qualité, *dans* Cleveland *ou dans d'autres romans de Prévost. On a trouvé des traits de l'abbé dans le Patrice du* Doyen de Killerine. *Aucune de ces œuvres n'est pour autant un chef-d'œuvre. Croit-on vraiment que si l'on arrive un jour à déterminer positivement la part de tels éléments, les problèmes de la construction ou de la signification du roman en seront résolus pour autant ?*

Puisque l'on est forcé d'en revenir à cette constatation que Manon Lescaut *est une œuvre littéraire avant d'être un document, il est logique de la traiter comme telle. Cela signifie, d'abord, qu'il faut voir quelle place elle tient dans la littérature, quelles en sont les sources, ou, si l'on préfère, les antécédents.*

Depuis quelque temps déjà, on a reconnu[1] *certaines ressemblances entre le roman de Prévost et un type d'écrits anglais élevés à la dignité d'un genre par Daniel Defoe, avec sa* Moll Flanders. *Il est très vrai que le « réalisme indiscret » de Defoe, suivant un mot d'Henri Roddier, pouvait servir à Prévost d'antidote contre le ton noble du roman de la tradition française qui marquait encore les* Mémoires d'un Homme de qualité. *Plus spécialement, on ne peut contester que* Moll Flanders *ne joue un grand rôle dans l'histoire de la littérature consacrée aux courtisanes. Mais si Prévost, qui s'intéresse aux personnages de ce genre*[2], *a probablement connu tôt ou tard le roman de Defoe, l'influence qu'il a pu exercer sur lui reste très vague. De la longue liste de rapprochements dressée par Elissa Rhaïs, il n'en est aucun qui ne s'explique par la communauté générale de donnée entre les deux ouvrages.*

C'est pourtant en explorant le domaine anglais que l'on a retrouvé l'ouvrage qui, jusqu'à plus ample informé, peut passer pour la source la plus directe de Manon Lescaut. *Non qu'il ne s'agisse d'une œuvre purement française, mais Prévost l'a peut-être connue d'abord à la faveur de sa traduction anglaise : il en a*

---

1. Elissa Rhaïs, *Une influence anglaise dans Manon Lescaut, ou une source du réalisme* (*Revue de Littérature Comparée*, oct.-déc. 1927). L'ouvrage de Kawczynski, *Studien zur Literaturgeschichte des XVIIIten Jahrhunderts. Moralische Zeitschriften* (Lemberg, 1880), ouvrait la voie, mais s'en tenait surtout à Steele et Addison.

2. Voir dans le *Pour et Contre*, feuille LIX (fin 1734), le récit qu'il fait de la vie de Molly Siblis, célèbre courtisane anglaise. Ce récit a été repris dans les *Aventures et Anecdotes*, au tome XXXV des *Œuvres choisies*, éd. cit., pp. 174-189. Sur ce thème de la courtisane dans la littérature antérieure au roman de Prévost, voir la préface d'Albert-Marie Schmidt à l'édition de *Manon Lescaut*, au Club Français du Livre.

loué la traductrice pour la sensibilité qui paraît dans ses ouvrages[1]. *Cela dit, il a sans doute lu en français cette œuvre maîtresse du roman d'amour que sont* les Illustres Françaises, *de Robert Challes, dont huit éditions au moins parurent entre 1713 et 1731*[2]. *L'influence de cette œuvre sur la sienne se remarque dès l'abord. Le titre même d'*Histoire du chevalier des Grieux et de Manon Lescaut, *rappelle exactement ceux des sept histoires dont se composent* les Illustres Françaises : Histoire de M. de Contamine et d'Angélique, Histoire de M. des Frans et de Silvie. *Le nom de des Grieux appartient à la même classe que des Prez, des Ronais, des Frans. Non seulement le prénom de Manon est celui de l'héroïne de la première histoire de Challes (Manon Dupuis), mais cet écrivain est si conscient de son originalité qu'il justifie ces « noms dérivés de ceux de baptême,* [...] *tels que Manon, Babet... » par son goût du naturel et de la vérité*[3]. *On ne saurait surestimer l'importance pour un romancier du choix des noms, qui engage souvent toute une vision des personnages.*

---

1. «...quoiqu'il paraisse par ses ouvrages qu'elle avait le cœur le plus capable des passions les plus tendres, elle manquait de ce qu'il faut pour les faire naître (...) quelle idée ne doit-on pas se former de ses peines à la lecture de ses œuvres galantes? Quelle mortification, quel tourment d'être née si sensible et si laide! » (*Pour et Contre*, nombre LVIII, vers octobre-novembre 1734, article intitulé *Mort et Caractère de Madame Aubin*). Pénélope Aubin était originaire d'une famille de protestants français émigrés. Sa traduction des *Illustres Françaises* parut en 1727 sous le titre : *The Illustrious French Lovers, being the histories of the Amours of several French Persons of Quality, in which are contained a great number of excellent Examples and rare and uncommon accidents,* etc. *Written originally in French and translated into English by Mrs. Aubin,* London, 2 vol., 1727. Réédition, 1739.

2. Et le double environ pour le siècle entier. Dès 1714, une des sept histoires, celle de des Prez et de Mlle de l'Épine, parut en France avec privilège, en tête d'un recueil de quatre *Aventures choisies* sous le titre de *l'Amour innocent persécuté* (Paris, Prault, 1714). Voir une réédition critique de l'ouvrage complet par F. Deloffre, éditions les Belles-Lettres, 2 vol., 1959. Pour son influence sur Prévost, cf. C.-É. Engel, *Figures et Aventures du XVIIIe siècle. Voyages et Aventures de l'abbé Prévost,* Paris, 1939. Cette étude a été complétée et développée dans un article de M. H. Roddier, *Robert Challes inspirateur de Richardson et de l'abbé Prévost, Revue de Littérature comparée,* janvier-mars 1947, pp. 5-38.

3. Édition les Belles-Lettres, t. I, p. LXIV

Chez Robert Challes, il correspond clairement à une conception non moins réaliste des problèmes moraux, sur laquelle le romancier s'explique en s'opposant à ses rivaux :

Presque tous les romans ne tendent qu'à faire voir par des fictions que la vertu est toujours persécutée, mais qu'enfin elle triomphe de ses ennemis, en supposant néanmoins, comme eux, que la résistance que leurs héros ou leurs héroïnes apportent à la volonté de leurs parents, en faveur de leurs maîtresses ou de leurs amants, soit en effet une action de vertu. Mon roman ou mes histoires, comme on voudra les appeler, tendent à une morale plus naturelle et plus chrétienne, puisque, par des faits certains, on y voit établie une partie du commerce de la vie[1].

La théorie du roman utilisé à des vues d'instruction morale n'est certes pas nouvelle, et Prévost, admirateur du Télémaque, *n'est pas embarrassé pour en trouver des exemples. Mais il sait aussi que, « tous les préceptes de la morale n'étant que des principes vagues et généraux, il est très difficile d'en faire une application particulière au détail des mœurs et des actions*[2] *». Or, le recueil de Challes, où de chaque histoire est tirée une courte leçon de morale pratique*[3]*, a pu lui donner l'idée de s'appuyer sur « l'expérience » et « l'exemple » pour présenter lui-même, dans un « ouvrage entier », un « traité de morale, réduit agréablement en exercice ».*

D'autres ressemblances touchent au fond même des œuvres. Si la Manon de Challes n'évoque qu'un instant celle de Prévost[4]*,*

1. *Ibid.*, t. I, p. XLIX.
2. Ci-après, p. 6. De même la citation suivante de Prévost.
3. Exemple : « (L'histoire de M. de Jussy) fait voir qu'une fille qui a eu une faiblesse pour un amant doit, pour son honneur, soutenir son engagement toute sa vie; n'y ayant que son honneur qui puisse faire oublier sa fragilité. » (T. I, p. LXVI.)
4. Et encore, seulement dans la traduction anglaise. Manon a été infidèle, ou plutôt des Ronais l'a crue telle. Il lui écrit pour rompre. Dans le texte français, le ton est brutal, puisque des Ronais conclut par : « j'estime vos faveurs à l'égal de celles des courtisanes » (éd. cit., t. I, p. 62). Mais la traductrice, Mme Aubin, a introduit ici des reproches passionnés, « ingrateful, deceitful Manon... », qui semblent préfigurer ceux de des Grieux : « Infidèle et parjure Manon (...) fille ingrate et sans foi... » (P. 141).

l'Histoire de M. des Prez et de Mlle de l'Épine *annonce par des détails notables celle de Manon et de son amant. Des Prez, fils d'un puissant magistrat parisien, est tombé amoureux de Madeleine de l'Épine, jeune fille bien élevée, mais dont le père est mort, et dont la mère, assez pauvre, est engagée dans un procès : sa fortune en dépend, et le jugement du procès dépend de des Prez le père. Les jeunes gens se fréquentent assidûment. Le père l'apprend et défend à son fils de revoir Madeleine. Il feint d'obéir, mais prépare un mariage secret. Les jeunes gens sont unis depuis un an lorsque des Prez le père est mis au courant par une imprudence. Dissimulant sa colère, il prépare l'enlèvement de son fils qu'il fait transférer à Saint-Lazare. Au même moment, il va reprocher à la mère de Madeleine la conduite de sa fille. Craignant de perdre son procès, elle s'emporte contre sa fille, la menace. La malheureuse, qui est enceinte, tombe évanouie. Elle est transportée à l'Hôpital, parmi les filles perdues. Elle n'y souffre pas longtemps, car elle succombe en mettant au monde un enfant mort. Des Prez, d'abord désespéré, puis un peu calmé par les bons religieux de Saint-Lazare, ne songe plus, après la mort de son père, qu'à récompenser ceux qui ont eu pitié de sa femme, et à tirer vengeance de ceux qui ont eu part à son malheur.*

Ce bref résumé ne donne qu'une faible idée des qualités frappantes de la nouvelle, qui atteint une franchise d'expression sans exemple, peut-être, avant le Diable au corps. *On s'étonne que la censure royale ait laissé passer, en 1714, certaine scène d'amour et de combat dans les seigles, même avec les adoucissements qu'y avait apportés l'auteur pour une édition destinée à paraître en France. Prévost semble avoir été surtout sensible à l'émotion du héros quand il raconte son histoire, deux ans après l'événement, ou à son désespoir et à sa rage au moment où, arrêté et enfermé à Saint-Lazare, il ne peut porter secours à sa femme en péril. Les divers enlèvements de des Grieux rappellent celui de des Prez, et le détail de la présence simultanée des deux jeunes gens, l'un à Saint-Lazare, l'autre à l'Hôpital, n'est pas oublié. Enfin, le père de des Prez, indulgent pour son fils, mais intraitable sur le chapitre des mésalliances, fait aussi penser au père de des Grieux. La différence essentielle entre les deux œuvres réside dans les caractères féminins. Madeleine de l'Épine est si peu ambitieuse qu'elle « aurait préféré une vie pauvre et tranquille à une vie remplie de faste et d'honneurs, qu'on ne peut acquérir qu'aux dépens de sa sincérité*[1] ». *Peu sensuelle, héroïque devant la souffrance, d'une âme élevée et désintéressée, elle forme avec Manon un contraste qui reflète parfaitement la différence entre l'éthique héroïque de Challes et l'éthique de Prévost, dont on reparlera.*

Mais nous n'en avons pas fini avec les Illustres Françaises. *L'histoire qui fait suite à celle de des Prez et Madeleine de l'Épine présente, cette fois, un caractère féminin comparable à celui de Manon*[2]. *Des Frans est un jeune homme de famille honorable, mais peu fortunée, car son père, qui est mort, a été officier. Ses oncles, gens de finance, le placent en province. Il rentre à Paris sous des prétextes, et rêve de devenir officier. C'est là qu'il rencontre Silvie. La scène où les jeunes gens font connaissance un matin de septembre, jour de la Nativité, dans Notre-Dame déserte, autour d'un enfant trouvé dont ils acceptent d'être parrain et marraine, est d'une fraîcheur et d'une poésie remarquables. Marivaux avec la rencontre de Marianne et de Valville, et même Prévost avec la scène de l'auberge d'Amiens, rivaliseront en vain, à cet égard, avec Challes. Dès cet instant, des Frans aime Silvie « de toute sa tendresse ». Il la quitte « tellement changé et pensif, qu'*[*il*]* ne *[*se*]* connaissait pas *[*lui*]*-même*[3] ». *Gracieuse jusque-là, l'histoire s'assombrit progressivement. Des Frans demande à Silvie de l'épouser : elle n'y consent pas, sans donner de bonnes raisons de son refus. Ces raisons, il croit les savoir, lorsque, quelque temps plus tard, une lettre anonyme lui apprend que Silvie est une intrigante. Enfant trouvée, elle a été accusée, à la mort de sa bienfaitrice, la marquise de Cranves, de l'avoir volée avec l'aide de son amant, mort depuis en prison. Pour l'instant, elle essaierait d'acheter la complicité d'un gentilhomme ruiné pour qu'il la fasse passer pour sa fille, et qu'elle puisse ainsi se faire épouser de des Frans. Après une journée de douleur et de rage, des Frans se rend la nuit chez Silvie. Il l'accable de ses mépris, et se dispose enfin à sortir. Mais elle se jette en larmes à ses genoux.*

---

1. Édition les Belles-Lettres, t. I, p. 210.
2. *Histoire de Monsieur des Frans et de Silvie,* éd. cit, t. II, pp. 281 et suiv.
3. Éd. cit., t. II, p. 293.

« Que voulez-vous, perfide ? » demande des Frans. Elle le supplie de l'écouter :

Je jetai les yeux sur elle dans ce moment; je me perdis. Elle était encore à mes pieds, mais dans un état à désarmer la cruauté même. Elle était tout en pleurs; le sein qu'elle avait découvert, et que je voyais par l'ouverture d'une simple robe de chambre, ses cheveux qu'elle avait détachés pour se coiffer de nuit (...) et qui la couvraient toute; sa beauté naturelle que cet état humilié rendait plus touchante, enfin mon étoile qui m'entraînait, ne me firent plus voir que l'objet de mon amour et l'idole de mon cœur. Le puis-je dire sans impiété? Elle me parut une seconde Madeleine; j'en fus attendri; je la relevai, je lui laissai dire tout ce qu'elle voulut. Je ne lui prêtai aucune attention, je n'étais plus à moi. J'étais déchiré par mille pensées qui se formaient l'une après l'autre dans mon esprit, et qui se détruisaient mutuellement; ou plutôt j'étais dans un état d'insensibilité qui, tout vivant que j'étais, ne me laissait pas plus de connaissance qu'à un homme mort[1].

Il est vrai que, de naissance illégitime, elle a cherché à se forger un faux état civil pour épouser des Frans. Pour le reste, elle a été la victime des calomnies d'un amoureux éconduit. Des Frans pardonne, l'épouse secrètement, et vit heureux avec elle. Il songe même à déclarer son mariage, lorsqu'un incident imprévu le force à partir seul pour la province. Il revient une nuit sans avertir Silvie, à qui il veut faire le plaisir de la surprise. C'est pour la trouver endormie entre les bras de son meilleur ami, Gallouin. Des Frans résiste à l'envie de les tuer tous les deux. Il se venge d'abord de Gallouin dans un duel où il le blesse grièvement. Puis il prépare le châtiment de Silvie. Sous un prétexte, il l'attire dans sa maison de province. Là il la séquestre, la maltraite cruellement. Puis comme il sent qu'il va reprendre la vie commune, il la force à entrer dans un couvent. Lui-même s'en va combattre à l'étranger. Mais il ne peut se résigner à perdre Silvie. Il tombe malade de chagrin, décide de lui pardonner, et revient. Mais c'est elle qui s'est laissé mourir dans son couvent, et il ne peut plus que lui rendre les derniers devoirs.

1. Éd. cit., t. II, p. 314.

Sans doute, le tempérament de des Frans est-il très éloigné de celui de des Grieux, mais leur passion prend parfois les mêmes accents. Ainsi, la scène que nous avons citée contient des éléments qu'on retrouve dans deux scènes correspondantes de Manon Lescaut. *Celle du parloir de Saint-Sulpice présente, par exemple, le même ton de reproche : « Perfide Manon, ah ! perfide ! » suivie de la même interrogation : « Que prétendez-vous donc ? »* L'*insensibilité de des Frans correspond à la « langueur » et à « l'horreur secrète » de des Grieux. Dans la scène où des Grieux retrouve Manon chez le jeune G. M., les attitudes et les mouvements des deux personnages, la sensibilité de des Grieux devant les « charmes » de Manon, enfin et surtout le rythme haletant des phrases semblent directement inspirés des* Illustres Françaises :

Elle fut si épouvantée de ce transport, que, demeurant à genoux près de la chaise d'où je m'étais levé, elle me regardait en tremblant et sans oser respirer. Je fis encore quelques pas vers la porte, en tournant la tête, et tenant les yeux fixés sur elle. Mais il aurait fallu que j'eusse perdu tous sentiments d'humanité pour m'endurcir contre tant de charmes. J'étais si éloigné d'avoir cette force barbare que, passant tout d'un coup à l'extrémité opposée, je retournai vers elle, ou plutôt, je m'y précipitai sans réflexion. Je la pris entre mes bras, je lui donnai mille tendres baisers. Je lui demandai pardon de mon emportement. Je confessai que j'étais un brutal [1], etc.

Mais le rapprochement le plus frappant concerne Silvie et Manon. Si des Grieux ne fait pas de portrait en pied de Manon, des Frans en fait un de Silvie. Elle a « plus d'esprit que toutes les femmes fourbes n'en ont jamais eu ensemble ». « Dissimulée », elle « change naturellement de visage et de discours, avec autant de

---

1. Ci-après, pp. 142-143. Il faut aussi rapprocher ce passage de la rencontre suivante entre des Frans et Silvie, celle où Silvie va pouvoir se justifier. Des Frans est venu dans l'intention de lui dire adieu. Il est vite désabusé : « Il était de mon destin de lui trouver tous les jours des charmes nouveaux. J'eus pitié de l'état où elle était. La compassion réveilla toute ma tendresse. J'oubliai toutes mes résolutions; et bien loin de lui dire les duretés que j'avais préméditées, je ne songeai qu'à la consoler, etc. » (T. II, p. 317.)

promptitude qu'aurait pu faire la meilleure comédienne, après avoir bien étudié son rôle ». Et pourtant, elle paraît « toute sincère ». C'est qu'au fond elle est « double, inconstante et volage, aimant les plaisirs, surtout ceux de l'amour, jusqu'au point de leur sacrifier toutes choses, honneur, vertu, richesses et devoirs ». Mais elle sait si bien déguiser qu'après l'avoir fréquentée pendant deux ans des Frans la jurerait « sincère, fidèle et désintéressée[1] ». *Enjouement, amour des plaisirs, duplicité instinctive, autant de traits communs à Manon et à Silvie.*

A côté de ces ressemblances, une étude plus poussée mettrait en lumière des différences plus importantes encore entre les deux héroïnes. Silvie n'est pas au fond ce qu'elle paraît. C'est elle, non pas Manon, comme le supposait naïvement des Grieux, qui a été « séduite par un charme ou par un poison[2] ». *Des Frans lui-même reconnaît son innocence et lui rend son estime. Mais cette révélation ne vient qu'après coup*[3], *et l'impression produite pendant tout le récit subsiste. Du reste, ce n'est pas tant l'éthique d'un personnage que Prévost a demandée à* l'Histoire de M. des Frans et de Silvie, *c'est la conception du sujet : un amour plus fort que la raison fait le bonheur de deux êtres ; le même amour, par une fatalité inhérente à sa nature, et dont ils sont conscients, les voue à la dégradation et à la mort.*

Si l'on observe maintenant que l'Histoire de M. des Frans et de Silvie *n'est qu'une œuvre particulièrement intéressante parmi d'autres œuvres comparables, non seulement de Robert Challes, mais d'auteurs antérieurs ou contemporains, on comprend mieux le rôle des* Illustres Françaises *dans la genèse de* Manon Lescaut. *Ce que Prévost y a trouvé, c'est moins un mode de présentation, un cadre, des personnages, des idées d'intrigue, que la révélation d'un véritable genre littéraire. Ou pour mieux dire, tous ces éléments, et d'autres encore, procèdent du genre lui-même,*

---

1. Édition les Belles-Lettres, t. II, pp. 292-293. Ces rapprochements ont été faits par H. Roddier, dans l'article cité plus haut de la *Revue de Littérature comparée,* 1947, p. 12.
2. Ci-après, p. 35.
3. Dans la septième et dernière histoire, celle de M. Dupuis et de Mme de Londé, qui contient la confession du séducteur de Silvie (édit. les Belles-Lettres, t. II, pp. 511-517).

*qui est celui de l'*histoire. *On sait comment, vers 1670, le public se détourna brusquement du romanesque et du merveilleux pour exiger le récit d'aventures, non plus même seulement « vraisemblables », mais « qu'on [faisait] passer pour vraies*[1] ». *Sur les ruines du roman traditionnel, tel que l'avaient pratiqué La Calprenède et les Scudéry, on vit proliférer les genres prétendus historiques, Mémoires, nouvelles historiques, — voir* la Princesse de Clèves, — *relations, etc. Quoique, par ses* Mémoires d'un Homme de qualité *et par son* Cleveland, *Prévost puisse revendiquer, à côté de Lesage et de Marivaux, le titre de restaurateur du roman, dont on lui fit gloire*[2], *il est aisé de montrer à quel point la pseudo-Histoire*[3] *encombre encore ces ouvrages. Auprès de Challes, qui se vante de faire « exprès » des fautes d'anachronisme pour dépister les « curieux », Prévost apprend les techniques qui permettent à l'*histoire *de se passer de la caution suspecte de l'Histoire.*

Retracer l'évolution de ce genre dépasserait notre propos[4]. *Il suffit de voir ce qu'il représente à l'époque de Prévost. Parmi ses modèles anciens figure certainement un type de nouvelles amoureuses telles qu'on en trouve chez Boccace, et dont la tradition se perpétue peut-être en France sous le nom d'*estoire : *quoique*

---

1. Le mot même est de Sorel, dans sa *Bibliothèque française*, édition de 1664, p. 168.

2. Voir ci-après, les *Jugements contemporains*, p. CLXVII.

3. Nous distinguerons, dans les pages qui suivent, l'Histoire, avec majuscule, au sens de la science historique (anglais *History*), de l'*histoire*, en caractère spécial, désignant le genre que nous définissons (anglais *story, short story*, ancien français *estoire*). Le mot continuera aussi à figurer sous sa forme habituelle quand il désignera simplement le récit ou la narration.

4. On trouvera des éléments d'une définition de l'*histoire* chez Segrais, qui distingue les romans, « histoires feintes », des « histoires véritables », ou, plus près de *Manon Lescaut*, chez de Sacy, qui montre le passage des romans aux prétendues « histoires véritables », de plus en plus proches de la vraisemblance, et mettant finalement en scène des « hommes privés » (*Histoire du marquis de Clèmes et du chevalier de Pervanes*, Amsterdam, 1719, approbation de Fontenelle du 11 février 1716, Préface). A l'époque moderne, voir Glauco Natoli, *Lineamenti di una teoria del romanzo*, dans *Figure e problemi della cultura francese*, édit. d'Anna, Messine-Florence, 1956, et Arnaldo Pizzorusso, *La poetica del romanzo in Francia* (1660-1685), édit. Salvatore Sciascia, Caltanissetta-Roma, 1962, pp. 131-144.

l'Estoire de Griselidis *se présente sous forme dramatique, elle se rattache bien par le thème, le ton, le cadre réaliste, au genre qui nous intéresse. Le doute n'est plus permis avec* l'Heptaméron *de Marguerite de Navarre : il est d'ailleurs significatif que la seconde histoire de Challes, celle de M. de Contamine et d'Angélique, s'inspire d'une des nouvelles*[1] *de ce recueil. Au XVII*e *siècle, le genre est renouvelé par les* histoires *insérées dans les romans imités de l'espagnol, tels qu'en écrivent Sorel et Scarron :* l'Histoire de Destin et de Mademoiselle de l'Estoille, *dans* le Roman comique, *est un exemple caractéristique de ces récits rattachés à l'action principale, dont ils diffèrent pourtant par l'unité de ton et de sujet, contrastant avec la liberté d'allures du reste de l'ouvrage. Vers la même époque, dans les* Nouvelles Françaises, ou Divertissements de la Princesse Aurélie *(1656), Segrais donne la théorie et l'exemple de ces* histoires *contemporaines, sérieuses, mais non historiques, tragiques, quoique se déroulant parmi des personnages de condition moyenne. A la différence de Sorel et de Scarron, mais comme chez Boccace ou Marguerite de Navarre, les* histoires *sont l'essentiel, tandis que la trame qui les supporte, ici les conversations de la princesse Aurélie et de ses compagnes, n'est plus que l'accessoire. En somme, si les* histoires *subsistent en tant que telles par leur sujet, leur longueur, etc., deux modes de présentation sont maintenant constitués, suivant qu'elles tiennent le rôle principal ou le rôle subordonné dans l'ensemble de l'ouvrage. C'est à la tradition de Segrais que se rattachent Subligny dans sa* Fausse Clélie *(1671), Challes dans ses* Illustres Françaises, *où les sept* histoires *l'emportent très largement sur le récit qui les encadre*[2]*, et, moins nettement, Marivaux dans* la Voiture embourbée[3] *(1713). Mais en général Marivaux préfère insérer ses* histoires *dans des romans, quand ce n'est pas dans ses journaux. Il le fait dans le* Pharsamon *(1713), où* l'Histoire du Solitaire *représente un des meilleurs*

1. La nouvelle XLII.

2. Elles occupent ensemble à peu près 600 pages, contre 70 au récit de présentation et de liaison.

3. Amusé par le récit introductif, Marivaux lui donne presque autant d'importance qu'à *l'histoire,* qui est elle-même composée d'une manière très particulière.

passages du livre ; il le fera dans le Paysan parvenu[1], *et surtout, dans* la Vie de Marianne, *où* l'Histoire de Tervire *finira par éclipser celle de Marianne elle-même.*

On aperçoit peut-être mieux maintenant le problème qui se pose à Prévost dans Manon Lescaut. *Il ne s'agit nullement pour lui, comme on l'a dit souvent, de « faire passer » cet ouvrage à la faveur du succès des* Mémoires d'un Homme de qualité, *mais de lui donner cet encadrement dont le rôle se révèle si important dans* les Illustres Françaises *qu'une* histoire *qui s'en trouve privée perd beaucoup de son efficacité dramatique*[2]. *La solution adoptée par Prévost est d'une grande élégance. Le choix de l'Homme de qualité pour introduire le narrateur confère à l'*histoire *toute l'autorité qu'il possède lui-même par son âge et par sa sagesse. Il est, plus que tout nouveau personnage qu'inventerait Prévost, propre à faire naître la sympathie pour le héros, ainsi qu'à garantir la véracité de son récit. Comme il est déjà connu, sa présentation ne pose aucun problème et l'introduction en est allégée d'autant. Enfin, l'idée de placer cette* histoire *après la conclusion du roman principal est judicieuse, moins parce qu'elle évite d'encombrer d'un épisode hors-d'œuvre un ouvrage qui n'en comporte déjà que trop, que parce qu'elle laisse à cet épisode toute son autonomie. Quelle aurait été la destinée de* l'Histoire du chevalier des Grieux et de Manon Lescaut *si elle était restée indissolublement liée à celle des trois gros volumes de* Mémoires et Aventures d'un Homme de qualité ?

Après la nécessité de l' « encadrement[3] *», le second point de la formule de l'*histoire *est l'existence d'un narrateur. De multiples conséquences en découlent. Au lieu d'un auteur omniscient et lointain, le lecteur a affaire à un simple conteur, soumis aux servitudes communes, comme de s'interrompre pour se reposer ou prendre de la nourriture ; qui commente l'histoire en la racontant,*

---

1. Histoire du plaideur et de la dévote, au livre IV.
2. C'est ce qui était arrivé à *l'Histoire de des Prez et de Mlle de l'Épine*, qui avait dû être en quelque sorte « décadrée » pour figurer en 1714 dans un recueil de quatre *Aventures choisies*. Cf. ci-dessus, p. LXXVI, note 2.
3. Comparer l'expression anglaise, *frame novel*, utilisée pour désigner ce genre de récit.

annonce à l'avance les retours de fortune, etc.; qui a le droit d'ignorer les faits dont il n'a pas été témoin, d'hésiter sur les motifs secrets des personnages. Narrateur moins parfait, mais plus humain que le romancier.

Dans ce système, le choix du narrateur est naturellement d'une grande importance. Challes, par exemple, use habilement des différentes possibilités qui s'offrent à lui. Une première formule consiste à faire raconter l'histoire par un personnage secondaire, ou même par un tiers complètement étranger aux aventures elles-mêmes. Ce procédé est adopté pour des histoires *non tragiques, auxquelles un ton de détachement ironique donne une sorte de piquant*[1]*; plus rarement le narrateur est le héros lui-même : il fait alors figure de cynique*[2]*. Enfin, dans les* histoires *tragiques, le narrateur est encore confondu avec le héros, mais l'effet est ici tout différent, puisque le spectacle de la douleur renouvelée du narrateur agit directement sur la sensibilité de l'auditeur. Deux fois, dans* les Illustres Françaises, *c'est le jeune homme survivant à la femme aimée qui raconte l'histoire de leur amour*[3]*, tandis qu'à la même époque, chez Marivaux, le procédé est inversé*[4]*. On verra le parti qu'en tire Prévost dans* Manon Lescaut.

Le style même des histoires *est modifié par la formule du récit. On a déjà noté que le style du roman traditionnel est noble. Celui des Mémoires reste grave, comme il convient à un genre qui s'inspire de l'Histoire. Au contraire, la présence d'un narrateur impose, par définition, un style oral. Challes, encore une fois, se montre très conscient de cette exigence. Non content d'avertir qu'il écrira « comme il aurait parlé à ses amis, dans un style purement naturel et familier », il justifie même quelques audaces d'expression ou quelques phrases relâchées par « la naïveté de l'histoire* [*qui*] *a voulu cela*[5] *». Ce précédent devait retenir l'attention de Prévost, dont le style, selon un contemporain*[6]*, est « pur, mais toujours*

1. Voir *l'Histoire de M. de Contamine et d'Angélique,* t. I, pp. 69 et suiv.
2. Voir *l'Histoire de M. Dupuis et de Mme de Londé,* t. II, pp. 410 et suiv.
3. Voir les deux histoires mentionnées ci-dessus, pp. LXXVII et suiv.
4. Dans *l'Histoire du Solitaire,* insérée dans *Pharsamon,* roman composé vers 1713-1714, c'est la jeune fille qui raconte la fin tragique de son amant.
5. Édition les Belles-Lettres, t. I, p. LX.
6. La Dixmérie, *les Deux Ages du Goût,* pp. 364-365.

grave, même lorsqu'il pourrait l'égayer ». Visiblement, dans Manon Lescaut, *son style, afin de se rapprocher de la langue familière, se permet des « gaîtés » étonnantes pour qui connaît le* Cleveland *ou le reste des* Mémoires d'un Homme de qualité[1]. *On peut regretter que dans la révision de 1753, Prévost, pris de scrupules, soit souvent revenu sur ses audaces*[2]. *On le comprend pourtant quand on voit, à la fin du siècle,* les Illustres Françaises *condamnées comme un livre « si mal écrit, si bourgeoisement, d'un ton si abominable*[3]*... » Inspirée vers 1730 d'une œuvre vieille alors de près de vingt ans déjà,* Manon Lescaut *devait, vingt ans plus tard encore, s'adapter à un goût épuré, ou si l'on veut affadi.* Les Illustres Françaises, *que nul ne prit soin de mettre à la mode, ne survécurent pas à Laharpe.*

Avec ou sans ces retouches, le style de Manon Lescaut *est d'une qualité unique. Il ne suffit pas, pour en rendre compte, d'observer la mélodieuse fluidité des phrases : elle est réelle, et assure la supériorité de* Manon Lescaut *sur les meilleures* histoires *de Challes, mais non pas sur les autres romans de Prévost, qui ne sont pas moins bien écrits. Sainte-Beuve fait à ce sujet quelques remarques utiles. Le mérite de ce style est d'être « si coulant, si facile, qu'on peut dire en quelque sorte qu'il n'existe pas*[4] *». D'où provient cette propriété ? Sans doute les mots sont-ils ici « les plus simples de la langue », mais il en est ordinairement de même chez Prévost. Ainsi, ce n'est pas tant le vocabulaire qui importe, que l'effet qu'il produit. Ces mots qui reviennent souvent chez Prévost, comme* tendresse, charme *ou* langueur, *ont sous sa plume, observe encore Sainte-Beuve, « une douceur et une légèreté de première venue qu'ils semblent n'avoir qu'une fois ». Mais à quoi tient cette impression de jaillissement spontané du style, si ce n'est à la présence douloureuse du narrateur, qui donne une telle résonance à ces phrases toutes simples, telles que « Le*

---

1. Voir, sur la signification de ces audaces d'expression, qui vont jusqu'au burlesque, ci-après, p. CXL.

2. Voir ci-après, p. CXLI, et les variantes des pages 10, b, 55, e, 130, b, etc.

3. Jugement anonyme, rédigé vers 1780, cité par H. Roddier, *Revue de Littérature comparée,* 1947, p. 33.

4. *Le Buste de l'abbé Prévost,* lundi 7 novembre 1853, édit. Allem (Garnier), p. 134. De même les citations suivantes.

désordre de mon âme, en l'écoutant, ne saurait être exprimé[1] » ? Les mêmes mots, qui dans *Cleveland* paraîtraient un harmonieux pathos, en sont ici transfigurés.

Un autre trait lié à la formule du récit oral est la limitation de la longueur de l'ouvrage. Habituellement, l'histoire comporte de 60 à 120 pages du format in-12 du temps : on imagine mal, en effet, un conteur parlant plus de deux ou trois heures d'affilée[2]. La plupart des histoires de Challes sont de ce type. S'il en est qui dépassent deux cents pages, comme c'est le cas pour l'*Histoire de M. Dupuis et de Mme de Londé*, elles sont coupées en deux par une pause. C'est la solution qu'adopte Prévost, en remplaçant la collation utilisée à cet effet par Challes par un souper. Ces observations ne paraîtront futiles que si l'on oublie l'importance d'une limitation pour Prévost, écrivain fécond, « verbeux », dit-on à l'époque[3]. Porté par goût à prodiguer les incidents et les réflexions morales, lui-même confesse ingénument qu'il lui est aisé de « pousser » au gré du libraire ces « ouvrages qui ne sont que pour le plaisir[4] », et qu'on lui paie à la feuille[5]. Or, pour une fois dans sa carrière, il écrit un roman dont l'étendue « n'est que ce qu'elle doit être[6] ». Et c'est un tel chef-d'œuvre que Brunetière, puis Paul Hazard concluent à un rapport de cause à effet. Tout le secret de *Manon Lescaut* serait « dans cette restriction, dans cette

---

1. Ci-après, p. 44.
2. Dans l'Avis au Lecteur de *Ildegerte, reine de Norvège* (1693), Eustache Le Noble remarque que les « petites histoires, ornées des agréments que la vérité peut souffrir, ont pris la place [des longs romans], et se sont trouvées plus propres au génie français, qui est impatient de voir en deux heures le dénouement et la fin de ce qu'il commence à lire » (cité par G. May, *le Dilemme du Roman au XVIIIe siècle*, Yale University Press, 1963, pp. 41-42). Et Prévost lui-même fait une remarque analogue au moment où il s'aperçoit du succès de *Manon Lescaut*. « On ne lit plus les anciens romans, ils sont trop longs, et par là ennuyeux. On parcourt encore quelques *historiettes* dont une heure ou deux voit la fin. » (Le *Pour et Contre*, nombre XVII, publié vers novembre 1733, t. II, p. 48.)
3. *Nouveau Dictionnaire historique*, édit. 1779, t. V, p. 529 *b*.
4. Lettre à Étienne Neaulme, du 21 février 1731, dans *French Studies*, 1955, p. 230.
5. Cf. ci-dessus, p. LVII, note 4.
6. La Dixmérie, qui ajoute : « mérite un peu rare chez M. l'abbé Prévost » (*les Deux Ages du Goût*, pp. 364-365).

limitation volontaire ou imposée[1] ». *Mais imposée par qui, sinon par les exigences spéciales d'un genre auquel Prévost s'est adonné cette fois*[2] ?

*Non seulement l'*histoire, *telle que nous la trouvons au XVII*^e^ *et au début du XVIII*^e^ *siècle, possède une structure externe, définie par un mode de présentation, l'existence d'un narrateur, des dimensions limitées, etc., mais son contenu même n'est pas laissé au hasard. Un mot de Challes le définit : « Ce sont des vérités, qui ont leurs règles toutes contraires à celles des romans*[3]. »

La première de ces règles concerne le temps. A la différence du roman classique, qui se situe volontiers dans des époques reculées même lorsqu'il met en scène des sentiments ou des aventures modernes, les histoires *sont toujours contemporaines, ou plus exactement placées dans un passé proche. Dans* les Illustres Françaises, *par exemple, les récits sont censés être antérieurs de quinze ou vingt ans à la publication de l'ouvrage, et les faits rapportés sont antérieurs de deux à cinq ans aux récits : c'est sensiblement aussi le principe adopte dans* Manon Lescaut. *Si le rapport avec les événements historiques peut n'être qu'approximatif*[4], *la chronologie interne de chaque* histoire *doit être irréprochable. On peut le vérifier pour Challes, qui prend soin d'indiquer les saisons, les jours de l'année pendant lesquels se passent les événements*[5]. *Marivaux lui-même, qui néglige la chronologie de ses romans, fixe soigneusement celle de* l'Histoire de Tervire *dans*

---

1. *Études critiques sur Manon Lescaut,* p. 28. Brunetière compare Prévost à Marivaux, « auquel il suffirait parfois de retrancher pour ajouter à ce qui lui manque » (art. cit.). Mais pour Marivaux, le genre contraignant par excellence est celui du théâtre.

2. Voir aussi *l'Histoire d'une Grecque moderne,* quoiqu'elle ne se rattache pas aussi étroitement au genre que nous venons de définir, et qui était, dix ans plus tard (1741), sur le déclin.

3. Édit. les Belles-Lettres, t. I, p. LXII.

4. On a vu (p. LXXXIII) Challes prendre « exprès » des libertés avec l'Histoire.

5. La rencontre de des Frans et de Silvie a lieu un 8 septembre, jour de la Nativité. La scène de rupture manquée se passe au cœur de l'hiver, par une nuit claire et froide de janvier (édit. les Belles-Lettres, t. II, p. 312), etc. De même, des Prez est enlevé dans le carrosse de son père «...à six heures juste, dans le plus grand jour de l'année, dix-neuvième juin ». On voit que les dates ont dans *les Illustres Françaises* une valeur symbolique et tragique, en même temps que chronologique.

la Vie de Marianne[1]. *Ici encore, Prévost observe attentivement les traditions du genre. On a pu reconstituer une chronologie précise de* Manon Lescaut, *et l'on s'aperçoit que les événements couvrent, comme dans* l'Histoire de des Frans et de Silvie, *une période de cinq ans environ*[2].

---

1. Édit. Garnier, pp. 429 et suiv.

2. Voici la chronologie reconstituée par P. Vernière : « Des Grieux, né avec le siècle, rencontre Manon, plus jeune d'un an, au début des vacances de l'année 1717 : c'est le 28 août [en fait, juillet] qu'il l'enlève; après six semaines de bonheur, des Grieux est ramené au château de son père où il demeure séquestré pendant six mois; à la suite de sa vocation religieuse, il passe à Saint-Sulpice toute l'année scolastique jusqu'à la soutenance d'une thèse en Sorbonne (août 1719). Manon, qui a maintenant dix-huit ans, le reprend, mais à l'approche de l'hiver, craint de s'isoler à Chaillot. L'essentiel de l'action se déroule au cours de l'hiver 1719-1720. Mais l'affaire du vieux G. M. fait enfermer les deux héros pour presque trois mois à Saint-Lazare et à la Salpêtrière. La double évasion leur permet de revenir à Chaillot aux approches de l'été 1720, lorsqu'on goûte déjà les promenades au bois de Boulogne. Le dénouement est très rapide : nouvelle arrestation au Châtelet, la libération de des Grieux au bout de quatre jours, déportation de Manon le surlendemain, une semaine sur les routes de Normandie, départ immédiat du bateau pour la Louisiane; c'est la fin de l'été 1720. Le deuxième épisode si condensé dans le roman dure deux ans ou presque : deux mois de navigation, dix mois de séjour avant la mort de Manon (août 1721, à l'âge de vingt ans), trois mois de maladie de des Grieux, six semaines avant l'arrivée de Tiberge, deux mois encore de séjour, deux mois de traversée jusqu'au Havre, et quinze jours jusqu'à Calais, nous mènent à la deuxième rencontre avec le marquis de Renoncour (vers juin 1722). » (Édit. Bibliothèque de Cluny, pp. 28-29.) Noter que, dans l'édition de 1753, Prévost commence à retoucher la chronologie sur des points de détail (pp. 9, 32), mais oublie de continuer ses corrections page 33, si bien que le calcul du père de des Grieux (pp. 33-34) n'est pas en accord avec une remarque de l'hôte de Saint-Denis (p. 32). Plus loin, la séparation entre Manon, devenue la maîtresse de M. de B., et des Grieux dure deux ans selon Manon, moins de dix-huit mois selon des Grieux. Inadvertance plus grave, des Grieux, après avoir fait évader Manon, revoit Tiberge et écrit aussitôt une lettre à son père; alors commence le séjour à Chaillot, qui, dans l'édition de 1753, dure *plusieurs semaines*. Or, dès qu'il est enfermé au Châtelet, des Grieux voit arriver son père qui est venu parce qu'il a reçu la lettre que le Chevalier lui avait écrite « huit jours auparavant ». Enfin, Prévost a précisé l'intervalle qui sépare les deux rencontres de l'Homme de qualité *(environ deux ans* devient *près de deux ans)*, en même temps que certains détails de

Le même souci de réalisme s'observe à l'occasion du cadre dans lequel se déroulent les histoires. *Il est toujours français*[1], *et de préférence parisien. Challes remarque qu'il place la scène de toutes ses* histoires *à Paris, quoique la plupart d'entre elles se soient effectivement passées en province*[2]. *Scarron, dans* l'Histoire de Destin et de l'Estoille, *Segrais, dans les* Nouvelles Françaises, *font un notable effort pour préciser le quartier où habitent leurs héros, le lieu de leur première rencontre et ceux de leurs rendez-vous, mais c'est encore Challes qui joue le rôle décisif en évoquant, non seulement à proprement parler le lieu des scènes, mais leurs circonstances, ordinairement les occasions de divertissement en commun : bals masqués en Carnaval, soirées de jeu en vue de former une cagnotte, danses « aux chansons » à défaut d'orchestre, collations chez un limonadier, parties de campagne aux portes de Paris, etc. On sait que ces divertissements sont transformés dans* Manon Lescaut *en spectacles d'opéra ou de comédie, et que le milieu bourgeois est remplacé par celui de l'argent, du plaisir et de l'escroquerie galante. Mais le souci de localiser chaque période de la vie des personnages n'est pas moins sensible. Lorsque des Frans veut trouver une demeure tranquille pour Silvie, il la fait passer du quartier Saint-Paul au quartier de la Butte-aux-Moulins, près de l'actuelle rue du Faubourg-Saint-Honoré. Trente ans plus tard, il faut aller plus loin pour trouver un quartier retiré, et c'est à Chaillot que s'installent Manon et des Grieux. On a vu aussi quelle place tenaient Saint-Lazare et l'Hôpital dans les deux œuvres. Ainsi, c'est bien encore la tradition du genre qui explique le rôle joué par un Paris à la fois menaçant et complice dans* Manon Lescaut.

*Il n'est pas, enfin, jusqu'à l'intrigue de l'*histoire *qui ne tende à se conformer à un certain type, dont la formule apparaît dans le titre traditionnel :* Histoire de M... et de Mlle..., *qu'on retrouve chez Scarron, Challes, Prévost, ou, après eux, chez Caylus ou*

la chronologie du séjour américain : la rencontre de Tiberge à La Nouvelle-Orléans a lieu *six semaines* après le rétablissement de des Grieux, et le séjour commun des deux amis dure *deux mois* au lieu de *quelques mois*.

1. Seule exception notable, quelques épisodes romains dans *l'Histoire de Destin et de Mademoiselle de l'Estoille*.

2. Éd. cit., t. I, p. LIX.

Vadé[1]. *Plus étendue que la nouvelle moderne, l'*histoire *contient en principe le récit d'un amour contrarié et des conséquences qu'il entraîne pour la destinée d'un couple. Le narrateur raconte brièvement sa propre jeunesse, s'il est un des protagonistes. Il en vient après quelques préliminaires à la scène de rencontre, à l'amour qui en résulte immédiatement entre les deux amants, aux obstacles qui surgissent bientôt. Ceux-ci viennent habituellement de l'inégalité des conditions, ou simplement de la mauvaise volonté des parents. Parfois ils prennent un tour plus romanesque : des rivaux peuvent provoquer des enlèvements, des duels ; toutefois ces incidents sont traités, non pas dans le ton du roman, mais dans celui de l'*histoire tragique, *qui tient lieu, au XVI*e *et au XVII*e *siècle, de nos faits divers. Les contemporains, sensibles à la condition moyenne des personnages des* histoires, *n'ont garde de confondre leurs aventures avec celles des héros invraisemblables des Gomberville et des La Calprenède. Enfin vient le dénouement, qui est parfois heureux, parfois tragique. Mais il faut souligner que, dans l'un ou l'autre cas, une sorte de fatalité pèse sur le déroulement de l'*histoire. *Déjà, les noms choisis par Scarron, le Destin pour le jeune homme, l'Étoile pour la jeune fille, symbolisaient la fragilité du bonheur humain en butte à la malignité du sort.*

Telles sont les règles non formulées du genre que Prévost cultive dans son Histoire du Chevalier des Grieux et de Manon Lescaut. *Certaines ont pu agir sur lui comme une simple discipline, ainsi la nécessité de limiter l'étendue de l'ouvrage ou de réduire à quelques remarques les réflexions morales. Mais d'autres vont jusqu'à déterminer le caractère même des aventures : on ne trouve ici ni les décors funèbres, ni les spectacles d'horreur, ni les scènes mélodramatiques si largement prodigués dans les romans de Prévost que les contemporains y ont vu, et souvent critiqué, la marque même de son génie*[2]. *L'unité d'intérêt, l'unité démonstrative de ces récits*

---

1. Chez ces derniers, l'*histoire* est transposée dans un ton parodique, et les héros appartiennent à la toute petite bourgeoisie ou au peuple (voir par exemple *l'Histoire de M*lle *Goton et de M. Legris*, réunie aux *Œuvres de Marivaux* de l'édition Duchesne, 1781, t. XII).

2. La plupart des critiques contemporains ont même méconnu l'originalité de *Manon Lescaut* par rapport à la production romanesque de Prévost. Voyez plus loin pp. CLXVII-CLXVIII.

concourent aussi puissamment à l'effet de concentration qu'on observe dans Manon Lescaut *et qui est ailleurs si rare chez Prévost. Sans sous-estimer l'importance possible des modèles anglais, ni négliger totalement le rôle qu'ont pu jouer des critiques rationalistes en raillant l'auteur des* Mémoires d'un Homme de qualité *pour sa complaisance à l'égard des histoires de sorciers et des contes de vieilles,* nocturnos Lemures, portentaque Thessala[1], *on a pu voir quelle éclatante leçon de réalisme la tradition française de l'*histoire *donnait à Prévost. Encadrement du récit, présence d'un narrateur, élaboration d'un style oral et relativement familier, choix de personnages de condition moyenne, exactitude des dates, des lieux et des mœurs, vraisemblance des aventures, toutes ces ruses licites du romancier se trouvaient à la disposition de Prévost et lui rendaient inutile le recours à la pseudo-Histoire. Ajoutons l'influence qu'ont exercée* les Illustres Françaises *en lui révélant à quel degré d'émotion le genre pouvait atteindre dans ses meilleurs produits, et nous aurons défini les conditions préliminaires qui rendaient possible le chef-d'œuvre. Reste à l'étudier en lui-même pour en reconnaître l'originalité et la richesse.*

---

1. Compte rendu des *Lettres sérieuses et badines*, lettre XXIV (fin juin 1730, parue avant le 25 juillet 1730, voir la *Gazette*), à propos de la publication des t. III et IV par la Compagnie des Libraires. A la même occasion, le *Journal littéraire*, t. XVI, 1re partie, pp. 204-206, évoque la « crédulité puérile » de l'auteur, et ces « aventures si étranges qu'on n'aurait pas grand tort de regarder [l'ouvrage] comme un roman ».

II

SIGNIFICATION DE *MANON LESCAUT*

« *Le héros est un fripon et l'héroïne une catin* », *notait Montesquieu aussitôt après sa lecture*[1]. *Un tel jugement peut choquer, mais il correspond strictement à la réalité. Manon se fait enlever par le chevalier des Grieux, met douze jours à s'apercevoir qu'il est sans ressources, accueille alors froidement ses projets de mariage, se débarrasse de lui en le dénonçant à sa famille, et accepte les propositions fastueuses de M. de B., fermier général dont elle tirera soixante mille livres en moins de deux ans. Elle vit de nouveau avec des Grieux; quand ce trésor leur est dérobé, elle va aussitôt s'offrir à M. de G. M.,* «*vieux voluptueux, qui payait prodiguement les plaisirs*[2] ». *Un peu plus tard, elle ne résiste pas davantage à la folle générosité du fils G. M. Manon est donc une fille entretenue qui vend ses faveurs au plus offrant. Si elle se distingue de ses pareilles, c'est en ce qu'elle essaie de toucher le prix sans livrer la marchandise — et elle ne se montre avare de ses charmes que pour complaire au chevalier. Celui-ci, en effet, répugne au rôle d'amant de cœur, que Manon voudrait lui réserver, et il se refuse à ce que Prévost appelle ailleurs le* greluchonnage[3].

---

1. Le 6 avril 1734. *Pensées et Fragments inédits,* Bordeaux, Gounouilhou, 1901, in-8°, t. II, p. 61. Un autre critique, l'année précédente, avait déjà employé le même mot de *catin* pour désigner Manon, et il avait qualifié des Grieux d'escroc. Voyez plus bas les *Jugements contemporains*, p. CLXI.
2. P. 68.
3. Dans les *Mémoires d'un Honnête Homme* (*Œuvres choisies*, éd. cit., t. XXXIII, p. 170), un personnage demande : « Pouvez-vous ignorer quel est l'usage établi? Le greluchonnage est-il un nom étranger pour

Quand le frère de Manon lui déclare : « Une fille comme elle devrait nous entretenir, vous, elle et moi[1] », il ne voit là qu'une impertinence et son cœur souffre des infidélités de Manon; mais sa probité s'accommode assez bien des effets financiers de son inconduite. Il n'a pas de scrupule à vivre des soixante mille livres de M. de B., et il aide Manon à détrousser les deux G. M. Certes il ne suit pas le conseil de Lescaut qui « me proposa, rapporte-t-il, de profiter de ma jeunesse et de la figure avantageuse que j'avais reçue de la nature, pour me mettre en liaison avec quelque dame vieille et libérale[2] ». En revanche, il n'oublie pas que, grâce à la justice admirable de la Providence, « la plupart des grands et des riches sont des sots », tandis que les autres hommes sont doués de qualités qui sont autant de « moyens pour se tirer de la misère et de la pauvreté[3] ». Il devient donc membre d'une société de tricheurs professionnels; ses confrères lui prédisent une belle carrière, car ils prévoient « qu'ayant quelque chose dans la physionomie qui sentait l'honnête homme, personne ne se défiera [...] de [s]es artifices[4] ». Mais la fortune qu'il acquiert ainsi rapidement lui est volée, les malheurs se succèdent, il est mis à la prison de Saint-Lazare : on sait qu'il en sort en tuant un valet qui s'opposait à sa fuite. Assassin, tricheur, un peu souteneur, on est bien obligé de reconnaître que des Grieux forme avec Manon un couple peu recommandable.

Comment se fait-il que le lecteur ne semble pas s'en aviser, et qu'il ne s'interroge guère plus sur la moralité de Manon que sur la probité de Roméo ou la vertu de Bérénice ? Manon reste à jamais l'une de ces compagnes d'élection avec qui l'on souhaite de s'embarquer pour l'île des doux plaisirs et des fêtes du cœur. Loin d'avoir la chair fatiguée d'une catin, elle est la fraîcheur même, et sa jouvence est éternelle. Quant à des Grieux, son dévouement si passionné et si mal récompensé fait de lui le héros

---

vous ? Les maîtresses les plus réglées n'ont-elles pas un favori qu'elles reçoivent secrètement en l'absence de celui qui les paie ? L'un est pour le cœur, l'autre pour la fortune. » Voyez aussi le *Glossaire*.

1. P. 55.
2. P. 56.
3. Pp. 53-54.
4. Pp. 62-63.

de la fidélité : ce qu'il peut faire de répréhensible aux yeux du monde est aussitôt lavé dans les eaux lustrales d'un grand sentiment. L'excellente éducation du Chevalier, la distinction tendre des manières de Manon, la simplicité de cœur des deux jeunes gens et leur bon naturel apparaissent à chaque page. Cette chronique des pauvres amants est contée à mi-voix sur un ton qui est celui de la bonne compagnie. Un fripon ? Une catin ? Ces noms, qu'on a le mauvais goût de prononcer, ne sont pas même dégrisants quand on les applique à Manon et à des Grieux, car on est aussitôt amené à se demander comment un fripon peut rester honnête, et une catin conserver sa pureté. Fraîcheur et corruption tout ensemble : dans cette impossible conjonction consiste peut-être le problème fondamental que pose ce roman extraordinaire. Le préfacier des Œuvres choisies, *non sans une certaine gêne, notait en 1783 : « Il y a bien de l'art à intéresser aux infortunes de deux semblables personnages*[1]. *» En effet, il faut une technique romanesque d'une habileté singulière pour que l'innocence des deux héros semble ne pas souffrir de la situation désespérément immorale où ils se trouvent si souvent. On ne dissimule au lecteur ni les faits, ni les actions ; mais les faits n'ont pas la signification qu'on pourrait croire, et les actions ne sauraient impliquer, à l'égard de celui qui les commet, le jugement qu'on porterait sur lui en toute autre circonstance. Manon se prostitue, mais en réalité elle n'*est *pas une catin ; des Grieux ment, triche, vole et tue, mais il n'*est *pas un fripon. C'est ici un art de prestidigitation morale dont la réussite est surprenante. La réalité concrète et vivante dans laquelle le roman se meut est dépouillée de toute valeur probante et réduite au rang d'apparence trompeuse : le lecteur ne se fie plus à ses yeux, ni à ses oreilles ; il se laisse attirer dans un étrange univers dont il conviendra d'étudier les fondements moraux, philosophiques et peut-être théologiques. Selon l'image qu'Alcibiade*

---

1. T. I, p. 36. Les premiers lecteurs, dès 1733, avaient déjà fait la même remarque. « Ce livre est écrit avec tant d'art, et d'une façon si intéressante, observait-on, que l'on voit les honnêtes gens même s'attendrir en faveur d'un escroc et d'une catin. » Et ailleurs : « Le héros est un escroc, l'héroïne une catin, et cependant l'auteur trouve le secret d'intéresser les honnêtes gens pour eux. » Voyez plus bas les *Jugements contemporains*, p. CLXI.

avait trouvée pour Socrate, on serait tenté de comparer l'abbé Prévost à une torpille : délicieusement paralysé, le lecteur n'éprouve plus le besoin de juger ; son monde moral se dissout et il s'abandonne à un agréable vertige.

D'abord un vertige de sympathie pour les héros. Le romancier fait en sorte que ses personnages apparaissent comme intéressants, touchants et séduisants ; le lecteur se prend ainsi d'amitié pour eux, les accepte et bientôt assume leurs actes. Cette optique très partiale est, comme il se doit, dissimulée sous des dehors faussement objectifs : l'auteur n'intervient jamais. Le cas du personnage de Manon est peut-être le plus significatif, car cette admirable création représente une prouesse technique à laquelle on n'a peut-être pas assez pris garde. Dès le premier coup d'œil, une appréciation très favorable est habilement imposée au lecteur. L'Homme de qualité qui aperçoit Manon sur sa charrette, enchaînée avec ses compagnes, est un esprit non prévenu : il est, à l'égard du récit qui va lui être fait, dans la situation du lecteur à l'égard du roman qu'il vient d'ouvrir. Son jugement, dont le lecteur n'a aucune raison de se défier, a donc une importance extrême. Or l'impression qui se dégage, c'est que Manon n'est pas à sa place : « [Son] air et [sa] figure étaient si peu conformes à sa condition, qu'en tout autre état je l'eusse prise pour une personne du premier rang. Sa tristesse et la saleté de son linge et de ses habits l'enlaidissaient si peu que sa vue m'inspira du respect et de la pitié[1]. » Une princesse parmi les filles de joie[2] ? Manon pourrait bien être la victime innocente de circonstances et de hasards malheureux, peut-être même d'affreuses machinations. Il sera très difficile au lecteur de revenir par la suite sur ses premiers sentiments, et de juger froidement que peut-être après tout Manon a mérité son sort. L'image de cette belle fille, noble et désolée, abandonnée sur sa charrette à une horrible promiscuité, possède un prestige romanesque auquel on ne saurait échapper. Et on y échappe d'autant moins que le récit

---

1. P. 12.
2. Prévost avait du reste employé le mot dans sa première version (1731) : « Je l'eusse prise pour une princesse », avait-il écrit. Mais le romanesque était ainsi imposé maladroitement au lecteur, au lieu de lui être discrètement suggéré.

est fait par des Grieux, et qu'il est tout entier dans une perspective où cette image est vraie.

En effet, en dehors de la scène d'ouverture, tout ce que le lecteur connaît de Manon, il l'apprend de la bouche du Chevalier, c'est-à-dire d'un homme qui l'aime d'un amour aveugle et inépuisable[1]. *Comment ne subirait-il pas la contagion de cet amour ? Dès la scène délicieuse de la rencontre dans la cour de l'auberge, il est séduit par cette fille de quinze ans, « si charmante », qui répond « ingénument*[2] *» que ses parents l'envoient à Amiens pour être religieuse — et ce serait grand dommage. « La douceur de ses regards, un air charmant de tristesse en prononçant ces paroles*[3] *», voilà qui achève de dessiner un personnage frais, attirant et désarmé. Si bientôt elle commet des fautes, elle les regrette avec tant de sincérité et d'élan qu'on ne peut s'empêcher de lui pardonner : « Où trouver un barbare qu'un repentir si vif et si tendre n'eût pas touché*[4]*? » Le lecteur ne tient pas à passer pour* un barbare *dépourvu de* tous sentiments d'humanité[5], *et il se laisse fléchir lui aussi. Il est disposé à croire que Manon est en effet « la plus douce et la plus aimable créature qui fût jamais*[6] *», « ce composé charmant, cette figure capable de ramener l'univers à l'idolâtrie*[7] *». Tout lecteur pour Manon prend les yeux d'un amant. Et il est confirmé dans son sentiment, quand il s'aperçoit que cette fille merveilleuse n'exerce pas son pouvoir de fascination seulement sur le Chevalier : tout au long de l'histoire, la tendresse et l'admiration naissent sous ses pas. M. de B. l'aperçoit-il à la fenêtre ? Il devient aussitôt passionné pour elle. Le vieux G. M., dès qu'on l'amène chez lui, est au premier coup d'œil « charmé de son mérite*[8] *». Son fils à son tour, en moins d'une*

---

1. C'est ce qu'avait remarqué, dès la fin du XVIIIe siècle, l'auteur d'un jugement anonyme qui sera rapporté pp. CLXXIII à CLXXV : « Ce n'est pas à sa Manon que nous nous intéressons, c'est à l'objet de cette passion si tendre... nous la voyons par ses yeux, nous l'aimons avec son cœur, etc. »

2. Pp. 19, 20.

3. P. 20.

4. P. 47.

5. P. 143.

6. P. 171.

7. P. 178.

8. P. 71.

demi-heure, en devient amoureux : « Ses regards et ses manières s'attendrirent par degrés[1]. » Enfin Synnelet, le neveu du gouverneur de La Nouvelle-Orléans, est touché dès le premier jour par sa beauté, et il se consume pour elle. En vérité, il est impossible de rester insensible à ce personnage charmant, jeune, traînant tous les cœurs après soi[2], un personnage qu'on ne voit pas, mais dont on mesure sans cesse l'effet sur tous ceux qui le rencontrent[3].

Car le lecteur est conquis d'autant plus sûrement que rien ne vient contrarier l'image secrète qu'il se fait de Manon ; les voies de la séduction changent d'un cœur à l'autre et chaque sensibilité a son style. Or il y a autant de Manons que de lecteurs, tant est discrète la caractérisation du personnage. On sait du moins que la Princesse de Clèves est blonde, et chacune des héroïnes de Challes est décrite avec une minutie exquise ; mais on ignore jusqu'à la teinte des cheveux de Manon. Quelle est la couleur de ses yeux, la forme de son nez, l'éclat de son teint ? Est-elle grande ou petite ? mince ou potelée ? Le roman n'en dit rien. Elle est charmante, et l'idée revient plus d'une demi-douzaine de fois ; elle est aimable, il est question de sa beauté — mais sans aucune précision[4].

---

1. P. 126.

2. Racine, *Phèdre*, acte II, sc. 5.

3. Dans *le Doyen de Killerine*, Patrice parle ainsi de Mlle de L., qu'il adore : « Figurez-vous mille charmes que je n'achève pas de décrire, mais dont vous jugerez beaucoup mieux par l'impression qu'ils ont faite sur mon cœur. » Éd. cit., t. VIII, p. 148.

4. C'est parce que, objectera-t-on, l'attention de Prévost au physique et au concret ne saurait aller plus loin. Qu'on prenne la peine de lire le portrait suivant, tiré des *Mémoires d'un Honnête Homme*, et l'on jugera si la discrétion et même la pauvreté du portrait de Manon ne sont pas volontaires : « Au premier coup d'œil, Mlle X*** n'était que jolie. A ceux qui la voyaient un quart d'heure, elle paraissait plus que belle. C'était la magie de ses yeux, d'où il se répandait mille charmes sur toute sa personne. Quoiqu'elle eût le teint clair et la peau fort blanche, elle n'avait pas un trait régulier. Mais cet air dominant de deux yeux les plus fins et les plus tendres du monde assortissait des choses qui n'étaient pas faites pour se trouver ensemble. Elle avait la bouche grande, par exemple, et les dents d'une petitesse surprenante; le nez court et pointu; le front étroit et les tempes larges; le bras très gros et la main fort petite. Mais le regard dont elle accompagnait un sourire le rendait enchanteur. Les lèvres de cette grande bouche étaient vermeilles. Ces petites dents, d'un ordre et d'une blan-

En quoi consiste donc cet air « si fin, si doux, si engageant[1] »*? C'est, écrit Prévost, « l'air de l'Amour même*[2] »*, de même que son teint est « de la composition de l'Amour*[3] »*. On saisit ici le procédé*[4] *: il s'agit, à l'aide de formules prestigieuses dont le contenu de sentiment est riche et le contenu intellectuel à peu près nul, d'exalter l'imagination du lecteur, sans l'orienter dans aucune direction particulière. Il faut communiquer en quelque sorte une connaissance lyrique de Manon. L'élan, dans la scène du parloir, est même si puissant que la prose, d'habitude si modeste, de l'abbé Prévost se soulève — faute de style — jusqu'à former un alexandrin : « Ses charmes surpassaient tout ce qu'on peut décrire*[5]*. » Ce qui est doublement affirmer, par le rythme et par les mots, la démission du langage. Le mouvement culmine dans l'aveu de des Grieux : « Toute sa figure me parut un enchantement*[6]*. » C'est ainsi que Manon doit paraître au lecteur également : à lui de se représenter concrètement, selon les détours de son propre cœur, les voies et moyens de cette magie. La réussite du romancier et la force obsédante de son personnage viennent surtout de ce qu'il a voulu que Manon fût en grande partie la création du lecteur.*

Des Grieux ne saurait bénéficier de la perspective privilégiée qui est réservée à Manon. Mais les divers éclairages qu'il reçoit

---

cheur admirable. Sur ce front si étroit, les cheveux étaient placés divinement, et les tempes ne s'ouvraient si fort que pour y faire serpenter deux belles veines. Je n'ai rien vu de si piquant que ce petit nez retroussé en pointe, qui semblait remonter aux yeux pour leur dérober de l'éclat. Enfin ces mains enfantines, qui étaient comme déplacées au bout d'un bras si charnu, on les aurait crues volées à quelque statue de l'Amour... » Éd. cit., t. XXXIII, pp. 127 et 128.

1. P. 44.
2. *Ibid.*
3. P. 135.
4. C'est précisément cette technique que Barbey d'Aurevilly n'a pas comprise (ou n'a pas voulu comprendre) dans l'amusant — et tardif — *éreintement* qu'il a fait du roman. Étudiant la peinture de l'abbé Prévost, il remarque : « C'est un pot à eau qui est sa palette. Le portrait qu'il fait de Manon ne se voit pas... *L'air de l'amour même ! un enchantement !* L'enchantement n'est qu'un effet dans l'âme, et je voudrais voir la cause de cet effet, c'est-à-dire la personne qui le produit. » (*Les Œuvres et les Hommes,* Lemerre, 1904, t. XIX, p. 299).
5. P. 44.
6. *Ibid.*

tour à tour n'en sont pas moins flatteurs, et le lecteur accepte sans méfiance les témoignages qui d'un bout à l'autre de l'histoire se multiplient généreusement en sa faveur. Dès qu'il l'aperçoit, l'Homme de qualité découvre « dans ses yeux, dans sa figure et dans tous ses mouvements, un air si fin et si noble [qu'il se sent] porté naturellement à lui vouloir du bien[1] ». Naissance, honneur, dignité, éducation, bonté foncière, physionomie avenante et noble, sans compter l'émouvante profondeur de son sentiment, des Grieux a tout ce qu'il faut pour se faire aimer et estimer de ceux qu'il rencontre — et du lecteur. Ces deux personnages, parés de tous les dons, jeunesse, beauté, amour, distinction du cœur et des manières, font un couple ravissant. Le roman, ici encore, est orienté de manière à montrer la voie au lecteur. « Nos postillons et nos hôtes nous regardaient avec admiration[2] », rapporte le Chevalier. Nous en sommes à l'enlèvement qui ouvre l'histoire, mais il en est de même à la fin quand le gouverneur de La Nouvelle-Orléans leur assure tout de suite un traitement de faveur. Et tout au long de l'action, le couple inspire des sentiments de sympathie et d'admiration, que le lecteur doit nécessairement partager. C'est l'aubergiste qui revoit sans sa Manon des Grieux qu'on ramène chez son père, et qui s'écrie : « Ah ! c'est ce joli monsieur qui passait, il y a six semaines, avec une petite demoiselle qu'il aimait si fort. Qu'elle était charmante ! Les pauvres enfants, comme ils se caressaient ! Pardi, c'est dommage qu'on les ait séparés[3]. C'est le valet lui-même, ou plutôt le gardien de Manon à la prison de l'Hôpital, qui est si touché de voir se retrouver les deux amants qu'il est prêt à prendre tous les risques pour faire évader Manon. En vérité, les deux jeunes gens forment ce couple idéal, dont il reste comme une nostalgie, même dans les cœurs les plus endurcis ; et l'on est porté à considérer leurs fautes, s'ils en ont commis, comme des malheurs auxquels on compatit.

Contraste surprenant ! D'un côté, le mensonge, le vol, le meurtre, la tricherie, l'escroquerie, la prostitution. De l'autre, une fille exquise, jolie, jeune, douce et tendre, toute grâce, toute mesure,

---

1. P. 13.
2. P. 25.
3. P. 32.

et avec elle, un jeune homme bien né, fier, bon, ouvert, généreux et fidèle. D'un côté, comme le dit Cocteau, un « cortège aux flambeaux de joueurs, de tricheurs, de buveurs, de débauchés, de descentes de police... [un] parfum crapuleux de poudre à la maréchale, de vin sur la nappe et de lit défait[1] ». *De l'autre, un couple exemplaire dont l'appétit de bonheur innocent représente peut-être ce qu'il y a de meilleur, ou en tout cas de plus émouvant, ici-bas. Comment ces deux mondes, apparemment incompatibles, arrivent-ils à se rencontrer et même à se composer à l'intérieur d'un même roman? La première explication qui vient à l'esprit, c'est qu'ils restent totalement étrangers. La corruption serait ainsi tout entière dans le milieu, tandis que les personnages resteraient purs. Ne sont-ils pas, en effet, les victimes d'une société démoralisée qui veut les couvrir de sa boue — une boue qui ne prend pas sur eux — et les forcer à participer à ses infamies? Le frère de Manon, cet « homme brutal et sans principes d'honneur*[2] »*, terrible création du romancier, est comme le représentant de ce que la société a de plus vil. Mauvais génie et tentateur, c'est lui qui pousse des Grieux à devenir un tricheur professionnel, et qui le fait admettre « dans la Ligue de l'Industrie*[3] »*; c'est lui qui met Manon dans les bras du vieux G... M..., et qui a l'idée de présenter le Chevalier comme un jeune frère de Manon, de façon que celle-ci puisse se partager commodément entre ses deux amants. Manon et des Grieux, qui sont livrés à cet abominable personnage, ne peuvent pas même compter sur leurs valets, car ceux-ci participent de l'immoralité générale : ce sont eux qui, en dévalisant leurs maîtres, les mettent dans une situation désespérée — et ils ont déjà été victimes d'un premier vol, dont les auteurs sont demeurés inconnus. Or, si ce premier vol oblige le Chevalier à se faire tricheur, le second donne occasion à Lescaut de vendre sa sœur à G... M... N'est-ce pas la société qui semble s'ingénier à réduire au sort commun ces êtres innocents, à les faire tomber dans la fange universelle?*

Car, dans les pires moments, qu'a fait le Chevalier, qui ne soit dans les habitudes de cette société pourrie? Lui-même le

---

1. *Manon*, *Revue de Paris*, octobre 1947, p. 22.
2. P. 51.
3. P. 62.

souligne à l'intention de son père, quand celui-ci lui rend visite à la prison du Châtelet : « Une maîtresse ne passe point pour une infamie dans le siècle où nous sommes, non plus qu'un peu d'adresse à s'attirer la fortune du jeu[1]. » Et il cite des exemples : « Je vis avec une maîtresse [...] sans être lié par les cérémonies du mariage : M. le duc de... en entretient deux, aux yeux de tout Paris ; M. de... en a une depuis dix ans, qu'il aime avec une fidélité qu'il n'a jamais eue pour sa femme ; les deux tiers des honnêtes gens de France se font honneur d'en avoir. J'ai usé de quelque supercherie au jeu : M. le marquis de... et le comte de... n'ont point d'autres revenus ; M. le prince de... et M. le duc de... sont les chefs d'une bande de chevaliers du même Ordre. » L'académie de jeu de l'Hôtel de Transylvanie, « le principal théâtre de [s]es exploits[2] » se tient au profit de M. le prince de R..., et la plupart des officiers de ce prince font partie de la « Ligue de l'Industrie ». Même des vols — en l'occurrence d'ailleurs, tentatives de vol — tels que ceux où il se fait le complice de Manon sont monnaie courante autour de lui : « Pour ce qui regardait mes desseins sur la bourse des deux G... M..., remarque-t-il, j'aurais pu prouver aussi facilement que je n'étais pas sans modèles[3]. » Et puis n'y a-t-il pas dans tout cela, comme dans le meurtre de Saint-Lazare, un cas de légitime défense ? Le Chevalier est attaqué par la société en la personne de l'odieux G... M..., ce vieux débauché qui prétend acheter les faveurs de Manon, en la personne du jeune G... M..., ce fils de famille qui n'hésite pas à se servir d'un or corrupteur : il se défend comme il peut. Son père lui-même incarne les préjugés de la société et cause tous ses tourments en ne lui permettant pas le moindre espoir d'un mariage avec Manon, et en laissant déporter en Amérique « la plus douce et la plus aimable créature qui fût jamais[4] ». Il secoue donc la poussière de ses souliers en quittant l'Europe, et il se déclare sans inquiétude à l'idée d'aller vivre parmi les sauvages : « Je suis bien sûr [...] qu'il ne saurait y en avoir d'aussi cruels que G... M... et mon père [...] Si les relations qu'on en fait sont fidèles, ils suivent les lois de la nature. Ils ne connaissent ni les fureurs de

1. P. 163.
2. P. 63.
3. P. 164.
4. P. 171.

l'avarice, qui possèdent G... M..., ni les idées fantastiques de l'honneur, qui m'ont fait un ennemi de mon père. Ils ne troubleront point deux amants qu'ils verront vivre avec autant de simplicité qu'eux[1]. » Hélas ! la société, acharnée à leur nuire, poursuit les deux amants jusqu'au-delà des mers : on sait que le gouverneur de La Nouvelle-Orléans décide de les séparer brutalement, et provoque ainsi la catastrophe. C'est donc la civilisation qui est coupable, en France dans son pays d'origine ou transplantée en Amérique — une civilisation contre nature, fondée sur des appétits honteux ou des notions chimériques. La société apparaît comme responsable à la fois des malheurs de des Grieux et de tout ce que celui-ci a dû faire pour tenter — vainement — de les conjurer.

Mais en réalité — et le lecteur s'en rend bien compte, dans la mesure où il n'est pas complètement égaré par sa sympathie — le milieu artificiel et corrompu où vivent les deux héros leur fournit des circonstances atténuantes bien plus qu'une justification véritable. Toutes les sociétés ont connu le meurtre, mais chez les plus sanglantes, l'assassinat n'en est pas devenu innocent pour autant. Il y a toujours eu des tricheurs, mais tricher au jeu, même lorsqu'on est pressé par la nécessité, n'en est pas moins condamnable. Il en est de même pour le vol, qui reste un vol quand la victime est peu intéressante. Enfin l'argent gagné par une femme entretenue a une source impure, et il est contraire à l'honneur d'en vivre, quand on en connaît l'origine. Les entraînements de l'exemple et la pression des circonstances peuvent expliquer psychologiquement certains actes ; ils ne sauraient les excuser moralement. Les deux personnages, écrivait Cocteau, sont couverts « de cet enduit des plumes du cygne, enduit grâce auquel le cygne barbote dans l'eau sale sans s'y salir ». En fait, la comparaison est inexacte, et l'on ne peut prétendre qu'ils vivent dans la corruption sans être souillés par elle : le cygne est sale. Manon et des Grieux ne se contentent pas d'assister au cortège, ni de respirer le parfum crapuleux de l'époque : ils font eux-mêmes partie du cortège, et le parfum se dégage aussi du lit défait où Manon a couché avec M. de B..., où elle se préparait à coucher avec le jeune G... M..., et où finalement le Chevalier vient la rejoindre. Les deux héros n'échappent nulle-

1. Pp. 180-181.

ment à leur milieu, et même ils se mettent fort bien à l'unisson. Non pas que l'abbé Prévost néglige l'argument de l'immoralité contemporaine : on a vu avec quelle habileté il le développe ; mais ce n'est là qu'un élément — le plus visible — d'un système beaucoup plus vaste. Il s'agit d'une entreprise générale de justification, fondée sur une philosophie complexe et d'ailleurs confuse.

L'étude de la théologie et surtout la direction de conscience ont donné à l'abbé Prévost un sentiment très vif du caractère incomparable et unique de toute situation morale[1]*, ce qui explique en partie la profondeur de sa psychologie romanesque. Mais sa souple appréciation des circonstances, sa casuistique nuancée, son indulgente aptitude à sonder les cœurs, le conduisent indiscutablement à une morale de l'irresponsabilité. C'est ce qui apparaît avec une évidence presque caricaturale dans la Sixième Partie des* Mémoires d'un Homme de qualité *qui, on l'a vu, parut en même temps que la Septième (qui est* Manon Lescaut). *Le jeune marquis, héritier d'une très grande famille, dont l'Homme de qualité est le gouverneur, brûle d'un fol amour pour la nièce de celui-ci, Nadine. Mais comme il est impossible que les deux jeunes gens s'unissent, étant donné l'inégalité des conditions, on décide de marier Nadine à un certain M. de B. Deux jours après le mariage, les deux époux prennent part à un déjeuner de famille, quand la jeune femme tout à coup se lève de table et s'excuse. Une noble anglaise, Milady, amie de la famille et qui habite la maison, a arrangé une entrevue dans son appartement entre Nadine et le jeune marquis, venu secrètement de Paris. Après quelque temps, le mari, ne voyant pas revenir sa femme, se lève, monte à l'appartement, entrouvre la porte et aperçoit le marquis à côté de Nadine. Milady se précipite pour l'empêcher d'entrer : hors de lui, il lui allonge un coup d'épée par l'ouverture de la porte, et, menaçant, pénètre dans la chambre. Le marquis lui casse aussitôt la tête d'un coup de pistolet. On monte : « M. de B. était étendu sans mouvement, sa cervelle paraissait en plusieurs endroits sur*

1. Embarrassé pour résoudre un *cas* difficile, le doyen de Killerine assemble même une sorte de conseil de conscience, qui se réunit chez *le plus grave* des docteurs consultés — sans grand résultat d'ailleurs — car la vanité entraîne ces respectables casuistes dans une querelle bouffonne. (Éd. cit., VIII, pp. 400 à 405.)

le plancher[1]. » *Le marquis se sauve, non sans préciser à son gouverneur : « Je fuis, Monsieur* [...]*; mais je ne me crois pas criminel.* » *L'Homme de qualité le reconnaît bien volontiers. « Dans le fond, avoue-t-il, je n'avais pas de peine à comprendre qu'il était peu criminel. Il avait tué M. de B. dans le cas où la nécessité justifie, c'est-à-dire pour conserver sa propre vie. Son entretien avec ma nièce était une faute, mais dont il était moins coupable que ma nièce elle-même et Milady*[2]. » *Néanmoins, il fait une réserve, et il ajoute : « J'ignorais encore les projets d'enlèvement et de fuite qu'il avait formés de concert avec cette dame.* » *Mais il les excuse bientôt comme le reste. Le jeune marquis, avant cette aventure, a déjà tué un homme à Madrid, et il a causé la mort de la jeune fille qu'il aimait alors. Qu'à cela ne tienne ! Son gouverneur, en abandonnant ses fonctions, lui rend ce témoignage : « J'oublie tous les petits égarements où vous êtes tombé pour n'avoir pas toujours suivi mes conseils* [...]. *Votre esprit est droit et sans artifice ; votre cœur est sincère, bienfaisant, généreux ; il est tel qu'il faut pour faire de vous le plus aimable et le plus vertueux de tous les hommes*[3]. » *Milady elle-même n'est pas une mauvaise femme ; elle a provoqué un épouvantable drame à l'intérieur de la famille qui l'avait généreusement recueillie quand elle fuyait l'Angleterre ; elle a tenté de débaucher une jeune mariée au lendemain de ses noces. L'Homme de qualité ne s'en afflige pas moins, lorsqu'elle meurt du coup d'épée qu'elle a reçu. Cette mort malheureuse, « elle se l'était sans doute attirée, remarque-t-il, par quelques démarches indiscrètes ; mais, ajoute-t-il, il était aisé de voir qu'il y entrait moins de malice que de faiblesse*[4]. »

Le marquis, dont l'esprit est droit et sans artifice, *dont le cœur est* sincère. *Milady, dont les actions comportent* moins de malice que de faiblesse. *Comment ne pas rapprocher ces*

1. Éd. cit., t. III, p. 37.
2. *Ibid.*, p. 41.
3. *Ibid.*, p. 56.
4. *Ibid.*, p. 48. « Après tant de beaux exploits, la Milady n'est-elle pas bien digne des soupirs de [l'Homme de qualité] ? » s'écrie un critique contemporain, sans doute Desfontaines, avec une ironie scandalisée; en fait, la conduite de l'Anglaise, constate-t-il, a été « folle, indécente, et même peu vraisemblable. » (*Le Nouvelliste du Parnasse*, lettre XXXIII, septembre 1731.)

formules de celles dont se sert des Grieux pour Manon qui vient de le tromper pour la troisième fois : « Elle pèche sans malice [...] elle est droite et sincère[1]. » *En vérité, une même casuistique est ici à l'œuvre, et il est clair qu'un de ses éléments les plus importants est la morale de l'intention. Si le marquis tue M. de B., il n'a pas l'intention de tuer ; sa* direction d'intention *est tout autre ; il veut « conserver sa propre vie » ; certes il aurait pu attendre d'être plus directement menacé, ou tenter de désarmer son adversaire, ou encore se battre avec lui à l'épée, et ce duel aurait moins ressemblé à un meurtre : il a préféré lui faire sauter la tête d'un coup de pistolet ; cela est plus expéditif, et son intention n'en est pas moins pure. Le meurtre du gardien de Saint-Lazare se situe dans la même perspective morale. Des Grieux s'est fait apporter par Lescaut un pistolet ; il en menace le Supérieur pour le forcer à lui ouvrir la porte de la prison. Mais un domestique se réveille, et le Supérieur l'appelle à son secours. « C'était un puissant coquin, qui s'élança sur moi sans balancer, raconte le Chevalier. Je ne le marchandai point ; je lui lâchai le coup au milieu de la poitrine*[2]. » *C'est ici un meurtre caractérisé, or la responsabilité de celui qui presse sur la détente est niée. Il n'y aurait pas eu de meurtre, si le Père n'avait eu l'idée malencontreuse d'appeler à l'aide : « Voilà de quoi vous êtes cause, mon Père, dis-je assez fièrement à mon guide*[3]. » *Mieux encore, Lescaut, qui attend l'évadé dans la rue, a entendu le coup de pistolet, il s'en inquiète : « C'est votre faute, lui dit le Chevalier ; pourquoi me l'apportiez-vous chargé ? » Il le remercie pourtant « d'avoir eu cette précaution, sans laquelle, note-t-il, j'étais sans doute à S[aint]-Lazare pour longtemps ». Ainsi un homme est tué ; il y a deux responsables, et aucun d'eux n'est celui qui a tiré, bien que ce dernier ait agi en pleine connaissance de cause. En tuant le gardien de prison, des Grieux se trouve dans un « cas où la nécessité justifie » ; il ne s'agit pas de sa vie, il s'agit de sa liberté, ce qui est presque la même chose*[4]. *Il est même justifié deux fois, car, en demandant*

---

1. P. 148.
2. P. 97.
3. *Ibid.*
4. Si, comme l'affirment certains casuistes, l'on a le droit de tuer pour défendre sa réputation comme pour défendre sa vie *(Periculum famae aequiparatur periculo vitae)*, l'on peut tuer en toute sûreté de

à Lescaut de lui apporter une arme dans sa prison, il l'a assuré qu'il avait « si peu dessein de tuer qu'il n'était pas même nécessaire que le pistolet fût chargé[1] *» : il est frappant que l'abbé Prévost ait tenu à établir ce fait pour innocenter son héros. Dans ce meurtre, il n'y a donc pas de préméditation et la* direction d'intention — *recouvrer sa liberté — n'est pas condamnable.*

L'intention morale, constitutive de l'acte, demande chez celui qui la conçoit une pleine liberté de manœuvre ainsi qu'un jugement éclairé sur la valeur de l'action envisagée. Or le Chevalier se trouve toujours sous la pression des événements : ses actions les plus contestables, il les accomplit comme à son corps défendant. S'il devient un tricheur, c'est qu'il ne peut faire autrement : « Quelque répugnance que j'eusse à tromper, je me laissai entraîner par une cruelle nécessité[2]. *» S'il finit par accepter de partager Manon avec le vieux G... M..., c'est que Lescaut l'a mis devant le fait accompli. C'est l'*imprudence *de Manon qui le place à deux reprises dans une situation où il ne se serait certes pas plongé lui-même et qui conduit les deux amants en prison. Manon précisément ne réalise tout à fait ni le sens, ni la portée de ses actes, et des Grieux n'est guère plus averti. Ces deux jeunes gens, presque des enfants (quinze et dix-sept ans), ne savent ce qu'ils font. Quand ils agissent mal, ce n'est pas eux, c'est la jeunesse en eux qui est coupable. « Je confesse, dit le Chevalier, que la jeunesse m'a fait commettre de grandes fautes*[3]. *» Manon est* légère et imprudente[4]; *des Grieux se conduit avec* plus d'imprudence et de légèreté que de malice[5]. *Il faut prendre bien garde de ne pas confondre*

---

conscience pour défendre sa liberté. « La légitime défense semble pouvoir s'étendre à tout ce qui est nécessaire pour vous garantir de toute espèce de tort. » *(Jus defensionis videtur se extendere ad omne id quod necessarium est, ut te ab omni injuria serves immunem.)* Lessius, *De justicia et jure*. Cité par Brunschvicg, éd. des *Provinciales*, Hachette, Grands Écrivains de la France, t. V, pp. 64 et 65. Ira-t-on prétendre que la privation de liberté ne représente pas un préjudice ?

1. P. 95.
2. P. 62.
3. P. 155.
4. P. 148.
5. C'est le « Lieutenant général de Police » qui le reconnaît lui-même (p. 160), et des Grieux est « charmé d'avoir affaire à un juge raisonnable ».

l'entraînement des circonstances ou le manque de réflexion avec l'intention perverse, claire et bien arrêtée, de mal faire.

En outre, il est d'autant plus difficile de porter un jugement moral sur les actions d'autrui qu'on n'est jamais complètement informé de la véritable intention qui leur donne leur sens. La même année où il publie Manon Lescaut, *l'abbé Prévost, alors en Hollande, explique dans une lettre privée comment il a pu sortir de son couvent de Saint-Germain-des-Prés. Tout le monde l'accuse d'avoir rompu ses engagements ; « mais est-on bien sûr, écrit-il que j'en aie jamais pris d'indissolubles ? Le Ciel connaît le fond de mon cœur, et c'en est assez pour me rendre tranquille. Si les hommes le connaissaient comme lui, ils sauraient que* [...], *forcé par la nécessité, je ne prononçai la formule de mes vœux qu'avec toutes les restrictions intérieures qui pouvaient m'autoriser à les rompre*[1] *». Il a fait solennellement profession, il a été bénédictin pendant de longues années : on serait donc tenté de le considérer comme un moine fugitif. Quelle erreur ! et quelle injustice ! Il est clair que le romancier se situe ici lui-même dans l'univers où il fait vivre ses personnages. Ce bénédictin est en* Hollande *(et il est vraisemblablement devenu protestant), mais ses vœux n'étaient pas de vrais vœux et sa fuite n'est donc pas vraiment une fuite. De même, des Grieux semble agir comme un* fripon, *mais il reste foncièrement un honnête homme ; Manon semble se conduire comme une* catin, *mais elle est* droite et sincère. *Ne jugeons point. Nous nous fondons sur les faits, sur les actions visibles. Or l'action ne répond jamais pleinement à l'intention, et bien souvent celle-ci reste cachée. La psychologie de l'agent moral, l'étude des conditions de l'action, la recherche infinie des intentions, bref, la mauvaise conscience du casuiste et la morale de l'irresponsabilité qui en résulte, tout cela creuse un abîme entre les êtres et leurs actes. Il n'y a aucun lien rationnel, aucune communication claire et certaine, entre les démarches ou les effets et la spontanéité d'où ils émanent. Ce scandale est significatif de la condition humaine. Dès le début du roman, l'Homme de qualité est aux prises avec deux évidences contradictoires et qui semblent s'imposer également à lui : il a devant les yeux une prostituée qu'on vient de tirer de*

---

1. Lettre au P. de La Rue du 10 novembre 1731. Le texte en est donné *in extenso* dans l'*Appendice*.

l'Hôpital et qui va être déportée en Amérique avec ses compagnes, mais en même temps, il se sent porté à voir en elle une personne délicieuse qui lui inspire du respect et de la pitié. « *Elle me répondit avec une modestie si douce et si charmante, que je ne pus m'empêcher de faire, en sortant, mille réflexions sur le caractère incompréhensible des femmes*[1]. » *En écoutant le récit de des Grieux, il aura l'occasion — et le lecteur avec lui — d'en faire aussi sur le caractère incompréhensible des hommes. Le Supérieur de Saint-Lazare a la même réaction devant le Chevalier.* « *Vous êtes d'un naturel si doux et si aimable, lui dit-il, que je ne puis comprendre les désordres dont on vous accuse, [ni] comment, avec de si bonnes qualités, vous avez pu vous livrer à l'excès du libertinage*[2]. » *L'opposition est éclatante entre la réalité des êtres et ce qui en apparaît dans leur conduite. Il ne faut donc pas les juger sur ce qu'ils font, mais sur ce qu'ils* sont.

On aperçoit assez les implications philosophiques d'une telle attitude : l'univers de l'abbé Prévost est essentialiste. *Les êtres qui le peuplent ont une réalité fondamentale et profonde qui se révèle de manière indirecte et capricieuse : bien loin de la manifester de façon adéquate, leurs actes le plus souvent la déguisent et la trahissent. Au-delà de l'écran décevant des apparences où s'arrête presque toujours le regard paresseux des hommes, il faut remonter jusqu'à l'intimité première du cœur.* « *Les hommes en jugent à leur façon, écrivait encore l'abbé Prévost à propos de la rupture de ses vœux ; mais ma conscience me répond que le Ciel en juge autrement, et cela me suffit.* » *Comprendre véritablement Manon et des Grieux, c'est juger ces deux personnages comme le Dieu de l'abbé Prévost juge ses créatures ; c'est pénétrer jusqu'au fond de leur cœur*[3] *; c'est saisir leur essence au-delà des accidents de leur histoire. Or le romancier donne habilement à son lecteur tout ce dont il a besoin pour cet effort. Manon, on l'a vu,* « *est droite et sincère* » *; c'est* « *sans malice* » *qu'elle trahit le Chevalier ou qu'elle tente de voler ses amants. Quant à des Grieux, il a une* « *aversion naturelle*

1. Pp. 12 et 15.
2. P. 82.
3. « Il eût fallu pour ma justification, lit-on dans *Cleveland*, qu'elle eût pu lire dans mon cœur. Elle y eût vu que s'il m'était échappé quelque faiblesse, le fond du moins en était droit... » Éd. cit. *(Œuvres choisies)*, t. V, p. 582.

pour le vice[1] »; son ami Tiberge reconnaît « l'excellence de [son] cœur et de [son] esprit[2] »; le Supérieur de Saint-Lazare insiste sur ses « bonnes qualités » et remarque qu'il a « du moins un excellent fond de caractère[3] ». Lorsqu'il rend visite pour la première fois à M. de T., celui-ci est aussitôt sensible à son ouverture et à sa candeur : « nous devînmes amis, sans autre raison que la bonté de nos cœurs et une simple disposition qui porte un homme tendre et généreux à aimer un autre homme qui lui ressemble[4] ». Chaque fois qu'il est contraint de mal faire, il se le reproche amèrement, et sa délicatesse morale reste intacte ; sans cesse, il est en proie à la honte, au remords, au repentir[5]. Il a fini par accepter de partager Manon avec M. de G... M... ; mais il faut voir sa joie quand elle consent à faire cesser cette déshonorante situation : « J'eus lieu de reconnaître, note-t-il, que mon cœur n'avait point encore perdu tout sentiment d'honneur, puisqu'il était si satisfait d'échapper à l'infamie[6]. » A n'en pas douter, un tel homme est essentiellement bon. Des Grieux est un homme de bien qui agit mal. De même que Manon, il est en quelque sorte séparé de ses propres actions : il leur est étranger. « Cet enduit des plumes de cygne » dont parle Cocteau, ne serait-ce pas la morale essentialiste ? Grâce à elle, la pureté du cœur n'est pas affectée par l'ignominie des actes. Manon et des Grieux conservent leur innocence fondamentale : la saleté de leurs actions leur reste extérieure.

Cette essence de l'être dont le comportement et les actions fournissent une image si souvent infidèle est avant tout affective.

---

1. P. 17.
2. P. 39.
3. P. 182.
4. P. 101.
5. Il est clair que pour Prévost le repentir efface automatiquement le péché et ne laisse subsister de la faute qu'un souvenir qui devient honorable. Répondant à ses ennemis dans le *Pour et Contre,* il écrira en 1734 : « S'ils en veulent à mes faiblesses, je leur passe condamnation, et ils me trouveront toujours prêt à renouveler l'aveu que j'ai déjà fait au public [...]; je leur aurai beaucoup d'obligation s'ils peuvent contribuer à augmenter mon repentir » (Lettre LXXXV). Voyez aussi l'*Avis de l'Auteur* en tête de *Manon Lescaut.* Si la morale qu'on tire de l'ouvrage est utile, l'auteur est justifié. Sinon, « [son] erreur sera [son] excuse » (p. 7)!
6. P. 75.

Laisser voir sans détour cette spontanéité intime qui nous est donnée et qui nous caractérise est déjà une vertu, la sincérité. Les mots de nature, naturel, naturellement, *reviennent comme autant de rappels de cette philosophie. Lors de sa visite à M. de T., le Chevalier s'explique « naturellement avec lui » et cherche à « échauffer ses sentiments naturels*[1] *»; il y parvient; la réponse de son nouvel ami est « celle d'un homme qui a du monde et des sentiments; ce que le monde ne donne pas toujours, et qu'il fait perdre souvent ». Aussitôt des Grieux exprime sa reconnaissance « d'une manière, dit-il, qui le persuada aussi que je n'étais pas d'un mauvais naturel*[2]*». Les cœurs sensibles n'ont pas de peine à communiquer*[3]*. M. de T. et des Grieux n'ignorent pas que le sentiment est le vrai de l'être, et qu'il fait sa noblesse : c'est-lui qui met de la différence entre les hommes. La véritable aristocratie est celle du cœur. « Le commun des hommes, constate le Chevalier à son arrivée à Saint-Lazare, n'est sensible qu'à cinq ou six passions, dans le cercle desquelles leur vie se passe, et où toutes leurs agitations se réduisent. Otez-leur l'amour et la haine, le plaisir et la douleur, l'espérance et la crainte, ils ne sentent plus rien. Mais les personnes d'un caractère plus noble peuvent être remuées de mille façons différentes; il semble qu'elles aient plus de cinq sens, et qu'elles puissent recevoir des idées et des sensations qui passent les bornes ordinaires de la nature; et, comme elles ont un sentiment de cette grandeur qui les élève au-dessus du vulgaire, il n'y a rien dont elles soient plus jalouses*[4] *». Très évidemment, il parle pour lui. La richesse de la sensibilité est celle de l'être même. Loin de se cacher d'éprouver des sensations extraordinaires et peut-être étranges, il convient*

1. P. 100.
2. P. 101.
3. Le sentiment n'est pas seulement l'objet de la communication, dans la mesure où celle-ci est possible; il en est aussi le moyen, qu'il s'agisse de la communication avec autrui ou avec soi-même. « Il n'y a que le sentiment qui nous puisse donner des nouvelles un peu sûres de nous », affirmait Marivaux dans la première partie de la *Vie de Marianne*, parue la même année que *Manon Lescaut* (éd. F. Deloffre, Garnier, p. 22). L'évidence du cœur a pour des Grieux la même importance que pour Marianne — évidence d'ailleurs parfois obscure, on le verra, incommunicable, et c'est alors le mystère du cœur.
4. P. 81.

d'en être fier : comme les autres privilèges, celui du sentiment vous sépare de la foule, et vous distingue. Des Grieux, dans son récit, insiste souvent sur la singularité de ce qu'il ressent, et il fait ainsi ressortir l'insuffisance du langage de la raison claire. Il y a en effet un dépassement de l'intelligence raisonnante par la finesse du cœur : les subtilités du sentiment passent à travers les mailles trop lâches du filet de l'analyse et des mots. « Ah ! les expressions, s'écrie-t-il, ne rendent jamais qu'à demi les sentiments du cœur[1]. » *Sans avoir recours aux termes trop commodes d'*inexprimable, indéfinissable, indicible, *il ne se résout pas à donner aux sentiments qu'il décrit des noms simplificateurs ; et son impuissance à les nommer leur conserve toute leur fraîcheur, leur mobilité, leur diversité, leur indécision. Quand Manon le quitte pour le vieux G... M..., il se trouve « dans un état, rapporte-t-il, qui me serait difficile à décrire car j'ignore encore aujourd'hui par quelle espèce de sentiments je fus alors agité. Ce fut une de ces situations uniques auxquelles on n'a rien éprouvé qui soit semblable. On ne saurait les expliquer aux autres, parce qu'ils n'en ont pas l'idée, et l'on a peine à se les bien démêler à soi-même, parce qu'étant seules de leur espèce, cela ne se lie à rien dans la mémoire, et ne peut même être rapproché d'aucun sentiment connu*[2]. » *A la limite, le sentiment est irréductible et incomparable : opaque pour celui qui l'éprouve, et incommunicable aux autres. L'exprimer, c'est le trahir, et réduire l'inconnu au connu. Des Grieux arrive à distinguer dans son état « de la douleur, du dépit, de la jalousie et de la honte*[3] », *mais c'est là une approximation qu'il donne pour très insuffisante. Sa réaction avait été aussi complexe et plus obscure lorsque, sans bien la deviner encore, il avait entrevu la première infidélité de Manon : « Ma consternation fut si grande, notait-il alors, que je versais des larmes en descendant l'escalier, sans savoir encore de quel sentiment elles partaient*[4]. » *De même, comment rendre compte du sentiment*

---

1. P. 178.
2. P. 69. De même dans *Cleveland :* « Ici, j'aurais besoin de quelque tour nouveau pour expliquer une des plus étranges situations où le cœur d'un homme se soit jamais trouvé. » Éd. cit., t. VI, p. 16.
3. *Ibid.*
4. Pp. 27-28.

composite et contradictoire de Manon, qui volontairement va le livrer à sa famille, et qui est affligée de sa perfidie au moment même où elle la commet ? « Je crus apercevoir de la tristesse sur le visage et dans les yeux de ma chère maîtresse... Je ne pouvais démêler, ajoute-t-il, si c'était de l'amour ou de la compassion, quoiqu'il me parût que c'était un sentiment doux et languissant[1]. » *Enfin en Amérique, lors de l'ensevelissement de Manon, l'expression de sa douleur comporte une anomalie psychologique qu'il ne manque pas de signaler : « Ce qui vous paraîtra difficile à croire, dit-il à ses deux auditeurs, c'est que, pendant tout l'exercice de ce lugubre ministère, il ne sortit point une larme de mes yeux ni un soupir de ma bouche*[2]. » *Mais ici du moins, il donne une explication : « La consternation profonde où j'étais et le dessein déterminé de mourir avaient coupé le cours à toutes les expressions du désespoir et de la douleur. » Comment, dans un monde où le sentiment donne aux êtres leur distinction véritable, appeler* fripon *un homme capable de ressentir des émotions aussi violentes et aussi éloignées de l'ordre commun ?*

Cette perspective du sentiment, en dehors de laquelle l'Histoire du chevalier des Grieux et de Manon Lescaut *resterait incompréhensible, est avant tout celle de l'amour. Manon est une création de l'amour : le lecteur, on l'a vu, adapte à son propre cœur l'image passionnelle que s'en fait des Grieux ; elle est aussi une créature d'amour, à tous sens. Quant au Chevalier, il ne vit que par le sentiment. La fraîcheur et l'innocence, dans ce roman, le lecteur le moins averti s'en rend compte aussitôt, sont celles du grand amour de deux jeunes gens. L'Homme de qualité est ému dès le début par le spectacle d'une passion assez forte pour amener un jeune homme de distinction à tout quitter pour accompagner celle qu'il aime dans l'infamie et dans la déportation. De la rafraîchissante rencontre dans la cour d'auberge jusqu'au*

---

1. P. 29. On remarquera de même les sentiments de l'Homme de qualité pour Milady : « Ce n'était pas de l'amour, la seule pensée m'en eût fait horreur; mais c'était autre chose que de la simple compassion. Ce que je sentais ne peut être défini. » (Éd. cit., t. II, p. 274.) La recherche psychologique tourne court assez vite, ce qui n'arrive jamais dans *Manon Lescaut*.

2. Pp. 200-201.

calvaire américain, c'est une riche succession de traits touchants, toute la gamme des demi-teintes et des nuances de l'amour vécu. Comment oublier la scène du parloir, avec sa gradation délicatement indiquée ? « Elle s'assit. Je demeurai debout, le corps à demi tourné, n'osant l'envisager directement [...] Elle se leva avec transport pour venir m'embrasser. Elle m'accabla de mille caresses passionnées. Elle m'appela par tous les noms que l'amour invente pour exprimer ses plus vives tendresses. Je n'y répondais encore qu'avec langueur[1]. » Pour traduire sans rien de théâtral ni de déclamatoire la force d'un grand sentiment, Prévost a trouvé un ton uni, fort éloigné de l'épanchement complaisant du drame bourgeois ou de l'épopée domestique, et qui n'appartient presque qu'à lui. « Occupations, promenades, divertissements, nous avions toujours été l'un à côté de l'autre ; mon Dieu ! un instant de séparation nous aurait trop affligés[2] ! » Lors de la seconde arrestation, des Grieux dira : « Je séchais de crainte pour Manon[3]. » Et l'on se souvient, parmi tant d'autres exemples, des retrouvailles dans la prison de l'Hôpital : « Nous nous embrassâmes avec cette effusion de tendresse qu'une absence de trois mois fait trouver si charmante à de parfaits amants. Nos soupirs, nos exclamations interrompues, mille noms d'amour répétés languissamment de part et d'autre, formèrent, pendant un quart d'heure, une scène qui attendrissait M. de T...[4] » Elle attendrit aussi le lecteur, qui est ainsi préparé à comprendre, sinon à approuver, une certaine philosophie de l'amour.

La passion de l'amour, des Grieux n'en fait pas mystère, fait accéder en cette vie à un bonheur qui est le Souverain Bien ; c'est ce qui ressort de la constitution même de nos organes. « De la manière dont nous sommes faits, déclare-t-il à Tiberge à Saint-Lazare, il est certain que notre félicité consiste dans le plaisir ; je défie qu'on s'en forme une autre idée ; or le cœur n'a pas besoin de se consulter longtemps pour sentir que, de tous les plaisirs, les plus doux sont ceux de l'amour[5]. » Voilà qui est net ; et cette

---

1. Pp. 44-45.
2. P. 28.
3. P. 157.
4. P. 103.
5. P. 92. Voyez, p. XXXII.

conviction est si bien ancrée en lui que sa conversion en Amérique et la mort même de Manon ne l'empêcheront pas de la conserver. C'est en effet le des Grieux qui raconte à l'Homme de qualité son histoire, et non le des Grieux mis en scène dans cette histoire, qui intervient pour s'écrier : « Dieux ! pourquoi nommer le monde un lieu de misères, puisqu'on y peut goûter de si charmantes délices ? [...] Quelle autre félicité voudrait-on se proposer, si elles étaient de nature à durer toujours[1] ? » Si c'est ici un aveuglement, on voit qu'il n'a rien de momentané. Au cours de l'histoire elle-même, à Saint-Lazare, et devant Tiberge, il ne craint pas de comparer ce que son pieux ami appelle le « faux bonheur du vice[2] » à ce que les chrétiens considèrent comme le bonheur de la vertu. Or le bonheur des martyrs n'est en fait « qu'un tissu de malheurs [la prison, les croix, les supplices] au travers desquels on tend à la félicité[3] ». Et c'est « la force de l'imagination [qui] fait trouver du plaisir dans ces maux mêmes, parce qu'ils peuvent conduire à un terme heureux qu'on espère[4] ». N'en est-il pas de même pour lui qui va de mésaventure en mésaventure pour retrouver sa Manon ? Sa conduite ne saurait être jugée plus contradictoire *ni plus* insensée *que celle des martyrs. « J'aime Manon, raisonne-t-il ; je tends au travers de mille douleurs à vivre heureux et tranquille auprès d'elle. La voie par où je marche est malheureuse ; mais l'espérance d'arriver à mon terme y répand toujours de la douceur, et je me croirai trop bien payé, par un moment passé avec elle, de tous les chagrins que j'essuie pour l'obtenir[5]. » Il y a ici, on le voit, comme l'esquisse d'une religion de l'amour et du plaisir. Cette sorte de quête de Manon, qui fait tout le roman, est comparée à l'ascèse des martyrs et des saints. On conçoit que le bon Tiberge soit abasourdi par ce qu'il nomme « un malheureux*

---

1. P. 66. Des Grieux, presque toujours, s'efface devant son histoire. C'est ici l'un des rares passages où le récitant intervient. Il est en train d'évoquer son bonheur avec Manon, au moment où ses profits de tricheur ont donné à leur maison « un air d'opulence et de sécurité » (p. 64). Le récit est au passé simple ; le texte cité est au présent.
2. P. 90.
3. P. 91.
4. *Ibid.*
5. *Ibid.*

sophisme d'impiété et d'irréligion[1] ». *D'autant plus que le Chevalier conclut en donnant l'avantage au bonheur qu'il recherche sur la béatitude des saints.* « *Le bonheur que j'espère est proche, remarque-t-il,* [*tandis que celui des chrétiens et des martyrs*] *est éloigné ; le mien est de la nature des peines, c'est-à-dire sensible au corps, et l'autre est d'une nature inconnue, qui n'est certaine que par la foi*[2]. » *Les prédicateurs feront bien de méditer les enseignements de cette psychologie positive, car* « *il n'y a point de plus mauvaise méthode pour dégoûter un cœur de l'amour, que de lui en décrier les douceurs et de lui promettre plus de bonheur dans l'exercice de la vertu*[3] ». *En fait, il est vain de nier l'évidence : force est de confesser* « *qu'avec des cœurs tels que nous les avons,* [*les délices de l'amour*] *sont ici-bas nos plus parfaites félicités*[4] ». *Pourquoi donc ne pas s'y livrer, et, quand elles nous échappent, tenter, martyrs d'amour, de les retrouver ? Pourquoi ne pas remplacer le culte du Christ par celui du* « *Dieu d'amour*[5] » *ou celui de Vénus ? C'est ce qu'ont fait des Grieux et Manon :* « *Vénus et la Fortune n'avaient point d'esclaves plus heureux et plus tendres*[6]. » *L'amant de Manon n'a rien trouvé en lui, scrupule, interdiction morale, remords, qui l'empêchât de s'abandonner à sa passion. Son amour est l'élan spontané et le plus authentique de sa sensibilité profonde : il ne pourrait le nier sans se nier lui-même. Sentiment et sincérité étant les plus hautes valeurs, comment l'amour serait-il condamnable ? N'est-il pas l'expression* naturelle *par excellence ? Des Grieux le proclame vigoureusement :* « *L'amour est une passion innocente*[7]. » *Il n'y a pas de problème de l'amour heureux.*

Mais l'amour ne reste pas longtemps heureux ; ce monde

---

1. *Ibid.*
2. *Ibid.*
3. P. 92.
4. P. 93.
5. Des Grieux l'invoque, p. 70, avec une telle audace que l'éditeur de 1783 remplace l'expression par « Grand Dieu ! »
6. P. 66.
7. P. 72. On trouve exactement la même formule dans *Cleveland :* « J'ai reconnu mille fois que l'amour est une passion innocente. » Éd. cit., t. V, p. 526. Le même thème, « c'est une passion innocente », était déjà développé au tome IV, p. 140. Voyez aussi p. XXXII.

édénique se fêle presque aussitôt, et les problèmes commencent à se poser. Les joies de l'amour sont transitoires : « *Leur faible est de passer trop vite*[1]. » *L'échec de l'amour introduit des Grieux dans le monde de la conscience, et définit la condition humaine en tant que scandale.* « *Qui m'empêchait de vivre tranquille et vertueux avec Manon*[2] *?* » *C'est bien là toute la question : qui l'empêchait ? Son père, les convenances, les préjugés sociaux, et Manon elle-même. Obstacles insurmontables. Le Chevalier use ses forces à essayer de les vaincre. Ses forces, mais non pas son amour. Dans ce qu'il appelle lui-même* « *la persévérance d'un amour malheureux* [3]», *il est amené à réfléchir sur la vie lamentable qu'il mène, sur l'abjection de sa conduite, sur la perte de son honneur, sur les trahisons de Manon. Après l'aventure avec M. de B., il a conscience d'être* « *le malheureux objet de la plus lâche de toutes les perfidies*[4] »*; il se résout même, en soupirant, à ne la revoir jamais et à entrer dans l'état ecclésiastique. Plus tard, lorsqu'il est quitté pour le vieux G... M... et son or, il est en proie à la douleur, au dépit, à la jalousie, à la honte ; il reproche mentalement à l'ingrate tous les sacrifices qu'il a faits pour elle,* « *en renonçant à* [*s*]*a fortune et aux douceurs de la maison de* [*s*]*on père ;* [... *en se*] *retranch*[*ant*] *jusqu'au nécessaire pour satisfaire ses petites humeurs et ses caprices*[5] ». *Enfin quand elle l'abandonne pour G... M... le fils, il entreprend, dit-il,* « *de faire un effort pour oublier éternellement* [*s*]*on ingrate et parjure maîtresse*[6] »*; et lorsqu'il la revoit, il lui lance :* « *Adieu, lâche créature,* [...] *j'aime mieux mourir mille fois que d'avoir désormais le moindre commerce avec toi. Que le Ciel me punisse moi-même si je t'honore jamais du moindre regard*[7] *!* » *Ces moments de révolte, s'ils ne sont guère suivis d'effet, donnent du moins au Chevalier le sentiment que son amour est indigne et sans espoir. L'expérience s'est chargée d'établir pour lui, comme*

1. Ici, le même éditeur de 1783 écrit avec plus de vigueur encore : « leur essence est de passer trop vite ». (T. III, p. 304. De même, édition de 1810, t. III, p. 315.)
2. P. 72.
3. P. 91.
4. P. 37.
5. P. 70.
6. P. 135.
7. P. 142.

un bon prédicateur devrait le faire pour ramener à la vertu les âmes égarées, que « les délices de l'amour sont passagères[1] *». Mais leur brièveté même, que le Ciel a décidée, n'est-elle pas le signe « qu'elles sont défendues, qu'elles seront suivies par d'éternelles peines*[2] *»?*

Ainsi, poussé par le dépit, l'honneur ou la vertu, des Grieux en vient à reconnaître qu'il doit essayer de vaincre son amour. Il le tente, mais sans succès. « Si vous saviez combien elle est tendre et sincère[3] *», dit-il à son père après la première trahison; celui-ci, plus clairvoyant, lui rappelle : « C'est elle-même qui vous a livré à votre frère. Vous devriez oublier jusqu'à son nom. » Et le Chevalier, sortant un instant de son égarement, note : « Je reconnaissais trop clairement qu'il avait raison. C'était un mouvement involontaire qui me faisait prendre ainsi le parti de mon infidèle. » Comment peut-il lutter contre sa passion, tandis que sa passion pense pour lui et débauche sa volonté ? Il vivait paisiblement au séminaire, il lui semblait qu'il aurait « préféré la lecture d'une page de S[aint]-Augustin, ou un quart d'heure de méditation chrétienne, à tous les plaisirs des sens, sans excepter, dit-il, ceux qui m'auraient été offerts par Manon*[4] *». Or Manon reparaît; il se rend compte aussitôt de son impuissance. Si, par la suite, ce qu'il appelle la vertu a parfois « assez de force [...] pour s'élever dans [s]on cœur contre [s]a passion, [...] ce combat, avoue-t-il, [est] léger et dur[e] peu. La vue de Manon m'aurait fait précipiter du ciel*[5]*. » Tiberge peut bien lui demander pourquoi il ne sacrifie pas son amour à cette vertu, comme il en a marqué le désir : « O cher ami ! lui répond-il, c'est ici que je reconnais ma misère et ma faiblesse. Hélas ! oui, c'est mon devoir d'agir comme je raisonne ! mais l'action est-elle en mon pouvoir*[6] *? » La volonté humaine est sans efficace. Le roman tout entier est l'histoire, toujours recommencée, de la faiblesse de des Grieux.*

Victime d'une spontanéité délicieuse et catastrophique, le personnage est donc jeté dans un monde absurde sur lequel il est

1. P. 93.
2. *Ibid.*
3. P. 37.
4. P. 43.
5. P. 61.
6. P. 93.

sans pouvoir. Les fleurs du sentiment sont des fleurs empoisonnées; or il ne peut se retenir de les cueillir et de les respirer. Prisonnier d'une situation indéformable, incapable de vaincre sa passion, il a cessé de dépendre de soi, et l'infirmité de sa volonté l'empêche de rien changer dans le comportement des êtres, ni dans le cours des choses. Il vit dans un monde de la démission morale, où les seules forces à l'œuvre sont celles du sentiment et de la passion, qu'il subit passivement. Manon est comme la personnification aveugle de ces forces. Nous ne pouvons rien sur nous; à plus forte raison ne pouvons-nous rien sur les autres. Manon est donnée *au lecteur comme un absolu : incompréhensible et immuable. Le problème de la volonté avait encore un sens pour des Grieux; il n'en a pas pour elle. Manon est posée là, sans justification, sans recul à l'égard d'elle-même, presque sans pensée. Elle* est. *On ne peut parler d'elle qu'en termes de* nature : *relever ses illogismes ou ses immoralités serait vain et même un peu ridicule. Dans cet univers de la faiblesse humaine, elle est pure faiblesse et pure gratuité. Innocente et monstrueuse, elle est — prétexte, cause ou condition? — l'instrument effroyable, absurde et charmant de l'amour et du malheur. L'abbé Prévost souligne comme à plaisir sa frivolité et son inconsistance. Mais quoi? on ne peut se changer : elle est comme elle est.*

A chacun les voies de sa perdition. Des Grieux a sa passion. Manon a son penchant. *Ce trait décisif est indiqué dès la scène initiale dans la cour d'auberge. « C'était malgré elle, raconte le Chevalier, qu'on l'envoyait au couvent, pour arrêter sans doute son penchant au plaisir, qui s'était déjà déclaré et qui a causé, dans la suite, tous ses malheurs et les miens*[1]. *» Cet appétit des plaisirs — plutôt que du plaisir — est plus suggéré que décrit; mais il est aisé de voir qu'elle aime le luxe, la toilette, l'opéra, le jeu, le monde, l'*assemblée. *L'argent, qui est le moyen de se procurer tout cela, lui est donc indispensable. « Manon était une créature d'un caractère extraordinaire. Jamais fille n'eut moins d'attachement qu'elle pour l'argent, mais elle ne pouvait être tranquille un moment, avec la crainte d'en manquer*[2]. *» Ce souci*

1. P. 20.
2. P. 61.

en effet la détermine absolument, et il y a là une sorte d'automatisme psychologique. Dès que les fonds se révèlent, comme le dit des Grieux, « extrêmement altérés[1] », *elle est incapable de résister à la tentation de gagner beaucoup d'argent d'une manière commode et rapide, c'est-à-dire en vendant ses faveurs. Elle cède à M. de B., et le Chevalier n'ignore pas que son attitude sera la même si les mêmes circonstances se reproduisent. C'est là seul ce qui explique son désespoir quand la caisse qui contenait tout son argent lui est dérobée à Chaillot : « Je compris tout d'un coup, explique-t-il, à quels nouveaux malheurs j'allais me trouver exposé ; l'indigence était le moindre. Je connaissais Manon ; je n'avais déjà que trop éprouvé que, quelque fidèle et quelque attachée qu'elle me fût dans la bonne fortune, il ne fallait pas compter sur elle dans la misère. Elle aimait trop l'abondance et les plaisirs pour me les sacrifier*[2]. » *S'il essaie de parer le coup, c'est en se procurant de l'argent, en trichant au jeu ou en empruntant à Tiberge ; il ne lui vient pas à l'esprit d'essayer d'agir sur Manon elle-même, de lui expliquer la situation, de faire appel à son esprit ou à son cœur, de la convaincre ou de la fléchir ; non, c'est inutile, autant vouloir modifier les phases de la lune. Pour cette fois, le Chevalier parvient à se procurer de l'argent et à conjurer la catastrophe, mais après le second vol — « il ne nous restait pas une chemise*[3] » *— le même mécanisme se remet en marche, inexorable.*

Il s'agit bien d'un mécanisme, et que l'on déclenche du dehors, car Manon, elle-même, est presque totalement dépourvue d'initiative. Peut-être serait-elle fidèle et se résignerait-elle, faute de mieux, à sa situation, si on ne lui offrait avec insistance des recours plus favorables. Mais l'événement, c'est-à-dire un homme, la sollicite : elle se laisse aller. Son génie est de céder. Ses parents l'envoient au couvent : elle va au couvent. Le jeune des Grieux veut l'enlever : elle se laisse enlever. M. de B... « fait sa déclaration en fermier général[4] » : *elle* capitule *aussitôt. Son frère lui parle de M. de G... M... : elle entre « dans tout ce qu'il entrepr*[end]

1. P. 26.
2. P. 53.
3. P. 67.
4. P. 46.

de lui persuader[1] ». *Son amant lui dit sa tristesse et marque sa désapprobation : elle se résout à quitter le vieux G... M... Le jeune G... M... la reçoit « comme la première princesse du monde*[2] » : *elle accepte ses offres. Des Grieux arrive là-dessus : elle ne refuse pas de le suivre*[3].

Manon est la femme-objet[4], *objet de délices et de haute civilisation, mais objet pourtant, et qui passe de main en main, comme un élégant caniche ou un oiseau des îles. Elle a sans doute un maître préféré, mais en fait, elle n'appartient à personne. Frigidité ? On n'oserait l'affirmer, puisque le Chevalier arrive — lui seul d'ailleurs — à « lui faire goûter parfaitement les douceurs de l'amour*[5] ». *Mais cette expérience ne semble guère la marquer. L'acte d'amour est pour elle un plaisir parmi d'autres, et qui ne saurait s'inscrire dans un être de façon privilégiée. Le lit est comme la table ou le salon : il importe d'y bien choisir ses partenaires, mais enfin il ne faut pas donner une importance excessive aux dîners ennuyeux ou aux conversations languissantes qu'on est obligé de subir, surtout quand ces complaisances sont payées avec une folle générosité. Son corps lui reste extérieur ; il est donc naturel qu'elle déclare à son Chevalier* : « *La fidélité que je*

---

1. P. 68.
2. P. 144.
3. Sa seule initiative est la visite qu'elle fait à Saint-Sulpice; encore le romancier prend-il soin d'établir qu'avant l'exercice public à la Sorbonne, le nom de l'abbé des Grieux a été « répandu dans tous les quartiers de Paris : il alla [ainsi] jusqu'aux oreilles » de Manon (p. 43); celle-ci s'est donc contentée de profiter ici encore d'une occasion qu'elle n'avait pas elle-même provoquée. Elle a toutefois un goût du jeu et une vivacité d'imagination qui la font intervenir dans l'action, et pas seulement dans l'épisode du prince italien, ajouté dans l'édition de 1753. Voyez plus bas, p. CXLIII.
4. Les héroïnes séduisantes de l'abbé Prévost, il est frappant de le constater, ont en général ce caractère un peu inerte : elles ne sont que douceur et passivité; qu'on songe, dans les *Mémoires d'un Homme de qualité,* à Sélima, à Diana et à Nadine. Inversement, dans *le Monde moral*, Mademoiselle de Créon, qui est énergique et pleine d'initiative, qui a même de la grandeur et de la majesté, peut bien être belle : elle a le *regard dur,* ne fait aucune impression sur le cœur du héros, et c'est en définitive un personnage antipathique. Éd. cit., t. XXIX, pp. 162 à 214.
5. P. 61.

souhaite de vous est celle du cœur[1] », *et qu'elle lui envoie une jolie fille ; car, lui explique-t-elle,* « *je ne doutais point que mon absence — elle est alors avec le jeune G... M... — ne vous causât de la peine* [*et*] *c'était sincèrement que je souhaitais qu'elle pût servir à vous désennuyer quelques moments* » ; *aussi bien la lettre qu'elle confie à cette belle messagère, on s'en souvient, est-elle signée :* « *votre fidèle amante,* MANON LESCAUT[2] ». *Elle souhaiterait que des Grieux lui rendît la pareille ; ses difficultés seraient alors terminées*[3]. *Comment pourrait-elle comprendre les répugnances et les douleurs de son amant ? Elle sait, car la société le lui a enseigné, que l'infidélité est une vilaine chose ; mais si l'on garde la fidélité du cœur... Or elle estime qu'elle la conserve dans la maison du jeune G... M..., et elle la conserverait dans son lit même ; son âme est donc tranquille, et, comme elle juge de des Grieux d'après elle-même, il ne lui vient pas à l'esprit que celui-ci puisse avoir des sentiments différents. Des Grieux de son côté, qui juge de Manon d'après lui-même*[4], *ne conçoit rien à l'attitude de la jeune femme, quand il vient la surprendre chez G... M...* « *Ce fut là, raconte-t-il, que j'eus lieu d'admirer le caractère de cette étrange fille. Loin d'être effrayée et de paraître timide en m'apercevant, elle ne donna que ces marques légères de surprise dont on n'est pas le maître à la vue d'une personne qu'on croit éloignée. Ah ! c'est vous, mon amour, me dit-elle en venant m'embrasser avec sa tendresse ordinaire*[5]... » *Ce qu'il appelle la* trahison *de Manon a tout changé pour lui : rien n'est changé pour elle, car elle n'a pas conscience d'avoir trahi son Chevalier. Certes elle comptait passer la nuit avec G... M..., et elle ne prétend pas même le cacher, mais quelle importance ? Cette espèce de quiproquo moral se développe dans l'explication qui suit. A des Grieux qui vient de lui faire une*

1. P. 147.
2. P. 135.
3. La solution, suggérée à deux reprises par Manon, et que précisément des Grieux ne peut accepter, est celle du ménage à trois, où le chevalier jouerait le rôle de *greluchon*.
4. Cette attitude, qui est en partie à l'origine du malentendu tragique, est déjà évidente lors de la trahison avec M. de B... « Pourquoi l'aurais-je accusée d'être moins sincère et moins constante que moi ? » demande des Grieux (p. 28).
5. P. 140.

scène violente, Manon répond tristement : « Il faut bien que je sois coupable [...] *puisque j'ai pu vous causer tant de douleur et d'émotion ; mais que le Ciel me punisse si j'ai cru l'être, ou si j'ai eu la pensée de le devenir ! » Cette inconscience est incompréhensible pour le Chevalier : « Ce discours, dit-il, me parut si dépourvu de sens et de bonne foi, que je ne pus me défendre d'un vif mouvement de colère. » Il est clair que les deux amants ne parlent pas la même langue*[1].

Ici éclate le malheur d'être ce qu'on est. Des Grieux est soulevé par un grand sentiment sur lequel il ne peut rien et qui remplit sa vie : Manon est tout pour lui. Mais lui n'est pas tout pour Manon, qui veut aussi des robes, des bijoux, des divertissements. L'amour de des Grieux est une passion exclusive, qui engage tout l'être, et à qui l'on sacrifie tout. L'amour de Manon est un goût affectueux et tendre, auquel elle ne s'abandonne que si d'autres conditions sont remplies. Mon Dieu, pourquoi m'avoir fait fidèle et constant, si cette vertu doit être pour moi la pire des malédictions ? « Je me trouve le plus malheureux de tous les hommes, par cette même constance dont je devais attendre le plus doux de tous les sorts, et les plus parfaites récompenses de l'amour[2]. » *« Ce qui fait mon désespoir a pu faire* [*aurait pu faire*] *ma félicité*[2]. » *Ou pourquoi avoir fait Manon telle qu'elle est ? Car « il est sûr que, du naturel tendre et constant dont je suis, j'étais heureux pour toute ma vie, si Manon m'eût été fidèle*[3] ». *Mais la fatalité du caractère, ironique et terrible, accable le héros : des Grieux est enchaîné à Manon qui le mène à sa perte. Elle « était passionnée pour le plaisir ; je l'étais pour elle*[4] ». *Il en est de même ici que dans la Parabole des aveugles, où chacun est conduit par l'égarement de l'autre.*

---

1. Dans l'amour de des Grieux pour Manon, il y a peut-être, sans dessein, une tentation de *bestialité*. Barbey d'Aurevilly n'a pas eu entièrement tort de suggérer que le caractère de Manon appartient à l'histoire naturelle. Les deux amants ne sont pas de la même espèce. Le Chevalier aime une sorte d'animal, dont les manières de sentir, incommunicables, lui sont étrangères; il ne saurait y avoir de réciprocité véritable entre eux.
2. P. 25.
3. *Ibid.*
4. P. 50.

***

C'est par une théologie de la faiblesse humaine que des Grieux tente de rendre compte de l'univers dans lequel il fait son malheur. Il prenait plaisir, au séminaire, à la lecture de saint Augustin : dans une certaine interprétation des textes du Docteur africain ou de textes analogues, il va chercher une justification de son impuissance devant la passion qui l'entraîne. « Je me sens le cœur emporté par une délectation victorieuse[1] », s'écrie-t-il en revoyant Manon dans le parloir de Saint-Sulpice. Nous ne sommes point libres. Pour résister, il aurait besoin de la grâce divine ; or elle lui manque. Elle n'est donc pas donnée à tous les hommes : « Tout ce qu'on dit de la liberté à S[aint]-Sulpice est une chimère[2] » ; des Grieux n'est pas sûr que Jésus-Christ soit mort pour lui. « S'il est vrai que les secours célestes sont à tous moments d'une force égale à celle des passions, qu'on m'explique donc, demande-t-il, par quel funeste ascendant on se trouve emporté tout d'un coup loin de son devoir, sans se trouver capable de la moindre résistance, et sans ressentir le moindre remords[3] ? » Emporté par une délectation, emporté loin de son devoir, il est le jouet d'une passion torrentielle. « De quels secours n'aurais-je pas besoin pour oublier les charmes de Manon ? » confie-t-il encore à son ami Tiberge ; et celui-ci répond : « Dieu me pardonne, [...] je pense que voici encore un de nos jansénistes[4]. »

On a cru pouvoir tirer de cette formule, et des indications qui précèdent, la conclusion que *Manon Lescaut* était un roman janséniste. Affirmation sommaire, extravagante même, étant donné ce qu'on a vu plus haut : la morale laxiste, l'apologie de la spontanéité et de la nature, l'épicurisme du sentiment. En fait, des Grieux a raison de répliquer aussitôt à Tiberge : « Je ne sais ce que je suis [...] et je ne vois pas trop clairement ce qu'il faut être ; mais je n'éprouve que trop la vérité de ce qu'ils disent. » Il vient de faire l'extraordinaire comparaison de l'amoureux et du martyr,

---

1. P. 46. Voyez le mot *délectation* au *Glossaire*.
2. *Ibid.*
3. Pp. 42-43.
4. P. 93.

*et d'affirmer — ce qui est fort peu janséniste, à moins de solliciter les termes — que « de la manière dont nous sommes faits, [...] notre félicité consiste dans le plaisir ». Son désarroi est grand, et le jansénisme, très momentané, qu'il semble adopter, est seulement l'expression confuse de son expérience particulière : il a cru discerner dans cette doctrine, oubliant que les réprouvés n'en sont pas moins réprouvés, une justification de la faiblesse humaine par le défaut de la grâce, et il utilise les mots d'*emporter *et de* secours *un peu comme des talismans moraux.*

*Il ne songe certes pas au jansénisme lorsqu'il emploie, et cela à deux reprises, le terme astrologique d'*ascendant, *et qu'il évoque ainsi l'idée millénaire que notre destinée est inscrite dans les astres et que la Nécessité toute-puissante a fixé d'avance le cours de notre vie*[1]*. En effet, quand il raconte sa première rencontre avec Manon, dans la cour d'auberge, il explique que la beauté de la jeune fille, « la douceur de ses regards, un air charmant de tristesse » l'ont aussitôt déterminé à s'attacher à elle ; mais à peine a-t-il suggéré cette explication naturelle qu'il se reprend, et qu'à la causalité psychologique il substitue, de façon significative, une fatalité astrologique : « ou plutôt, corrige-t-il, l'ascendant de ma destinée qui m'entraînait à ma perte*[2] *». De même, avant de relater sa fuite de Saint-Sulpice, il demandera, on vient de le voir, qu'on lui* explique *— ce que précisément l'on ne saurait faire que dans la perspective de la Fatalité — « par quel funeste ascendant on se trouve emporté tout d'un coup loin de son devoir*[3] *».*

La fatalité héréditaire de la passion — celle qui, par exemple, écrase Phèdre — n'est pas janséniste davantage. Lorsqu'il

---

1. L'ascendant correspond à la position, à l'instant de la naissance, du signe du zodiaque qui monte alors à l'horizon; il constitue la définition astrale de l'individu dont il scelle à jamais le caractère et l'histoire.

2. P. 20. Voyez plus haut, p. LXXX, la même formule chez Challes.

3. P. 42. Voyez également dans *Cleveland* : « Mais l'ascendant de ma mauvaise fortune devait l'emporter sur tous mes projets pour les détruire ou pour les faire tourner à ma perte. » Éd. cit., t. V, p. 207, et : « Mais il était entraîné tout à la fois par l'ascendant de son mauvais sort et du mien ». *Ibid.*, p. 376. Ainsi que : « Mais le même ascendant qui s'était opposé jusqu'alors à mon bonheur se préparait à consommer ma ruine. » *Ibid.*, t. IV, p. 431.

aperçoit Sélima et qu'il éprouve au premier coup d'œil « la passion la plus vive et la plus tendre », l'Homme de qualité se souvient qu'un coup de foudre analogue a déjà décidé de toute la vie de son père ; il remarque alors : « Il était donné à ma famille d'aimer comme les autres hommes adorent, c'est-à-dire sans bornes et sans mesure. Je sentis que mon heure était venue et qu'il fallait suivre la trace de mon père[1]. » *Des Grieux n'est pas loin de penser de même, et il est si convaincu du caractère familial de la fatalité de son amour qu'il demande à son père : « Se peut-il que votre sang, qui est la source du mien, n'ait jamais ressenti les mêmes ardeurs*[2] *?* »

Fatalité astrologique, fatalité biologique de la race, l'abbé Prévost sent lui-même combien ces éléments, et d'autres encore[3], *d'une conception païenne du Destin — qui dans la pensée confuse du Chevalier sont sur le même plan que son pseudo-jansénisme — sont étrangers à la doctrine chrétienne : cherche-t-il un équivalent chrétien de la haine de Vénus ? c'est en vain, car la Providence n'est pas la Fatalité. Certes le Péché Originel rend compte de l'existence en nous de la passion « Personne, affirme l'Homme de qualité dès le début des* Mémoires, *n'est plus persuadé que moi de la réalité d'un premier crime qui a rendu tous les hommes coupables, faibles et malheureux. C'est le fondement du Christianisme, et je ne vois rien de mieux établi... Par un effet de ce premier crime, toutes nos passions sont de nous et ont leur source dans notre propre cœur*[4] ». *Voilà qui explique notre* concupiscence *à l'égard des femmes, c'est-à-dire « ce penchant général que nous*

---

1. Éd. cit., t. I, p. 189.
2. P. 162.
3. Prévost évoque même, dans une intention fort étrangère à Platon, l'explication de l'amour par le mythe de l'Androgyne coupé en deux parties et qui cherchent à se rejoindre. Il y a, écrit-il, « des cœurs formés les uns pour les autres, et qui n'aimeraient jamais rien, s'ils n'étaient assez heureux pour se rencontrer... Une force secrète les entraîne à s'aimer; ils se reconnaissent pour ainsi dire aux premières approches. » Éd. cit., t. I, p. 196. Cette *reconnaissance* est marquée par le coup de foudre. L'Homme de qualité et Sélima se retrouvent ainsi fatalement, et par l'effet d'une finalité aussi naïve que celle qui réunit, dans le livret de *la Flûte enchantée*, Papageno et Papagena, faits l'un pour l'autre de toute éternité. On n'insiste pas sur cet aspect dans *Manon Lescaut*, car, on l'a vu, la passion ici ne saurait véritablement être considérée comme réciproque.
4. Éd. cit., t. I, p. 7.

avons pour elles ». Mais ce penchant « n'a qu'un certain degré de force ». Pourquoi donc « une passion particulière dont nous sommes atteints tout d'un coup en a-t-elle quelquefois infiniment davantage[1] *» ? Le Péché Originel ne saurait l'expliquer à lui seul, et il est clair que les* passions extraordinaires *« ont quelque autre principe, qui se joint au dérèglement causé par le péché d'origine. La Providence, conclut l'Homme de qualité, les permet pour des fins qui ne sont pas toujours connues, mais qui sont toujours dignes d'elle. » Étrange Providence, qui détermine la destinée singulière d'un individu en le livrant à une passion souvent funeste qui remplit sa vie et sur laquelle il ne peut rien ! En vérité, cet* autre principe *auquel se réfère, non sans embarras, l'Homme de qualité semble bien relever de la Fatalité antique qui dépouille l'homme de sa liberté, tandis que le Péché Originel la lui conserve. Concevoir la Providence en fonction de ce* principe, *c'est repenser Œdipe ou Didon en termes chrétiens. Prévost s'y efforce, mais sans grande conviction. En fait, il s'agit plus d'une paganisation du christianisme que d'une christianisation de l'univers païen. Des Grieux constamment invoque le* Ciel, *mais il invoque en même temps la* puissance d'amour[2] *ou la* fortune[3]*, et il est clair que tous ces termes sont équivalents. Il n'est guère question de la Providence et de sa* justice admirable[4] *que pour constater que les grands et les riches sont des dupes commodes ou pour amener le soudain assassinat de Lescaut. Il semble y avoir peu de différence entre le* ô Dieu ![5] *du Chevalier et le* Dieux ![6] *du garde du corps*[7].

1. Éd. cit., t. I, p. 8.
2. P. 101.
3. P. 175.
4. P. 54.
5. P. 85.
6. P. 176.
7. Au reste, on notera que Prévost, en 1753, a quelque peu laïcisé l'histoire de son héros. Des Grieux oublie de plus en plus son passage au séminaire, et son vocabulaire devient celui du monde. Le Ciel, disait-il en 1731, « m'éclaira des lumières de sa grâce, et il m'inspira le dessein de retourner à lui par les voies de la pénitence... Je me livrai entièrement aux exercices de la piété. » On lit dans la version de 1753 : « Le Ciel [...] m'éclaira de ses lumières, qui me firent rappeler des idées dignes de ma naissance et de mon éducation [...] Je me livrai entièrement aux inspirations de l'honneur, etc. » (P. 202).

L'abbé des Grieux — qui assurément est victime d'une passion particulière, *d'une de ces* passions extraordinaires *dont il est ici question — se sert d'un vocabulaire chrétien. L'ancien pensionnaire de Saint-Sulpice utilise même, par réaction contre la Maison d'où il s'est enfui, une imagerie janséniste. Mais ce n'est là qu'un élément d'une théologie disparate et confuse, fort peu chrétienne au demeurant : toute doctrine, toute croyance lui est bonne, — quelle que soit son origine, — qui peut aider à sa justification, excuser son impuissance et sa faiblesse, démontrer son irresponsabilité : il suffit qu'elle explique, ou même simplement qu'elle affirme le caractère illusoire de la liberté humaine, l'inefficacité de la volonté et le pouvoir irrésistible de certaines passions. Quiétisme peut-être ? Dans l'abandon allègre ou résigné au Sentiment, à la Nature, à la Fortune, dans le recours à tout ce qui justifie la passivité : le ciel, le sort, la fatalité, le destin. Quiétisme du bonheur et quiétisme de la malédiction. Mais sûrement pas jansénisme.*

Le jansénisme de des Grieux est presque aussi caricatural que celui que le Jésuite Patouillet attribue au P. Quesnel dans son Apologie de Cartouche ou le Scélérat sans reproche, par la grâce du P. Quesnel, *libelle qui paraît précisément la même année que* Manon Lescaut : « Si sans la grâce on ne peut rien faire, *remarque Patouillet, et que cependant elle ait manqué à Cartouche, il ne pouvait* [...] rien faire *de tout ce qu'il aurait fallu pour étouffer* [*l*]*a passion* [*qui le sollicitait au brigandage*] *dès sa naissance, ou pour en arrêter les progrès* [...]*; si la grâce lui a manqué, la tentation était au-dessus de ses forces,* [...] *il y a succombé par nécessité;* [...] *par conséquent, c'est son malheur et nullement son crime.* » *C'est ici, on le voit, la démonstration que des Grieux tente pour lui-même. Mais il a recours à la grâce des jansénistes de la même manière qu'il emprunte ailleurs aux jésuites leurs équivoques et leur morale de l'intention, ou à un certain humanisme l'idée de l'innocence de l'amour. Au reste, on ne l'a pas assez noté, l'atmosphère morale des romans de l'abbé Prévost n'est nullement augustinienne. L'Homme de qualité affirme à son élève « que le secours du Ciel n'est jamais refusé quand on le demande, et qu'il est toujours proportionné à nos peines et à nos besoins*[1] ». *Dans* Manon Les-

1. Éd. cit., t. II, p. 70.

caut *même, Tiberge, dont le dévouement est inépuisable, et qui est toujours à la disposition de son ami, quand celui-ci revient vers le Bien, est en fait — on le voit assez sur la vignette de 1753 — la personnification de la grâce, ou du moins l'organe de ce* secours du Ciel. *Dans* le Doyen de Killerine, *Mlle de* L. *est accoutumée à résister « aux mouvements indélibérés de son cœur*[1] », *ce qui montre bien que la* délectation *dont parle des Grieux n'est* victorieuse *et n'*emporte le cœur *que si la volonté abdique*[2].

En fait, l'univers où se situe des Grieux relève moins de la tradition théologique que de la tradition littéraire. Lorsque, sur un banc du Palais-Royal, le Chevalier représente à Tiberge sa passion « comme un de ces coups particuliers du destin qui s'attache à la ruine d'un misérable[3] », *son vocabulaire est significatif : c'est celui de la tragédie. L'irresponsabilité dont il cherche à bénéficier, étant donné, explique-t-il encore, que ce coup est un de ceux « dont il est aussi impossible à la vertu de se défendre qu'il l'a été à la sagesse de les prévoir », c'est celle des héros tragiques. Oreste, Roxane, Phèdre, sont des victimes exemplaires*

---

1. Éd. cit., t. VIII, p. 162.

2. C'est ici précisément la position de Fénelon, qui ne saurait être soupçonné de jansénisme. « La délectation indélibérée, écrit-il dans ses *Lettres au P. Lami sur la Grâce et la Prédestination,* c'est-à-dire le plaisir prévenant qui est en nous sans nous, ne peut rien expliquer de l'opération de la Grâce. Pendant que ce plaisir nous affecte, et après même qu'il nous a affecté, la volonté est encore censée indifférente d'une indifférence active et en équilibre pour vouloir ou ne vouloir pas; car ce plaisir n'a aucune connexion nécessaire de causalité avec notre vouloir. » *Œuvres Complètes*, Paris, 1848, in-4°, t. II, p. 165. Il est vrai qu'on peut lire en revanche dans *Cleveland :* « Les desseins de Dieu ne se déclarant jamais plus sensiblement que par ces mouvements indélibérés auxquels la volonté de l'homme ne contribue en rien, nous les avions expliqués dans le sens le plus naturel, c'est-à-dire comme une marque que le Ciel, etc. » Éd. cit., t. IV, pp. 419-420.

3. P. 59. On lit de même dans *Cleveland :* « J'étais le jouet de cette même puissance maligne qui m'a rendu malheureux dès ma naissance et qui n'a pris soin de conserver ma vie que pour en faire un exemple de misère et d'infortune. » Éd. cit., t. IV, p. 463, et plus loin : « La haine du Ciel qui ne s'est point lassée de me poursuivre. » *Ibid.*, t. V, p. 262.

du Destin; des Grieux se glisse parmi elles, et l'univers tragique se constitue autour de lui[1]*. Les mots de* fatal *et de* funeste *reviennent de façon obsédante. A entendre l'amant de Manon, l'on croirait souvent qu'il est chaussé du cothurne : « J'ai le cœur percé de la douleur de votre trahison*[2] *» ou ailleurs : « Juste Ciel* [...] *est-ce ainsi qu'une infidèle se rit de vous* [...] *?* [...] *C'est donc le parjure qui est récompensé*[3]*! » Mieux encore, à mesure que le récit progresse, l'on reconnaît, comme en filigrane, les thèmes et parfois les vers mêmes de la tragédie racinienne. Les reproches à Manon, dans la scène du parloir, évoquent* Bajazet[4]. *Vingt, trente autres réminiscences achèvent de composer une atmosphère tragique, qui s'impose au lecteur.*

Ces souvenirs, ce langage, ce décor verbal expriment la vocation tragique de des Grieux. Sa passion lui est en quelque sorte consubstantielle, et elle l'occupe tout entier. « Je verrais périr tout l'univers sans y prendre intérêt. Pourquoi ? Parce que je n'ai plus d'affection de reste[5]*. » Cet amour lui est plus cher que la vie. L'objet aimé lui « tient lieu de gloire, de bonheur et de fortune*[6] *». Aucun bien, dit-il à Manon, ne saurait « tenir un moment, dans*

---

1. Cet univers est aussi, bien entendu, l'univers d'une certaine tradition romanesque. On a vu plus haut dans Challes (p. LXXX) un recours à l'astrologie : « enfin mon étoile qui m'entraînait », qui annonce celui de Prévost dans une situation analogue : « l'ascendant de ma destinée qui m'entraînait à ma perte » (p. CXXVI).

2. P. 141.

3. P. 142.

4. « Je ne m'étais pas attendu à la noire trahison dont vous avez payé mon amour. Il vous était bien facile de tromper un cœur dont vous étiez la souveraine absolue. » (P. 45.) C'est le mouvement de Roxane qui découvre que Bajazet l'a trahie de concert avec Atalide :

> *Avec quelle insolence et quelle cruauté*
> *Ils se jouaient tous deux de ma crédulité...*
> *Tu ne remportais pas une grande victoire,*
> *Perfide, en abusant ce cœur préoccupé...*
>
> (Acte IV, scène 5).

« Un cœur dont vous étiez la souveraine absolue » *(ibid.)* rappelle même de façon plus précise le fameux vers de Roxane : *Souveraine d'un cœur qui n'eût aimé que moi* (acte V, scène 4).

5. Pp. 108-109.

6. P. 112.

mon cœur, contre un seul de tes regards[1] »; *Pyrrhus avoue de même le pouvoir d'Andromaque :* « *Un regard m'eût tout fait oublier* » *(acte II, scène 5). Comme Oreste, des Grieux essaie de lutter contre sa passion; comme lui,* « *asservi fatalement, reconnaît-il, à une passion que je ne pouvais vaincre*[2] », *il accepte sa défaite, il s'abandonne au* transport *qui l'entraîne, et ce transport est un* destin, *selon la correction révélatrice que* Racine *a apportée à ce vers célèbre. Comme lui encore qui* « *se livre en aveugle* » *à ce destin et qui avoue* « *de* [*s*]*on amour l'aveuglement funeste* » *(acte II, scène 2), il déplore pour sa part* « *l'aveuglement d'un amour fatal*[3] ». *Comme lui enfin, s'il a renoncé à vaincre sa passion, il essaie du moins d'être heureux par elle; il est prêt à tout pour y parvenir, et ses échecs ne le découragent pas; il est, confie-t-il à* Tiberge, « *malheureux par cette fatale tendresse dans laquelle* [*il*] *ne* [*s*]*e lasse point de chercher* [*s*]*on bonheur*[4] ». *A l'exemple de Phèdre, il va parfois jusqu'à détester ce qu'il appelle lui-même sa* « *honteuse* » *passion; il dénonce* « *la honte et l'indignité de* [*s*]*es chaînes*[3] »; *mais comme elle, il n'en continue pas moins à les porter. Quand il prend conscience de son égarement tragique, il demande qu'on lui explique, on l'a vu,* « *par quel funeste ascendant on se trouve emporté tout d'un coup loin de son devoir*[5] »; *Hippolyte, aussi incompréhensible à soi-même, s'étonnait de même :* « *Par quel trouble me vois-je emporté loin de moi ?* » *(acte II, scène 2). Comme le héros qui regrette les temps heureux d'avant l'action tragique, et qui mesure ainsi l'abîme qui le sépare maintenant, de ces jours paisibles, des Grieux jette* « *les yeux, en soupirant,* [...] *vers tous les lieux où* [*il a jadis*] *vécu dans l'innocence* », *et il s'écrie :* « *Par quel immense espace n'étais-je pas séparé de cet heureux état*[6] ! » *Enfin, au moment où, héros maudit, il décide d'abandonner l'Europe, il constate :* « *Mes malheurs sont au comble*[7] »; *Oreste, apostrophant le Ciel, disait de même :*

1. P. 46.
2. P. 141.
3. P. 61.
4. P. 90.
5. P. 42.
6. P. 72.
7. P. 177.

« *Au comble des douleurs tu m'as fait parvenir* » (*acte V, scène 5*).

La Fatalité a dirigé sa vie : qu'on ne vienne donc pas lui reprocher ce que cette puissance maléfique lui a fait faire. Après des études appliquées, il allait quitter Amiens : la veille même de son départ, le Ciel lui fait rencontrer Manon. Il vivait tranquille à Saint-Sulpice, tout à « la joie intérieure que le Ciel [lui] faisait goûter[1] » *dans cette Maison : or voici qu'il s'en échappe avec une effrayante facilité, parce que le Ciel, très évidemment, ne lui a pas donné la force de résister à la vue de Manon. Curieuse contradiction dans les desseins du Ciel qui semblait avoir agréable son séjour au séminaire, et qui pourtant ne l'empêche pas de s'en arracher brusquement ! On croirait en vérité que la Fatalité s'amuse*[2]*; elle accable le héros au moment où il s'y attend le moins : « J'ai remarqué, dans toute ma vie, que le Ciel a toujours choisi, pour me frapper de ses plus rudes châtiments, le temps où ma fortune me semblait le mieux établie*[3] ». *Ne serait-ce pas la même ironie du sort qui fait en Amérique que précisément les « plus rudes châtiments [lui sont] réservés lorsqu['il] commen[ce] à retourner à la vertu*[4] » ? *C'est donc avec raison qu'il peut se plaindre de « la malignité de [s]on sort*[5] ». *Une jeune fille un peu exaltée à qui l'on demandait dans quelle mesure des Grieux et Manon étaient responsables de leurs fautes et de leurs malheurs répondit : « C'est Dieu qui est coupable. » Il eût été plus exact de dire : les*

---

1. P. 42.
2. *Les voies de la Providence sont impénétrables.* Cette maxime est assurément chrétienne. Mais l'idée que la créature puisse être le jouet d'une Fatalité opaque et capricieuse suppose, on le verra plus bas, la contamination du paganisme littéraire des tragédies. Des Grieux, au séminaire, s'est fortifié contre Manon : or c'est là précisément qu'elle viendra le chercher. Oreste, dans une situation analogue, commente ainsi à l'intention de Pylade :

> *Mais admire avec moi le sort dont la poursuite*
> *Me fait courir alors au piège que j'évite.*
>
> (Acte I, scène 1.)

Une force supérieure le conduisait vers Hermione au moment même où il prétendait oublier cette infidèle. Cette force est-elle concevable dans un univers chrétien ?

3. P. 124.
4. P. 191.
5. P. 60.

Dieux, car c'est ici un jugement caractéristique de la tragédie profane. C'est bien Oreste — et non pas tel Père de l'Église — qui s'écrie :

> De quelque part sur moi que je tourne les yeux,
> Je ne vois que malheurs qui condamnent les Dieux
>
> (Andromaque, *acte III, scène 1*).

Cette lectrice peu théologienne retrouvait, sans s'en douter, le thème des « injures aux Dieux », si bien lié au genre tragique que Molière y voyait une pure convention et croyait pouvoir s'en moquer dans la Critique de l'École des femmes *(scène 6). Dans la situation tragique dont il est prisonnier, tombé dans le* précipice *dont il parle plusieurs fois, des Grieux peut faire sienne l'apostrophe de Jocaste aux Dieux :*

> C'est vous dont la rigueur m'ouvrit ce précipice
>
> (la Thébaïde, *acte III, scène 2*),

ou celle d'Oreste au Ciel :

> Ta haine a pris plaisir à former ma misère
>
> (Andromaque, *acte V, scène 5*).

Des Grieux, un petit voleur ? un tricheur ? un fripon qui vit de l'argent d'une fille entretenue ? Comment le prétendre ? Aux victimes qu'ils poursuivent de leur haine, les Dieux cruels ménagent du moins un prestige incomparable. Le Chevalier est un des illustres misérables *que la tragédie met en scène. Son élection tragique, tout en lui donnant sa grandeur, fait de lui la première victime des maux qu'il a causés : il doit les expier impitoyablement, et le lecteur, chez qui la pitié le dispute à la terreur, songe moins à l'accuser qu'à le plaindre. D'autant plus que les crimes des héros tragiques ne sont pas de ces fautes vulgaires qui méritent le mépris ; ils sont commis aux frontières incertaines de la liberté. « Phèdre n'est ni tout à fait coupable, ni tout à fait innocente », écrivait Racine.* L'Histoire du Chevalier des Grieux *c'est parfois* Phèdre *en prose, et Prévost, dans l'*Avis de l'Auteur des Mémoires, *définit son héros comme « un caractère ambigu, un mélange de vertus et de vices, un contraste perpétuel de bons* *sentiments et d'actions mauvaises*[1] ». *A ce témoin de la misère humaine est-il juste de reprocher l'inefficacité d'une volonté que les Dieux se plaisent à paralyser?* « *La faiblesse aux humains n'est que trop naturelle* », *remarquait* Œnone (*acte IV, scène 6*). *On ne saurait donc tenir le Chevalier pour absolument responsable de ce que la* haine de Vénus *lui a fait faire.* « *C'est l'amour, vous le savez, rappelle-t-il à son père, qui a causé toutes mes fautes*[2]. » *Il semble même, on l'a vu, demander à ce vénérable vieillard s'il n'y aurait pas dans sa vie des* égarements *semblables à ceux où l'amour jeta la mère de Phèdre; en tout cas, c'est bien un* sang déplorable *qui coule dans ses veines.* « L'*amour m'a rendu trop tendre, trop passionné, trop fidèle et, peut-être, trop complaisant pour les désirs d'une maîtresse toute charmante; voilà mes crimes*[3]. » *Ils sont pardonnables assurément, avec une cause aussi touchante — et aussi terrible.* « *Les mauvaises actions du héros* [...], *observe* Montesquieu, *ont pour motif l'amour qui est toujours un motif noble, quoique la conduite soit basse* ». (Loc. cit.) *L'amour, et singulièrement l'amour tragique, semble comporter une rémission générale des fautes qu'il fait commettre; il confère une dignité foncière que même l'abjection des actes ne saurait détruire. C'est en tant que personnage tragique que des Grieux conserve le fier maintien qu'il semble si souvent sur le point de perdre.* « *Le fil rouge de la tragédie, écrit* Cocteau, *reste tendu d'un bout à l'autre de cette œuvre légère, et lui donne sa noblesse profonde*[4]. »

***

Étrange noblesse et qui peut souvent paraître compromise. Dans l'œuvre de Corneille, *en effet, l'amour ne va pas sans l'estime. Et même dans les tragédies de* Racine, *l'amour, si aveugle et funeste soit-il, n'enchaîne jamais le héros à un objet*

---

1. P. 5.
2. P. 162.
3. *Ibid.*
4. C'est l'amour, évidemment, qui constituait cet *enduit des plumes de cygne* dont il est question plus haut.

moralement méprisable. Hermione et Pyrrhus, Titus et Bérénice, Roxane et Bajazet, Phèdre et Hippolyte sont dignes l'un de l'autre : ce sont des « cœurs qui n'ont pu s'accorder[1] » *ou que séparent des obstacles insurmontables; mais au malheur de cet amour impossible ne se mêle aucune honte, si ce n'est celle « d'avoir poussé tant de vœux superflus*[2] ». *La violence passionnelle, la cruauté perverse ou la jalousie forcenée d'Oreste, de Néron, de Roxane ou d'Ériphile n'ont rien de bas. La dignité de la scène tragique est sauvegardée. Ces princes et ces princesses calculent, menacent, donnent ou reçoivent la mort : ils ne sont pas vils.*

On voit bien qu'il n'en est pas de même dans Manon Lescaut, *où le tragique de la passion amène le héros à ne pas tenir compte des évidences morales les plus criantes : Manon s'est vendue à M. de B... et s'est débarrassée de des Grieux en le livrant à sa famille; il est clair qu'elle est indigne de lui. Il en a conscience, mais sa lucidité est vaine. Son père lui a exposé en détail la trahison de Manon; il lui a fourni toutes « les raisons qui pouvaient [l]e ramener au bon sens et [lui] inspirer du mépris pour*[3] » *elle. Il a vu juste; « il me connaissait des principes d'honneur, et ne pouva[i]t douter que sa trahison ne me la fît mépriser ». Des Grieux méprise donc Manon : « Il est certain que je ne l'estimais plus; comment aurais-je estimé la plus volage et la plus perfide de toutes les créatures? » Mais ce mépris ne tue pas l'amour. L'image de Manon, les « traits charmants que je portais au fond du cœur, y subsistaient toujours ». Le divorce entre l'amour et l'estime est ici consommé. La passion n'en est que plus tragique d'amener le héros à s'avilir : non seulement les raisons de vivre lui sont arrachées, mais encore il doit perdre son intégrité morale. Des Grieux, croyant échapper à la tragédie, fait le rêve d'une vie heureuse et paisible; « mon cœur, dit-il, ne désirera que ce qu'il estime*[4] ». *Hélas ! ce n'est qu'un songe, et son destin, plus cruel que celui d'Oreste ou de Titus, est d'aimer ce qu'il ne peut estimer.*

La gloire, *ce sentiment de ce qu'on se doit à soi-même et de*

---

1. *Andromaque*, acte V, scène 5.
2. *Ibid.*, acte I, scène 1.
3. P. 36.
4. P. 40. Baudelaire évoquera de même un monde « où tout ce que l'on aime est digne d'être aimé ». *(Mæsta et errabunda.)*

ce que l'on doit à l'opinion d'autrui, était toute-puissante sur les héros de Corneille ; ceux de Racine eux-mêmes étaient loin de la négliger. Des Grieux certes reste sensible au jugement public. A Saint-Lazare, il est accablé à l'idée qu'il va devenir « la fable de toutes les personnes de [s]a connaissance, et la honte de [sa] famille[1] ». *Mais il ne s'en abandonne pas moins à la Fatalité qui veut qu'il en soit ainsi. Dans le parloir de Saint-Sulpice, il se rend parfaitement compte de ce qu'il est sur le point de faire : « Je vais perdre, dit-il à Manon, ma fortune et ma réputation pour toi, je le prévois bien*[2]. » *Mais ces paroles clairvoyantes ne l'empêchent pas de s'enfuir aussitôt du séminaire. Les temps de la tragédie et du roman héroïques sont décidément révolus. Quand Lescaut lui explique qu'il faut s'accommoder du vieux G... M... et partager Manon avec lui, il s'écrie noblement : « Revers funeste ! » et il ajoute sur le même ton : « Quel est l'infâme personnage qu'on vient ici me proposer ? Quoi ! j'irai partager...*[3] » *Mais cette amorce de stances lyriques, ce départ de monologue tragique tourne court immédiatement. La passion, avec ses conséquences fâcheuses pour la moralité du héros et pour sa* gloire, *l'emporte aussitôt. « Y a-t-il à balancer, observe-t-il, si c'est Manon qui l'a réglé, et si je la perds sans cette complaisance ? » Tout ce qu'il peut faire, c'est de s'aveugler lui-même sur la signification morale de son acte, et l'abbé Prévost, avec son sens du geste et de la psychologie incarnée, indique que son héros donne son consentement à Lescaut, « en fermant les yeux, comme pour écarter de si chagrinantes réflexions ».*

En fait, la véritable gloire, *pour des Grieux, consiste à aimer Manon. Il le dit lui-même en propres termes : « Elle me tient lieu de gloire, de bonheur et de fortune*[4] ». *On a vu plus haut que le sentiment est en train de devenir à lui-même sa propre justification ; c'est ici une tragédie du sentiment. Les deux éthiques, assez curieusement, coexistent, mais celle de la gloire n'est guère là qu'à titre de survivance*[5]. *S'il arrive encore que le Chevalier*

1. P. 81.
2. P. 46.
3. Pp. 72-73.
4. P. 112.
5. C'est celle, par exemple, du père du Chevalier qui lui lance lors de la scène du Luxembourg : « J'aime mieux te voir sans vie que sans

l'évoque, c'est pour la sacrifier à l'autre presque sans combat. « Laissons ma naissance et mon honneur à part, dit-il ; ce ne sont plus des raisons si faibles qui doivent entrer en concurrence avec un amour tel que le mien[1] ». Il parle cependant de honteuse passion ; il aperçoit, on l'a vu, « la honte et l'indignité de [s]es chaînes[2] ». Mais cette lucidité un peu anachronique ne dure qu'un moment : ce n'est, il le dit lui-même, qu'un « instant de lumière ». Il revient bien vite aux valeurs de l'autre éthique, celle du sentiment, et il n'arrive pas à comprendre comment il a pu accepter durant cet instant de lumière — qui devient maintenant un instant d'égarement — d'autres critères. « Je m'étonnai, en me retrouvant près d'elle, que j'eusse pu traiter un moment de honteuse une tendresse si juste pour un objet si charmant. » La notion même de honteuse passion[3] est en train de se dissoudre sous nos yeux, de la même manière qu'elle disparaît de l'esprit du Chevalier, telle une inconsistante fumée, dès qu'il revoit sa Manon. La honte est une sanction hypocrite et injuste, imposée par une société corrompue et corruptrice, qui juge uniquement sur les dehors sans vouloir pénétrer jusqu'à l'innocence des cœurs. L'amour, lorsqu'il est sincère et absolu, ne saurait apporter de la honte, quelles que soient les circonstances. La dignité tragique de des Grieux demeure intacte.

Elle est pourtant mise à dure épreuve. Car le Chevalier et Manon ne vivent plus dans l'univers aristocratique et préservé de la tragédie ou du roman mondain du siècle précédent : leur destin ne se joue pas dans l'air raréfié des sommets, mais dans

---

sagesse et sans honneur. » Elle est présentée ici comme l'expression d'un préjugé respectable, mais dépassé, et dont les effets seront catastrophiques.

1. P. 74.

2. P. 61.

3. Prévost (cf. ci-dessus) ne réunit pas les deux mots. Mais l'éditeur des *Œuvres choisies* (1783) a cru devoir corriger : « que j'eusse pu traiter un moment de honteuse passion une tendresse si juste... » (T. III, p. 300. Même texte en 1810, t. III, p. 310.)

l'atmosphère parfois empestée du demi-monde et des bas-fonds. Dans cette curieuse histoire tragique[1], *la réalité a fait irruption, diverse, bouillonnante et souvent sordide — réalité sociale surtout, car le décor, réduit à quelques indications scéniques, reste très discret. Le sort des héros n'est pas lié à celui de la Grèce ou de l'Empire romain; il dépend de l'attitude d'un père, du vol d'un valet, de la vengeance d'un amant détroussé; il s'accomplit dans un monde picaresque fait d'intrigues inavouables et d'incidents qui rebondissent : deux enlèvements, quatre ou cinq vols ou tentatives de vol, deux meurtres, un incendie, quatre emprisonnements, une séquestration, une lointaine déportation, une fuite dans le désert, etc. Oreste est devenu Gil Blas pour séduire et garder une Hermione tombée dans la galanterie; mais il est toujours Oreste. La Tragédie, au risque de maculer ses longs voiles, a quitté l'Olympe et la Cour pour Paris, ses aventures et ses ruisseaux : elle n'en reste pas moins tragique. Il y a ici une étonnante spéculation : il s'agit de* charger *une situation tragique du plus grand poids de vérité plate, ridicule, ou même répugnante, qu'elle puisse supporter sans se défaire.* Quelles que soient les circonstances, *écrivions-nous. Prévost semble s'ingénier à le démontrer.*

Manon et des Grieux sont de parfaits amants[2]; *Prévost n'hésite pas à emprunter ce terme à la langue galante du XVIIe siècle. Or ils se retrouvent, non pas dans une salle du palais de l'empereur, mais dans la chambre d'une prison infâme, qui en est aussitôt transfigurée. « Il ne faut plus l'appeler l'Hôpital, s'écrie M. de T.; c'est Versailles, depuis qu'une personne qui mérite l'empire de tous les cœurs y est renfermée*[3] ». *Ailleurs, des Grieux donne la main à Manon : « Venez, ma chère reine, venez vous soumettre à toute la rigueur de notre sort*[4] ». *Et ils montent tous deux dans le carrosse faisant office de* panier à salade *qui doit les conduire à la prison du Petit Châtelet. Un peu auparavant, il a traité le vieux G... M... d'*infâme. « *Apprends, ajoute-t-il,*

---

1. Voyez ci-dessus, p. XCII.
2. P. 103.
3. P. 104.
4. Pp. 156-157.

que je suis d'un sang plus noble et plus pur que le tien[1]. » *Mais il vient d'être surpris avec Manon au moment de se mettre dans le lit du jeune G... M..., et il est en chemise pour prononcer ces fières paroles*[2]. *Le contraste entre la noblesse des attitudes et du verbe et d'autre part la bassesse ou le ridicule des circonstances ne saurait être plus violemment marqué. On reconnaît dans ces trois exemples le procédé qui, par une désharmonie calculée entre la situation et son langage, produit le* burlesque.

Or précisément — et c'est ainsi qu'on peut mesurer le succès de la spéculation tentée — le burlesque, dont les conditions objectives sont ici réunies, n'est pas senti comme tel : il n'y a pas d'effet parodique. Dans le déguisement qu'il apporte à Manon pour son évasion de l'Hôpital, des Grieux a oublié la culotte : « *Cependant, je pris mon parti, qui fut de sortir moi-même sans culotte. Je laissai la mienne à Manon. Mon surtout était long, et je me mis, à l'aide de quelques épingles, en état de passer décemment à la porte*[3]. » *Voilà une singulière tenue pour un héros tragique, et la tragédie, semble-t-il, devrait éclater en bouffonnerie ; mais il n'en est rien.* « *L'oubli de cette pièce nécessaire, observe le Chevalier, nous eût, sans doute, apprêté à rire si l'embarras où il nous mettait eût été moins sérieux*[4] ». *Le lecteur réagit de même, et la situation est si angoissante qu'il songe à peine à sourire. Ce n'est pas le langage élevé et noble du héros qui semble déplacé dans sa bouche ; ce sont les circonstances avilissantes où il se trouve qui paraissent indignes de lui. Le tragique et le romanesque n'y perdent rien ; au contraire, car c'est pour le personnage un malheur supplémentaire et piquant de se trouver ainsi aux prises avec des circonstances basses, odieuses ou ridicules ; de sa dégradation apparente, il tire comme un nouveau*

---

1. P. 153.
2. De même, dans le cabaret près de la rue Saint-André-des-Arts, des Grieux s'écrie : « Je les poignarderai tous deux de ma propre main... deux perfides qui ne méritent pas de vivre... », et il ajoute : « Mon chapeau tomba d'un côté, et ma canne de l'autre » (p. 136). De même encore, en Amérique, où un malheureux camp d'exilés et de déportés devient un Eldorado de l'amour, où une misérable cabane est changée « en un palais digne du premier roi du monde » (p. 188).
3. P. 106.
4. P. 105.

prestige. C'est, il le dit lui-même en annonçant la dernière partie de son histoire, qui est celle de son complet abaissement, « la plus étrange aventure qui soit jamais arrivée à un homme de [s]a naissance et de [s]a fortune[1] ».

C'est ici l'une des premières fois, dans l'histoire du roman français, que la réalité n'est pas destinée à faire exploser le monde des conventions courtoises et galantes; elle n'a pas cet aspect grimaçant et caricatural qui caractérisait la vision burlesque. Jusqu'alors, pour avoir de la consistance et de la noblesse, une histoire ou une tragédie devait échapper presque entièrement aux contingences matérielles et sociales; inversement, une histoire où intervenait la réalité concrète était forcément bouffonne. Dans l'Histoire du Chevalier des Grieux, réalité vulgaire et noblesse tragique coexistent, sans que la vulgarité se dissimule ni que la tragédie se fêle[2]. Mais la tension est grande entre ces forces contraires qui agissent tour à tour — ou ensemble — sur la sensiblité du lecteur. Prévost, il est intéressant de le noter, a tenu à la réduire dans sa version de 1753, où toute une série de détails familiers, bas ou réalistes disparaissent[3]. Les archers inhumains qui gardent Manon ne se permettent plus d'allonger à des Grieux deux ou trois grands coups du bout de leurs fusils, — bastonnade embarrassante pour la dignité du héros, — ils se contentent d'avoir l'insolence de lever contre [lui] le bout du fusil[4]. Manon va se loger non plus dans un cabaret, mais dans une hôtellerie [5]. De même, il n'est plus question de payer mille écus pour passer une nuit avec Manon, mais pour obtenir [s]es faveurs[6]. Dans la version de 1731, Manon assure

1. P. 110.

2. Ici encore Challes a montré la voie à Prévost (voyez plus haut, pp. LXXVII à LXXXIII). Mais s'il y a chez le premier autant et plus de réalité concrète, il y a moins de noblesse.

3. Il a cependant conservé la raison, fort naturelle assurément, mais peu noble, que Manon donne pour échapper au vieux G... M... Elle sort, écrit Prévost, « sous prétexte d'un besoin » (p. 77). — Voyez plus bas, dans le relevé des *Variantes*, la liste complète de celles de 1731.

4. P. 14.

5. P. 21. Notons aussi que des Grieux, dans la version de 1731, s'arrangeait pour entretenir seul *dans une chambre* la souveraine de son cœur. Cette indication disparaît en 1753.

6. P. 55.

des Grieux que G... M... n'aura pas la satisfaction d'avoir passé une seule nuit avec *elle; en 1753, elle lui jure que G... M...* ne pourra se vanter des avantages qu['elle] lui [a] donnés sur *elle*[1]. *Et G... M..., qui un peu crûment proposait* à Manon d'aller au lit, *parle désormais, et plus discrètement,* d'amour et d'impatience[2]. *Le romancier semble avoir considéré que le poids de réalité brutale était trop lourd, et il l'a quelque peu allégé*[3].

***

S'il est vrai que l'Histoire du Chevalier *refuse le burlesque et ses effets de rupture, elle comporte du moins des éléments de franche comédie, qui, eux, sont sentis comme tels. Certes « le fil rouge de la tragédie reste tendu »; mais il se perd parfois dans un écheveau d'autres fils moins sanglants. Il y a des moments de détente, où la Fatalité semble oublier ses victimes. L'on badine, l'on fait des farces, l'on rit; le réveil ensuite n'en sera que plus rude. Ne voir dans cette œuvre qu'un sombre drame serait un des contresens les plus assurés et les plus appauvrissants que le lecteur pourrait commettre. Le récit de des Grieux a souvent un humour élégant et léger qui ne dissimule aucunement le comique des incidents et des situations. Les deux jeunes gens aiment à s'amuser des choses et des gens, et on s'en amuse avec eux. Auprès du vieux G... M..., des Grieux se fait passer pour le frère de Manon et se donne ainsi « le plaisir d'une scène agréable*[4] *»; elle est en effet fort comique, on s'en souvient, et même d'un comique de farce. G... M... lui recommande d'être « sur [s]es gardes à Paris, où les jeunes gens se laissent aller facilement à la débauche*[5] *»;*

---

1. P. 75.
2. P. 77.
3. Il faut aussi tenir compte, pour expliquer ces corrections, de l'évolution de la langue, et singulièrement de la langue romanesque, pendant les vingt années qui séparent les deux versions (cf. ci-dessus, p. LXXXVII). Enfin, la situation morale et sociale de l'abbé Prévost a changé considérablement, et il y a certaines expressions que l'aumônier du Prince de Conti juge ne plus pouvoir se permettre.
4. P. 75.
5. P. 76.

il lui trouve une ressemblance avec sa sœur supposée : « C'est, répond des Grieux, que nos deux chairs se touchent de bien proche » ; le Chevalier finit par faire au vieux G... M... « son portrait au naturel ; mais l'amour-propre l'empêcha de s'y reconnaître[1] ». Bref, une vraie scène du répertoire. Quant à la folâtre[2] *Manon, elle n'a pas seulement la passion de l'opéra et des spectacles, elle a le goût de la mise en scène. C'est elle qui combine la petite intrigue qui doit conduire à la confusion du Prince italien[3] : dans cette comédie, elle est à la fois auteur, actrice, régisseur et même habilleuse, puisqu'elle décide de la tenue de son amant et qu'elle le coiffe elle-même ; la pièce a du succès, et ce sont « de longs éclats de rire[4] ». C'est elle également qui imagine le bon tour qu'il s'agit de jouer au jeune G... M... « Il me vient un dessein admirable, s'écria-t-elle, et je suis toute glorieuse de l'invention [...] Je veux l'écouter, accepter ses présents, et me moquer de lui[5]. » Des Grieux fait donc semblant d'ignorer qu'on veut lui voler sa maîtresse, et le jeune G... M..., qui le croit sa dupe, est en réalité la sienne : « Il riait intérieurement de ma simplicité, et moi de la sienne. Pendant tout l'après-midi, nous fûmes l'un pour l'autre une scène fort agréable[6] » — celle du trompeur trompé. On sait que finalement c'est le Chevalier qui sera la dupe et cette comédie coûtera cher aux deux amants. Mais en attendant, l'espiègle Manon éclate de rire, et le comique est sensible.*

La trame tragique subsiste, et les événements la rendent à nouveau visible dès que le bruit des rires s'est apaisé. Mais au tragique un peu hiératique et guindé du héros qui fait son malheur hors du monde, en cinq actes, en vers, — et sans bavure, — se substitue un tragique dans le monde, un tragique impur, plus

---

1. P. 77.
2. P. 119. Il s'agit en fait d'*humeur folâtre*.
3. Le goût de Manon pour la plaisanterie, la farce, la mystification — et son ingéniosité à trouver de quoi le satisfaire — a paru si important à Prévost que c'est un des aspects du personnage qu'il a tenu à souligner dans l'épisode ajouté en 1753, où des Grieux, retrouvant Manon, retrouve aussi, précise-t-il, *les agréments de son esprit* (p. 119).
4. P. 124.
5. Pp. 128 et 129.
6. P. 129. *Scène agréable,* les mêmes mots, on vient de le voir, avaient été employés pour la comédie jouée au père.

souple et plus aéré. La réalité et la vie, on l'a vu, en sont en quelque sorte rachetés, *et le tragique, s'il est dilué, ne perd rien de sa force. L'univers de* Manon Lescaut *représente un bel équilibre littéraire, avec le rythme si divers et si harmonieux de son émotion et de son humour, de ses sourires et de son pathétique, de ses angoisses et de ses fous rires. Des Grieux conte son histoire avec un parfait naturel, et sous la teinte générale de mélancolie, chaque événement retrouve sa couleur propre, claire ou sombre. C'est la vie même — et bien entendu c'est le comble de l'art. Chacun des éléments est rendu avec une extrême justesse de touche dans sa singularité, tandis qu'une tension secrète oriente la multiplicité folle des incidents et la variété vivante des réactions.*

***

Une destinée s'accomplit donc d'un homme parmi les hommes, à l'intérieur d'une société concrète — condition de réalisation et obstacle — dont les permissions et les interdits donnent à l'action ses contours. L'Histoire du Chevalier des Grieux, *c'est aussi la tragédie domestique d'un fils de famille qui se dérange et se mésallie. Toutefois, dans cette tragédie de la mésalliance, Manon a pris la place de Bérénice, des Grieux celle de Titus, et le code de l'honneur familial celle des lois augustes de l'Empire romain. Manon est « d'une naissance commune*[1] *». Prévost a tenu à l'établir nettement en 1753, après s'être contenté, dans la première version, de dire qu'elle n'était « point de qualité, quoique d'assez bonne naissance ». Il lui a même donné parfois des vulgarités de fille : « Malheur à qui va tomber dans mes filets*[2] *! » écrit-elle en se rendant chez le vieux G... M..., et, notation presque populacière : « La faim me causerait quelque méprise fatale ; je rendrais quelque jour le dernier soupir, en croyant en pousser un d'amour ». En dépit de son aveuglement, le Chevalier lui-même en est scandalisé : « Elle appréhende la faim. Dieu d'amour ! gémit-il, quelle grossièreté de sentiments, et que c'est répondre mal*

1. P. 22.
2. P. 69.

à ma délicatesse[1] *!* » *En effet, des Grieux, lui, est un gentilhomme, d'une des* « *meilleures maisons de P.*[2] » *Son comportement est tel qu'on ne l'oublie jamais. Quand, à la prison de Saint-Lazare, G... M..., furieux, demande pour lui des châtiments corporels, le Supérieur lui répond :* « *Ce n'est point avec une personne de la naissance de M. le Chevalier que nous en usons de cette manière*[3] ». *Manon, dès le début, se trouve flattée dans sa vanité sociale* « *d'avoir fait la conquête d'un* [*tel*] *amant*[4] ». *De son côté, le père de des Grieux est forcément opposé à une union inégale qui ferait déroger son fils ; d'autant plus que la conduite de Manon ne rachète nullement sa naissance !*

Que peut faire le Chevalier dans cette situation ? Il songe tout de suite à un mariage où il se passerait de l'autorisation de son père. « *Nous irions droit à Paris, où nous nous ferions marier en arrivant*[5]. » *Mais la nature l'emporte :* « *Nous fraudâmes les droits de l'Église, et nous nous trouvâmes époux sans y avoir fait réflexion*[6] ». *Toutefois, explique-t-il, l'idée de* [s]on devoir *lui revient et il songe à se réconcilier avec son père :* « *Je me flattai d'obtenir de lui la liberté de l'épouser, ayant été désabusé de l'espérance de le pouvoir sans son consentement*[7] ». *En fait, il ne semble pas que ce consentement ait été rigoureusement indispensable, même pour des mineurs ; mais un pareil mariage aurait comporté une sanction extrêmement grave, l'*exhérédation : *des Grieux et ses descendants auraient été privés à jamais de tous les avantages de la succession paternelle, et en quelque sorte exclus de leur famille*[8]. *Il est clair que le Chevalier, si fier de sa*

---

1. P. 70.
2. P. 17.
3. P. 85.
4. P. 22.
5. *Ibid.*
6. P. 25.
7. P. 26.
8. D'après le *Dictionnaire des cas de conscience* de Pontas (édition de 1734, article *Mariage*, cas X, t. II, col. 1291 à 1307) qui détaille longuement l'état de la question à l'époque de *Manon Lescaut,* l'évolution du droit canon et du droit civil conduisait de plus en plus à juger valable, en l'absence du consentement des parents, le mariage des mineurs. Mais la sanction était l'exhérédation avec toutes ses conséquences (exhérédation *de facto* selon la Déclaration de 1639). Voyez le *Diction-*

naissance, recule devant elle. Ce serait une erreur de croire que dès le début son amour le rend insensible à toute considération de famille, de fortune ou d'honneur. Son problème au contraire est de concilier le soin de cet amour avec celui de son état. C'est de son père qu'il doit normalement attendre ses moyens d'existence : hors de là, tout est expédient. La nécessité *aussi bien que le* devoir *le poussent donc à se mettre en rapport avec son père et à tenter de le fléchir ; on sait pourquoi « Manon reç[oi]t froidement cette proposition*[1] ».

Après l'aventure de M. de B... et la fuite de Saint-Sulpice, il est évident que le consentement du père de des Grieux à un mariage avec Manon est devenu très improbable, sinon tout à fait impossible. Trahi une seconde fois par sa maîtresse, le Chevalier a conscience de « tout ce qu['il] lui [a] sacrifié [...] en renonçant à [s]a fortune et aux douceurs de la maison de [s]on père[2] ». *Il regrette amèrement, comme si, avec Manon, la chose avait jamais été possible, de n'avoir pas tout de suite régularisé et sanctifié sa liaison : « Pourquoi ne l'épousais-je point, avant que d'obtenir rien de son amour ? Mon père, qui m'aimait si tendrement, n'y aurait-il pas consenti si je l'en eusse pressé avec des instances légitimes*[3] *? » Plaintes stériles ! Mais il ne perd pas tout espoir de se remettre bien avec son père, comme le lui recommande Tiberge après l'évasion de Saint-Lazare. Il lui écrit de façon soumise et lui demande de l'argent pour faire ses « exercices à l'Académie*[4] »; *cette occupation honorable lui semble fort compatible avec son*

---

naire des cas de conscience de Lamet et Fromageau, 1733, t. II, col. 81 : « ...privés et déchus par le seul fait, ensemble les enfants qui naîtront et leurs hoirs, indignes et incapables à l'avenir des successions de leurs pères et mères, aïeuls, etc., même du droit de légitime... » Des Grieux devait en tout cas demander le consentement de son père afin d'éviter l'*empêchement* de clandestinité; d'autre part les parents de Manon — mais, on le notera, ils ne se manifestent pas une seule fois pendant toute l'histoire — auraient pu attaquer le mariage en accusant le Chevalier de *rapt de séduction* (Pontas, *loc. cit.*, col. 1299 et 1300). Enfin, étant donné la qualité du Chevalier, Manon et les siens pouvaient être accusés de *subornation.*

1. P. 26.
2. Pp. 69-70.
3. P. 72.
4. P. 113.

amour. Il songe aussi à ses droits naturels[1], *à sa part dans la succession de sa mère et, plus tard, dans celle de son père. Bref, il n'a rompu ni avec sa famille, ni avec la société. Ce n'est pas ici un amant furieux qui refuse de pactiser avec les conventions et qui piétine les principes : c'est un jeune homme, dévoyé certes, mais qui évite les gestes définitifs, qui garde des mesures et qui ménage l'avenir. Il est significatif qu'à la prison du Châtelet il n'ose pas* révolter[2] *son père en intercédant en faveur de Manon.*

C'est seulement quand la déportation de Manon est devenue inévitable qu'il prend ce qu'il appelle lui-même « une résolution véritablement désespérée[3] *». Il comptait encore sur la fortune et sur les hommes ; il pensait pouvoir accorder malgré tout les nécessités de la vie sociale avec son amour. Maintenant il « ferme les yeux à toute espérance*[4] *». Toute espérance de vivre avec Manon ? Nullement, mais de jouir des avantages de sa naissance, auxquels il n'avait jamais voulu renoncer jusqu'alors. Voici enfin le sacrifice décisif, dès longtemps préparé, mais qui ne se produit qu'avec le choc du départ. En Amérique, « où, dit-il à Manon, nous n'avons plus à ménager les lois arbitraires du rang et de la bienséance*[5] *», il n'y a plus de raison de tenir compte des obstacles sociaux qui s'opposaient à leur mariage. Encore les deux jeunes gens se trouvent-ils dans un cas où le consentement des parents, impossible ou très malaisé à obtenir étant donné la distance et les difficultés de communications, n'est plus nécessaire : « Nous ne dépendons que de nous-mêmes », observe des Grieux. Il prend soin en outre de justifier sa décision devant l'Homme de qualité (et le lecteur) par les* circonstances[6] *où il est alors, et où il n'a plus rien à perdre. Il conserve donc jusqu'à la fin son caractère de jeune homme sage et respectueux que seules la fatalité de la passion et la « malignité de [s]on sort*[7] *» peuvent pousser à des démarches insensées. Mais la progression est lentement ménagée ; si l'amour*

---

1. P. 117.
2. P. 164.
3. P. 176.
4. P. 177.
5. P. 190.
6. P. 191.
7. P. 60.

est absolu dès le premier instant, les folies qu'il fait commettre deviennent de plus en plus graves. « Je vais perdre ma fortune et ma réputation pour toi, je le prévois bien[1] *», disait des Grieux à Manon au moment de s'enfuir de Saint-Sulpice, et il indiquait ainsi avec une vaine lucidité la trajectoire de cette « tragédie bourgeoise*[2] *». En fait, c'est seulement à La Nouvelle-Orléans, après la péripétie, que cette prédiction se trouve accomplie, et que le dépouillement définitif du héros est consommé.*

Y a-t-il parallèlement une évolution dans la psychologie de Manon? A première vue elle n'apparaît guère : l'on a été frappé plus haut par la répétition décourageante des réactions devant M. de B..., G... M..., ou son fils, du personnage livré sans contrôle à son même penchant. *Il semble que le temps glisse sur Manon sans la modifier, et qu'elle soit incapable de développement ni même d'expérience. Pourtant, il faut le souligner, Prévost, dans la version de 1753, a tenu à donner au lecteur l'impression que son attachement pour des Grieux augmentait. Pour ajouter, comme il le dit lui-même, à la « plénitude d'un des principaux caractères », il a cru devoir inclure dans* l'Histoire *l'important épisode du Prince italien. Or ici, pour la première fois, Manon ne cède pas à un homme riche, bien que des Grieux ne lui ait pas caché « que le fond de [s]es richesses n'était que de cent pistoles*[3] *»; elle monte une petite comédie pour se moquer de son soupirant, et le sacrifie gaiement à son amant*[4]*. Le cercle infernal des trahi-*

1. P. 46.

2. Le nom même de *tragédie bourgeoise* fut créé en 1741 par Landois pour définir le genre dont il venait de donner le premier échantillon avec sa pièce intitulée *Silvie,* adaptation directe de *l'Histoire de des Frans et de Silvie,* de Robert Challes. On ne s'étonnera donc pas que ce qui vient d'être dit ici puisse aussi s'appliquer à cette *histoire*. Sur la tragédie bourgeoise et sur *Silvie,* voyez Diderot, *Entretiens sur le Fils naturel,* édit. Assézat et Tourneux, t. VII, p. 119.

3. P. 117.

4. Celui-ci du reste voit bien là une preuve d'amour de Manon : Ce « souvenir, dit-il, [lui] représente sa tendresse » (p. 119).

sons automatiques et ingénues est-il rompu définitivement ? Non *sans doute, puisqu'elle finira par accepter pour tout de bon les offres du jeune G... M... ; mais elle a montré — du moins Prévost le souhaite-t-il ainsi — que son amour a grandi et que maintenant elle ne quitterait peut-être plus des Grieux pour M. de B... ou pour le vieux G... M... On notera que si elle commence bientôt son intrigue avec le jeune G... M..., c'est avec le consentement du Chevalier — qu'elle n'avait pas songé à demander lors des deux aventures précédentes. La transformation de Manon est donc préparée. Après la douloureuse leçon du séjour à l'Hôpital, elle devient capable de congédier le Prince italien. Et lorsque commence l'atroce épreuve de la déportation, lorsqu'elle se voit réduite à une misère abjecte et à une promiscuité infamante, quelque chose se passe dans sa petite tête ; son cœur étroit semble s'ouvrir. Quand elle eut appris, raconte le Chevalier, « que rien n'était capable de me séparer d'elle et que j'étais disposé à la suivre jusqu'à l'extrémité du monde pour prendre soin d'elle, pour la servir, pour l'aimer et pour attacher inséparablement ma misérable destinée à la sienne, cette pauvre fille se livra à des sentiments si tendres et si douloureux, que j'appréhendai quelque chose pour sa vie d'une si violente émotion[1] ». En effet, une sorte de révolution se produit. « C'est une sotte vertu que la fidélité[2] », avait-elle dit naguère. Maintenant elle mesure enfin la profondeur du sentiment de des Grieux, et elle a la révélation de ce que c'est que l'amour. Cette éducation par la générosité et le sublime, corroborée par une ascèse de la souffrance, va porter ses fruits. C'est une Manon métamorphosée qui débarque en Amérique. Elle en a elle-même conscience : « Vous ne sauriez croire, dit-elle, combien je suis changée[3] ». Certes, elle a toujours aimé le Chevalier ; mais elle accède maintenant à un amour dont elle semblait ne pas soupçonner l'existence, le véritable amour. Cette conversion[4], il faut le reconnaître, est*

1. P. 179.
2. P. 69.
3. P. 188.
4. Conversion totale et qui apparaît par exemple dans son attitude à l'égard du mariage. Quand des Grieux lui offre de l'épouser, peu de temps avant la trahison avec M. de B., elle reçoit, on s'en souvient, « froidement cette proposition » (p. 26). Maintenant la même offre la met « au comble de la joie » (p. 191) et passe tous ses souhaits : « Je

favorisée par la disparition des biens et des plaisirs auxquels elle avait été si attachée : ni commodités, ni luxe, ni divertissements, ni spectacles à La *Nouvelle-Orléans. Mais elle pourrait du moins trouver la sécurité, se faire un sort moins misérable, et régner sur ce peuple de malheureux bannis : il lui suffirait d'abandonner des Grieux pour Synnelet, de la même manière qu'elle l'avait quitté jadis pour M. de B... ; or elle n'y songe pas. Elle reste fidèle, et elle en meurt. Écrasée par sa fidélité, elle se laisse en effet mourir pour son amant. Mais elle n'a pas la force de vivre pour lui. Avec les futilités parisiennes, ses vraies raisons de vivre lui ont été arrachées. « Hélas ! une vie si malheureuse mérite-t-elle le soin que nous en prenons*[1]*? » s'écriait-elle au Havre avant le départ. Ce ne sont pas les baraques en planches ni la société grossière de* La *Nouvelle-Orléans qui lui redonneront le goût de vivre. Un oiseau des îles, disions-nous. Oui, cet être délicat et fragile ne supporte pas la transplantation ; mais peut-être autant que l'inconfort et la crainte, ce sont la privation des plaisirs légers et le sérieux d'un grand amour qui la tuent. Manon constante, c'est Manon condamnée. La fin de* l'Histoire *est bien en harmonie avec ce qui précède ; elle est touchante — et ambiguë.*

***

Il y a donc une transformation subtile des personnages. Des Grieux en vient à tout sacrifier à son amour. Quant à Manon, qui jusqu'alors appartenait surtout au monde de l'instinct, il semble à la fin qu'elle commence à naître à l'univers de la conscience. Prévost a merveilleusement suggéré la complexité mouvante de ces deux êtres, dont la vie s'invente sous les yeux du lecteur avec une irrésistible vérité. Le contraste avec le caractère parfois peu vraisemblable, ou même factice, des incidents, n'en est que plus grand. En effet, si le romancier sait s'effacer devant ses per-

---

n'ai point la présomption, dit-elle, d'aspirer à la qualité de votre épouse » *(ibid.)*.

1. P. 182.

sonnages, il intervient en revanche, et de façon fort perceptible, dans leur histoire. Il faut d'étranges hasards pour que la même situation se reproduise trois fois. Manon trompe — ou se montre décidée à tromper — son amant avec M. de B..., puis avec le vieux G... M..., puis avec le fils de ce dernier. Des Grieux lui pardonne tour à tour ces trahisons, et à chaque fois une nouvelle vie commence. Or pour que ces trahisons se produisent, il faut que Manon manque d'argent ou éprouve « la crainte d'en manquer[1] *». D'autre part, pour qu'une nouvelle existence puisse commencer, il faut que le passé soit effacé et que la voie soit à nouveau ouverte. L'abbé Prévost fait des efforts visibles pour que ces deux conditions soient remplies. En dépit des prodigalités de Manon et des exigences de son frère, les soixante mille francs de M. de B... devraient tout de même assurer la sécurité matérielle pour un certain temps. Qu'à cela ne tienne : un incendie, probablement criminel, éclate, et cet argent est volé. La leçon ne profite guère aux deux amants : des Grieux s'est refait une fortune en trichant au jeu; or son trésor lui est bien vite dérobé comme le premier. De même, si Manon est libre de tout engagement avec M. de B..., — « Je ne lui ai donné nul pouvoir sur moi*[2] *», — la situation est moins claire lorsque des Grieux s'est échappé de Saint-Lazare par un meurtre et qu'il a fait évader Manon de l'Hôpital. Qu'à cela ne tienne ; le meurtre est étouffé, et la police perd la trace de Manon : « Les rues de Paris, constate le Chevalier, me redevenaient un pays libre*[3]*. » Après chacune des trahisons, la possibilité — on n'aurait pas de peine à le démontrer dans le détail — est donnée à des Grieux de revenir à la vertu, et, sur un autre plan, à Manon de ne plus céder à son penchant. Mais ils retombent obstinément dans les pièges qui leur sont destinés. A la troisième trahison, le lecteur est tenté de s'écrier, comme le Chevalier : « Voici la troisième fois, Manon, je les ai bien comptées*[4]*. » Il est clair que les deux amants sont prisonniers — par leur faute ou non ? voilà la question — d'une situation qui se répète impitoyablement parce que Prévost*

1. P. 61.
2. P. 48.
3. P. 113.
4. P. 141.

l'a voulu ainsi. Rencontres forcées, coïncidences bizarres, événements inattendus, rien ne coûte au zèle du romancier.

Certes il ménage ainsi cet agréable suspens *dont les lecteurs de romans sont avides. D'autre part, il creuse en même temps l'intervalle entre les intentions ou les sentiments et les événements, et renforce l'impression de passivité plus ou moins fatale que donnent les personnages. Mais surtout cette histoire riche en coups de théâtre et très évidemment* orientée *alimente sa prédication : car, à n'en pas douter, il tient à prouver quelque chose*[1]. *Il a souligné si souvent et si fermement la vocation morale de ses romans* — « *Il n'en est pas sorti un de ma plume, écrit-il encore dans la Préface du* Doyen de Killerine, *qui n'ait été composé dans des vues aussi sérieuses que ce genre d'écrire peut les admettre*[2] » — *qu'on est bien obligé de voir dans cette affirmation répétée autre chose qu'une reprise machinale du précepte traditionnel qu'il faut instruire et non pas seulement plaire. En ce qui concerne* l'Histoire du Chevalier, *il a clairement défini son dessein moral dans l'*Avis de l'Auteur des Mémoires d'un Homme de qualité. « *J'ai à peindre, écrit-il, un jeune aveugle, qui refuse d'être heureux, pour se précipiter volontairement dans les dernières infortunes;* [...] *qui prévoit ses malheurs, sans vouloir les éviter; qui les sent et qui en est accablé, sans profiter des remèdes qu'on lui offre sans cesse et qui peuvent à tous moments les finir.* » *Ces remèdes, en effet, Prévost, Providence indiscrète, les lui offre avec une sollicitude visible : sans cesse il lui ménage des portes de sortie — que le héros refusera obstinément de prendre, malgré l'insistance inlassable de Tiberge.* L'Histoire du Chevalier, *ce sont les occasions perdues de la vertu.*

Il est évident que le romancier ne s'intéresse guère à la nature même des événements, matériel picaresque où il puise librement : c'est à leurs implications morales qu'il s'attache et aux réactions

1. Les contemporains ont été sensibles à cet aspect de sa création romanesque. Rendant compte des tomes V et VI des *Mémoires d'un Homme de qualité* au début d'août 1731, le *Nouvelliste du Parnasse* (t. II, lettre 28, pp. 280 et 281) note que Prévost « se livre à la passion de moraliser; ...ce ton, ajoute-t-il, me paraît plutôt convenir à un prédicateur qu'à un romancier ».

2. Éd. cit., t. VIII, p. VI.

psychologiques qu'ils suscitent. Il ne se fait pas scrupule, avouera-t-il dans le Pour et Contre, *d'« étendre ou raccourcir les circonstances suivant qu'[il l'a] jugé nécessaire pour le seul dessein [qui est le sien] de faire passer quelques maximes de morale à la faveur d'une narration agréable[1] ». Avec encore plus de netteté, il affirmera dans les* Lettres de Mentor *que le romancier « est libre de choisir les événements qu'il croit les plus propres à faire goûter ses principes de morale, ou toute autre instruction[2] ». L'intrigue est donc la servante de l'instruction morale,* ancilla doctrinae. *Les données qui constituent ou soudain reconstituent la situation tragique apparaissent-elles à la réflexion peu vraisemblables? Peu importe. Le moraliste-expérimentateur en a besoin pour étudier son* sujet, *et l'on demande au lecteur de les accepter un peu à la manière des conditions définissant une* expérience pour voir[3].

Quelles sont les leçons de cette expérience? *Elles sont loin d'être évidentes. Des Grieux, écrit Prévost, est « un exemple terrible de la force des passions ». Son aventure constitue un* exemplum; *elle est « un modèle, d'après lequel on peut se former ». A première vue l'enseignement moral serait tout simplement celui qui ressort du livre VII du* Télémaque. *L'abbé Prévost a très probablement inspiré l'interprétation de son illustrateur de 1753 qui a représenté, au début du roman, des Grieux-Télémaque entraîné par Tiberge-Mentor vers la vertu, dont Manon-Eucharis essaie de le détourner avec l'aide de folâtres Amours[4]. Mais cette assimilation ne tient pas à la lecture, car la* folle passion *dont parle Fénelon n'est pas, dans le cas de des Grieux, condamnée avec la même netteté que dans celui de Télé-*

---

1. Octobre 1736. On trouvait déjà la même formule : « faire goûter quelques maximes de morale à la faveur d'une narration agréable » dans le *Pour et Contre* (tome VI, page 353).

2. Éd. cit., t. XXXIV, p. 265.

3. Cela est vrai, d'une manière générale, de toute la création romanesque de Prévost, de *Cleveland* aussi bien, par exemple, que de l'*Histoire du Commandeur de* ***, où, dans une sorte d'expérimentation psychologique, il donne la petite vérole à la maîtresse du héros pour voir ce que deviendra l'amour de celui-ci (*Œuvres choisies,* éd. cit., t. XIII, pp. 294 à 306).

4. Cette vignette est reproduite plus bas, p. 9. Voyez d'importantes remarques à son sujet, p. 8, note 4.

maque, et l'on se rend compte immédiatement qu'en réalité il n'est pas facile de faire le partage de ce qui est à éviter, de ce qui est indifférent, et de ce qui est à imiter, dans l'exemple que fournit l'histoire du Chevalier. Certes les passions peuvent être dangereuses : faut-il donc les condamner absolument ? Oui, si l'on juge qu'elles sont l'effet du premier crime[1]*; à tel point « qu'ayant la liberté de suivre ses inclinations,* [*l'on a*] *besoin à tout moment d'un secours extraordinaire du Ciel pour n'en pas faire un mauvais usage*[2] ». *Mais des Grieux n'affirme-t-il pas tout au contraire, et avec une conviction émouvante, que l'amour est une* passion innocente [3] *et que ses délices « sont ici-bas nos plus parfaites félicités*[4] » ? *Enfin l'Homme de qualité à son tour se déclare persuadé « que la grandeur de l'âme suppose de grandes passions; l'importance* (sic) *est de les tourner à la vertu*[5] ». *On le voit : la morale enseignée par l'abbé Prévost est bien mouvante. La passion de l'amour est-elle foncièrement mauvaise, essentiellement bonne, ou est-elle simplement la source d'une énergie qui est de soi indifférente ? Quant à notre pouvoir sur la passion, est-il fort réduit ou nul, car la Providence (ou la Fatalité) nous aveugle alors et nous paralyse ? Ou bien cette impuissance n'est-elle que l'excuse affectée de notre immoralité et de notre faiblesse ? « Que veulent dire, demande le doyen de Killerine, ces maximes insensées qui représentent une frivole passion comme un obstacle invincible*[6] *? » Tragédie de l'écrasement de l'homme ou tragédie de la responsabilité humaine ? Le lecteur de* l'Histoire du Chevalier des Grieux, *de même que le spectateur de* Phèdre, *peut adopter l'une ou l'autre de ces perspectives, ou même l'une et l'autre tour à tour.*

Mais dans Phèdre *du moins, comme l'écrit* Racine, *« les faiblesses de l'amour* [...] *passent pour de vraies faiblesses »; on peut douter qu'il en soit de même dans* Manon Lescaut. *Prévost en effet semble viser à la fois des buts contradic-*

---

1. Éd. cit., t. I, p. 7. *(Mémoires et Aventures d'un Homme de qualité.)*
2. Éd. cit., t. VIII, p. 73. *(Doyen de Killerine.)*
3. P. 72.
4. P. 93.
5. Éd. cit., t. I, p. 352.
6. Éd. cit., t. VIII, pp. 370 et 371.

toires. D'une part, il fabrique à dessein des situations où des Grieux apparaît comme libre de revenir à la vertu. Mais d'autre part, il montre si bien la force et le charme de l'amour qui retient le Chevalier qu'on excuse la faiblesse de celui-ci, et qu'on n'est pas loin de l'approuver d'être devenu criminel pour une si belle cause. On l'a vu longuement : le psychologue — et c'est probablement heureux pour le lecteur — a joué un mauvais tour au prédicateur, et Manon Lescaut *est certainement l'un des romans les plus immoraux de la littérature française. Au reste, dès la parution de ce « livre abominable », comme dit Mathieu Marais*[1], *la réussite du romancier a été considérée comme inséparable de la faillite du professeur de morale. Tandis que Racine pouvait affirmer dans la préface de* Phèdre : *« Le vice y est peint partout avec des couleurs qui en font connaître et haïr la difformité », un des premiers lecteurs de* Manon Lescaut *remarquait avec raison : « Le vice et le débordement y sont peints avec des traits qui n'en donnent pas assez d'horreur*[2]. *» Manon est séduisante, et il est significatif qu'un glissement de l'intérêt ait fait d'elle le personnage central de ce qui devait être d'abord* l'Histoire du Chevalier[3]. *L'abbé Desfontaines assurait : « Il n'y a point de jeune homme, point de jeune fille, qui voulût ressembler au Chevalier et à sa maîtresse*[4]. *» Assertion bien imprudente, car l'affirmation opposée serait probablement plus exacte : chacun des lecteurs souhaite ressembler aux héros... tout en se flattant d'éviter leurs malheurs. La fascination de l'amour est plus forte que l'horreur du vice ou la crainte du châtiment; c'est une leçon d'amour que*

---

1. Lettre à Bouhier du 1er décembre 1733. B. N., ms. fr. 24414, fol. 433. Cf. ci-après, p. CLXIII.

2. *Revue rétrospective,* t. VII, 2e partie, p. 104. Cf. ci-après, p. CLXII. Le rédacteur du *Nouveau Dictionnaire historique* remarque en 1765 pour conclure son étude sur les romans de l'abbé Prévost : « Il est vrai que la morale suit partout ses héros, et jusque dans les plaisirs; mais la vertu n'y est qu'en maximes, et le vice est en actions. » (Article *Prévost.*)

3. On sait que le faux titre et le titre courant devinrent en 1753 : *Histoire de Manon Lescaut,* et que c'est par ce dernier nom qu'on désigne habituellement le roman de Prévost depuis le XIXe siècle.

4. *Pour et Contre,* no XXXVI, t. II, p. 138 (vers mars 1734). Voyez ci-après, pp. CLXIV-CLXV, le texte complet de cette critique.

l'on a surtout trouvée dans ce roman ; Manon est canonisée, et il n'y a ici de leçon de morale que dans la mesure où l'on identifie la nature et le sentiment à la vertu.

L'univers de Manon Lescaut *peut paraître tout simple ; ce roman, dont l'auteur voulait avant tout, et selon la tradition, instruire, plaire et toucher, a même semblé assez mince à certains lecteurs. Il s'agit en fait d'une construction difficile, à laquelle ont collaboré confusément technique romanesque et idéologie morale ; et l'on souhaiterait du moins avoir donné ici une idée de sa complexité. Le souci le plus caractéristique de cette entreprise semble avoir été de ménager la coexistence des contraires : ordure et pureté, immoralité et obsession de la vertu, faute et innocence, peinture sociale et lyrisme du sentiment, cynisme et candeur, aventures romanesques et lucidité psychologique, détails picaresques et hauteur tragique, goût du bonheur et vocation de la catastrophe. Le récit comporte des scènes bouffonnes, et pourtant il reste tout entier baigné de mélancolie. L'optimisme de la spontanéité et de la nature vient se heurter à l'expérience de l'obstacle et au pessimisme qui en résulte, mais il ne s'y brise pas totalement. Sur tous les plans, dans tous les registres, les contraires se nuancent ainsi l'un par l'autre. Les ruses du romancier et les paradoxes du moraliste ménagent curieusement l'ambiguïté concrète de la condition humaine ; et — le lecteur attentif de* Manon Lescaut *le reconnaîtra peut-être — l'on a rarement exprimé l'obscurité et le mystère de l'homme de façon aussi efficace que dans les mots transparents de cette histoire limpide.*

III

Jugements contemporains

Différentes raisons rendent l'étude des jugements contemporains sur l'Histoire du chevalier des Grieux et de Manon Lescaut *assez décevante. La principale est le mépris affiché à l'époque pour les romans, et dont Voltaire témoigne assez. Mais ce qui est curieux, c'est que Prévost, à la différence de Lesage ou de Marivaux, ne proteste pas contre ce mépris. Si, comme le fera le rédacteur du* Nouveau Dictionnaire historique, *quelqu'un « déplore » autour de lui « qu'un homme capable des productions les plus belles et les plus utiles, ait consacré la moitié de sa vie à un genre pernicieux, l'écueil de la vertu, l'opprobre de la raison et le délire de l'imagination*[1] », *il ne songe qu'à plaider coupable : « Les études dont je me suis occupé toute ma vie ne devaient pas me conduire à faire des Clévelands*[2]. » *A cette raison générale, il faut ajouter que* Manon Lescaut *n'a paru, au moins à l'origine, que comme une partie des* Mémoires d'un Homme de qualité, *et a parfois été confondue par les critiques avec cet ouvrage.*

En fait, les premières annonces soulignent ce lien. La Bibliothèque raisonnée *rappelle que les derniers volumes sont de la même main que les premiers, qui ont été « si bien reçus*[3] ». *La* Bibliothèque française *va plus loin; d'après le journaliste, les nouveaux volumes sont « encore plus intéressants que ceux qui ont*

---

1. Article *Prévost*.
2. Lettre à Dom Guillaume le Sueur, du 8 octobre 1738, dans Harrisse, p. 284. Sur la situation du roman à l'époque, voyez l'ouvrage de Georges May, *le Dilemme du Roman au XVIIIe siècle*, cité plus haut.
3. *Bibliothèque raisonnée des Ouvrages des Savants de l'Europe,* t. IV, Ire partie, p. 228 (numéro du premier trimestre 1731, cf. p. LXI).

paru d'abord[1] » *:* Nescio quid majus nascitur... *Le numéro suivant sera plus explicite, en remplaçant par la mention du chevalier des Grieux un* etc. *de Prévost*[2] *:*

Cet ouvrage est très amusant et se fait lire avec plaisir, quoique le style ne soit pas également soutenu partout. On y trouve beaucoup de variété, une morale pure, des sentiments fort tendres, et des aventures fort extraordinaires. On peut mettre dans ce rang celles de Milady R., de Milady d'Ar., de M. Law, de la princesse de R., et surtout celles du chevalier des Grieux, qui paraissent incroyables. L'auteur n'a pas fait difficulté de publier les fautes de toutes ces personnes, persuadé que l'exemple de leur mauvaise conduite peut devenir utile. Les vices de cette nature, dit-il, servent pour ainsi parler de fanal à la vertu; ils l'éclairent, ils lui montrent les bornes qu'elle ne doit point passer, et les précipices qu'elle trouverait au-delà; M. d'Exiles, auteur de cet ouvrage, travaille à une traduction française de M. de Thou, dont on verra bientôt le premier volume[3].

A la fin de l'année 1731 encore, un autre périodique hollandais, le Glaneur historique politique, satirique et galant, *de J. B. de la Varenne, fait la même confusion, dans un article resté jusqu'ici inconnu des spécialistes :*

Les *Mémoires d'un Homme de qualité* et le *Cleveland* sont deux excellents ouvrages d'un même auteur qui s'est déjà fait connaître par plusieurs beaux endroits. C'est à présent la lecture à la mode, et selon toute apparence, cette mode durera autant que le bon goût. Mais comme entre deux productions très belles il se trouve toujours de la différence, on commence à discuter sur la préférence que mérite l'un ou l'autre de ces ouvrages. Nous savons assez qu'il ne convient pas à un petit *auteur à feuillet* de décider souverainement. Mais du moins a-t-il sa voix comme un autre. Voici donc notre sentiment. Les *Mémoires d'un Homme de qualité*

---

1. T. XV, IIe partie, p. 368. Voyez p. LXII.
2. Dans la *Lettre de l'Éditeur à Messieurs de la Compagnie d'Amsterdam*, en tête des tomes V, VI, VII. Voyez l'*Appendice*.
3. *Bibliothèque française,* t. XVI, Ire partie, pp. 182-183.

sont pourvus d'agréments autant qu'ils pouvaient en être susceptibles, mais de ces agréments qui sont à la portée de tout le monde. Au lieu que le *Philosophe anglais* est plus travaillé, les sentiments en sont plus recherchés, de sorte que les *Mémoires* seront applaudis par une plus grande multitude de lecteurs, et le *Cleveland* par la plus noble partie de cette multitude[1].

Pourtant, dès la publication de l'ouvrage, un critique, La Barre de Beaumarchais sans doute, après avoir fait un grand éloge des Mémoires et Aventures d'un Homme de qualité, *et surtout de la figure centrale du marquis de* R.[2], *distinguait nettement les premiers tomes du dernier :*

Le septième, où le chevalier des Grieux raconte ses aventures avec Manon Lescaut, mérite que je vous en parle à part. On y voit un jeune homme qui, avec toutes les qualités dont se forme le mérite le plus brillant, entraîné par une aveugle tendresse pour une fille, préfère une vie obscure et vagabonde à tous les avantages que la fortune et sa condition lui permettent, qui voit ses malheurs sans avoir la force de les éviter, qui les sent vivement sans profiter des moyens qui se présentent pour l'en faire sortir, enfin un caractère ambigu, un mélange de vertus et de vices, un contraste perpétuel de bons sentiments et d'actions mauvaises. L'amante a quelque chose de plus singulier encore. Elle goûte la vertu et elle est passionnée pour le chevalier. Cependant l'amour de l'abondance et des plaisirs lui fait à tout moment trahir la vertu et le chevalier. Croirait-on qu'il pût rester de la compassion pour une personne qui déshonore de la sorte son sexe ? Avec tout cela il est

---

1. N° LXXIX, du 26 novembre 1731. Le rédacteur ajoute : « Nous aurons l'occasion de parler plus amplement de cette dispute. » A notre connaissance, cette promesse ne fut pas tenue.

2. « Représentez-vous un père tendre, un époux fidèle, un ami zélé et sincère, un guide sage et éclairé, un homme qui n'a aucune faiblesse qui ne soit l'effet de quelque bonne qualité, et qui n'essuie aucune disgrâce qui ne fasse éclater quelqu'une de ses vertus. Voilà en peu de mots quel est le marquis de Renoncour dans les six volumes de ses Mémoires. » (*Lettres sérieuses et badines*, t. V, seconde partie, lettre XXIII, pp. 442-444, publiée à La Haye vers juillet 1731, cf. ci-dessus, p. LVII, note 5.)

impossible de ne pas la plaindre, parce que M. d'Exiles a eu l'adresse de la faire paraître plus vertueuse et plus malheureuse que criminelle. Je finis par le portrait qu'il a tracé d'un ecclésiastique, ami intime du chevalier. Tout ce qu'il y a de plus sublime, de plus divin, de plus attendrissant dans la véritable piété et dans une amitié sincère et sage, il l'a mis en œuvre pour bien peindre la bonté, la générosité de Tiberge, c'est le nom de cet excellent ecclésiastique[1].

*Tout n'est pas original, dans cet article aussi inconnu que le précédent. Le passage concernant des Grieux est même démarqué de l'*Avis de l'Auteur *de Prévost en tête de son ouvrage*[2]. *Cependant, il est important à plus d'un titre. D'une part, l'enthousiasme dont il témoigne prouve que le chef-d'œuvre de Prévost n'est pas passé inaperçu. En outre, les quelques lignes consacrées à Manon montrent que l'attention du public, contrairement aux intentions probables de l'auteur, tend déjà à se détourner de des Grieux pour se porter sur son amante. On verra bientôt la destinée imprévue de ce modeste article des* Lettres sérieuses et badines.

Pendant que Manon Lescaut *restait inconnue en France, c'était au tour du traducteur allemand, Holtzbecher, de faire l'éloge de la seconde partie des* Mémoires d'un Homme de qualité, *contenant les livres V, VI et VII, et par conséquent* Manon Lescaut. *Après un bref rappel historique de la littérature des Mémoires, depuis Commines, il oppose le succès brillant du livre de Prévost à l'oubli dans lequel sont tombés beaucoup de ces ouvrages. Celui-ci n'a rien à craindre de la postérité. L'auteur y fait preuve de tant de pénétration d'esprit, l'enchaînement des faits y est si naturel, l'émotion et la réflexion y sont si largement répandues, qu'on lit l'ouvrage avec un plaisir peu commun*[3]. *Un*

1. *Ibid.*, pp. 444-445.

2. Voir F. Deloffre, *Un morceau de critique en quête d'auteur : le jugement du « Pour et Contre » sur « Manon Lescaut »*, Revue des Sciences Humaines, 1962, pp. 203-212. On trouvera ce passage de Prévost ci-après, p. 4. Il commence par : « Il verra, dans la conduite de M. des Grieux, un exemple terrible de la force des passions... »

3. Voir le texte allemand et la traduction de tout ce passage dans l'*Appendice*.

tel jugement ouvre la voie à celui de Gœthe, qu'on trouvera plus loin.

En juin 1733 enfin, Manon Lescaut *pénètre en France et, fait notable, est vendue indépendamment des six premiers volumes des* Mémoires d'un Homme de qualité, *soit qu'elle paraisse sous le titre de* Suite des Mémoires et Aventures d'un homme de qualité qui s'est retiré du monde, *soit qu'elle porte des titres particuliers et sans doute apocryphes, tels qu'*Aventures (*ou* les Aventures) du chevalier des Grieux et de Manon Lescaut[1]. *Aussi les comptes rendus en traitent-ils comme d'une œuvre autonome. Le premier figure dans le* Journal de la Cour et de Paris, *à la date du 21 juin 1733 :*

Il paraît depuis quelques jours un nouveau volume des *Mémoires d'un Homme de qualité* contenant *l'histoire de Manon Lescaut.* Ce livre est écrit avec tant d'art, et d'une façon si intéressante, que l'on voit les honnêtes gens même s'attendrir en faveur d'un escroc et d'une catin. Le même auteur, qui est un bénédictin réfugié en Hollande, fait un petit ouvrage intitulé *le Pour et le Contre,* dont la première brochure se débite actuellement. Son dessein, ainsi qu'il est aisé d'en juger par le titre, est de faire voir que, chaque chose de la vie a deux faces, et qu'il n'en est point de si mauvaise que l'on ne puisse justifier[2].

Quelques points à noter dans ces lignes. C'est la sensibilité des lecteurs qui a été intéressée, et elle l'a été en faveur de Manon : le titre donné au livre est significatif[3]. *Enfin, c'est bien à l'art de l'auteur, et non pas à quelque vérité anecdotique, que le rédacteur attribue la réussite de l'œuvre.*

Il ne faudrait pas prendre le Journal de la Cour et de Paris *pour un journal au sens où nous l'entendons. C'est un simple recueil manuscrit de « nouvelles à la main » envoyé à quelques abonnés clandestins. En fait, tous les commentaires qu'on a pendant cette période restent privés. Peut-être Voltaire fait-il*

---

1. Voir ci-après la Bibliographie.
2. Bibliothèque nationale, Ms. Fr. 25 000, pp. 130-131.
3. C'est aussi sous le nom de l'*Histoire de Manon Lescot* (sic) que Lenglet-Dufresnoy désigne l'ouvrage dans sa *Bibliothèque des Romans.* Voyez son jugement dans l'*Appendice,* titre VI.

allusion à Manon Lescaut *dans une lettre à Thiériot du 24 juillet 1733, où il dit que Prévost, par un article du* Pour et Contre *sur* le Temple du Goût[1], *vient de « flatte [r sa] vanité, après avoir si souvent excité [sa] sensibilité par ses ouvrages*[2] *». Quatre jours après en effet, il charge Thiériot d'un message pour « le tendre et passionné auteur de* Manon Lescaut[3] *», réunissant dans son éloge l'œuvre et l'écrivain.*

A la rentrée suivante, le succès du livre dans le public s'affirme. Le Journal de la Cour et de Paris *du 3 octobre 1733, répétant presque terme pour terme son jugement du mois de juin, ajoute que l'auteur « peint à merveille », et qu'il « est en prose ce que Voltaire est en vers*[4] *». Mais les autorités s'inquiètent. Le 5 octobre, sur ordre de Rouillé, les syndics de la librairie saisissent chez divers libraires quelques exemplaires brochés de « la suite des* Mémoires et Aventures d'un Homme de qualité, *contenant l'Histoire du chevalier des Grieux et de Manon Lescaut, 2 vol. in-12, Amsterdam, 1733*[5] *», et le* Journal de la Cour et de Paris *commente ainsi la décision :*

Voilà de quoi faire un petit supplément à l'Histoire de Manon Lescaut. Ce petit livre, qui commençait à avoir une grande vogue, vient d'être défendu. Outre que l'on y fait jouer à gens en place des rôles peu dignes d'eux, le vice et le débordement y sont peints avec des traits qui n'en donnent pas assez d'horreur[6].

On voit qu'il ne s'agit pas d'une simple saisie d'exemplaires entrés en fraude, mais de l'interdiction de l'ouvrage pour des raisons de police. Mathieu Marais, qui a ses entrées dans le

---

1. Nº V, t. I, pp. 105-106.
2. *Œuvres complètes de Voltaire,* édit. de Kehl, t. XLII, p. 163. Cité dans Harrisse, p. 214.
3. *Ibid.*, p. 170.
4. Bibliothèque Nationale, Ms. Fr. 25 000, p. 225.
5. *État des livres arrêtés dans les visites faites par les syndics et adjoints,* Bibliothèque Nationale, Ms. Fr., nº 21931, fº 266, vº, dans Harrisse, p. 176.
6. Bibliothèque Nationale, Ms. Fr. 25 000, p. 229.

milieu de la censure[1], *s'exprime sur* Manon Lescaut *en des termes d'un parfait pharisaïsme. Ainsi le 1*er *décembre 1733 :*

Cet ex-bénédictin est un fou qui vient de faire un livre abominable qu'on appelle l'histoire de Manon Lescaut, et cette héroïne est une coureuse sortie de l'Hôpital et envoyée au Mississipi à la chaîne. Ce livre s'est vendu à Paris, et on y courait comme au feu, dans lequel on aurait dû brûler le livre et l'auteur, qui a pourtant du style.

Le 8 du même mois, il revient à la charge :

Avez-vous lu Manon Lescaut? Il n'y a là-dedans qu'un mot de bon, qu'elle était si belle qu'elle aurait pu ramener l'idolâtrie dans l'Univers.

Et le 15 encore :

Voyez donc Manon Lescaut, et puis la jetez au feu, mais il faut la lire une fois, si mieux n'aimez la mettre dans la classe des Priapées, où elle brigue une place[2].

En fait, si les exemplaires saisis furent « supprimés » le 18 juillet 1735[3], *aucune sanction ne fut prise contre l'auteur. Montesquieu n'eut apparemment pas de peine à se procurer un exemplaire de l'ouvrage interdit, dont la lecture lui inspira les réflexions suivantes :*

J'ai lu ce 6 avril 1734 *Manon Lescaut,* roman composé par le P. Prévost. Je ne suis pas étonné que ce roman, dont le héros est un fripon et l'héroïne une catin qui est menée à la Salpêtrière, plaise, parce que toutes les actions du héros, le chevalier des Grieux, ont pour motif l'amour, qui est toujours un motif noble, quoique la conduite soit basse.

---

1. A titre de bâtonnier de l'ordre des avocats. Ainsi, lorsque l'Académie fait supprimer un article *Pour et contre les avocats,* qui ne fut pas publié, Marais en a connaissance (Harrisse, p. 216).

2. Bibliothèque Nationale, Ms. Fr. 24414, f° 483, 482 et 489. Ces lettres ne figurent pas dans *Journal et Mémoires de Mathieu Marais* édités par Lescure (1863-1868).

3. Harrisse, pp. 248-249.

Manon aime aussi, ce qui lui fait pardonner le reste de son caractère[1].

Mieux, le Pour et Contre, *qui paraissait en France avec un privilège, put donner un compte rendu détaillé et favorable de l'ouvrage de Prévost, qui suivait un autre compte rendu, moins favorable, du* Cleveland[2] :

Le public a lu avec beaucoup de plaisir le dernier volume des *Mémoires d'un Homme de qualité,* qui contient les Aventures du chevalier des Grieux et de Manon Lescaut. On y voit un jeune homme avec des qualités brillantes et infiniment aimables, qui, entraîné par une folle passion pour une jeune fille qui lui plaît, préfère une vie libertine et vagabonde à tous les avantages que ses talents et sa condition pouvaient lui promettre; un malheureux esclave de l'amour, qui prévoit ses malheurs sans avoir la force de prendre quelques mesures pour les éviter, qui les sent vivement, qui y est plongé, et qui néglige les moyens de se procurer un état plus heureux; enfin un jeune homme vicieux et vertueux tout ensemble, pensant bien et agissant mal, aimable par ses sentiments, détestable par ses actions. Voilà un caractère bien singulier. Celui de Manon Lescaut l'est encore plus. Elle connaît la vertu, elle la goûte même, et cependant elle commet les actions les plus indignes. Elle aime le chevalier des Grieux avec une passion extrême; cependant le désir qu'elle a de vivre dans l'abondance et de briller, lui fait trahir ses sentiments pour le chevalier, auquel elle préfère un riche financier. Quel art n'a-t-il pas fallu pour intéresser le lecteur, et lui inspirer de la compassion, par

---

1. *Pensées et Fragments inédits,* Bordeaux, Gounouilhou, 1901, in-8, t. II, p. 61. Ce passage a été souvent cité, mais presque toujours avec des erreurs de date ou de texte.

2. N° XXX, rédigé par Desfontaines. Une phrase résume l'opinion du critique : « Cleveland est le plus malheureux de tous, mais il a la consolation de faire de longues et habiles réflexions sur ses chagrins : Il faut avouer que voilà des caractères et des fictions bien étranges. » (T. II, p. 356.) Noter que Desfontaines, ou son collaborateur, copie encore un article des *Lettres sérieuses et badines,* VI, lettre XIV, pp. 224-227, qui se terminait comme suit : « Cleveland est le plus malheureux de tous. Mais il a la consolation de faire de longues et subtiles réflexions sur ses chagrins. Vous ne sauriez croire combien cela soulage. »

rapport aux funestes disgrâces qui arrivent à cette fille corrompue! Quoique l'un et l'autre soient très libertins, on les plaint, parce que l'on voit que leurs dérèglements viennent de leur faiblesse et de l'ardeur de leurs passions, et que, d'ailleurs, ils condamnent eux-mêmes leur conduite et conviennent qu'elle est très criminelle. De cette manière, l'auteur, en représentant le vice, ne l'enseigne point. Il peint les effets d'une passion violente qui rend la raison inutile, lorsqu'on a le malheur de s'y livrer entièrement; d'une passion qui, n'étant pas capable d'étouffer entièrement dans le cœur les sentiments de la vertu, empêche de la pratiquer. En un mot, cet ouvrage découvre tous les dangers du dérèglement. Il n'y a point de jeune homme, point de jeune fille, qui voulût ressembler au Chevalier et à sa maîtresse. S'ils sont vicieux, ils sont accablés de remords et de malheurs. Au reste le caractère de Tiberge, ce vertueux ecclésiastique, ami du Chevalier, est admirable. C'est un homme sage, plein de religion et de piété; un ami tendre et généreux; un cœur toujours compatissant aux faiblesses de son ami. Que la piété est aimable lorsqu'elle est unie à un si beau naturel! Je ne dis rien du style de cet ouvrage. Il n'y a ni jargon, ni affectation, ni réflexions sophistiques : c'est la nature même qui écrit. Qu'un auteur empesé et fardé paraît pitoyable en comparaison! Celui-ci ne court point après l'esprit, ou plutôt après ce qu'on appelle ainsi. Ce n'est point un style laconiquement constipé, mais un style coulant, plein et expressif. Ce n'est partout que peintures et sentiments, mais des peintures vraies et des sentiments naturels[1].

On fait d'ordinaire trop d'honneur à cet article, en s'imaginant qu'il est de l'abbé Prévost et représenterait son opinion définitive à l'égard de son chef-d'œuvre. En réalité, Prévost n'y est pour rien et n'a pas collaboré à la rédaction de ce numéro du Pour et Contre. *Son auteur est Desfontaines, qui, avec l'abbé Granet, assurait la rédaction du journal en l'absence de Prévost. Mais le fond de l'article n'est pas original. A la réserve des dernières phrases, où il reprend ses attaques venimeuses contre le style de Marivaux, Desfontaines se contente de démarquer l'article des* Lettres sérieuses et badines *qu'il suppose inconnu ou oublié, non sans*

---

1. Feuille XXXVI, publiée vers avril 1734, t. III, pp. 137 et suiv.

quelque apparence de raison, puisqu'il a fallu plus de deux cents ans pour que son larcin fût démasqué[1]. *Comme dans cet article, l'analyse du caractère de Manon est développée, alors que Prévost lui-même l'avait laissée de côté. Quant aux réflexions morales, qui ne sont pas dans les* Lettres sérieuses et badines, *elles ne viennent pas non plus de Prévost. Il y a loin de l'observation banale qu' « en représentant le vice », l'auteur « ne l'enseigne point » aux problèmes que pose, sans les résoudre, l'*Avis *au lecteur de* Manon Lescaut[2].

Suivant toute apparence, les formules hypocrites du Pour et Contre *étaient autant destinées à détourner les foudres de la censure du journal qui faisait l'éloge d'un ouvrage scandaleux que du roman lui-même. Peu de temps après, l'abbé Bougeant se sent encore obligé de se placer sur le plan de la morale pour juger* Manon Lescaut *dans le* Voyage merveilleux du prince Fan-Feredin au pays de Romancie (1735). *Parmi les personnages de roman qui se présentent au voyageur, voici Manon :*

Quelle femme ! je n'ai jamais rien vu de si éveillé; je n'aurais pas cru qu'un homme du caractère de *** pût se charger d'une telle princesse. Je ne me souviens pas bien de ses plaintes, mais elles se réduisaient, en général, à accuser son armateur [*i. e.* l'auteur] de l'avoir tirée de l'obscurité où elle vivait, et où elle s'était justement condamnée elle-même, afin de cacher le dérangement de sa conduite, pour la produire sur la scène au grand jour, et lui faire parcourir le monde comme une effrontée, qui brave toutes les lois de la pudeur et de la bienséance[3].

Comme il est d'usage, à la flambée d'intérêt des premières années, succéda une longue période d'apparent oubli. Certes, le livre continua à faire son chemin. En 1744, déjà, on trouve pour désigner Prévost, non plus l'expression qu'il employait lui-même, « l'auteur des Mémoires d'un Homme de qualité » *ou « l'auteur du* Philo-

---

1. Voir F. Deloffre : *Un morceau de critique en quête d'auteur : le jugement du « Pour et Contre » sur « Manon Lescaut »*, p. 267.

2. Voir pp. 5-6.

3. Guillaume-Hyacinthe Bougeant, *Voyage merveilleux*, etc., à Paris, P. G. Le Mercier, 1735, pp. 231-232.

sophe anglais », *mais la périphrase nouvelle et significative,* « *l'auteur de* Manon Lescaut [1] ». *Il n'en reste pas moins que la critique semble confondre l'ouvrage avec l'ensemble de la production romanesque de Prévost. Ni La Neuville Montadon* [2], *ni Delmas ou d'Argens, qui pourtant s'inspirent l'un et l'autre de* Manon Lescaut [3], *ne songent, lorsqu'ils saluent en Prévost le premier romancier français, à mentionner spécialement son chef-d'œuvre* [4]. *Dans la décade suivante encore, ni Desfontaines, dont le* Testament littéraire, *peut-être apocryphe (1746), contient des allusions ironiques aux « romans du haut style », inventés par Prévost* [5], *ni La Porte, qui, dans son* Voyage au Séjour des ombres *(1749), rappelle, pour rabaisser les* Mémoires d'un Honnête Homme, *l'intérêt et la pureté des* Mémoires de qualité [6], *ne font allusion à* Manon Lescaut. *Il n'est pas moins curieux de voir deux autres critiques, l'abbé Raynal et Espiard de la Cour, attester spécialement la vogue de l'abbé Prévost, seul ou en compagnie de Marivaux,*

---

1. Voyez p. XXXIV, note 3. Dans l'Avertissement du *Recueil de ces Dames*, de Chevrier (1745), des personnes de goût ne peuvent se persuader que les *Mémoires d'un Honnête Homme*, « faiblement écrits », soient « de l'auteur de *Manon Lescaut* ».

2. Qui, dans ses *Lettres amusantes et critiques sur les romans en général, anglais et français, tant anciens que modernes* (Paris, Gissey, 1743, p. 36), attribue au « goût » anglais la prédilection de Prévost pour « les histoires sanglantes remplies d'événements extraordinaires et incroyables ».

3. Jean-Auguste Delmas dans *l'Amour Apostat* (1735), qui vient d'être exhumé par Oscar A. Haac (voir *l'Amour dans les Collèges jésuites*, article paru dans *Studies on Voltaire and the eighteenth century*, XVIII, 1961, pp. 91 à 111), et d'Argens dans les *Mémoires du comte de Vaxère* ou *le Faux Rabbin.*

4. D'Argens dit seulement qu'il a « approché plus ou moins de la perfection, selon [qu'il a] plus ou moins imité la nature » (*Lettres Juives,* 1738, dans l'édition Paupie, La Haye, 1764, t. II, p. 44), et Delmas l'appelle « l'auteur de *Clevelan (sic)* et des *Mémoires d'un Homme de qualité* » (*op. cit.*, préface).

5. On les oppose à ceux de Marivaux : « Ceux-ci (ceux de Prévost), beaucoup plus intrigués et surchargés d'événements, ne peignent que des passions tristes ou furieuses, et remplissent l'imagination de noirceur. Les écrivains de ce dernier genre sont ordinairement diffus et verbeux; mais polis, châtiés, élégants : ils sèment l'éloquence et l'ennui. » (*Testament littéraire de Messire... Guyot, abbé Desfontaines,* La Haye, 1746, pp. 72-73.)

6. *Voyage au Séjour des ombres,* 1749, pp. 38-39.

pendant ces années 1748-1749, sans préciser le rôle joué par Manon Lescaut *dans cette popularité*[1].

Ce ne fut, ni la publication de l'édition de 1753, ni même la mort de Prévost, en 1763, qui permirent à la critique de se ressaisir. En 1767, le Temple de Mémoire, *déjà cité en une autre occasion*[2], *oppose encore* Zaïde *et* la Princesse de Clèves, *où il y a « du naturel, du véritable intérêt et de la vraisemblance » aux « aventures horribles », aux « récits funestes qui déchirent le cœur et plongent l'âme dans la plus noire mélancolie » des romans de Prévost, en omettant de mettre à part* Manon Lescaut[3]. *Mais, la même année, le réajustement des perspectives fut enfin opéré par Palissot, dans un article du* Nécrologe *qui marque une date dans la critique de* Manon Lescaut. *Palissot ne fait pas seulement la différence entre les « œuvres estimables » que sont* Cleveland *ou les* Mémoires d'un Homme de qualité *et le « chef-d'œuvre » qu'est* Manon Lescaut. *Il marque aussi fortement la place de l'abbé Prévost dans l'histoire du genre. Aux romans fabuleux du XVIIe siècle, aux romans libertins du XVIIIe siècle, il oppose des ouvrages*

---

1. Voici le jugement de Raynal (1748) : « L'abbé Prévost est, selon beaucoup de gens, le premier de nos romanciers : son style est pur et noble, sa manière est vive et intéressante, il est communément dans la nature, et il connaît le cœur humain. Mais son crayon est triste et noir, les aventures qu'il imagine sont trop souvent tragiques; les héros sont babillards, ils ne goûtent jamais un plaisir sans en vouloir savoir la raison. Toutes les fois qu'il s'est mêlé de savoir les mœurs extérieures, il a échoué, parce qu'il ne les connaît pas; il attrape bien mieux le sentiment. *Les Aventures d'un Homme de qualité* et le *Cleveland* sont ses meilleurs ouvrages. » (*Correspondance de Grimm, Diderot,* etc., édit. Tourneux, t. I, pp. 138-139.) Espiard de la Cour, qui donne Marivaux et Prévost pour les « auteurs romanciers les plus en vogue », écrit : Prévost, « d'un caractère anglais, fait couler le sang à chaque page, il effraie, il attriste, et cependant se fait lire avec plaisir, par la pureté et la beauté de son style » (*Œuvres mêlées, contenant des pensées philosophiques et quelques poésies*, Amsterdam, 1749, pp. 31-32).

2. Page LXXIII.

3. Tome II, p. 49. Le jugement est mis dans la bouche du marquis d'Argens, qui attribue le caractère noir de l'œuvre de Prévost au « commerce des Anglais », comme le faisait d'Espiard de la Cour, cité plus haut. Sur le fait que la critique contemporaine n'établit guère de distinction entre *Manon* et les autres romans, voyez p. CLXVII.

... plus estimables, dans lesquels presque toutes les conditions du genre dramatique sont remplies, où les mouvements du cœur sont développés avec art; où les passions s'expriment dans le langage qui leur est propre; enfin où l'on trouve des caractères vrais qui ne se démentent point, des mœurs prises dans la nature, et des sentiments qui nous attachent d'autant plus, qu'ils ne sont une imitation plus fidèle de ceux qui nous affecteraient nous-mêmes, si nous étions placés dans les circonstances où l'auteur nous représente ses personnages[1].

C'est en ce genre que, selon Palissot, Prévost a fait, « du moins en France », figure d'inventeur et de maître. Suit l'éloge traditionnel des Mémoires d'un Homme de qualité *et de* Cleveland, *mais la suite, où Palissot développe implicitement le rapprochement qu'il a fait entre le roman de Prévost et la tragédie, est, pour l'époque, un des meilleurs morceaux de critique sur* Manon Lescaut :

Peut-être le chef-d'œuvre de sa plume, malgré la prédilection qu'il témoignait pour *Cleveland,* c'est (et plus d'un homme de goût l'aura déjà nommé), c'est, dis-je, *l'Histoire du chevalier des Grieux et de Manon Lescaut.* Qu'un jeune libertin et une fille née seulement pour le plaisir et pour l'amour parviennent à trouver grâce devant les âmes les plus honnêtes; que la peinture naïve de leur passion produise l'intérêt le plus vif; qu'enfin le tableau des malheurs qu'ils ont mérités arrache des larmes au lecteur le plus austère; et que, par cette impression là même, il soit éclairé sur le germe des faiblesses renfermé, sans qu'il le soupçonne, dans son propre cœur, c'est assurément le triomphe de l'art, et ce qui doit donner l'idée la plus haute des talents de l'abbé Prévost. Aussi, dans ce singulier ouvrage, l'expression des sentiments est-elle quelquefois brûlante, s'il est permis de hasarder ce mot. *Les yeux de Manon, ces yeux dont le ciel ouvert n'eût pas détaché les regards de son amant;* cette division que le chevalier des Grieux

1. *Le Nécrologe des Hommes célèbres de France,* par une société de gens de lettres. A Paris, de l'imprimerie de Moreau, 1767, avec privilège du roi. L'Éloge de Prévost occupe les pp. 59-81, et le passage cité figure à la p. 66.

croit sentir dans son âme, quand, accablé en quelque sorte de la tendresse de Manon, il lui dit : *Prends garde je n'ai point assez de force pour supporter des marques si vives de ton affection; je ne suis point accoutumé a cet excès de joie. O Dieu! je ne vous demande plus rien,* etc.; de pareils traits, ce me semble, font mieux sentir que de vains éloges le génie de l'auteur, et l'étude approfondie qu'il avait faite du langage des passions[1].

Moins enthousiaste que le jugement de Palissot, celui de La Dixmérie (1769) n'en est pas moins intéressant par l'importance qu'il attache, pour résoudre le problème de la supériorité de Manon Lescaut *dans l'ensemble de l'œuvre de Prévost, à des considérations techniques. Comme Palissot, La Dixmétrie insère ses remarques critiques dans une histoire générale du genre narratif:*

Jusqu'alors on n'avait point vu renaître le goût des romans trop étendus. Il était rare qu'on eût filé une intrigue unique par-delà deux volumes. Les *Mémoires d'un Homme de qualité* parurent et passèrent de beaucoup ce nombre. M. l'abbé Prévost ne se montra pas plus sobre dans *l'Histoire de Cleveland.* Il semblait vouloir accréditer de nouveau l'abus qu'on avait proscrit. C'était, il est vrai, le seul rapport qu'il y eût entre ses romans et ceux du commencement de l'autre siècle : son imagination le porte souvent à l'extraordinaire; mais rien de ce qu'il suppose n'est physiquement impossible. C'est un nouveau genre de fiction qui agite fortement notre âme; ce sont des tableaux énergiques, mais sombres. Les catastrophes y sont multipliées : partout le sang y coule avec les larmes. Les antres, les tombeaux, les poignards levés ou sanglants sont les images favorites de l'auteur. Son style est pur, mais toujours grave, même lorsqu'il pourrait l'égayer. En général, ce qu'il peint le mieux, ce sont les grandes passions. Il approfondit, il épuise le sentiment. Il déchire l'âme en même temps qu'il l'effraie. Ce qu'on peut justement lui reprocher, c'est d'avoir prodigué les réflexions, de n'avoir pas toujours su les rendre intéressantes. Ce reproche peut s'étendre au

1. *Ibid.* pp. 68-70. Rapprocher les intéressantes réflexions de Marmontel sur *Manon Lescaut* dans son *Essai sur les romans considérés du côté moral* (éd. 1819, t. X, pp. 287 et suiv.).

plus grand nombre de ses ouvrages d'imagination. Exceptons-en, toutefois, *l'Histoire de Manon Lescaut,* roman tout neuf dans son genre, qui intéresse malgré le vice des caractères, et qui ne doit cet intérêt qu'à l'art de l'écrivain. L'étendue de ce roman n'est que de ce qu'elle doit être; mérite un peu rare chez M. l'abbé Prévost. Mais il faut l'avouer, jamais on ne posséda mieux que lui l'art d'être long sans paraître ennuyeux[1].

Après ces deux morceaux dignes d'intérêt, celui que l'abbé Chaudon donne quelques années plus tard (1773), dans sa Bibliothèque d'un Homme de goût, *déçoit. L'affirmation que la vie de Prévost « fut remplie par beaucoup de ces incidents romanesques qu'il sema dans ses écrits*[2] *» est trop vague pour être de quelque utilité. Aucune mention spéciale n'est consacrée à* l'Histoire du chevalier des Grieux, *mise sur le même plan que les* Mémoires d'un Homme de qualité, Cleveland, l'Histoire d'une Grecque moderne *et le* Monde moral. *Seule, la référence au* Nouveau Dictionnaire historique *est à retenir, car elle signifie que la notice qui y est consacrée à Prévost, et à laquelle nous avons déjà renvoyé*[3], *est du même auteur que la* Bibliothèque.

La publication des Œuvres choisies *de l'abbé Prévost, en 1783, donna l'occasion à l'éditeur, Bernard d'Héry, d'introduire dans sa notice un long développement sur* Manon Lescaut. *Mais ce n'est qu'un insipide résumé de l'intrigue, à l'exception des quelques lignes d'introduction, que voici :*

Je place ici l'histoire du chevalier des Grieux et de Manon Lescaut, parce qu'elle se trouve liée aux *Mémoires*

---

1. La Dixmérie, *les Deux Ages du Goût*, La Haye, 1769, pp. 364-365.
2. *Bibliothèque d'un Homme de goût...*, par L. M. D. V., Bibliothécaire de M. le Duc de **, à Amsterdam, aux dépens de la Compagnie des Libraires, 1773, 2 vol., t. II, p. 250. Dans le remaniement de cet ouvrage publié par l'abbé de La Porte sous le titre de *Nouvelle Bibliothèque d'un Homme de Goût* (4 vol. in-12, Paris, 1777) cette phrase disparaît. La page consacrée à Prévost reprend les jugements traditionnels sur les effets de terreur, les invraisemblances, la noblesse du style, etc., sans qu'il soit particulièrement question de *Manon Lescaut* (tome IV, p. 74).
3. Cf. ci-dessus, p. VII, note 3.

d'un Homme de qualité, quoiqu'elle ait paru après *Cleveland*[1]. On a douté si cet ouvrage n'était pas le chef-d'œuvre de son auteur, et, ce qui retrancherait quelque chose de sa gloire, on a douté si le chevalier des Grieux fut un être chimérique[2].

Peut-être serait-il curieux d'étudier le destin de Manon Lescaut *à l'époque révolutionnaire et sous l'Empire. Pour nous en tenir aux textes consacrés à une critique proprement littéraire du roman, nous en citerons trois qui ne répètent pas les banalités traditionnelles au siècle précédent. Le premier est du marquis de Sade. Citant apparemment Laharpe, qui loue « ces scènes attendrissantes et terribles*[3] *» répandues dans* Cleveland, l'Histoire d'une Grecque moderne, le Monde moral *et* Manon Lescaut, *Sade ajoute cette note à propos du dernier titre :*

Quelles larmes que celles qu'on verse à la lecture de ce délicieux ouvrage! Comme la nature y est peinte, comme l'intérêt s'y soutient, comme il augmente par degrés, que de difficultés vaincues! Que de philosophie à avoir fait ressortir tout cet intérêt d'une fille perdue; dirait-on trop en osant assurer que cet ouvrage a des droits au titre de notre meilleur roman? Ce fut là où Rousseau vit que, malgré des imprudences et des étourderies, une héroïne pouvait prétendre encore à nous attendrir, et peut-être n'eussions-nous jamais eu Julie, sans Manon Lescaut[4].

---

1. Erreur, de même que toute la phrase qui suit l'analyse : « Ce fut à Londres, où il était repassé, que Prévost composa l'histoire du chevalier des Grieux; il y avait déjà publié en 1732 celle de Cleveland, fils naturel de Cromwell ». Cette dernière inexactitude est fondée sur une erreur de Dom Dupuis, suivi par Palissot, qui place la composition de *Cleveland* pendant le second séjour en Angleterre (voir ci-dessus, p. XLVIII, note 4).

2. T. I, p. 34.

3. Le jugement de Laharpe sur Prévost est contenu dans son *Cours de littérature*, édit. de 1829, tome XIV (cité partiellement par Lasserre, pp. 142-143). Il y met *Manon Lescaut* hors de pair dans l'œuvre de Prévost, pour la clarté de la composition, la « passion et la vérité » des peintures, surtout du portrait de Manon.

4. D. A. F. de Sade, *Idée sur les romans* (placée originairement en tête de la première édition des *Crimes de l'Amour*, Massé, An VIII), par les soins du Palimugre, pp. 36-38.

Fait remarquable, Sade préfère ainsi Manon Lescaut *aux* Liaisons dangereuses, *qu'il ne cite même pas. Mais son éloge prend plus de signification encore à la lumière des quelques considérations qui suivent, par lesquelles il répond à une objection souvent formulée contre les romans, et spécialement contre* Manon Lescaut. *Quelle est cette utilité dont se réclament leurs auteurs?* A quoi servent les romans?

A quoi ils servent, hommes hypocrites et pervers; car vous seuls faites cette ridicule question; ils servent à vous peindre tels que vous êtes, orgueilleux individus qui voulez vous soustraire au pinceau, parce que vous en redoutez les effets. Le roman étant, s'il est possible de s'exprimer ainsi, *le tableau des mœurs séculaires,* est aussi essentiel que l'histoire au philosophe qui veut connaître l'homme; car le burin de l'une ne peint que lorsqu'il se fait voir; et alors ce n'est plus lui; l'ambition, l'orgueil couvrent son front d'un masque qui ne nous représente que ces deux passions, et non l'homme; le pinceau du roman, au contraire, le saisit dans son intérieur (...) le prend quand il quitte ce masque, et l'esquisse, bien plus intéressante, est en même temps bien plus vraie : voilà l'utilité des romans; froids censeurs qui ne les aimez pas, vous ressemblez à ce cul-de-jatte qui disait aussi : *et pourquoi fait-on des portraits*[1] *?*

Infiniment moins bien écrit que le précédent, un autre jugement contemporain, manuscrit et anonyme, aperçoit avec une pénétration inattendue quelques-uns des moyens employés par l'abbé Prévost pour séduire son lecteur, pour endormir son sens moral en lui faisant voir Manon par les yeux de des Grieux, en le poussant à s'identifier lui-même avec le chevalier :

Après avoir vu dans la notice à la fin des *Mémoires d'un Homme de qualité*, tome III, les reproches que le publiciste fait au chevalier des Grieux sur ce qu'il savait trop bien corriger la fortune au jeu et qu'il s'en applaudissait même devant son père, le journaliste ajoute[2] : ce chevalier prétend

---

1. *Ibid.*, pp. 41-42.
2. Pas plus que Joseph Aynard, qui a découvert ce texte sur la page de garde d'un exemplaire de l'édition de 1734 (à Londres, chez

aussi, non pas tout à fait que sa Manon soit une honnête femme, mais que c'est ce que la terre a produit de plus aimable. Il se place sans façon ainsi qu'elle au rang des gens que la fortune persécute injustement. « Pourquoi, s'écrie-t-il dans un moment d'adversité, pourquoi ne sommes-nous pas nés l'un et l'autre avec des qualités conformes à notre misère? Nous avons reçu de l'esprit, du goût, des sentiments, hélas! quel triste usage en faisons-nous, tandis que tant d'âmes basses et dignes de notre sort jouissent des faveurs de la fortune[1]! » C'est presque toujours avec des sentiments de ce genre que le chevalier des Grieux raconte sa singulière histoire; on y est encore moins blessé du défaut de conduite que du défaut de morale, et on ne lui reproche pas tant de manquer de vertus que de manquer de remords, mais il est de si bonne foi qu'on ne peut presque pas l'accuser plus qu'il ne s'accuse lui-même, tant nous nous portons aisément dans les mœurs et les habitudes de ceux dont nous lisons l'histoire. D'ailleurs il ne faut pas confondre celle de Manon Lescaut avec les autres œuvres de l'abbé Prévost; elle n'y ressemble en rien, plus d'événements, plus de rencontres bizarres, de coups du sort, rien que des sentiments, et les sentiments les plus difficiles à concevoir, mais rendus avec une telle vérité, une telle énergie, qu'il n'est pas possible d'en douter; peints avec tant de charmes qu'il n'y a pas moyen d'y résister. Nous avons dans plusieurs romans des amants plus violents que le chevalier des Grieux, je ne sais si nous en avons de plus passionnés et de plus touchants; je le crois même plus vrai, plus naturel. La faiblesse qui succède à ses transports de jalousie, cette tendresse passionnée qui le fait tomber doux et soumis aux pieds de sa maîtresse infidèle, n'est-elle donc pas davantage dans le caractère de l'amour que ces accès de

---

les frères Constant, à l'enseigne de l'Inconstance), nous ne pouvons dire qui est ce journaliste, ou le publiciste mentionné plus haut. L'allusion à une édition des *Mémoires d'un Homme de qualité* en trois volumes fait penser à l'édition de 1783 ou a celle de 1810 des *Œuvres diverses*. L'orthographe du passage, telle que la donne Aynard, ne diffère de la nôtre que par l'emploi de *y* au lieu de *i* dans *ainsy*, *pourquoy*, *foy*, *vray*, *jouyssent*, des imparfaits en *-ois*; des pluriels en *-ens* pour *ents* (*sentimens*...), et la graphie *mesme* pour *même*. Plusieurs idées semblent inspirées du *Nécrologe*. Voyez p. CLXIX.

1. Cf. p. 157.

violence qui le font ressembler à la haine ? Quel amant pourrait être capable de sentir toute sa douleur ou toute sa fureur auprès de celle qu'il aime ? Rien n'étonne dans les pardons si prompts, si peu achetés, que cet amant outragé accorde à sa maîtresse. L'excès de sa passion nous a préparés à tout, elle fait tout l'intérêt du roman. Ce n'est pas à sa Manon que nous nous intéressons, c'est à l'objet de cette passion si tendre ; nous lui pardonnons parce que le chevalier lui pardonne, l'ivresse de l'amant nous peint les charmes de sa belle, nous la voyons par ses yeux, nous l'aimons avec son cœur. Il n'y a point d'art dans ce roman, point d'autre art que l'amour ; et ce qu'il y a de singulier, c'est que les peintures de cet amour le moins chaste, le moins légitime qu'on puisse imaginer, ne s'adressent jamais qu'au cœur, sans qu'on y rencontre le moindre détail capable de blesser l'imagination : s'il séduit, c'est par des mouvements d'une telle sensibilité qu'elle seule peut y prendre part, c'est par des scènes d'une tendresse naïve qui feraient le charme de l'amour le plus pur. On a peine à concevoir une séduction si douce avec une immoralité si frappante, et l'on se demande aussi comment l'homme capable de faire un pareil roman a passé sa vie à en faire d'autres qui y ressemblent si peu[1].

Avec ce texte, on peut considérer comme close, en France, la période de la critique objective de Manon Lescaut. *Tous ceux qui en parleront au XIXe siècle et ensuite prendront le roman de Prévost comme un prétexte à formuler une profession de foi. Ce serait une entreprise fascinante que de voir ce que Musset, Stendhal, Vigny, Michelet, Alexandre Dumas fils, Maupassant, les Goncourt, Barbey d'Aurevilly, Anatole France, Gide, Jean Cocteau ou d'autres ont écrit de* Manon[2] : *mais cette étrange revue appartiendrait davantage à la psychologie des époques ou des*

1. Édition J. Aynard, Paris, Bossard, 1926, pp. XX-XXII.
2. On trouvera des éléments de cette étude dans E. Lasserre, *Manon Lescaut de l'abbé Prévost*, Paris, 1930 ; C.-É. Engel, *le Véritable abbé Prévost*, pp. 286-292 ; V. Lugli, *Un romanzo illustre, due musicisti e molti librettisti,* in *Jules Renard e altri amici,* Messina, d'Anna, 1948, pp. 67-72 (adaptations musicales) ; G. Natoli, article cité p. LXXXIII, note 4 (p. 176, note 3, donnant l'opinion de Benedetto Croce sur *Manon Lescaut*) ; Léon Cellier (voyez la *Bibliographie*), etc.

*milieux qu'à la critique. Elle prouverait seulement, à propos de l'œuvre de Prévost, ce que l'on sait déjà, c'est-à-dire son essentielle ambiguïté. Aussi conclurons-nous cette étude des jugements contemporains par celui de Gœthe, qui reflète encore la sensibilité et l'esthétique du XVIII*e *siècle.*

Racontant, au cinquième livre de Dichtung und Wahrheit, *ses amours avec Gretchen, le poète, après avoir écrit qu'il se forgeait en imagination, pour se torturer, « le plus étrange roman d'aventures sinistres, inévitablement suivis d'une catastrophe tragique », continuait ainsi :*

Pour alimenter un tel chagrin, certains romans, surtout ceux de Prévost, convenaient parfaitement. *L'Histoire du chevalier des Grieux et de Manon Lescaut* me tomba au même moment[1] entre les mains, et renforça d'une délicieuse torture mes folies hypocondriaques. La grande intelligence avec laquelle ce poème[2] est conçu, l'inestimable maîtrise artistique avec laquelle il est exécuté me demeuraient certes cachées. L'œuvre n'avait sur moi qu'un effet quasi matériel; je m'imaginais pouvoir me montrer aussi aimant et aussi fidèle que le chevalier, et, jugeant Gretchen infiniment meilleure que ne l'avait été Manon, je croyais que tout ce qu'on pouvait faire pour elle était tout à fait de mise. Et comme il est de la nature du roman que la jeunesse en repaisse ses forces surabondantes, et que la vieillesse y réchauffe ses glaces, cette lecture ne contribuait pas peu à rendre mes relations avec Gretchen plus riches, plus agréables, plus délicieuses même; et lorsqu'elles eurent cessé, mon état plus pitoyable et le mal inguérissable, afin que se réalisât pour moi ce qui était écrit[3].

---

1. Vers 1765. Gœthe, né en 1749, avait environ seize ans.
2. L'expression allemande, *Dichtung*, est presque aussi notable que l'équivalent français, *poème*.
3. « Zur Nährung eines solchen Kummers waren gewisse Romane, besonders die von Prevost, recht auferlesen. Die Geschichte des Ritters Degrieux und der Manon Lescaut fiel mir zur gleichen Zeit in die Hände und bestärkte mich, auf eine süssqualende Weise, in meinen hypochondrischen Torheiten. Der grosse Verstand, womit diese Dichtung konzipiert, die unschätzbare Kunst, womit sie aufgeführt worden, blieb mir freilich verborgen. Das Werk tat auf mich eine stoffartige Wirkung; ich bildete mir ein, so liebend und so treu sein zu können, wie der Ritter, und da ich Gretchen für unendlich

On ne s'attendait pas à voir Gœthe avouer que les souffrances du chevalier des Grieux firent à peu près sur lui l'effet que firent celles du jeune Werther sur son propre public. Mais il est plus digne d'attention encore que cet homme de génie attribue la réussite de Prévost à ce qui fit la sienne, nous voulons dire à la vertu d'une inspiration sereinement maîtrisée par l'art.

---

besser hielt, als Manon sich erwiesen, so glaubte ich alles, was man für sie tun könne, sei sehr wohl angelegt. Und wie die Natur des Romans ist, dass die Fülle der Jugend dadurch übersättigt und die Nüchternheit des Alters wieder aufgefrischt ist, so trug diese Lektüre nicht wenig dabei, mein Verhältnis zu Gretchen, solange es dauerte, reicher, behaglicher, ja wonnenvoller, und als es zerstört wurde, meinen Zustand elender, ja das Uebel unheilbar zu machen, damit an mir erfüllt wurde, was geschrieben steht. » (*Gœthes sämtliche Werke,* Jubiläums Ausgabe, vol. XX, pp 256 et 296, et voir aussi la note au vol. XXIV, p. 272).

2.0.

Mon reverend Pere

Je ferai demain ce que je devrois avoir fait il y a plusieurs années, ou plutost ce que je devrois ne m'estre jamais mis dans la necessité de faire; je quitterai la Congregation pour passer dans le grand ordre. De quoi m'avisois-je il y a huit ans, d'entrer parmi vous? et vous Mon Reverend Pere ou vos Predecesseurs de quoi vous avisiez vous de me recevoir? ne deviez vous pas prevoir et moi aussi les peines que nous ne manquerions pas de nous causer tot ou tard, et les extremitez facheuses ou elles pourroient aboutir? J'ai eu chez vous de justes sujets de chagrin; la demarche que je vais faire vous chagrinera peutestre aussi: voions de quel coté est l'injustice.
Il est certain Mon reverend Pere que je me suis conduit dans la Congregation d'une maniere irreprochable si j'ai des ennemis parmi vous je ne crains pas de les prendre eux mêmes a temoins. Mon caractere est naturellement plein d'honneur. J'aimois un corps auquel j'etois —

Pl. I. Lettre de Prévost (18 octobre 1728).

Pl. II. Portrait de Prévost.

(Dessin de G. F. Schmidt

Pl. III. Portrait d'un inconnu.

(Pastel.)

MEMOIRES

ET

AVANTURES

D'UN HOMME

DE QUALITE

Qui s'est retiré du monde.

TOME SEPTIÈME.

A AMSTERDAM.

Aux dépens de la COMPAGNIE.

MDCCXXXI.

Pl. IV. PAGE DE TITRE DE L'ÉDITION ORIGINALE DE *Manon Lescaut*.

Pl. V. Chargement des charrettes pour la Salpêtrière.

8	Caterine Boyart agée de 30. ans originaire de Paris	Pour debauches avec un homme marié qui a ruiné sa famille, sa famille de cette fille prie qu'on la fasse aller aux isles
9	Anne Maurice agée de 16. ans de Paris	Ce sont deux petites prostituées et deux petites larronnesses des plus dangereuses. L'aisnée a eu un enfant du valet du bourreau dont elle est accouchée en cette maison
10	Marie Maurice agée de 19. ans de Paris sa sœur	
11	Susanne Bouley agée de 22. ans de Lizy en Brie	C'est une franche larronnesse et une fille des plus prostituées
12	Marie Antoinette Neron agée de 19. ans de Paris	Pour vol et prostitution publique
13	Marie Lelong agée de 28. ans de Meaux en brie	C'est une fille des plus prostituées, tres recommandée par Mgr. l'archevesque de Meaux pour aller aux isles

Pl. VI. Liste de filles *bonnes pour les Iles* (27 juin 1719).

Pl. VII. *Le triste embarquement des filles de joie de Paris.*

(Cl. B. N.)

Pl. VIII. *Départ pour les Iles.*

HISTOIRE
DE
MANON LESCAUT

AVIS DE L'AUTEUR

DES

Mémoires d'un Homme de Qualité[1]

QUOIQUE j'eusse pu faire entrer[a] dans mes Mémoires les aventures du chevalier[b] des Grieux, il m'a semblé que n'y ayant point un rapport nécessaire[2], le lecteur trouverait plus de satisfaction à les voir séparément[c]. Un récit de cette longueur aurait interrompu trop longtemps le fil de ma propre histoire. Tout éloigné que je suis de prétendre à[d] la qualité d'écrivain exact, je n'ignore point qu'une narration doit être déchargée des circonstances[e] qui la rendraient pesante et embarrassée. C'est le précepte d'Horace :

> Ut jam nunc dicat jam nunc debentia dici
> Pleraque differat, ac prœsens in tempus omittat[3].

---

1. Cet auteur est le marquis de Renoncour, l'Homme de qualité dont les six tomes de *Mémoires* présentés comme authentiques précèdent la présente Histoire. C'est à lui que Prévost attribue les réflexions littéraires et morales qui suivent.

2. C'est-à-dire : comme elles n'ont point de rapport nécessaire avec eux. Sur l'efficacité du lien que Prévost a néanmoins tenu à établir avec ces Mémoires, voyez pp. LXXXV et suiv.

3. *Ordinis haec virtus erit et Venus, aut ego fallor,*
Ut jam nunc dicat, jam nunc debentia dici
Pleraque differat, et praesens in tempus omittat.
(Horace, *De Arte poetica,* vers 42-44.)

On traduit ordinairement :

« *L'ordre a cette vertu et cet agrément, ou je me trompe fort, qu'on dira tout de suite ce qui doit tout de suite être dit, qu'on réservera et laissera de côté pour l'instant maint détail* » (trad. F. Villeneuve, Collection des

Il n'est pas même besoin d'une si grave autorité pour prouver une vérité si simple; car le bon sens est la première source de cette règle[a].

Si le public a trouvé quelque chose d'agréable et d'intéressant dans l'histoire de ma vie, j'ose lui promettre qu'il ne sera pas moins satisfait[b] de cette addition. Il verra, dans la conduite de M. des Grieux, un exemple terrible de la force des passions. J'ai à peindre un jeune aveugle[c], qui refuse d'être heureux, pour se précipiter volontairement dans les dernières infortunes[1]; qui, avec toutes les qualités dont se forme le plus brillant mérite, préfère,

---

Universités de France). Mais les commentateurs du temps de Prévost interprétaient ce passage d'une façon plus précise, et y voyaient une allusion au procédé de narration épique du retour en arrière. Faisant de *jam nunc debentia dici* un complément commun aux deux verbes, ils traduisaient, mot à mot : « Qu'il dise d'abord les choses qui doivent être dites d'abord, et qu'il réserve pour un autre temps la plus grande partie de celles qui devraient aussi être dites d'abord. » Et l'on commentait le passage dans les termes suivants : « Un historien suit toujours les temps dans le cours de son ouvrage; mais la disposition que les poètes suivent dans la disposition de leurs sujets est bien différente; car dans le poème dramatique comme dans l'épique, les grands maîtres ouvrent la scène le plus près qu'ils peuvent de la catastrophe, et prennent toujours l'action sur le moment de sa fin. Leur art leur fournit ensuite les moyens de nous mettre devant les yeux tout ce qui avait précédé, et qu'ils n'avaient pas dû nous dire d'abord et de suite. Homère, Sophocle, Euripide n'en ont jamais usé autrement; et ce secret est admirable : car en éloignant et en nous dérobant toujours par des incidents vraisemblables et naturels la catastrophe, que nous attendions dans un moment, ils enflamment par là de plus en plus notre curiosité, et excitent en nous toutes les passions l'une après l'autre. » (*Œuvres d'Horace, en latin et en français, avec des remarques critiques et historiques par Monsieur Dacier*. Cinquième édition... A Hambourg, de l'imprimerie d'A. Vandenhoeck, libraire à Londres, MDCCXXXIII, t. III, pp. 316-317.) Quoique Prévost ne songe pas ici à cette interprétation, on peut noter qu'elle s'applique à la façon dont il combine le récit de des Grieux avec la double rencontre de l'Homme de qualité.

1. Tiberge, dans la scène de Saint-Lazare, reprend textuellement ces mots. Il reproche à des Grieux de « continuer à (se) précipiter volontairement dans l'infortune et dans le crime » (p. 90). Une grande partie du débat moral, le lecteur le voit assez, concerne la valeur à attribuer au mot *volontairement*.

par choix, une vie obscure et vagabonde, à tous les avantages de la fortune et de la nature; qui prévoit ses malheurs, sans vouloir les éviter; qui les sent et qui en est accablé, sans profiter des remèdes qu'on lui offre[a] sans cesse et qui peuvent à tous moments les finir[1]; enfin un caractère ambigu, un mélange de vertus et de vices, un contraste perpétuel de bons sentiments et d'actions mauvaises[2]. Tel est le fond du tableau que je présente[b]. Les personnes de bon sens ne regarderont point un ouvrage de cette nature comme un travail inutile[c]. Outre le plaisir d'une lecture agréable, on y trouvera peu d'événements qui ne puissent servir à l'instruction des mœurs; et c'est rendre, à mon avis, un service considérable au public, que de l'instruire en l'amusant[d].

On ne peut réfléchir sur les préceptes de la morale, sans être étonné de les voir[e] tout à la fois estimés et négligés; et l'on se demande la raison de cette bizarrerie du cœur humain, qui lui fait goûter des idées de bien et de perfection, dont il s'éloigne dans[f] la pratique. Si les personnes[g] d'un certain ordre d'esprit et de * politesse veulent examiner quelle est la matière la plus commune de leurs conversations, ou même de leurs rêveries solitaires, il leur sera aisé de remarquer qu'elles tournent presque toujours sur quelques considérations morales. Les plus doux moments de leur vie sont[h] ceux qu'ils passent, ou seuls, ou avec un ami, à s'entretenir à cœur ouvert des charmes de la vertu, des douceurs de l'amitié, des moyens d'arriver au bonheur, des faiblesses de la nature qui nous en éloignent, et des remèdes qui peuvent les guérir. Horace et Boileau marquent cet entretien comme un des plus beaux traits dont ils composent l'image d'une vie heureuse. Comment arrive-t-il donc qu'on tombe si facilement[i] de ces hautes spéculations, et qu'on se retrouve sitôt au

---

1. Sur les servitudes d'une intrigue qui puisse comporter de tels *remèdes,* ainsi que sur les divers points de cette importante description du personnage, voir l'*Introduction,* pp. CL à CLIII.

2. Sur la façon dont ces termes de Prévost lui-même furent développés par la critique contemporaine, voir l'*Introduction,* p. CLIX et CLXIV.

niveau du commun des hommes? Je suis trompé si la raison que je vais en apporter[a] n'explique bien cette contradiction de nos idées et de notre conduite; c'est que, tous les préceptes de la morale n'étant que des principes vagues et généraux, il est très difficile d'en faire une application particulière au détail des mœurs et des actions. Mettons la chose dans un exemple. Les âmes bien nées sentent que la douceur et l'humanité sont des vertus aimables, et sont portées d'inclination à les pratiquer[b]; mais sont-elles au moment de l'exercice, elles demeurent souvent suspendues. En est-ce réellement l'occasion? Sait-on bien quelle en doit être la mesure? Ne se trompe-t-on point sur l'objet? Cent difficultés[c] arrêtent. On craint de devenir dupe en voulant être bienfaisant et libéral; de passer pour faible en paraissant trop tendre et trop sensible; en un mot, d'excéder ou de ne pas remplir assez des devoirs qui sont renfermés d'une manière trop obscure dans les notions générales d'humanité et de douceur. Dans cette incertitude, il n'y a que l'expérience ou l'exemple qui[d] puisse déterminer raisonnablement le penchant du cœur. Or l'expérience n'est point un avantage qu'il soit libre à tout le monde de se donner; elle dépend des situations différentes où l'on se trouve placé par la fortune. Il ne reste donc que l'exemple qui puisse servir de règle à quantité de personnes dans l'exercice de la vertu. C'est précisément pour cette sorte de lecteurs que des ouvrages tels que celui-ci peuvent être d'une extrême utilité, du moins lorsqu'ils[e] sont écrits par une personne d'honneur et de bon sens. Chaque fait qu'on y rapporte est un degré de lumière, une instruction[f] qui supplée à l'expérience; chaque aventure est un modèle d'après lequel on peut se former; il n'y manque que d'être ajusté aux circonstances où l'on se trouve. L'ouvrage entier[g] est un traité de morale, réduit agréablement en exercice[1].

Un lecteur sévère s'offensera peut-être de me voir

---

1. Sur ces affirmations, qui pourront sembler paradoxales au lecteur du roman qui suit, voir l'*Introduction*, pp. CLII à CLVI.

reprendre[a] la plume, à mon âge[1], pour écrire des aventures de *fortune et d'amour; mais, si la réflexion que je viens de faire est solide[b], elle me justifie; si elle est fausse, mon erreur sera mon[c] excuse.

---

1. L'Homme de qualité, à l'époque où il est censé écrire ceci, vers 1728-1730, a près de soixante-dix ans. Voyez ci-après, page 10, note 1.

Nota[a]. *C'est pour se rendre aux instances de ceux qui aiment ce petit ouvrage, qu'on s'est déterminé à le purger d'un grand nombre de fautes grossières qui se sont glissées dans la plupart des éditions*[1]. *On y a fait aussi quelques additions qui ont paru nécessaires pour la plénitude d'un des principaux caractères*[2].

La vignette et les figures[3] *portent en elles-mêmes leur recommandation et leur éloge*[4].

---

1. Bien entendu, ces « fautes grossières » existent dans toutes les éditions, puisqu'elles remontent au texte de Prévost lui-même.

2. Sur ces additions, en particulier l'épisode du Prince italien (p. 118 et suiv.), et sur ce qu'elles apportent au personnage de Manon, voyez l'*Introduction*, p. CXLIII et surtout CXLVIII.

3. Voyez plus bas la *Note sur l'iconographie*.

4. C'est presque certainement Prévost lui-même qui a fourni à l'illustrateur de 1753 le thème de la vignette (ci-contre) et les vers d'Horace qui l'accompagnent. Il y a là en effet, sur l'intention morale du romancier, des précisions fort intéressantes, qui confirment et approfondissent les indications données dans l'*Avis* (pp. 4 et 5). L'*Histoire du Chevalier* est assimilée à celle de Télémaque dans l'un des épisodes célèbres du livre de Fénelon (voyez plus haut p. CLIII). Mais précisément ce thème de Télémaque que Pallas sous les traits de Mentor entraîne vers la vertu, en dépit d'Eucharis qui lui tend les bras et des Amours qui le retiennent — thème qui reprend celui d'Ulysse et de Calypso — a traditionnellement une signification allégorique. Calypso figure la faiblesse de l'homme sans le secours de la grâce divine qui est elle-même figurée par Pallas (voyez la préface de l'*Alaric* de Scudéry et de la *Pucelle* de Chapelain). Cette signification est soulignée dans *Télémaque*, que des petits vers placés à la fin d'une des toutes premières éditions (Bruxelles, Foppens, 1699, t. II) commentent ainsi à l'intention du lecteur :

Reconnais sous cette figure
Dans les tentations les périls que tu cours,
Si tu ne vois à la nature
La Grâce triomphante apporter son secours.

C'est dans la perspective de des Grieux-Télémaque, Manon-Eucharis et Tiberge-Mentor que Prévost souhaite qu'on comprenne son roman. Voyez en outre au bas de la page suivante.

PREMIÈRE PARTIE[a]

JE suis obligé de faire remonter mon lecteur au temps de ma vie où je rencontrai pour la première fois le chevalier des Grieux. Ce fut environ six mois[b] avant mon

---

Les deux vers au bas de la vignette (voyez la note 4 à la page précédente) sont tirés des *Odes* d'Horace, I, 27 : « Quels tourments, n'endures-tu pas dans Charybde, jeune homme digne d'un plus noble amour ! » Dès le XVIe siècle, tous les glossateurs voient dans ce *Charybde* la courtisane avide qui suce le sang et l'or de ses amants ; l'application à Manon est claire. Quant à ce *plus noble amour (meliore flammâ)*, c'est l'amour sacré, la vertu et la piété, par opposition aux indignités de l'amour profane : la butte dont Mentor-Tiberge indique le sommet est un calvaire. Vignette et épigraphe corrigent l'effet produit, dans l'édition de 1753, par l'adoption, comme faux titre et titre de tête, de la formule abrégée *Histoire de Manon Lescaut*, et manifestent clairement que la destinée du Chevalier constitue bien le sujet de réflexion essentiel.

départ pour l'Espagne[1]. Quoique je sortisse rarement de ma solitude, la complaisance que j'avais pour ma fille m'engageait quelquefois à divers petits voyages, que j'abrégeais autant qu'il m'était possible. Je revenais un jour de Rouen, où elle m'avait prié d'aller solliciter une affaire au Parlement de Normandie pour la succession de quelques terres auxquelles je lui avais laissé des prétentions du côté[a] de mon grand-père maternel. Ayant repris mon chemin par Évreux, où je couchai la première nuit, j'arrivai le lendemain pour dîner à Pacy[2], qui en est éloigné de cinq ou six lieues. Je fus surpris, en entrant dans ce bourg, d'y voir tous les habitants en alarme. Ils se précipitaient de leurs maisons pour courir en foule à la porte d'une mauvaise hôtellerie, devant laquelle étaient[b] deux chariots couverts[3]. Les chevaux, qui étaient encore attelés et qui paraissaient fumants[c] de fatigue et de chaleur, marquaient que ces deux voitures ne faisaient qu'arriver. Je m'arrêtai un moment pour m'informer d'où venait le tumulte[d]; mais je tirai peu d'éclaircissement d'une populace curieuse, qui ne faisait nulle[e] attention à mes demandes, et qui s'avançait toujours vers l'hôtellerie[f], en se poussant avec beaucoup de confusion. Enfin, un archer revêtu d'une

---

1. A la mort de sa chère femme Sélima, le marquis de Renoncour s'était retiré du monde et réfugié dans un couvent. C'est de là qu'il sort parfois de sa solitude pour solliciter les juges en faveur de sa fille, qui vient de se marier. La première rencontre du chevalier des Grieux devrait s'intercaler entre les livres V et VI (éd. cit., t. I, pp. 320-321). L'Homme de qualité, qui a cinquante-trois ans, accepte de devenir précepteur d'un jeune seigneur, et part avec lui pour l'Espagne, et c'est là qu'il apprend la mort de Louis XIV (1er septembre 1715). A ne considérer que ce repère, la présente scène aurait lieu au début de 1715. Mais telle n'est pas la pensée de Prévost, qui la place en 1719 ou au début de 1720.

2. Pacy-sur-Eure (écrit Passy dans les éditions anciennes), à seize kilomètres à l'est d'Évreux, entre Mantes et Louviers. « C'est un grand passage de la Basse Normandie à Paris, tant pour les carrosses et les trains, que pour les bœufs. » (T. Corneille, *Dictionnaire Universel.*) Selon une tradition, la scène décrite ici aurait lieu près de la Porte de l'Eure (*Introduction,* p. XII). Ce qui est certain, c'est que Prévost connaissait la région, puisqu'il prêcha à Évreux (*Introduction,* p. XXXIII).

3. Voir l'illustration de Pasquier à la planche XXIX.

bandoulière, et le mousquet sur l'épaule[1], ayant paru à la porte, je lui fis signe de la main de venir à moi. Je le priai de m'apprendre le sujet de ce désordre[a]. Ce n'est rien, monsieur, me dit-il; c'est une douzaine de filles de joie[b] que je conduis, avec mes compagnons, jusqu'au Havre-de-Grâce, où nous les ferons embarquer pour l'Amérique. Il y en a quelques-unes de jolies, et c'est apparemment ce qui excite la curiosité de ces bons paysans. J'aurais passé[c] après cette explication, si je n'eusse été arrêté par les exclamations d'une vieille femme qui sortait de l'hôtellerie en joignant les mains, et criant[d] que c'était une chose barbare, une chose qui faisait horreur et compassion[2]. De quoi s'agit-il donc? lui dis-je. Ah! monsieur, entrez, répondit-elle, et voyez si ce spectacle n'est pas capable de fendre le cœur! La curiosité me fit descendre de mon cheval, que je laissai à mon palefrenier. J'entrai avec peine, en perçant la foule, et je vis[e], en effet, quelque chose d'assez touchant. Parmi les douze filles qui étaient enchaînées six à six par le milieu du corps[3], il y en avait une dont

---

1. Une ordonnance du 4 mai 1720 rappelle en effet que ces « archers » spécialisés dans l'arrestation et le transport des personnes déportées aux colonies devront être vêtus « d'un habit d'uniforme avec une bandoulière », d'où leur nom populaire de *bandouliers* (Buvat, *Journal de la Régence,* t. II, p. 78). La *bandoulière* est une « large bande de cuir en forme de baudrier servant à l'infanterie pour y attacher plusieurs charges de poudre » (*Dictionnaire de l'Académie*, 1694).

2. L'émotion populaire soulevée par ces déportations est attestée de plusieurs côtés. « On n'avait pas eu le moindre soin, écrit Saint-Simon, de pourvoir à la subsistance de tant de malheureux sur les chemins, ni même dans les lieux destinés à leur embarquement; on les enfermait les nuits dans des granges sans leur donner à manger, et dans les fossés des lieux où il s'en trouvait dont ils ne pussent sortir. Ils faisaient des cris qui excitaient la pitié et l'indignation; mais les aumônes n'y pouvant suffire, moins encore le peu que leurs conducteurs leur donnaient, [cela] en fit mourir partout un nombre effroyable. » (*Mémoires*, édit. des Grands Écrivains, tome 37, page 257).

3. Ce détail n'est pas inventé. Le 26 février 1719, par exemple, les prisonnières destinées à un convoi partant le lendemain sont envoyées à Bicêtre pour qu'on leur « ferre la chaîne » (H. Légier-Desgranges, *Miroir de l'Histoire*, juin 1952, p. 92). A plus forte raison, la « saleté » du linge mentionnée plus loin est-elle courante. Quand le même convoi, parti le 27 février, arriva à Rochefort le 16 mars, le procu-

l'air et la figure étaient si peu conformes à sa condition, qu'en tout autre état je l'eusse prise pour une personne du premier rang[1]. Sa[a] tristesse et la saleté de son linge et de ses habits l'enlaidissaient si peu que sa vue m'inspira du respect et de la pitié. Elle tâchait néanmoins de se tourner, autant que sa chaîne pouvait le permettre, pour dérober son visage aux yeux des spectateurs. L'effort qu'elle faisait pour se cacher était si naturel, qu'il paraissait venir d'un sentiment de *modestie[b]. Comme les six gardes qui accompagnaient cette malheureuse bande étaient aussi dans la chambre, je pris le chef en particulier et je lui demandai quelques lumières sur le sort de cette belle fille. Il ne put m'en donner que de fort générales. Nous l'avons tirée de l'Hôpital[2], me dit-il, par ordre de M. le Lieutenant général de Police[c]. Il n'y a pas d'apparence qu'elle y eût été renfermée pour ses bonnes actions. Je l'ai interrogée plusieurs fois sur la route, elle s'obstine à ne me rien répondre. Mais, quoique je n'aie pas[d] reçu ordre de la ménager plus que les autres, je ne laisse pas d'avoir quelques égards pour elle, parce qu'il me semble qu'elle vaut un peu mieux que ses compagnes. Voilà un jeune homme, ajouta l'archer, qui pourrait vous instruire mieux que moi sur la cause de sa *disgrâce[e]; il l'a suivie depuis Paris, sans cesser presque un moment de pleurer. Il faut que ce soit son frère ou son amant. Je me tournai vers le coin

---

reur du roi signala que « la plupart d'entre [les détenues] n'en ayant pas changé depuis leur départ de Paris » seraient bientôt « pleines de vermine » si on ne leur en donnait pas. (*Ibid.*, pp. 93 et 94.)

1. Le texte de 1731 portait : *prise pour une princesse*. Sur cette variante et sur la signification de la scène, voyez l'*Introduction*, p. XCVII. Au cours d'une partie galante, devant une jeune prostituée de moins de dix-sept ans, le héros des *Mémoires d'un Honnête Homme* remarque de même : « Outre la beauté des traits et la fraîcheur de la jeunesse, sa physionomie avait quelque chose de si noble et de si modeste, que, dans toute autre occasion, je l'aurais prise pour une fille de qualité qui avait reçu la meilleure éducation » (éd. cit., t. XXXIII, p. 38). On notera en outre le rapport qui est institué plus bas entre la beauté de Manon, d'une part, et d'autre part le respect et la pitié qu'elle inspire.

2. Sur l'Hôpital et les déportations, voyez ci-dessus, *Introduction*, p. IX et ci-après, p. 168, note 3.

de la chambre où ce jeune homme était assis. Il paraissait enseveli dans[a] une rêverie profonde. Je n'ai jamais vu de plus vive image de la douleur. Il était mis fort simplement; mais on distingue, au premier coup d'œil, un homme qui[b] a de la naissance et de l'éducation[1]. Je m'approchai de lui. Il se leva; et je découvris dans ses yeux, dans sa figure et dans tous ses mouvements, un air si *fin et si noble que je me sentis porté naturellement à lui vouloir du bien. Que je ne vous trouble point, lui dis-je, en m'asseyant près de lui[c]. Voulez-vous bien satisfaire la curiosité que j'ai de connaître cette belle personne, qui ne me paraît point faite pour le triste état où je la vois? Il me répondit *honnêtement qu'il ne pouvait m'apprendre qui elle était sans se faire connaître lui-même, et qu'il avait de fortes raisons pour souhaiter de demeurer inconnu. Je puis vous dire, néanmoins, ce que ces misérables n'ignorent point, continua-t-il en montrant les archers, c'est que je l'aime avec une passion si violente qu'elle me rend le plus infortuné de tous les hommes. J'ai tout employé, à Paris, pour obtenir sa liberté. Les sollicitations, l'adresse et la force m'ont été inutiles; j'ai pris le parti de la suivre, dût-elle aller au bout du monde. Je m'embarquerai avec elle; je passerai en Amérique. Mais ce qui est de la dernière inhumanité, ces[d] lâches coquins, ajouta-t-il en parlant des archers, ne veulent pas me[e] permettre d'approcher d'elle. Mon dessein était de les attaquer ouvertement[f], à quelques lieues de Paris. Je m'étais associé quatre hommes qui m'avaient promis leur secours pour une somme considérable. Les traîtres m'ont laissé seul aux mains et sont partis avec[g] mon argent. L'impossibilité de réussir par la force m'a fait mettre les armes bas. J'ai proposé aux archers de me permettre du moins de les suivre, en leur offrant de les récompenser. Le désir du gain les y a fait consentir. Ils ont voulu être payés chaque fois qu'ils m'ont accordé la liberté de parler à ma maîtresse. Ma bourse

---

1. Au sujet du jugement sur des Grieux, que Prévost impose au lecteur dès que le personnage apparaît, voyez l'*Introduction*, pp. C-CI.

s'est épuisée en peu de temps, et maintenant que je suis sans un sou, ils ont la barbarie de me repousser brutalement lorsque je fais[a] un pas vers elle[1]. Il n'y a qu'un instant[b], qu'ayant osé m'en approcher malgré leurs menaces, ils ont eu l'insolence de lever contre moi le bout du fusil[c]. Je suis obligé, pour satisfaire leur *avarice et pour me mettre en état de continuer la route[d] à pied, de vendre ici un mauvais cheval qui m'a servi jusqu'à présent de monture.

Quoiqu'il parût faire assez tranquillement ce récit[e], il laissa tomber quelques larmes en le finissant. Cette aventure me parut des plus extraordinaires et des plus touchantes[2]. Je ne vous presse pas, lui dis-je, de me découvrir le secret de vos affaires, mais, si je puis vous être utile à quelque chose, je m'offre volontiers à vous rendre service. Hélas! reprit-il, je ne vois pas[f] le moindre *jour à l'espérance. Il faut que je me soumette à toute la rigueur de mon sort. J'irai en Amérique. J'y serai du moins libre avec ce que j'aime. J'ai écrit à un de mes amis qui me fera tenir quelque secours au Havre-de-Grâce. Je ne suis embarrassé que pour m'y conduire et pour procurer[g] à cette pauvre créature, ajouta-t-il en regardant tristement sa maîtresse, quelque soulagement sur la route. Hé bien, lui dis-je, je vais finir votre embarras. Voici quelque argent que je vous prie d'accepter. Je suis fâché de ne pouvoir vous servir autrement. Je lui donnai quatre louis d'or[3], sans que les gardes s'en aperçussent, car je jugeais

---

1. Les mêmes faits sont relatés plus loin en détail par des Grieux, pp. 177 et 181.

2. L'aspect romanesque et sentimental est mis en évidence dès le début. On a noté les superlatifs : *je n'ai jamais vu de plus vive image de la douleur, elle me rend le plus infortuné de tous les hommes,* etc. On lira de même, à propos de Mme de B. dans les *Mémoires d'un Honnête Homme:* « Je n'ai jamais vu d'image si touchante de la pitié et de la douleur » (éd. cit., t. XXXIII, p. 216).

3. Le louis d'or, belle monnaie d'or à l'effigie de Louis XIII, Louis XIV ou Louis XV, a une valeur très variable suivant les époques : trente-quatre livres ou francs en 1719 (Richelet). Le franc 1719 a, très approximativement, la valeur d'achat de 5 francs 1964.

bien que, s'ils lui savaient cette somme, ils lui vendraient plus chèrement leurs secours. Il me vint même à l'esprit de faire marché avec eux pour obtenir au jeune amant la liberté de parler continuellement à sa maîtresse jusqu'au Havre. Je fis signe au chef de s'approcher, et je lui en fis la proposition. Il en parut honteux, malgré son effronterie. Ce n'est pas, monsieur, répondit-il d'un air embarrassé, que nous refusions de le laisser parler à cette fille, mais il voudrait être sans cesse[a] auprès d'elle; cela nous est incommode[b]; il est bien juste qu'il paye pour l'incommodité. Voyons donc, lui dis-je, ce qu'il faudrait pour[c] vous empêcher de la sentir. Il eut l'audace de me demander deux louis. Je les lui donnai sur-le-champ : Mais prenez garde, lui-dis-je, qu'il ne vous échappe quelque friponnerie; car je vais laisser mon adresse à ce jeune homme, afin qu'il puisse m'en informer, et comptez que j'aurai le pouvoir de vous faire punir. Il m'en coûta six louis d'or. La bonne grâce et la vive reconnaissance avec laquelle ce jeune inconnu[d] me remercia, achevèrent de me persuader qu'il était né quelque chose, et qu'il méritait ma libéralité. Je dis quelques mots à sa maîtresse avant que de sortir. Elle me répondit avec une* modestie si douce et si charmante, que je ne pus m'empêcher de faire, en sortant, mille réflexions sur le caractère incompréhensible des femmes[1].

Étant retourné à ma *solitude, je ne fus point informé[e] de la suite de cette aventure. Il se passa près de deux ans[f], qui me la firent oublier tout à fait, jusqu'à ce que le hasard me fît renaître l'occasion d'en apprendre à fond toutes les circonstances. J'arrivais de Londres à Calais[2], avec le marquis de..., mon élève. Nous logeâmes, si je m'en

---

1. Même formule dans les *Mémoires d'un Honnête Homme*. Égaré par une calomnie, le héros s'interroge sur celle qu'il aime : « Je passai ensuite, dit-il, à diverses réflexions sur le caractère incompréhensible des femmes » (éd. cit., t. XXXIII, p. 94).

2. Ce retour d'Angleterre, où l'Homme de qualité est toujours le mentor du « jeune marquis », s'intercale entre les livres XI et XII du roman (éd. cit., t. II, p. 378). D'après la chronologie des *Mémoires,* nous serions en 1716. En fait, d'après la chronologie propre à *Manon Lescaut,* il faut placer la scène en 1721 ou en 1722.

souviens[a] bien, au *Lion d'Or*, où quelques raisons nous obligèrent de passer le jour entier et la nuit suivante. En marchant l'après-midi dans les rues, je crus apercevoir ce même jeune homme dont j'avais fait la rencontre à Pacy. Il était en fort mauvais équipage, et beaucoup plus pâle que[b] je ne l'avais vu la première fois. Il portait sur le bras[c] un vieux porte-manteau[1], ne faisant qu'arriver dans la ville. Cependant, comme il avait la physionomie trop belle pour[d] n'être pas reconnu facilement, je le *remis aussitôt. Il faut, dis-je au marquis, que nous abordions ce jeune homme. Sa joie fut plus vive que toute expression, lorsqu'il m'eut remis à son tour. Ah! monsieur, s'écria-t-il en me baisant la main, je puis donc encore une fois vous marquer mon immortelle reconnaissance! Je lui demandai d'où il venait. Il me répondit qu'il[e] arrivait, par mer, du Havre-de-Grâce, où il était revenu de l'Amérique[f] peu auparavant. Vous ne me paraissez pas fort bien en argent, lui dis-je. Allez-vous-en au *Lion d'Or,* où je suis logé. Je vous rejoindrai dans un moment. J'y retournai en effet, plein[g] d'impatience d'apprendre le détail de son infortune et les circonstances de son voyage d'Amérique. Je lui fis mille caresses, et j'ordonnai qu'on[h] ne le laissât manquer de rien. Il n'attendit point que je le pressasse de me raconter l'histoire de sa vie. Monsieur, me dit-il, vous[i] en usez si noblement avec moi, que je me reprocherais, comme une basse ingratitude, d'avoir quelque chose de réservé pour vous. Je veux vous apprendre, non seulement mes malheurs et mes peines, mais encore mes désordres et mes plus honteuses faiblesses. Je suis sûr qu'en me condamnant, vous ne pourrez pas vous empêcher de me plaindre.

Je dois avertir ici le lecteur que j'écrivis son histoire presque aussitôt après l'avoir entendue, et qu'on peut s'assurer, par conséquent, que rien n'est plus exact et plus fidèle que cette narration. Je dis fidèle jusque dans la relation des réflexions et des sentiments que le jeune

---

1. Le *porte-manteau* est une valise ronde en toile que l'on peut porter en croupe (*Dictionnaire de Trévoux*).

*aventurier exprimait de la meilleure grâce du monde[1]. Voici donc son récit, auquel je ne mêlerai[a], jusqu'à la fin, rien qui ne soit de lui.

J'AVAIS dix-sept ans, et j'achevais mes études de philosophie à Amiens[2], où mes parents, qui sont d'une des meilleures maisons de P.[3], m'avaient envoyé. Je menais une vie si sage et si réglée, que mes maîtres me proposaient pour l'exemple du collège. Non que[b] je fisse des efforts extraordinaires pour mériter cet éloge,[c] mais j'ai l'humeur naturellement douce et tranquille : je m'appliquais à l'étude par inclination, et l'on me comptait pour des vertus quelques marques d'aversion naturelle pour le vice[d]. Ma naissance, le succès de mes études et quelques agréments extérieurs[e] m'avaient fait connaître et estimer de tous les honnêtes gens de la ville. J'achevai mes exercices[f] publics[4] avec une approbation si générale, que

1. C'est ici un jugement de l'abbé Prévost sur son propre style.

2. Confié depuis 1608 aux Jésuites, le collège d'Amiens connut sous leur direction une grande prospérité. Le nombre des élèves oscillait au XVIII[e] siècle entre 1 500 et 1 900.

3. De Péronne, suivant des conjectures déjà anciennes. Péronne est située à une cinquantaine de kilomètres à l'est d'Amiens, et à une quarantaine de kilomètres au sud d'Arras.

4. Les exercices publics du collège d'Amiens étaient nombreux et suivis. Ils consistaient, pour la philosophie et la théologie, en soutenances de thèses, avec discussions et objections. Ces Actes solennels, qui duraient parfois plusieurs jours, se passaient dans une salle spéciale, mais parfois, à la belle saison, dans la cour du collège transformée en théâtre. L'évêque d'Amiens ne dédaignait pas d'y assister. Ce fut le cas, par exemple, le 17 mai 1695, à trois heures de l'après-midi, quand, devant le collège au complet et une foule d'invités, Mgr Feydeau de Bron présida la soutenance d'un Amiénois nommé Godbert sur la *prédétermination physique*. L'énoncé des thèses, distribué au public, qui d'ordinaire remplissait 10, 20 ou 50 pages, atteignait cette fois la centaine (Pierre Delattre, *Établissements des Jésuites en France,* t. I, p. 187). Le successeur de Feydeau de Bron, Mgr Sabbatier, protecteur de Prévost, continua à s'intéresser au collège et défendit, au besoin, son professeur de philosophie, le P. de Mingrival. On a ici un exemple frappant du genre de réalisme que recherche Prévost : tous les faits sont possibles et vraisemblables, ce qui ne veut pas dire qu'aucun soit forcément vrai.

Monsieur l'Évêque, qui y assistait, me proposa d'entrer dans l'état ecclésiastique, où je ne manquerais pas, disait-il, de m'attirer plus de distinction que dans l'ordre de Malte, auquel mes parents me destinaient. Ils me faisaient déjà porter la croix, avec le nom de chevalier des Grieux[1]. Les vacances arrivant, je me préparais à retourner chez mon père, qui m'avait promis de m'envoyer bientôt à l'Académie[2]. Mon seul regret[a], en quittant Amiens, était d'y laisser un ami avec lequel[b] j'avais toujours été tendrement uni. Il était de quelques années plus âgé que moi. Nous avions été élevés ensemble, mais le bien de sa maison étant des plus médiocres, il était obligé de prendre l'état ecclésiastique, et de demeurer à[c] Amiens après moi, pour y faire les études qui conviennent à cette profession[3]. Il avait mille bonnes qualités. Vous le connaîtrez par les meilleures dans la suite de mon histoire, et surtout, par un zèle et une générosité en amitié qui surpassent les plus célèbres exemples[d] de l'antiquité[4]. Si j'eusse alors suivi

---

1. L'Ordre de Malte recevait beaucoup de cadets de familles nobles. Un chevalier reçu « de minorité » dans l'Ordre pouvait lui appartenir alors qu'il n'avait que quelques mois. Dès l'âge de onze ans, il portait le titre, avec la croix, quoiqu'il ne dût rejoindre effectivement l'Ordre qu'une fois ses études terminées (C.-É. Engel, *l'Ordre de Malte en Méditerranée,* éditions du Rocher, 1957). On a découvert (voir l'*Introduction,* p. VII), un chevalier de Malte nommé Charles-Antoine de Grieux, mais il a existé à l'époque plusieurs de Grieux ou des Grieux, par exemple un lieutenant des Grieux, qui fut en garnison à Montreuil-sur-Mer, à une vingtaine de kilomètres d'Hesdin. On ne peut donc rien tirer de positif de pareils rapprochements.

2. Richelet définit l'Académie « un lieu où la jeune Noblesse apprend à monter à cheval, à faire des armes, et tous les exercices que doit savoir un gentilhomme ». En 1760, la seule pension dans une Académie à Paris coûtait 1500 livres par an. *(État ou Tableau de la Ville de Paris*, Paris, 1760, in-8°, page 299.)

3. Tiberge a déjà commencé son cours de théologie. Voyez p. 41 et note 4.

4. Des Grieux pense-t-il à Oreste et Pylade, à Damon et Pythias? Il est vrai que le dévouement et la patience de Tiberge sont tellement extraordinaires que Prévost tient à préparer le lecteur. Dans *l'Histoire du Commandeur de* *** (éd. cit., t. XIII), Perès est placé auprès du héros comme Tiberge auprès de des Grieux : il a la même abnégation, le même attachement inlassable et inconditionnel; il est son ami et parfois son ange gardien.

Pl. IX. Cour de l'hôtellerie d'Amiens.

(Photographie du XIXe siècle.)

PL. X. DES GRIEUX ET MANON DANS LA COUR DE L'HÔTELLERIE D'AMIEN
(Illustration de J.-J. Pasquier dans l'édition de 17

ses conseils, j'aurais toujours été sage et heureux. Si j'avais, du moins, profité de ses reproches[a] dans le précipice où mes passions m'ont entraîné, j'aurais sauvé quelque chose du naufrage de ma *fortune et de ma réputation. Mais il n'a point recueilli d'autre fruit de ses soins que le chagrin de les voir inutiles et, quelquefois, durement récompensés par un ingrat qui s'en offensait, et qui les traitait d'importunités.

J'avais marqué le temps de mon départ d'Amiens. Hélas! que ne le marquais-je un jour plus tôt[b]! j'aurais porté chez mon père toute mon innocence. La veille même de celui que je devais quitter[c] cette ville, étant à me promener avec mon ami, qui s'appelait Tiberge[1], nous vîmes arriver le coche d'Arras, et nous le suivîmes jusqu'à l'hôtellerie[d] où ces voitures descendent[2]. Nous n'avions pas d'autre motif que la curiosité[e]. Il en sortit quelques femmes, qui se retirèrent aussitôt. Mais il en resta une[f], fort jeune, qui s'arrêta seule dans la cour, pendant qu'un homme d'un âge avancé, qui paraissait lui servir de conducteur, s'empressait pour faire tirer son *équipage des paniers[3]. Elle me parut si charmante[g] que moi, qui n'avais jamais pensé à la différence des sexes, ni regardé une fille avec un peu d'attention, moi, dis je[h], dont tout le monde admirait la sagesse et la retenue, je me trouvai enflammé tout d'un coup jusqu'au transport. J'avais le défaut d'être[i] excessivement timide et facile à déconcerter; mais loin d'être arrêté alors par cette faiblesse, je m'avançai vers la maîtresse de mon cœur. Quoiqu'elle fût encore moins âgée que moi[4], elle reçut

1. Sur les identifications qui ont été proposées de ce personnage, voyez l'*Introduction*, page VII.

2. Le coche d'Arras s'arrêtait à l'auberge du Cardinal, détruite au début de ce siècle. On en trouvera une photographie ancienne à la planche IX.

3. C'est-à-dire des coffres en osier dont le coche était pourvu. Voyez planche X.

4. On vient de voir que des Grieux a dix-sept ans (p. 17). Manon, qui deux ans plus tard sera dans sa dix-huitième année (p. 44), en a quinze ou seize.

mes politesses sans[a] paraître embarrassée. Je lui demandai ce qui l'amenait à Amiens et si elle y avait quelques personnes de connaissance. Elle me répondit ingénument qu'elle y était envoyée par ses parents pour être religieuse. L'amour me rendait déjà si éclairé, depuis un moment qu'il était dans mon cœur, que je regardai ce dessein comme un coup mortel pour mes désirs. Je lui parlai d'une manière qui lui fit comprendre mes sentiments, car elle était bien plus expérimentée que moi. C'était malgré elle qu'on l'envoyait au couvent, pour[b] arrêter sans doute son penchant au plaisir, qui s'était déjà déclaré et qui a causé, dans la suite, tous ses malheurs et les miens[1]. Je combattis la cruelle intention de ses parents par toutes les raisons que mon amour naissant et mon éloquence *scolastique purent me suggérer. Elle n'affecta ni rigueur ni dédain. Elle me dit, après un moment de silence, qu'elle ne prévoyait que trop qu'elle allait être malheureuse, mais que c'était apparemment la volonté du Ciel, puisqu'il ne lui laissait nul[c] moyen de l'éviter. La douceur de ses regards, un air charmant de tristesse en prononçant ces paroles, ou plutôt, l'*ascendant de ma destinée qui m'entraînait à ma perte[2], ne me permirent pas de *balancer un moment sur ma réponse. Je l'assurai que, si elle voulait faire quelque fond sur mon honneur et sur la tendresse infinie qu'elle m'inspirait déjà[d], j'emploierais ma vie pour la délivrer de la tyrannie de ses parents, et pour la rendre heureuse. Je me suis étonné mille fois, en y réfléchissant[e], d'où me venait alors tant de hardiesse et de facilité à m'exprimer; mais on ne ferait pas une divinité de l'amour, s'il n'opérait souvent[f] des prodiges[3]. J'ajoutai mille choses pressantes.

---

1. Ce *penchant*, qui constitue l'un des principaux ressorts de l'action, est aussitôt indiqué, ainsi que d'autres traits de Manon : son aisance, son charme, et aussi son aptitude à tromper.

2. La formule en rappelle de semblables, dans les histoires de Challes. Sur la signification de l'*étoile,* l'*ascendant,* la *destinée* chez les deux auteurs, très proches sur ce point l'un de l'autre, voyez l'*Introduction,* pp. CXXVI et suiv.

3. Le thème de l'amour qui éveille miraculeusement l'esprit est alors à la mode. Qu'on songe par exemple à l'*Arlequin poli par l'Amour* de Marivaux (1720).

Ma belle inconnue savait bien qu'on n'est point trompeur à mon âge; elle me confessa que, si je voyais quelque *jour à la pouvoir mettre en liberté, elle croirait m'être redevable de quelque chose de plus cher que la vie. Je lui répétai que j'étais prêt à tout entreprendre, mais, n'ayant point assez d'expérience pour imaginer tout d'un coup les moyens de la servir, je m'en tenais à cette assurance générale, qui ne pouvait être d'un grand secours pour elle et pour moi[a]. Son vieil Argus étant venu nous[b] rejoindre, mes espérances allaient échouer si elle n'eût eu assez d'esprit pour suppléer à la stérilité du mien. Je fus surpris, à l'arrivée de son conducteur, qu'elle m'appelât[c] son cousin et que, sans paraître déconcertée le moins du monde, elle me dît[d] que, puisqu'elle était assez heureuse pour me rencontrer à Amiens, elle remettait au lendemain son entrée dans le couvent, afin de se procurer le plaisir de souper avec moi. J'entrai fort bien dans le sens de cette ruse. Je lui proposai de se loger dans une hôtellerie, dont le maître[e], qui s'était établi à Amiens, après avoir été longtemps cocher de mon père, était dévoué entièrement à mes ordres. Je l'y conduisis moi-même, tandis que le vieux conducteur paraissait un peu murmurer, et que mon ami Tiberge, qui ne comprenait rien à cette scène, me suivait sans prononcer une parole. Il n'avait point entendu notre entretien. Il était demeuré à se promener[f] dans la cour pendant que je parlais d'amour à ma belle maîtresse. Comme je redoutais sa sagesse, je me défis de lui par une commission dont je le priai de se charger. Ainsi j'eus le plaisir, en arrivant à l'auberge, d'entretenir seul la souveraine[g] de mon cœur. Je reconnus bientôt que j'étais moins enfant que je ne le croyais[h]. Mon cœur s'ouvrit à mille sentiments de plaisir dont je n'avais jamais eu l'idée. Une douce chaleur se répandit dans toutes mes veines. J'étais dans une espèce de transport, qui m'ôta pour quelque temps la liberté de la voix et qui ne s'exprimait que par mes yeux. Mademoiselle Manon Lescaut, c'est ainsi qu'elle me dit qu'on la nommait[1],

1. Manon est un dérivé familier de Marie ou Marianne. Sur ces « noms dérivés de ceux de baptême », voir l'*Introduction*, p. LXXVI.

parut fort satisfaite de cet effet de ses charmes. Je crus apercevoir qu'elle n'était pas moins émue que moi. Elle me confessa qu'elle me trouvait aimable et qu'elle serait ravie de m'avoir obligation[a] de sa liberté. Elle voulut savoir qui j'étais, et cette connaissance augmenta son affection, parce qu'étant d'une naissance commune, elle[b] se trouva flattée d'avoir fait la conquête d'un amant tel que moi[1]. Nous nous entretînmes des moyens d'être l'un à l'autre. Après quantité de réflexions, nous ne trouvâmes point d'autre voie que celle de la fuite. Il fallait tromper la vigilance du conducteur, qui était un homme à ménager, quoiqu'il ne fût qu'un domestique. Nous réglâmes que je ferais préparer pendant la nuit une chaise de poste[2], et que je reviendrais[c] de grand matin à l'auberge avant qu'il fût éveillé; que nous nous déroberions secrètement, et que nous irions droit à Paris, où nous nous ferions marier en arrivant. J'avais environ cinquante écus[3], qui étaient le fruit de mes petites épargnes; elle en avait à peu près le double. Nous nous imaginâmes, comme des enfants sans expérience, que cette somme ne finirait jamais, et nous ne comptâmes pas moins sur le succès de nos autres mesures[d].

Après avoir soupé avec plus de satisfaction que je n'en avais[e] jamais ressenti, je me retirai pour exécuter notre projet. Mes arrangements furent d'autant plus faciles[f], qu'ayant eu dessein de retourner le lendemain chez mon père, mon petit équipage était déjà préparé. Je n'eus donc nulle[g] peine à faire transporter ma malle, et à faire tenir une chaise prête pour cinq heures du matin, qui étaient le temps où les portes de la ville devaient être ouvertes; mais je trouvai un obstacle dont je ne me défiais point, et qui faillit de rompre[h] entièrement mon dessein.

Tiberge, quoique âgé seulement de trois ans plus que

---

1. Sur l'aspect social du roman, voir l'*Introduction*, pp. CXLIV à CXLVIII.
2. La chaise de poste est un « petit carrosse pour deux personnes », que des chevaux rapides, changés de poste en poste, entraînent à une vitesse relativement élevée, de l'ordre de 7 km à l'heure.
3. L'écu vaut trois francs. Sur la valeur du franc à cette époque, voyez plus haut, page 14, note 3.

moi, était un garçon d'un sens[a] mûr et d'une conduite fort réglée. Il m'aimait avec une tendresse extraordinaire. La vue d'une aussi jolie fille que Mademoiselle Manon, mon empressement à la conduire, et le soin que j'avais eu de me défaire de lui en l'éloignant, lui firent naître quelques soupçons de mon amour. Il n'avait osé revenir à l'auberge, où il m'avait laissé, de peur de m'offenser par son retour; mais il était allé m'attendre à mon logis, où je le trouvai en arrivant, quoiqu'il fût dix heures[b] du soir. Sa présence me chagrina. Il s'aperçut facilement de la contrainte qu'elle me causait[c]. Je suis sûr, me dit-il sans déguisement, que vous méditez quelque dessein que vous me voulez cacher; je le vois à votre air. Je lui répondis assez brusquement que je n'étais pas obligé de[d] lui rendre compte de tous mes desseins. Non, reprit il, mais vous m'avez toujours traité en ami, et cette qualité suppose un peu de confiance et d'ouverture. Il me pressa si fort et si longtemps de lui découvrir mon secret, que, n'ayant jamais eu de réserve avec lui, je lui fis l'entière confidence de ma passion. Il la reçut avec une apparence de[e] mécontentement qui me fit frémir. Je me repentis surtout de l'indiscrétion avec laquelle je lui avais découvert le dessein de ma fuite. Il me dit qu'il était trop parfaitement mon ami pour ne pas s'y opposer de tout son pouvoir; qu'il voulait me représenter d'abord tout ce qu'il croyait capable de m'en détourner, mais que, si je ne renonçais pas ensuite à cette misérable résolution, il avertirait des personnes qui pourraient l'arrêter à coup sûr. Il me tint là-dessus un discours sérieux qui dura plus d'un quart d'heure, et qui finit encore par la menace de[f] me dénoncer, si je ne lui donnais ma parole de me conduire avec plus de sagesse et de raison. J'étais au désespoir de m'être trahi si mal à propos. Cependant, l'amour m'ayant ouvert extrêmement l'esprit depuis deux ou trois heures, je fis attention que je ne lui avais pas découvert que mon dessein[g] devait s'exécuter le lendemain, et je résolus de le tromper à la faveur d'une équivoque : Tiberge, lui dis-je, j'ai cru jusqu'à présent que vous étiez mon ami, et j'ai voulu vous éprouver par cette confidence. Il est vrai que j'aime, je ne vous ai pas trompé, mais, pour ce qui regarde ma fuite, ce n'est point une entreprise à former au hasard. Venez me prendre demain à neuf heures; je vous ferai voir, s'il se peut, ma maîtresse[1], et vous jugerez si elle mérite que je fasse cette démarche pour elle. Il me laissa seul, après mille protestations d'amitié. J'employai la nuit à mettre ordre à mes affaires, et m'étant rendu à l'hôtellerie[a] de Mademoiselle Manon vers la pointe du jour, je la trouvai qui m'attendait. Elle était à sa fenêtre, qui donnait sur la rue, de sorte que, m'ayant aperçu, elle vint m'ouvrir elle-même. Nous sortîmes sans bruit. Elle n'avait point d'autre *équipage que[b] son linge, dont je me chargeai moi-même. La chaise était en état de partir; nous nous éloignâmes aussitôt[c] de la ville[d]. Je rapporterai, dans la suite, quelle fut[e] la conduite de Tiberge, lorsqu'il s'aperçut que je l'avais trompé. Son zèle n'en devint pas moins ardent. Vous verrez à quel excès il le porta[f], et combien je devrais verser de larmes en songeant quelle en a toujours été[g] la récompense.

Nous nous hâtâmes tellement d'avancer que nous arrivâmes à Saint-Denis avant la nuit[2]. J'avais couru à cheval à côté de la chaise, ce qui ne nous avait guère permis de nous entretenir qu'en changeant de chevaux; mais lorsque nous nous vîmes si proche de Paris, c'est-à-dire presque en sûreté, nous prîmes le temps de nous *rafraîchir, n'ayant rien mangé depuis notre départ d'Amiens. Quelque passionné que je fusse pour Manon, elle sut me persuader qu'elle ne l'était pas moins pour moi.

---

1. Premier exemple des restrictions mentales utilisées par des Grieux. En promettant à Tiberge de lui faire voir sa maîtresse à neuf heures *s'il se peut,* il évite le faux serment caractérisé : il recourt seulement à une *équivoque,* mot auquel Paul Hazard n'a pas tort de donner le sens précis qu'il a dans la casuistique jésuite (*Études sur « Manon Lescaut »*, p. 62).

2. Ainsi que l'a remarqué Paul Hazard, citant le *Nouveau Voyage de France, géographique et curieux* (Paris, 1720), le coche mettait trois jours pour faire le trajet d'Amiens à Paris (125 km). La chaise de poste faisait le trajet en moins de deux jours. Des Grieux et Manon ont été plus vite encore. Prenant une chaise à un seul passager, plus légère, partant de très bonne heure et profitant de la longueur des jours en cette saison (nous sommes au début des vacances scolaires, exactement le 28 juillet, voir p. 34), ils font le trajet en seize heures environ.

Nous étions si peu réservés dans nos caresses, que nous n'avions pas la patience d'attendre que nous fussions seuls[1]. Nos postillons et nos hôtes[a] nous regardaient avec* admiration, et je remarquais qu'ils étaient surpris de voir deux enfants de notre âge, qui paraissaient s'aimer jusqu'à la fureur. Nos projets de mariage furent oubliés à Saint-Denis; nous fraudâmes les droits de l'Église, et nous nous trouvâmes époux sans y avoir fait réflexion. Il est sûr que, du naturel tendre et constant dont je suis, j'étais heureux pour toute ma vie, si Manon m'eût été fidèle. Plus je la connaissais, plus je découvrais en elle de nouvelles qualités aimables. Son esprit, son cœur, sa douceur et sa beauté formaient une chaîne si forte et si charmante, que j'aurais mis[b] tout mon bonheur à n'en sortir jamais. Terrible changement! Ce qui fait mon désespoir a pu[2] faire[c] ma félicité. Je me trouve le plus malheureux de tous les hommes, par cette même constance dont je devais attendre le plus doux de tous les sorts[d], et les plus parfaites récompenses de l'amour.

Nous prîmes un appartement meublé à Paris. Ce fut dans la rue V...[3] et, pour mon malheur, auprès de la maison de M. de B..., célèbre[e] fermier général. Trois semaines se passèrent, pendant lesquelles j'avais été si rempli[f] de ma passion que j'avais peu songé à ma famille et au chagrin que mon père avait dû ressentir de mon absence. Cependant, comme la débauche[g] n'avait nulle[h] part à ma conduite, et que Manon se comportait aussi avec beaucoup de retenue, la tranquillité où nous vivions servit à me faire rappeler peu à peu l'idée de mon devoir[4].

---

1. La froideur que certains lecteurs ont cru trouver chez Manon n'apparaît guère ici. Voyez également plus bas, p. 61, et l'*Introduction*, p. CXXII.

2. C'est-à-dire : aurait pu (texte de 1731).

3. On s'accorde à voir ici la rue Vivienne, où Law avait acheté six maisons allant du palais Mazarin à la rue Colbert pour y installer la Banque qui devait devenir Banque Royale en 1718. C'était déjà un centre de spéculation et les gens de finances faisaient élever des hôtels aux alentours (cf. *Introduction*, p. VI).

4. C'est en des termes analogues que des Grieux introduira plus tard les mêmes projets de mariage, mais à La Nouvelle-Orléans cette

Je résolus de me réconcilier, s'il était possible, avec mon père. Ma maîtresse était si aimable que je ne doutai point qu'elle ne pût lui plaire, si je trouvais moyen de lui faire connaître sa sagesse et son mérite : en un mot, je me flattai d'obtenir de lui la liberté de l'épouser, ayant été désabusé de l'espérance de le pouvoir sans son consentement[1]. Je communiquai ce projet à Manon, et je lui fis entendre qu'outre les motifs de l'amour et du devoir, celui de la nécessité pouvait y entrer aussi pour quelque chose, car nos fonds étaient extrêmement altérés, et je[a] commençais à revenir de l'opinion qu'ils étaient inépuisables. Manon reçut froidement cette proposition. Cependant, les difficultés qu'elle y opposa n'étant prises que de sa tendresse même et de la crainte de me perdre, si mon père n'entrait point dans notre dessein après avoir connu le lieu de notre retraite, je n'eus pas le moindre soupçon du coup cruel[b] qu'on se préparait à me porter. A l'objection de la nécessité, elle répondit qu'il nous restait encore de quoi vivre quelques semaines, et qu'elle trouverait, après cela, des ressources dans l'affection de quelques parents à qui elle écrirait en province. Elle adoucit son refus par des caresses si tendres et si passionnées, que moi, qui ne vivais que dans

---

fois : « L'innocence de nos occupations, et la tranquillité où nous étions continuellement, servirent à nous faire rappeler insensiblement des idées de religion » (pp. 189-190).

1. Des Grieux s'est donc renseigné sur les possibilités de conclure un mariage sans le consentement de son père. Un tel mariage de mineurs, on l'a vu (*Introduction,* p. CXLV et note 8), n'aurait pas forcément été déclaré nul et cassé — encore que l'on eût pu accuser Manon de *subornation* — mais aurait entraîné l'exhérédation *de facto*. En outre, les obstacles à sa conclusion sont sérieux. Ainsi, la présence du « propre curé » des conjoints était requise, ou son consentement; or le couple n'avait pas résidé à Paris les six mois nécessaires pour y élire domicile. Comme d'autre part de graves sanctions étaient édictées contre les prêtres qui auraient prêté les mains à des unions contraires aux lois civiles, aucun curé parisien n'aurait consenti à les bénir. Dans des conditions aussi difficiles, des Prez, dans *les Illustres Françaises* (édition les Belles-Lettres, t. I, pp. 229 à 234, 238 à 240 et 245) trouve un pauvre ecclésiastique normand qui, contre une bonne récompense, accepte de courir le risque de le marier avec Madeleine de l'Espine. Mais des Grieux n'a pas la même persévérance, ou les mêmes scrupules.

elle[a], et qui n'avais pas la moindre défiance de son cœur, j'applaudis à toutes ses réponses et à toutes ses résolutions. Je lui avais laissé la disposition de notre bourse, et le soin de payer notre dépense ordinaire. Je m'aperçus, peu après, que notre table était mieux servie, et qu'elle s'était donné[b] quelques ajustements d'un prix considérable. Comme je n'ignorais pas qu'il devait nous rester à peine douze ou quinze pistoles[1], je lui marquai mon étonnement de cette augmentation apparente de notre opulence. Elle me pria, en riant, d'être sans embarras. Ne vous ai-je pas promis, me dit-elle, que je trouverais des ressources? Je l'aimais avec trop de *simplicité pour m'alarmer facilement.

Un jour que j'étais sorti l'après-midi, et que je l'avais avertie que je serais dehors plus longtemps qu'à l'ordinaire, je fus étonné qu'à mon retour on me fît attendre deux ou trois minutes à la porte. Nous n'étions servis que par une petite fille qui était à peu près de notre âge. Étant venue m'ouvrir, je lui demandai pourquoi elle avait tardé si longtemps. Elle me répondit, d'un air embarrassé, qu'elle ne m'avait point entendu frapper. Je n'avais frappé qu'une fois; je lui dis : Mais, si vous ne m'avez pas entendu, pourquoi êtes-vous donc venue m'ouvrir? Cette question la déconcerta si fort, que[c], n'ayant point assez de présence d'esprit pour y répondre, elle se mit à pleurer, en m'assurant que ce n'était point sa faute, et que madame lui avait défendu d'ouvrir la porte jusqu'à ce que M. de B...[2] fût sorti par l'autre escalier, qui répondait au cabinet. Je demeurai si confus, que je n'eus point la force d'entrer dans l'appartement. Je pris le parti de descendre sous prétexte d'une affaire, et j'ordonnai à cet enfant de dire à sa maîtresse que je retournerais dans le moment, mais[d] de ne pas faire connaître qu'elle m'eût parlé de M. de B...

Ma consternation fut si grande, que je versais des larmes

---

1. En France, la pistole vaut 10 francs (or) ou 10 livres, soit environ 50 francs or. La somme mentionnée par des Grieux représente, très approximativement, une valeur de 600 à 750 francs 1964.

2. Sur les tentatives, très hasardeuses, pour identifier ce personnage, voyez plus haut, *Introduction*, p. VI.

en descendant l'escalier, sans savoir encore de quel sentiment elles partaient[a]. J'entrai dans le premier café[1] et m'y étant assis près[b] d'une table, j'appuyai la tête sur mes deux mains[c] pour y *développer ce qui se passait dans mon cœur. Je n'osais rappeler ce que je venais d'entendre. Je voulais le considérer comme une illusion, et je fus prêt deux ou trois fois de retourner au logis, sans marquer que j'y eusse fait attention. Il me paraissait si impossible que Manon m'eût trahi[d], que je craignais de lui faire injure en la soupçonnant. Je l'adorais, cela était sûr; je ne lui avais pas donné plus de preuves d'amour que je n'en avais reçu d'elle; pourquoi l'aurais-je accusée d'être moins sincère et moins constante que moi? Quelle raison aurait-elle eue de me tromper? Il n'y avait que trois heures qu'elle m'avait accablé de ses plus tendres caresses et qu'elle avait reçu les miennes avec transport; je ne connaissais pas mieux mon cœur que le sien. Non, non, repris-je, il n'est pas possible que Manon me trahisse. Elle n'ignore pas que je ne vis que pour elle. Elle sait trop bien que je l'adore. Ce n'est pas là un sujet de me haïr.

Cependant la visite et la sortie furtive de M. de B... me causaient de l'embarras[e]. Je rappelais aussi les petites acquisitions de Manon, qui me semblaient surpasser nos richesses présentes. Cela paraissait sentir les libéralités d'un nouvel amant. Et cette confiance qu'elle m'avait marquée pour des ressources qui m'étaient inconnues! J'avais peine à donner à tant d'énigmes[f] un sens aussi favorable que mon cœur le souhaitait. D'un autre côté, je ne l'avais presque pas perdue de vue depuis que nous étions à Paris. Occupations, promenades, divertissements, nous avions toujours été l'un à côté de l'autre; mon Dieu! un instant de séparation nous aurait trop affligés[g]. Il fallait nous dire sans cesse que nous nous aimions; nous serions morts d'inquiétude sans cela. Je ne pouvais donc

---

1. Suivant le *Dictionnaire du Commerce* de Savary, édit. de 1723 (t. II, p. 424), il y avait déjà à Paris à cette époque trois cent quatre-vingts cafés, qui tendaient à supplanter les cabarets du XVII[e] siècle, où l'on servait à boire et à manger (cf. ci-après, p. 134, note 2).

m'imaginer presque un seul moment où Manon pût s'être occupée d'un autre que moi[a]. A la fin, je crus avoir trouvé le dénouement de ce mystère. M. de B..., dis je[b] en moi-même, est un homme qui fait de grosses affaires, et qui a de grandes relations; les parents de Manon se seront servis[c] de cet homme pour lui faire tenir quelque argent. Elle en a peut-être déjà reçu de lui; il est[d] venu aujourd'hui lui en apporter encore. Elle s'est fait sans doute un jeu[e] de me le cacher, pour me surprendre agréablement. Peut-être m'en aurait-elle parlé si j'étais rentré à l'ordinaire[f], au lieu de venir ici m'affliger[g]; elle ne me le cachera pas, du moins, lorsque je lui en parlerai moi-même.

Je me remplis si fortement de[h] cette opinion, qu'elle eut la force de diminuer beaucoup ma tristesse. Je retournai sur le champ au logis. J'embrassai Manon avec ma tendresse ordinaire[i]. Elle me reçut fort bien. J'étais tenté d'abord de lui découvrir[j] mes conjectures, que je regardais plus que jamais comme certaines; je me retins, dans l'espérance qu'il lui arriverait peut-être de me prévenir, en m'apprenant tout ce qui s'était passé. On nous servit à souper[1]. Je me mis à table d'un air fort gai[k]; mais à la lumière de la chandelle qui était entre elle et moi[l], je crus apercevoir de la tristesse sur le visage et dans les yeux de ma chère maîtresse. Cette pensée m'en inspira aussi. Je remarquai que ses regards[m] s'attachaient sur moi d'une autre façon qu'ils n'avaient accoutumé. Je ne pouvais démêler si c'était de l'amour ou de la compassion[2], quoiqu'il me parût que c'était un sentiment doux et languissant. Je la regardai avec la même attention; et peut-être n'avait-elle pas moins de peine à juger de la situation de mon cœur

---

1. Cette scène est commentée dans un chapitre, *The interrupted dinner,* de la *Mimesis* d'Erich Auerbach (1946), édition américaine Doubleday, pp. 347 à 353. Mais séparée de son contexte, elle perd beaucoup de sa signification.

2. Le lecteur ne le peut pas non plus. Pendant toute la scène, le comportement de Manon, affligée de sa trahison comme si elle avait agi sous la contrainte, est fort étrange — et révélateur. Elle est poussée par son *penchant;* mais il y a un conflit douloureux entre son amour, *son humeur et* [...] *ses inclinations* (p. 61), et d'autre part ce penchant.

par mes regards. Nous ne pensions ni à parler, ni à manger. Enfin, je vis tomber des larmes de ses beaux yeux : perfides larmes! Ah Dieux! m'écriai-je, vous pleurez, ma chère Manon; vous êtes affligée jusqu'à pleurer, et vous ne me dites pas un seul mot de vos peines. Elle ne me répondit que par quelques soupirs qui augmentèrent mon inquiétude. Je me levai en tremblant. Je la conjurai, avec tous les empressements de l'amour, de me découvrir le sujet de ses pleurs; j'en versai moi-même en essuyant les siens[a]; j'étais plus mort que vif. Un barbare aurait été attendri des témoignages de ma douleur et de ma crainte. Dans le temps que j'étais ainsi tout occupé d'elle, j'entendis le bruit de plusieurs personnes qui montaient l'escalier. On frappa doucement à la porte[b]. Manon me donna un baiser, et s'échappant de mes bras, elle entra rapidement dans le cabinet, qu'elle ferma aussitôt sur elle[c]. Je me figurai qu'étant un peu en désordre, elle voulait se cacher aux yeux des étrangers qui avaient frappé. J'allai leur ouvrir moi-même. A peine avais-je ouvert, que je me vis saisir par trois hommes, que je reconnus pour[d] les laquais[e] de mon père. Ils ne me firent point de violence; mais deux d'entre eux m'ayant pris par les bras, le troisième visita mes poches, dont il tira un petit couteau qui était le seul fer que j'eusse sur moi. Ils me demandèrent pardon de la nécessité où ils étaient de me manquer de respect[1]; ils[f] me dirent *naturellement qu'ils agissaient par l'ordre de mon père, et que mon frère aîné m'attendait en bas dans un carrosse. J'étais si troublé, que je me laissai conduire sans résister et sans répondre. Mon frère était effectivement à m'attendre. On me mit dans le carrosse[2], auprès de lui, et le cocher, qui avait ses ordres, nous conduisit à grand train[g] jusqu'à Saint-Denis. Mon frère m'em-

---

1. Cette formule d'excuse est traditionnelle dans les nombreux enlèvements de fils de famille ou de personnes de qualité, qui remplissent les romans du XVIIIe et encore du XIXe siècle. Ici, le passage rappelle spécialement *l'Histoire de des Prez et de Mlle de l'Espine,* dans *les Illustres Françaises* (édit. les Belles-Lettres, t. I, p. 265).

2. Le *carrosse,* véhicule de luxe, est pourvu d'une suspension à ressorts, tandis que le *coche* ne l'est pas.

brassa tendrement, mais il ne me parla point, de sorte que j'eus tout le loisir dont j'avais besoin, pour rêver à mon infortune.

J'y trouvai d'abord tant d'obscurité que je ne voyais pas de jour à la moindre conjecture. J'étais trahi cruellement. Mais par qui? Tiberge fut le premier qui me vint à l'esprit. Traître! disais-je, c'est fait de ta vie si mes soupçons se trouvent justes. Cependant je fis réflexion qu'il ignorait le lieu de ma demeure, et qu'on ne pouvait, par conséquent, l'avoir appris de lui. Accuser Manon, c'est de quoi mon cœur n'osait se rendre coupable. Cette tristesse extraordinaire dont je l'avais vue comme accablée, ses larmes, le tendre baiser qu'elle m'avait donné en se retirant, me paraissaient bien une énigme; mais je me sentais porté à l'expliquer comme un pressentiment de notre malheur commun, et dans le temps que je me désespérais de l'accident qui m'arrachait à elle, j'avais la crédulité de m'imaginer qu'elle était encore plus à plaindre que moi. Le résultat de ma méditation fut de me persuader que j'avais été aperçu dans les rues de Paris par quelques personnes de connaissance[a], qui en avaient donné avis à mon père. Cette pensée me consola. Je comptais d'en être quitte pour des reproches ou pour quelques mauvais traitements, qu'il me faudrait essuyer de l'autorité paternelle. Je résolus de les souffrir avec patience, et de promettre tout ce qu'on exigerait de moi, pour me faciliter l'occasion de retourner plus promptement à Paris, et d'aller rendre la vie et la joie à ma chère Manon.

Nous arrivâmes, en peu de temps, à Saint-Denis. Mon frère, surpris de mon silence, s'imagina que c'était un effet[b] de ma crainte. Il entreprit de me consoler, en m'assurant que je n'avais rien à redouter[c] de la sévérité de mon père, pourvu que je fusse disposé à rentrer doucement dans le devoir, et à mériter l'affection qu'il avait pour moi. Il me fit passer la nuit à Saint-Denis, avec la précaution de faire coucher les trois laquais dans ma chambre. Ce qui me causa une peine sensible, fut de me voir dans la même hôtellerie où[d] je m'étais arrêté avec Manon, en venant d'Amiens à Paris. L'hôte et les domestiques me reconnurent, et devinèrent en même temps la vérité de mon histoire. J'entendis dire à l'hôte : Ah! c'est ce joli monsieur qui passait, il y a six semaines[1], avec[a] une petite demoiselle qu'il aimait si fort. Qu'elle était[b] charmante! Les pauvres enfants, comme ils se caressaient[c]! Pardi, c'est dommage qu'on les ait séparés. Je feignais de[d] ne rien entendre, et je me laissais voir le moins qu'il m'était possible. Mon frère avait, à Saint-Denis, une chaise à deux[2], dans laquelle nous partîmes de grand matin, et nous arrivâmes chez nous le lendemain au soir. Il[e] vit mon père avant moi, pour le prévenir en ma faveur en lui apprenant avec quelle douceur je m'étais laissé conduire, de sorte que j'en fus reçu moins durement que je ne m'y étais attendu[f]. Il se contenta de me faire quelques reproches généraux sur la faute que j'avais commise en m'absentant sans sa permission. Pour ce qui regardait ma maîtresse, il me dit que j'avais bien mérité ce qui venait de m'arriver, en me livrant à une inconnue; qu'il avait eu meilleure opinion de ma prudence, mais qu'il espérait que cette petite aventure[3] me rendrait plus sage. Je ne pris ce discours[g] que dans le sens qui s'accordait avec mes idées. Je remerciai mon père de la bonté qu'il avait de me pardonner, et je lui promis de prendre une conduite plus soumise et plus réglée. Je triomphais au fond du cœur, car de la manière dont les choses s'arrangeaient, je ne doutais point que je n'eusse la liberté de me dérober de la maison, même avant la fin de la nuit.

---

1. En fait, d'après les indications très précises que donne un peu plus loin son père (pp. 33-34), on voit que des Grieux est resté un mois à Paris. La version de 1731 portait d'ailleurs *il y a un mois*. Comme Prévost ne semble avoir aucune raison de faire commettre volontairement cette erreur à son hôte, on peut penser qu'il a songé ici à étendre la durée du séjour à Paris, puis renoncé à cette modification, en omettant de revenir sur une correction déjà faite.

2. Sur la *chaise à deux (personnes)*, voir plus haut, p. 24, note 2. Plus lourde que la chaise à une personne, elle ne permet pas de faire le voyage en une journée, d'autant plus que la saison est plus avancée. Les voyageurs font donc deux petites étapes au lieu d'une.

3. En fait, cette *petite aventure* détermine la destinée de des Grieux et remplit sa vie. Prévost fait ressortir le décalage tragique entre la perspective du héros et la perspective de ceux qui restent étrangers à son univers.

On se mit à table[a] pour souper; on me railla sur ma conquête d'Amiens, et sur ma fuite avec cette fidèle maîtresse. Je reçus les coups de bonne grâce. J'étais même charmé qu'il me fût permis de m'entretenir de ce qui m'occupait continuellement l'esprit[b]. Mais quelques mots lâchés par mon père me firent prêter l'oreille avec la dernière attention : il parla de perfidie et de service intéressé, rendu par Monsieur B... Je demeurai interdit en lui entendant prononcer ce nom, et je le priai humblement de s'expliquer davantage. Il se tourna vers mon frère, pour lui demander s'il ne m'avait pas raconté toute l'histoire. Mon frère lui répondit que je lui avais paru si tranquille sur la route, qu'il n'avait pas cru que j'eusse besoin de ce remède pour me guérir de ma folie. Je remarquai que mon père *balançait s'il achèverait de s'expliquer. Je l'en suppliai si instamment, qu'il me satisfit, ou plutôt, qu'il m'assassina cruellement par le plus horrible de tous les récits.

Il me demanda d'abord si j'avais toujours eu la *simplicité de croire que je fusse aimé de ma maîtresse. Je lui dis hardiment que j'en étais si sûr que rien ne pouvait m'en donner la moindre défiance. Ha! ha! ha! s'écria-t-il en riant de toute sa force, cela est excellent! Tu es une jolie dupe, et j'aime à te voir dans ces sentiments là. C'est grand dommage, mon pauvre Chevalier, de te faire entrer dans l'Ordre de Malte, puisque tu as tant de disposition à faire un mari patient et commode. Il ajouta mille railleries de cette force, sur ce qu'il appelait ma sottise et ma crédulité. Enfin, comme je demeurais dans le silence, il continua de me dire que, suivant le calcul qu'il pouvait faire du temps depuis mon départ d'Amiens, Manon m'avait aimé environ douze jours : car, ajouta-t-il, je sais que tu partis d'Amiens le 28 de l'autre mois[1]; nous sommes au 29 du présent; il y en a onze que Monsieur B...[2] m'a écrit; je suppose qu'il lui en ait fallu huit

1. Apparemment le 28 juillet, qui coïncide avec la fin de l'année scolaire. Ce calcul est en accord avec la chronologie de l'édition originale. Sur une modification qui aurait allongé de quelques jours le temps de bonheur de des Grieux, voir p. 32 et note 1.

2. Le père de des Grieux, qui est de qualité, appelle significativement « Monsieur B... » celui que Manon ou sa servante, comme le

pour lier une parfaite connaissance[a] avec ta maîtresse; ainsi, qui ôte onze et huit de trente-un jours qu'il y a depuis le 28 d'un mois jusqu'au 29 de l'autre, reste douze, un peu plus ou moins. Là-dessus, les éclats de rire recommencèrent. J'écoutais tout avec un saisissement de cœur auquel j'appréhendais de ne pouvoir résister jusqu'à la fin de cette triste comédie. Tu sauras donc, reprit mon père, puisque tu l'ignores, que Monsieur B... a gagné le cœur de ta princesse, car il se moque de moi, de prétendre me persuader que c'est par un zèle désintéressé pour mon service qu'il a voulu te l'enlever. C'est bien d'un homme tel que lui, de qui, d'ailleurs, je ne suis pas connu, qu'il faut attendre des sentiments si nobles[1]! Il a su d'elle[b] que tu es mon fils, et pour se délivrer de tes importunités, il m'a écrit le lieu de ta demeure et le désordre où tu vivais, en me faisant entendre qu'il fallait main-forte pour s'assurer de toi. Il s'est offert de me faciliter les moyens de te saisir au collet, et c'est par sa direction et celle de ta maîtresse même que ton frère a trouvé le moment de te prendre sans *vert. Félicite-toi maintenant de la durée de ton triomphe. Tu sais vaincre assez rapidement, Chevalier; mais tu ne sais pas conserver tes conquêtes[2].

Je n'eus pas la force de soutenir plus longtemps un discours dont chaque mot m'avait percé le cœur. Je me levai de table, et je n'avais pas fait quatre pas pour sortir de la salle, que je tombai sur le plancher, sans sentiment et sans connaissance. On me les rappela par de prompts secours. J'ouvris les yeux pour verser un torrent de pleurs, et la bouche pour proférer les plaintes les plus tristes et les

---

public, appelaient « M. de B... » (pp. 25 et 27). C'est à tort que le réviseur de l'édition de 1759 généralise la forme à particule, ainsi que l'a remarqué J. Sgard en étudiant les variantes de cette édition.

1. Pour préparer une manière de justification à ses deux héros, Prévost tient à faire de leurs victimes — Manon quittera de B... en emportant soixante mille francs, p. 48 — des personnages assez peu recommandables.

2. Allusion au mot de Maharbal : *Vincere scis, Hannibal, sed victoria uti nescis,* dans un passage de Tite-Live (XXII, 51) que tous les écoliers apprenaient par cœur.

plus touchantes. Mon père, qui m'a toujours aimé tendrement, s'employa avec toute son affection pour me consoler. Je l'écoutais, mais sans l'entendre. Je me jetai à ses genoux, je le conjurai, en joignant les mains, de me laisser retourner à Paris[a] pour aller poignarder B... Non, disais-je, il n'a pas gagné le cœur de Manon, il lui a fait violence; il l'a séduite par un *charme ou par un[b] poison[1]; il l'a peut-être forcée brutalement. Manon m'aime. Ne le sais-je pas bien? Il l'aura menacée, le poignard à la main, pour la contraindre de m'abandonner[c]. Que n'aura-t-il pas fait pour me ravir une si charmante maîtresse! O dieux! dieux! serait-il possible que Manon m'eût trahi, et qu'elle eût cessé de m'aimer[2]!

Comme je parlais toujours de retourner promptement à Paris, et que je me levais même à tous moments pour cela, mon père vit bien que, dans le transport où j'étais, rien ne serait capable de m'arrêter. Il me conduisit dans une chambre haute, où il laissa deux domestiques avec moi pour me garder à vue. Je ne me possédais point. J'aurais donné mille vies pour être seulement un quart d'heure à Paris. Je compris que, m'étant déclaré si ouvertement, on ne me permettrait pas aisément de sortir de ma chambre. Je mesurai des yeux la hauteur des fenêtres; ne voyant nulle[d] possibilité de m'échapper par cette voie[e], je m'adres-

1. La séduction au moyen d'un philtre est traditionnelle depuis l'antiquité, en passant par *Tristan et Iseut*. Mais le rapprochement de ces deux moyens du *charme* et du *poison* indique sans doute une réminiscence de l'un des épisodes les plus frappants des *Illustres Françaises*. Gallouin, qui cherche à séduire Silvie, fidèle à des Frans, ne peut vaincre sa résistance que par l'emploi combiné d'un *charme* (une conjuration basée sur le procédé bien connu en magie des « sangs mêlés ») et d'un *poison* qui endort ou fait périr sa femme de confiance et ses domestiques (édition les Belles-Lettres, t. II, pp. 511-515). Il a même songé, en cas d'échec, à la « forcer brutalement ». — D'autre part les deux termes de *charme* et de *poison* se trouvaient déjà rapprochés dans *Phèdre* (acte I, scène 3) : « Quel charme ou quel poison en a tari la source? » Ils contribuent ici, avec les gestes et les imprécations de des Grieux, à donner à la scène sa tonalité tragique.

2. Précisément Manon l'a trahi, s'est sentie poussée irrésistiblement à le trahir, mais elle n'a pas cessé de l'aimer, à sa manière.

DG despises M, but can't forget her

sai doucement à mes deux domestiques. Je m'engageai, par mille serments, à faire un jour leur fortune, s'ils voulaient consentir à mon évasion. Je les pressai, je les caressai, je les menaçai; mais cette tentative fut encore inutile[1]. Je perdis alors toute espérance. Je résolus de mourir, et je me jetai sur un lit, avec le dessein[a] de ne le quitter qu'avec la vie. Je passai la nuit et le jour suivant dans cette situation. Je refusai la nourriture qu'on m'apporta le lendemain. Mon père vint me voir l'après-midi. Il eut la bonté de flatter mes peines par les plus douces consolations. Il m'ordonna si absolument de manger quelque chose, que je le fis par respect pour ses ordres. Quelques jours se passèrent, pendant lesquels je ne pris rien qu'en sa présence et pour lui obéir. Il continuait toujours de m'apporter[b] les raisons qui pouvaient me ramener au bon sens et m'inspirer du mépris pour l'infidèle Manon. Il est certain que je ne l'estimais plus; comment aurais-je estimé la plus volage et la plus perfide de toutes les créatures? Mais son image, ses traits[c] charmants que je portais au fond du cœur, y subsistaient toujours[2]. Je le sentais[d] bien. Je puis mourir, disais-je; je le devrais même, après tant de honte et de douleur; mais je souffrirais mille morts sans pouvoir oublier l'ingrate Manon.

Mon père était surpris de me voir toujours si fortement touché. Il me connaissait des principes d'honneur, et ne pouvant douter que sa trahison ne me la fît mépriser, il s'imagina que ma constance venait moins de cette passion

---

1. Lorsque des Prez, dans un passage des *Illustres Françaises* déjà mentionné (p. 30, note 1), est gardé à vue comme des Grieux, il tente par les mêmes voies de fléchir son gardien : « Je m'engageai à lui par tous les serments imaginables de partager avec lui mon bien et ma fortune, s'il voulait me faire cette grâce, et je le menaçai de tout le ressentiment dont je pourrais être capable, s'il me refusait. Il fut également inébranlable à mes prières, à mes présents, à mes offres et à mes menaces. » (Éd. cit., t. I, p. 266.) Quand la situation aura tourné de façon tragique pour la femme qu'il aime, la vengeance qu'il tirera de ce gardien formera l'épilogue même de l'histoire. Quoi qu'il dise, des Grieux n'aura jamais la même férocité.

2. Sur l'amour qui survit au mépris, voyez l'*Introduction*, pp. CXXXV à CXXXVIII.

en particulier que d'un penchant général pour les femmes. Il s'attacha tellement à cette pensée que, ne consultant que sa tendre affection, il vint un jour m'en faire l'ouverture. Chevalier, me dit-il, j'ai eu dessein, jusqu'à présent, de te faire porter la croix de Malte; mais je vois que tes inclinations ne sont point tournées de ce côté-là. Tu aimes les jolies femmes. Je suis d'avis de t'en chercher une qui te plaise. Explique-moi* naturellement ce que tu penses là-dessus. Je lui répondis que je ne mettais plus de distinction entre les femmes, et qu'après le malheur qui venait de m'arriver je les détestais toutes également. Je t'en chercherai une, reprit mon père en souriant, qui ressemblera à Manon, et qui sera plus fidèle. Ah! si vous avez quelque bonté pour moi, lui dis-je, c'est elle qu'il faut me rendre. Soyez sûr, mon cher père[a], qu'elle ne m'a point trahi; elle n'est pas capable d'une si noire et si cruelle lâcheté[b]. C'est le perfide B... qui nous trompe, vous, elle et moi. Si vous saviez combien elle est tendre et sincère, si vous la connaissiez, vous l'aimeriez vous-même. Vous êtes un enfant, repartit mon père. Comment pouvez-vous vous aveugler jusqu'à ce point, après ce que je vous ai raconté d'elle? C'est elle-même qui vous a livré à votre frère. Vous devriez oublier jusqu'à son nom, et profiter, si vous êtes sage, de l'indulgence que j'ai pour vous. Je reconnaissais trop clairement qu'il avait raison. C'était un mouvement involontaire qui me faisait prendre ainsi le parti de mon infidèle. Hélas! repris-je, après un moment de silence, il n'est que trop vrai que je suis le malheureux objet de la plus lâche[c] de toutes les perfidies[d]. Oui, continuai-je, en versant des larmes de dépit, je vois bien que je ne suis qu'un enfant. Ma crédulité ne leur coûtait guère à tromper. Mais je sais bien ce que j'ai à faire pour me venger. Mon père voulut savoir quel était mon dessein. J'irai à Paris, lui dis-je, je mettrai le feu à la maison de B..., et je le brûlerai tout vif avec la perfide Manon. Cet emportement fit rire mon père et ne servit qu'à me faire garder plus étroitement dans ma prison.

J'y passai six mois entiers[e], pendant le premier desquels il y eut peu de changement dans mes dispositions. Tous mes sentiments n'étaient qu'une alternative perpétuelle de haine et d'amour, d'espérance ou de désespoir[a], selon l'idée sous laquelle Manon s'offrait à mon esprit. Tantôt je ne considérais en elle que la plus aimable de toutes les filles, et je languissais du désir de la revoir; tantôt je n'y apercevais qu'une lâche et perfide maîtresse, et je faisais mille serments de ne la chercher que pour la punir. On me donna des livres, qui servirent à rendre un peu de tranquillité à mon âme. Je relus tous mes auteurs; j'acquis de nouvelles connaissances; je repris[b] un goût infini pour l'étude[1]. Vous verrez de quelle utilité[c] il me fut dans la suite. Les lumières que je devais à l'amour me firent trouver de la clarté dans quantité d'endroits d'Horace et de Virgile, qui m'avaient paru obscurs auparavant. Je fis un commentaire amoureux sur le quatrième livre de l'*Énéide;* je le destine à voir le jour, et je me flatte que le public en sera satisfait[2]. Hélas! disais-je en le faisant, c'était un cœur tel que le mien[d] qu'il fallait à la fidèle Didon.

Tiberge vint me voir un jour dans ma prison. Je fus surpris du transport avec lequel il m'embrassa. Je n'avais point encore eu de preuves de son affection qui pussent[e] me la faire regarder autrement que comme une simple amitié de collège, telle qu'elle se forme entre de jeunes gens[f] qui sont à peu près du même âge. Je le trouvai si changé et si formé, depuis cinq ou six mois que j'avais passés sans le voir, que sa figure et le ton de son discours m'inspirèrent du respect[g]. Il me parla en conseiller sage, plutôt qu'en ami d'école. Il plaignit l'égarement où j'étais tombé. Il me félicita de ma guérison, qu'il croyait avancée; enfin il m'exhorta à profiter de cette erreur de jeunesse pour ouvrir les yeux sur la vanité des plaisirs. Je le regardai

---

1. De même, Prévost se peindra lui-même, privé de la liberté dans le cloître, et cherchant sa « consolation [...] dans les charmes de l'étude » (apologie du *Pour et Contre,* feuille XLVIII, citée p. XL).

2. C'est ici, semble-t-il, le seul endroit de son récit où des Grieux, revenu d'Amérique, fasse des projets d'avenir. L'amoureux étant mort avec Manon, un homme de lettres va-t-il prendre sa place? On notera que cet homme de lettres s'applique à l'étude des textes anciens : pour l'abbé Prévost, commentaire et traduction sont en effet les formes nobles de la littérature, ainsi que son œuvre en témoigne.

avec étonnement. Il s'en aperçut. Mon cher Chevalier, me dit-il, je ne vous dis rien qui ne soit solidement vrai, et dont je ne me sois convaincu par un sérieux examen. J'avais autant de penchant que vous vers la volupté, mais le Ciel m'avait donné, en même temps, du goût pour la vertu. Je me suis servi de ma raison pour comparer les fruits de l'une[a] et de l'autre et je n'ai pas tardé longtemps à découvrir leurs différences[b]. Le secours du Ciel s'est joint à mes réflexions[1]. J'ai conçu pour le monde un mépris auquel il n'y a rien d'égal[c]. Devineriez-vous ce qui m'y retient, ajouta-t-il, et ce qui m'empêche de courir à la solitude[2] ? C'est uniquement la tendre amitié que j'ai pour vous. Je connais l'excellence de votre cœur et de votre esprit; il n'y a rien de bon dont vous ne puissiez vous rendre capable. Le poison du plaisir vous a fait écarter du chemin. Quelle perte pour la vertu ! Votre fuite d'Amiens m'a causé tant de douleur, que je n'ai pas goûté, depuis, un seul moment de satisfaction. Jugez-en par les démarches qu'elle m'a fait faire[3]. Il me raconta qu'après s'être aperçu que je l'avais trompé et que j'étais parti avec ma maîtresse, il était monté à cheval pour me suivre; mais qu'ayant sur lui quatre ou cinq heures d'avance, il lui avait été impossible de me joindre; qu'il était arrivé néanmoins à Saint-Denis une demi-heure après[d] mon départ; qu'étant bien certain que je me serais arrêté à Paris, il y avait passé six semaines à me chercher inutilement; qu'il allait dans tous les lieux où il se flattait de pouvoir[e] me trouver, et qu'un jour enfin il avait reconnu ma maîtresse à la Comédie; qu'elle y était dans une parure si éclatante qu'il s'était imaginé qu'elle devait cette fortune à un nouvel amant; qu'il avait suivi son carrosse jusqu'à sa maison, et qu'il avait appris d'un domestique qu'elle était entretenue par les libéralités de

---

1. Il y a, on le notera, une action successive de la raison et de la grâce, la démarche de la raison entre deux interventions de la grâce.

2. Dans le langage de Prévost (voyez l'*Introduction*, p. LXX), le mot de *solitude* désigne la retraite dans un couvent. Tiberge aurait pensé à se faire moine reclus, chartreux par exemple, plutôt que séculier.

3. Le récit qui suit a déjà été annoncé par des Grieux à l'Homme de qualité (p. 24).

Monsieur B... Je ne m'arrêtai point là, continua-t-il[a]. J'y retournai le lendemain, pour apprendre d'elle-même ce que vous étiez devenu; elle me quitta brusquement, lorsqu'elle m'entendit parler de vous, et je fus obligé de revenir en province sans aucun autre éclaircissement. J'y appris[b] votre aventure et la consternation extrême qu'elle vous a causée; mais je n'ai[c] pas voulu vous voir, sans être assuré[d] de vous trouver plus tranquille.

Vous avez donc vu Manon, lui répondis-je en soupirant. Hélas! vous êtes plus heureux que moi, qui suis condamné à ne la revoir jamais. Il me fit des reproches de ce soupir, qui marquait encore de la faiblesse pour elle. Il me flatta si adroitement sur la bonté de mon caractère et sur mes inclinations, qu'il me fit naître dès cette première visite, une forte envie de renoncer comme lui à tous les plaisirs du siècle pour entrer dans l'état ecclésiastique.

Je goûtai tellement cette idée que, lorsque je me trouvai seul, je ne m'occupai plus[e] d'autre chose. Je me rappelai les discours de M. l'Évêque d'Amiens, qui m'avait donné le même conseil, et les présages heureux qu'il avait formés en ma faveur, s'il m'arrivait d'embrasser ce parti[f]. La piété se mêla aussi dans mes considérations. Je mènerai une vie sage et chrétienne[g], disais-je; je m'occuperai de l'étude et de la religion, qui ne me permettront point de penser aux dangereux plaisirs de l'amour. Je mépriserai ce que le commun des hommes admire; et comme je sens assez que mon cœur ne désirera que ce qu'il estime, j'aurai aussi peu d'inquiétudes que de désirs. Je formai là-dessus, d'avance[h], un système de vie paisible et solitaire. J'y faisais entrer une maison écartée, avec un petit bois et un ruisseau d'eau douce[i] au bout du jardin, une bibliothèque composée de livres choisis, un petit nombre d'amis vertueux et de bon sens, une table *propre, mais frugale et modérée. J'y joignais un commerce de lettres avec un ami qui ferait son séjour[j] à Paris, et qui m'informerait des nouvelles publiques, moins pour satisfaire ma curiosité que pour me faire un divertissement des folles agitations des hommes. Ne serai-je pas heureux? ajoutais-je; toutes mes prétentions ne seront-elles point remplies? Il est certain que ce projet flattait extrêmement mes inclinations[1]. Mais, à la fin d'un si sage arrangement, je sentais que mon cœur attendait encore quelque chose, et que, pour n'avoir rien à désirer dans la plus charmante solitude, il y fallait être[a] avec Manon.

Cependant, Tiberge continuant de me rendre de fréquentes visites, dans le dessein qu'il m'avait inspiré, je pris l'occasion d'en faire l'ouverture à mon père. Il me déclara que son intention était[b] de laisser ses enfants libres dans le choix de leur condition et que, de quelque manière que je voulusse disposer de moi, il ne se réserverait[c] que le droit de m'aider de ses conseils. Il m'en donna de fort sages, qui tendaient moins à me dégoûter de mon projet, qu'à me le faire embrasser avec connaissance. Le renouvellement de l'année scolastique[2] approchait[d]. Je convins avec Tiberge de nous mettre ensemble au séminaire de Saint-Sulpice[3], lui pour achever ses études de théologie, et moi pour commencer les miennes[4]. Son mérite, qui était connu

---

1. Ce tableau de la vie du sage, inspiré d'Horace beaucoup plus que du christianisme, se retrouve au XVIIIe siècle à de très nombreux exemplaires, en particulier chez les versificateurs. Mais il correspond chez Prévost à une aspiration profonde. Plus d'une fois, il tenta de le réaliser pour lui-même et s'exprima alors en des termes qui rappellent ce passage (voyez l'*Introduction*, p. LXXII).

2. C'est-à-dire l'année scolaire. Nous sommes en septembre, un an après le début de l'action, peut-être en 1718.

3. Voici l'article de *l'État ou Tableau de la Ville de Paris* (1760), contenant les renseignements sur cet établissement : « St. Sulpice, rue du Vieux-Colombier. Prix des pensions : Grand Séminaire, 580 livres, avec une chopine de vin [outre les séminaires gratuits, les prix varient dans les séminaires payants entre 300 et 600 livres] (...) Le séminaire a été fondé par M. Ollier, curé de cette paroisse, fils d'un intendant de Lyon; il fut achevé par M. de Bretonvilliers, qui lui succéda dans la cure de St. Sulpice. Le Grand [Séminaire] est actuellement composé de cent vingt séminaristes; le Petit, de quatre-vingts; celui des Philosophes, de quarante. Cette maison (...) s'est toujours distinguée par le nombre des jeunes gens de première qualité que l'on y forme à l'état ecclésiastique, par les soins d'un grand nombre de maîtres, également célèbres par leurs lumières et par leurs vertus. » (Page 249.)

4. Pour arriver au baccalauréat, il fallait trois ans d'études théologiques, répartis en six semestres, pour lesquels on s'inscrivait respectivement le 22 octobre et à Pâques. Deux années de plus étaient nécessaires pour arriver au grade de licencié.

de l'évêque du diocèse, lui fit obtenir de ce prélat un bénéfice considérable avant notre départ.

Mon père, me croyant tout à fait revenu de ma passion, ne fit aucune[a] difficulté de me laisser partir. Nous arrivâmes à Paris. L'habit ecclésiastique[1] prit la place de la croix de Malte, et le nom d'abbé des Grieux celle de chevalier. Je m'attachai à l'étude avec tant d'application, que je fis des progrès extraordinaires en peu de mois. J'y employais une partie de la nuit, et je ne perdais pas un moment du jour. Ma réputation eut tant d'éclat[b], qu'on me félicitait déjà sur les dignités que je ne pouvais manquer d'obtenir, et sans l'avoir sollicité, mon nom fut couché sur la feuille des bénéfices[2]. La piété n'était pas plus négligée[3]; j'avais de la ferveur pour tous les exercices. Tiberge était charmé de ce qu'il regardait comme son ouvrage, et je l'ai vu plusieurs fois répandre des larmes, en s'applaudissant de ce qu'il nommait[c] ma conversion. Que les résolutions humaines soient sujettes à changer, c'est ce qui ne m'a jamais causé d'étonnement; une passion les fait naître, une autre passion peut les détruire; mais quand je pense à la sainteté de celles qui m'avaient conduit à Saint-Sulpice et à la joie intérieure que le Ciel m'y faisait goûter en les exécutant, je suis effrayé de la facilité avec laquelle j'ai pu les rompre. S'il est vrai que les secours célestes sont à tous moments d'une force égale à celle des passions, qu'on m'explique donc par quel funeste *ascendant on[d] se trouve emporté tout d'un coup loin de son devoir, sans se trouver

---

1. Non pas la soutane, mais le *petit collet,* comme on en voit sur les planches II et III.

2. La majorité des abbayes était donnée à des *abbés commendataires,* qui en touchaient les revenus sans être astreints à résidence. La *feuille des bénéfices* vacants était à la disposition du roi, qui y nommait sur proposition du Conseil de conscience. Prévost lui-même, qui, en 1740, était encore « sans un bénéfice de cinq sous », finit, en 1754, par en obtenir un d'un montant théorique de 2 000 livres (Harrisse, ouvr. cit., pp. 300 et 382-385).

3. Cette remarque n'a rien d'ironique : la vocation ecclésiastique de des Grieux implique avant tout un goût de l'étude et une certaine attitude morale; que la foi et la piété sincère s'y joignent, c'est certes souhaitable, mais ce n'est pas, à l'époque, indispensable.

capable de la moindre résistance, et sans ressentir le moindre remords[1]. Je me croyais absolument délivré[a] des faiblesses de l'amour. Il me semblait que j'aurais préféré la lecture d'une page de Saint-Augustin, ou un quart d'heure de méditation chrétienne, à tous les plaisirs des sens, sans excepter ceux[b] qui m'auraient été offerts par Manon. Cependant, un instant malheureux me fit retomber dans le précipice, et ma chute fut d'autant plus irréparable, que me trouvant[c] tout d'un coup au même degré de profondeur d'où j'étais sorti, les nouveaux désordres où je tombai me portèrent bien plus loin[d] vers le fond de l'abîme.

J'avais passé près d'un an à Paris, sans m'informer des affaires de Manon. Il m'en avait d'abord coûté beaucoup pour me faire cette violence[e]; mais les conseils toujours présents de Tiberge, et mes propres réflexions, m'avaient fait obtenir la victoire[f]. Les derniers mois s'étaient écoulés si tranquillement que je me croyais sur le point d'oublier éternellement cette charmante et perfide créature. Le temps arriva auquel je devais soutenir un exercice public dans l'École de Théologie[2]. Je fis prier plusieurs personnes de considération de m'honorer de leur présence. Mon nom fut ainsi répandu dans tous les quartiers de Paris : il alla jusqu'aux oreilles de mon infidèle. Elle ne le reconnut pas avec certitude sous le titre d'abbé[g]; mais un reste de curiosité, ou peut-être[h] quelque repentir de m'avoir trahi (je n'ai jamais pu démêler lequel de ces deux sentiments) lui fit prendre intérêt à un nom si semblable au mien; elle vint en Sorbonne avec quelques autres dames. Elle fut

---

1. Sur ce passage, voyez l'*Introduction,* p. CXXV et suiv.

2. Il s'agit simplement de ces exercices publics, sans valeur probatoire, auxquels se livraient les candidats bacheliers pendant leur séjour à l'École de Théologie. Il n'est pas encore question pour des Grieux de soutenir les trois thèses, Majeure, sur la religion et l'histoire ecclésiastique, Mineure, sur les sacrements, Sorbonnique, sur l'Incarnation, la Grâce et la Morale : elles couronnent les études du bachelier qui aspire à la licence, et se passent pendant les quatrième et cinquième années d'études. Cependant, même pour ces exercices, des invitations étaient imprimées, avec l'énoncé des propositions que l'étudiant se proposait de soutenir contre tout venant.

présente à[a] mon exercice, et sans doute qu'elle eut peu de peine[b] à me *remettre.

Je n'eus pas la moindre connaissance de cette visite. On sait qu'il y a, dans ces lieux, des cabinets particuliers pour les dames, où elles sont cachées derrière une jalousie. Je retournai à Saint-Sulpice, couvert de gloire et chargé de compliments. Il était six heures du soir. On vint m'avertir[c], un moment après mon retour, qu'une dame demandait à me voir. J'allai au parloir sur-le-champ. Dieux! quelle apparition surprenante! j'y trouvai Manon. C'était elle, mais plus aimable et plus brillante que je ne l'avais jamais vue. Elle était dans sa dix-huitième année[1]. Ses charmes surpassaient tout ce qu'on peut décrire. C'était un air si *fin, si doux, si engageant, l'air de l'Amour même. Toute sa figure me parut un enchantement.

Je demeurai interdit à sa vue, et ne pouvant conjecturer quel était le dessein de cette visite, j'attendais, les yeux baissés et avec *tremblement, qu'elle s'expliquât. Son embarras fut, pendant quelque temps, égal au mien, mais, voyant que mon silence continuait, elle mit la main devant ses yeux, pour cacher quelques larmes. Elle me dit, d'un ton timide, qu'elle confessait que son infidélité méritait ma haine; mais que, s'il était vrai que j'eusse jamais eu quelque tendresse pour elle, il y avait eu, aussi, bien de la dureté à laisser passer deux ans sans prendre soin de m'informer de son sort[d], et qu'il y en avait beaucoup[e] encore à la voir dans l'état où elle était en ma présence, sans lui dire une parole. Le désordre de mon âme, en l'écoutant[f], ne saurait être exprimé.

Elle s'assit. Je demeurai debout, le corps à demi tourné, n'osant l'envisager directement[2]. Je commençai plusieurs fois une réponse, que je n'eus pas la force d'achever. Enfin, je fis un effort pour m'écrier douloureusement : Perfide Manon! Ah! perfide! perfide! Elle me répéta, en pleurant à chaudes larmes, qu'elle ne prétendait point justifier sa

1. Nous sommes environ au mois de juillet 1719.
2. Les attitudes sont décrites avec une extrême précision dans cette scène si théâtrale, dont la progression est subtilement ménagée.

Pl. XI. La scène du parloir.

(Illustration de Gravelot, 1753.)

Pl. XII. La scène du parloir.

(Illustration de Lefèvre, 1797.

Pl. XIII. La scène du parloir.

(Illustration de Dessenne, 1818.)

Pl. XIV. La scène du parloir.

(Illustration de Johannot, 1839.)

Pl. XV. La scène du parloir.

(Illustration de Le Nain, 1881.)

Pl: XVI. La scène du parloir.

(Illustration de Rossi, 1892.)

Pl. XVII. Vue de Chaillot.

(Gravure de Le Veau.)

Pl. XVIII. Le quai des Tuileries.

(Gravure de J.-F. et M.-J. Ozanne.)

perfidie. Que prétendez-vous donc? m'écriai-je encore. Je prétends mourir, répondit-elle, si vous ne me rendez votre cœur, sans lequel il est impossible que je vive. Demande donc ma vie, infidèle! repris-je en versant moi-même des pleurs, que je m'efforçai en vain de retenir. Demande ma vie, qui est l'unique chose qui me reste à te sacrifier; car mon cœur n'a jamais cessé d'être à toi. A peine eus-je achevé ces derniers mots, qu'elle se leva avec transport pour venir m'embrasser. Elle m'accabla de mille caresses passionnées. Elle m'appela par tous les noms que l'amour invente pour exprimer ses plus vives tendresses. Je n'y répondais encore qu'avec langueur. Quel passage, en effet, de la situation tranquille où j'avais été, aux mouvements tumultueux que je sentais renaître! J'en étais épouvanté. Je frémissais, comme il arrive lorsqu'on se trouve la nuit dans une campagne écartée : on se croit transporté dans un nouvel ordre de choses; on y est saisi d'une *horreur secrète, dont on ne se remet qu'après avoir considéré longtemps tous les environs.

Nous nous assîmes l'un près de l'autre[a]. Je pris ses mains dans les miennes. Ah! Manon, lui dis-je en la regardant d'un œil triste, je ne m'étais pas attendu à la noire trahison dont vous avez payé mon amour. Il vous était bien facile de tromper un cœur dont vous étiez la souveraine absolue, et qui mettait toute sa félicité[b] à vous plaire et à vous obéir. Dites-moi maintenant si vous en avez trouvé d'aussi tendres et d'aussi soumis. Non, non, la Nature n'en fait guère de la même trempe que le mien. Dites-moi, du moins, si vous l'avez quelquefois regretté. Quel fond dois-je faire sur ce retour de bonté qui vous ramène aujourd'hui pour le consoler? Je ne vois que trop que vous êtes plus charmante que jamais; mais au nom[c] de toutes les peines que j'ai souffertes pour vous, belle Manon, dites-moi si vous serez plus fidèle.

Elle me répondit des choses si touchantes sur son repentir, et elle s'engagea à la fidélité par tant[d] de protestations et de serments, qu'elle m'attendrit à un degré inexprimable. Chère Manon! lui dis-je, avec un mélange profane d'expressions amoureuses et théologiques, tu es trop adorable pour une créature. Je me sens le cœur emporté par une *délectation victorieuse. Tout ce qu'on dit de la liberté à Saint-Sulpice est une chimère[1]. Je vais perdre ma fortune et ma réputation pour toi, je le prévois bien; je lis ma destinée dans tes beaux yeux; mais de quelles pertes ne serai-je pas consolé par ton amour! Les faveurs de la fortune ne me touchent point; la gloire me paraît une fumée; tous mes projets de vie ecclésiastique étaient de folles imaginations; enfin tous les biens différents de ceux que j'espère avec toi sont des biens méprisables, puisqu'ils ne sauraient tenir un moment, dans mon cœur, contre un seul de tes regards.

En lui promettant néanmoins un oubli général de ses fautes, je voulus être informé de quelle manière elle s'était laissée séduire par B...[a] Elle m'apprit que, l'ayant vue à sa fenêtre, il était devenu passionné pour elle; qu'il avait fait sa déclaration en fermier général[2], c'est-à-dire en lui marquant dans une lettre que le payement serait proportionné aux faveurs; qu'elle avait capitulé *d'abord, mais sans autre dessein que de tirer de lui quelque somme considérable qui pût servir à nous faire vivre commodément; qu'il[b] l'avait éblouie par de si magnifiques promesses, qu'elle s'était laissée ébranler par degrés[c]; que je devais juger pourtant de ses remords par la douleur dont elle m'avait laissé voir des témoignages, la veille de notre séparation;

---

1. Plus d'un critique a remarqué le naturel avec lequel des Grieux s'exprime dans ce passage en termes d'école. Des mots comme *tremblement, adorable, créature, délectation,* ont selon le cas une couleur biblique, mystique ou simplement théologique. De même, le mot *liberté,* dans le contexte, fait évidemment allusion aux disputes sur la grâce qui partageaient les théologiens au moment où l'affaire de la bulle *Unigenitus* venait de rendre à la querelle du jansénisme toute son actualité. Sur le déterminisme auquel pense des Grieux, voir l'*Introduction*, p. CXXV et suiv.

2. Les fermiers généraux étaient les membres d'une société de quarante financiers à laquelle le gouvernement céda en 1720 le monopole de la perception des droits de consommation moyennant le versement d'une taxe fixe, de cinquante-cinq millions à cette époque, payable d'avance. Ils représentaient, aux yeux du public, la puissance d'argent la plus considérable de France.

que, malgré l'opulence dans laquelle il l'avait entretenue, elle n'avait jamais goûté de bonheur avec lui, non seulement parce qu'elle n'y trouvait point, me dit-elle, la délicatesse de mes sentiments et l'agrément de mes manières, mais parce qu'au milieu même des plaisirs qu'il lui procurait sans cesse, elle portait, au fond du cœur, le souvenir de mon amour, et le remords de son infidélité. Elle me parla de Tiberge et de la confusion extrême que sa visite lui avait causée. Un coup d'épée dans le cœur, ajouta-t-elle, m'aurait moins ému le sang. Je lui tournai le dos, sans pouvoir soutenir un moment sa présence. Elle continua de me raconter par quels moyens elle avait été instruite de mon séjour à Paris, du changement de ma condition, et de mes exercices[a] de Sorbonne. Elle m'assura qu'elle avait été si agitée, pendant la dispute[1], qu'elle avait eu beaucoup de peine, non seulement à retenir ses larmes, mais ses gémissements mêmes et ses cris, qui avaient été plus d'une fois sur le point d'éclater. Enfin, elle me dit qu'elle était sortie de ce lieu la dernière, pour cacher son désordre, et que, ne suivant que le mouvement de son cœur et l'impétuosité de ses désirs, elle était venue droit au séminaire, avec la résolution d'y mourir si elle ne me trouvait pas disposé à lui pardonner.

Où trouver un barbare qu'un repentir si vif et si tendre n'eût pas touché[b]? Pour moi, je sentis, dans ce moment, que[c] j'aurais sacrifié pour Manon tous les évêchés du monde chrétien. Je lui demandai quel nouvel ordre elle jugeait à propos de mettre dans nos affaires. Elle me dit qu'il fallait sur-le-champ sortir du séminaire, et *remettre à nous arranger dans un lieu plus sûr[d]. Je consentis à toutes ses volontés sans réplique. Elle entra dans son carrosse, pour aller m'attendre au coin de la rue. Je m'échappai un moment après, sans être aperçu du portier. Je montai avec elle. Nous passâmes à la friperie[2]. Je repris les galons

1. La dispute est le débat dans lequel tout venant, en pratique surtout des camarades, était invité à argumenter contre le candidat.

2. Bien que l'on se fît à l'époque habiller généralement chez le tailleur, il existait à Paris, sous le nom de friperie, des « lieux où l'on

et l'épée. Manon fournit aux frais, car j'étais sans un sou[a]; et dans la crainte que je ne trouvasse de l'obstacle à ma sortie de Saint-Sulpice, elle n'avait pas voulu que je retournasse un moment à ma chambre pour y prendre mon argent. Mon trésor, d'ailleurs, était médiocre, et elle assez riche[b] des libéralités de B... pour mépriser ce qu'elle me faisait abandonner[c]. Nous conférâmes, chez le fripier même, sur le parti que nous allions prendre. Pour me faire valoir davantage le sacrifice qu'elle me faisait de B..., elle résolut de ne pas garder avec lui le moindre ménagement. Je veux lui laisser ses meubles, me dit-elle, ils sont à lui; mais j'emporterai, comme de justice, les bijoux et près de[d] soixante mille francs que j'ai tirés de lui depuis deux ans. Je ne lui ai donné nul[e] pouvoir sur moi, ajouta-t-elle; ainsi nous pouvons demeurer sans crainte à Paris, en prenant une maison commode où nous vivrons heureusement[f]. Je lui représentai que, s'il n'y avait point de péril pour elle, il y en avait beaucoup pour moi, qui ne manquerais point tôt ou tard d'être reconnu, et qui serais continuellement exposé au malheur que j'avais déjà essuyé. Elle me fit entendre[g] qu'elle aurait du regret à quitter Paris. Je craignais tant de la chagriner, qu'il n'y avait point de hasards que je ne méprisasse pour lui plaire; cependant, nous trouvâmes un *tempérament raisonnable[h], qui fut de louer une maison dans quelque village voisin de[i] Paris, d'où il nous serait aisé d'aller à la ville lorsque le plaisir ou le besoin nous y appellerait. Nous choisîmes Chaillot[1],

---

vendait toutes sortes d'habits, soit vieux, ou neufs », ainsi d'ailleurs que des lits et des meubles (Furetière). — La métamorphose à laquelle procède des Grieux, échangeant le *petit collet* contre le costume d'officier, évoque pour Prévost des souvenirs : il s'est livré à la même opération en quittant Paris en novembre 1728 (voyez l'*Introduction,* p. XLIII).

1. Chaillot est alors un village indépendant de Paris, auquel il ne sera partiellement incorporé que par l'enceinte des Fermiers Généraux, en 1786. Le centre en était l'actuelle église Saint-Pierre de Chaillot, et l'actuelle rue de Chaillot est l'ancienne grand-rue du village, qui s'étendait de la colline où se trouve maintenant le palais de Chaillot jusqu'aux Champs-Élysées (voir l'illustration, planche XVII). C'est sur cette colline « aimée de la nature, favorisée des cieux », que Prévost s'installera lui-même en 1746 (voir l'*Introduction,* p. LXXII).

qui n'en est pas éloigné. Manon retourna sur-le-champ chez elle. J'allai l'attendre à la petite porte du jardin des Tuileries[1]. Elle revint une heure après, dans un carrosse de louage[2], avec une fille qui la servait, et quelques malles où ses habits et tout ce qu'elle avait de précieux était renfermé.

Nous ne tardâmes point à gagner Chaillot. Nous logeâmes la première nuit à l'auberge, pour nous donner le temps de chercher une maison, ou du moins un appartement commode. Nous en trouvâmes, dès le lendemain, un de notre goût.

Mon bonheur me parut d'abord[a] établi d'une manière inébranlable. Manon était la douceur et la complaisance même. Elle avait pour moi des attentions si délicates, que je me crus trop parfaitement dédommagé de toutes mes peines[b]. Comme nous avions acquis tous deux un peu d'expérience, nous raisonnâmes sur la solidité de notre fortune[3]. Soixante mille francs, qui faisaient le fond de nos richesses, n'étaient pas une somme qui pût s'étendre autant que le cours d'une longue vie. Nous n'étions pas disposés d'ailleurs à resserrer trop notre dépense. La première vertu de Manon, non plus que la mienne, n'était pas l'économie. Voici le plan que je me proposai[c] : Soixante mille francs, lui dis-je, peuvent nous soutenir pendant dix ans. Deux mille écus[4] nous suffiront chaque année, si nous continuons de vivre à Chaillot. Nous y mènerons une vie *honnête, mais simple. Notre unique dépense sera pour l'entretien d'un carrosse, et pour les spectacles[d]. Nous nous règlerons[5]. Vous aimez l'Opéra : nous irons deux fois[e] la

---

1. Cette petite porte, l'une des six portes du jardin, donnait sur le quai des Tuileries, près du Pont-Royal. Voyez la planche XVIII.

2. Les carrosses de remise étaient loués, soit à la journée, soit, comme ici, au mois, par des entreprises de transport.

3. En fait, la solidité de son bonheur, des Grieux s'en rend bien compte, dépend de la solidité de sa fortune.

4. Six mille francs.

5. Il est difficile d'estimer exactement le budget que prévoit des Grieux en raison de l'incertitude des cours à l'époque du système de Law. En décembre 1719, en pleine période de prospérité, les fiacres exigeaient 3 livres par heure, et les loueurs de carrosse de remise

semaine. Pour le jeu, nous nous bornerons tellement que nos pertes ne passeront jamais deux pistoles[a]. Il est impossible que, dans l'espace de dix ans, il n'arrive point de changement dans ma famille; mon père est âgé, il peut mourir. Je me trouverai du bien, et nous serons alors au-dessus de toutes nos autres craintes.

Cet arrangement n'eût pas été la plus folle action de ma vie, si nous eussions été assez sages pour nous y assujettir constamment. Mais nos résolutions ne durèrent guère plus d'un mois. Manon était passionnée pour le plaisir; je l'étais pour elle. Il nous naissait, à tous moments, de nouvelles occasions de dépense; et loin de regretter les sommes qu'elle employait quelquefois avec profusion, je fus le premier à lui procurer tout ce que je croyais propre à lui plaire. Notre demeure de Chaillot commença même à lui devenir à charge. L'hiver approchait; tout le monde retournait à la ville, et la campagne[b] devenait déserte. Elle me proposa de reprendre une maison à Paris. Je n'y consentis point; mais, pour la satisfaire en quelque chose, je lui dis que nous pouvions y louer un appartement meublé, et que nous y passerions la nuit lorsqu'il nous arriverait de quitter trop tard l'assemblée[1] où nous allions plusieurs fois la semaine; car l'incommodité de revenir si

---

40 livres par jour, plus du double du prix normal. En général, on peut estimer que l'achat des chevaux, du carrosse et des harnachements coûtait environ 2 800 livres, et que l'entretien du cocher et des chevaux pouvait représenter 1 500 livres par an. En recourant à un carrosse de louage, des Grieux pouvait compter que la dépense atteindrait près de 3 000 livres, soit à peu près la moitié de son budget. Le prix des places de balcon et de premières loges était respectivement, à l'Opéra de 7 livres 10 sols, à la Comédie-Française ou Italienne de 4 livres, alors que les places de seconde loge y coûtaient respectivement 4 et 2 livres. Les spectacles pouvaient donc figurer pour 600 livres environ. Si l'on ajoute le jeu — 2 pistoles font 20 francs — on voit que les seules dépenses consacrées aux divertissements représentent au moins les deux tiers du total.

1. L'*assemblée* désigne ici les réunions d'habitués formant une sorte de cercle adonné au jeu ou à d'autres divertissements. Il en existait aussi bien dans les milieux bourgeois (voir *l'Histoire de des Prés et de Mlle de l'Espine*) que dans le monde ou ce qu'on appellera bientôt le demi-monde.

tard à Chaillot était le prétexte qu'elle apportait pour le vouloir quitter. Nous nous donnâmes ainsi[a] deux logements, l'un à la ville, et l'autre à la campagne. Ce changement mit bientôt le dernier désordre dans nos affaires, en faisant naître deux aventures qui causèrent notre ruine.

Manon avait un frère, qui était garde du corps[1]. Il se trouva malheureusement logé, à Paris, dans la même rue que nous. Il reconnut sa sœur, en la voyant le matin à sa fenêtre[2]. Il accourut aussitôt chez nous. C'était un homme brutal et sans principes d'honneur. Il entra dans notre chambre en jurant horriblement, et comme il savait une partie des aventures de sa sœur, il l'accabla d'injures et de reproches. J'étais sorti un moment auparavant, ce qui fut sans doute un bonheur pour lui ou pour moi, qui n'étais rien moins que disposé à souffrir une insulte. Je ne retournai au logis qu'après son départ. La tristesse de Manon me fit juger qu'il s'était passé quelque chose d'extraordinaire. Elle me raconta la scène fâcheuse qu'elle venait d'essuyer, et les menaces brutales de son frère. J'en eus tant de *ressentiment, que j'eusse couru sur-le-champ à la vengeance si elle ne m'eût arrêté par ses larmes. Pendant que je m'entretenais avec elle de cette aventure, le garde du corps rentra dans la chambre où nous étions, sans s'être fait annoncer. Je ne l'aurais pas reçu aussi civilement que je fis si je l'eusse connu; mais, nous ayant salués d'un air riant, il eut le temps de dire à Manon qu'il venait lui faire des excuses de son emportement; qu'il l'avait crue[b]

1. A la mort de Louis XIV, les gardes du corps formaient 4 compagnies de 360 hommes chacune, et l'un des premiers soucis du nouveau gouvernement fut de songer à en diminuer le nombre, tant à cause des dépenses qu'ils occasionnaient que de leur mauvaise réputation. Les gardes du corps n'étaient pas astreints à la noblesse, mais, comme tous les autres gardes (françaises, suisses, gendarmes...), ils avaient le droit de porter le titre d'écuyer et étaient exempts de la taille. A peu près assurés de l'impunité, ils avaient la réputation d'être querelleurs, débauchés, libertins et joueurs. Voir des détails ci-après, p. 54, note 1.

2. C'est encore à sa fenêtre, on s'en souvient, que M. de B... avait vu Manon pour la première fois (p. 46). Elle y passe beaucoup de temps, comme ces gens « affamés d'objets étrangers » qui, selon Marivaux, « y passent toute leur vie » (*le Spectateur français*, 1721, cinquième feuille).

dans le désordre, et que cette opinion avait allumé sa colère; mais que, s'étant informé qui j'étais, d'un de nos domestiques, il avait appris de moi des choses si avantageuses, qu'elles lui faisaient désirer de bien vivre avec nous. Quoique cette information, qui lui venait d'un de mes laquais, eût quelque chose de bizarre et de choquant, je reçus son *compliment avec *honnêteté. Je crus faire plaisir à Manon. Elle paraissait charmée de le voir porté à se réconcilier. Nous le retînmes à dîner. Il se rendit, en peu de moments, si familier, que nous ayant entendus parler de notre retour à Chaillot, il voulut absolument nous tenir compagnie. Il fallut lui donner une place dans notre carrosse. Ce fut une prise de possession, car il s'accoutuma bientôt à[a] nous voir avec tant de plaisir, qu'il fit sa[b] maison de la nôtre et qu'il se rendit le maître, en quelque sorte, de tout ce qui nous appartenait. Il m'appelait son frère, et sous prétexte de la liberté fraternelle, il se mit sur le pied d'amener tous ses amis dans notre maison de Chaillot, et de les y traiter à nos dépens. Il se fit habiller magnifiquement à nos frais. Il nous engagea même à payer[c] toutes ses dettes. Je fermais les yeux sur cette tyrannie, pour ne pas déplaire à Manon, jusqu'à feindre de[d] ne pas m'apercevoir qu'il tirait d'elle, de temps en temps, des sommes considérables. Il est vrai, qu'étant grand joueur, il avait la *fidélité de lui en remettre une partie lorsque la fortune le favorisait; mais la nôtre était trop médiocre pour fournir longtemps à des dépenses si peu modérées. J'étais sur le point de m'expliquer fortement avec lui, pour nous délivrer de ses importunités, lorsqu'un funeste accident m'épargna cette peine, en nous en causant une autre qui nous *abîma[e] sans ressource.

Nous étions demeurés un jour à Paris, pour y coucher, comme il nous arrivait fort souvent. La servante, qui restait seule à Chaillot dans ces occasions, vint m'avertir, le matin, que le feu avait pris, pendant la nuit, dans ma maison, et qu'on avait eu beaucoup de difficulté à l'éteindre. Je lui demandai si nos meubles avaient souffert quelque dommage; elle me répondit qu'il y avait eu une si grande confusion, causée par la multitude d'étrangers[f] qui étaient venus au secours, qu'elle ne pouvait être assurée de rien. Je tremblai pour notre argent, qui était renfermé dans une petite caisse. Je me rendis promptement à Chaillot. Diligence inutile; la caisse avait déjà disparu. J'éprouvai alors qu'on peut aimer l'argent sans être avare. Cette perte me pénétra d'une si vive douleur que j'en pensai perdre la raison. Je compris tout d'un coup à quels nouveaux malheurs j'allais me trouver exposé; l'indigence était le moindre. Je connaissais Manon; je n'avais déjà que trop éprouvé que, quelque fidèle et quelque attachée qu'elle me fût dans la bonne fortune, il ne fallait pas compter sur elle dans la misère. Elle aimait trop l'abondance et les plaisirs pour me les sacrifier : Je la perdrai, m'écriai-je. Malheureux Chevalier, tu vas donc perdre encore tout ce que tu aimes! Cette pensée me jeta dans un trouble si affreux, que je *balançai, pendant quelques moments, si je ne ferais pas mieux de finir tous mes maux par la mort. Cependant, je conservai assez de présence d'esprit[a] pour vouloir examiner auparavant s'il ne me restait nulle[b] ressource. Le Ciel me fit naître une idée[c], qui arrêta mon désespoir. Je crus qu'il ne me serait pas impossible de cacher notre perte à Manon, et que, par *industrie ou par quelque faveur du hasard[d], je pourrais fournir assez *honnêtement à son entretien pour l'empêcher de sentir la nécessité. J'ai compté, disais-je pour me consoler, que vingt mille écus nous suffiraient pendant dix ans. Supposons que les dix ans soient écoulés, et que nul[e] des changements que j'espérais ne soit arrivé dans ma famille. Quel parti prendrais-je[f]? Je ne le sais pas trop bien, mais, ce que je ferais alors, qui m'empêche de le faire aujourd'hui? Combien de personnes vivent à Paris, qui n'ont ni mon esprit, ni mes qualités naturelles, et qui doivent néanmoins leur entretien à leurs talents, tels qu'ils les ont! La Providence, ajoutais-je, en réfléchissant sur les différents états de la vie, n'a-t-elle pas arrangé les choses fort sagement? La plupart des grands et des riches sont des sots[1] : cela est clair à qui connaît un

---

1. Ces remarques ont été souvent faites. Ce qui est nouveau, c'est l'art de justifier le fait de tricher au jeu, on va le voir, par les disposi-

peu le monde. Or il y a là-dedans une justice admirable[a] : s'ils joignaient l'esprit aux richesses, ils seraient trop heureux, et le reste des hommes trop misérable. Les qualités du corps et de l'âme sont accordées à ceux-ci, comme des moyens pour se tirer[b] de la misère et de la pauvreté. Les uns prennent part aux richesses des grands en servant à leurs plaisirs : ils en font des dupes; d'autres servent à leur instruction : ils tâchent d'en faire d'*honnêtes gens; il est rare, à la vérité, qu'ils y réussissent, mais ce n'est pas là le but de la divine Sagesse : ils tirent toujours un fruit de leurs soins, qui est de vivre aux dépens de ceux qu'ils instruisent[c]; et de quelque façon qu'on le prenne, c'est un fond excellent de revenu pour les petits, que la sottise des riches et des grands.

Ces pensées me remirent un peu le cœur et la tête. Je résolus d'abord d'aller consulter M. Lescaut, frère de Manon. Il connaissait parfaitement Paris[d], et je n'avais eu que trop d'occasions de reconnaître que ce n'était ni de son bien ni de la paye du roi qu'il tirait son plus clair revenu[1]. Il me restait à peine vingt pistoles qui s'étaient

---

tions de la Providence. — On rapprochera le personnage de l'aventurier parasite ou escroc des riches de deux créations littéraires célèbres, celle de « l'Indigent Philosophe », de Marivaux (1727), et surtout celle du « Neveu de Rameau », de Diderot.

1. Les activités illicites des gardes du corps tenaient une place de choix dans la chronique des faits divers parisiens. Voici quelques-uns de leurs exploits, d'après le *Journal de la Régence* de Buvat. En juillet 1717, un garde du corps empêche un commissaire et des archers d'arrêter son frère. Il est tué dans l'action. Le lendemain, un capitaine des gardes et une brigade de ses soldats vont camper chez le commissaire (t. I, pp. 280-281). En mai 1718, on arrête un soldat aux gardes qui, « déguisé en prêtre, quêtait sur la paroisse de Saint-Sulpice avec deux prétendues dévotes, pour le soulagement, disait-il, des pauvres gens qui avaient été ruinés par l'incendie du Petit-Pont » (t. I, p. 381). En février 1720, on doit remplacer par des invalides les soldats aux gardes en faction à la porte de la Banque, « parce qu'on en surprit quelques-uns qui faisaient le métier de filous, en escamotant des billets de banque et de l'argent que ces particuliers y portaient... » (II, p. 31.) En août de la même année nouvelle affaire plus scandaleuse encore. Des soldats du même régiment suivent de nuit le convoi d'un seigneur suédois enterré au cimetière Saint-Antoine, le déterrent, prennent des diamants à son doigt et enlèvent jusqu'au cercueil de plomb, qu'ils

trouvées heureusement dans ma poche[a]. Je lui montrai ma bourse, en lui expliquant mon malheur et mes craintes, et je lui demandai s'il y avait pour moi un parti à choisir[b] entre celui de mourir de faim, ou de me casser la tête de désespoir. Il me répondit que se casser la tête était la ressource des sots; pour mourir de faim, qu'il y avait quantité de gens d'esprit qui s'y voyaient réduits[c], quand ils ne voulaient pas faire usage de leurs talents; que c'était à moi d'examiner de quoi j'étais capable; qu'il m'assurait de son secours et de ses conseils dans toutes mes entreprises.

Cela est bien vague, monsieur Lescaut, lui dis-je; mes besoins demanderaient un remède plus présent, car que voulez-vous que je dise à Manon? A propos de Manon, reprit-il, qu'est-ce qui vous embarrasse? N'avez-vous pas toujours, avec elle, de quoi finir vos inquiétudes quand vous le voudrez[d]? Une fille comme elle devrait nous entretenir, vous, elle et moi. Il me coupa la réponse que cette impertinence méritait, pour continuer de me dire qu'il me garantissait avant le soir mille écus à partager entre nous, si je voulais suivre son conseil; qu'il connaissait un seigneur, si libéral sur le chapitre des plaisirs, qu'il était sûr que mille écus ne lui coûteraient rien pour obtenir les faveurs d'une fille telle que Manon[e]. Je l'arrêtai. J'avais meilleure opinion de vous, lui répondis-je; je m'étais figuré que le motif que vous aviez eu, pour m'accorder votre amitié, était un sentiment tout opposé[f] à celui où vous êtes maintenant. Il me confessa impudemment qu'il avait toujours pensé de même, et que, sa sœur ayant une fois violé les lois de son sexe[1], quoique en faveur de l'homme qu'il aimait

---

vendent le lendemain pour 135 livres (II, p. 121). On a déjà signalé que des soldats aux gardes intervinrent pour la délivrance de prisonnières pour le Mississipi (*Introduction,* p. x), et il reste encore à noter que d'autres enfin furent arrêtés comme complices de Cartouche en 1722. Voyez p. 56, note 1.

1. Un personnage des *Mémoires d'un Honnête Homme* dit de même : « Je suis persuadé qu'une femme qui est une fois sortie des règles austères du devoir appartient à tout le genre humain. C'est le frein de l'unité rompu dans la religion. Il importe peu que vous soyez calviniste ou luthérien, si vous n'êtes pas romain. » (Éd. cit., t. XXXIII, pp. 169 et 170.)

le plus, il ne s'était réconcilié avec elle que dans l'espérance de tirer parti de sa mauvaise conduite[a]. Il me fut aisé de juger que jusqu'alors nous avions été ses dupes[b]. Quelque émotion néanmoins que ce discours m'eût causée, le besoin que j'avais de lui m'obligea de répondre, en riant, que son conseil était une dernière ressource qu'il fallait remettre à l'extrémité. Je le priai de m'ouvrir quelque autre voie. Il me proposa de profiter de ma jeunesse et de la figure avantageuse que j'avais reçue de la nature, pour me mettre en liaison avec quelque dame vieille et libérale. Je ne goûtai pas non plus ce parti, qui m'aurait rendu infidèle à Manon. Je lui parlai du jeu, comme du moyen le plus facile, et le plus convenable à ma situation. Il me dit que le jeu, à la vérité, était une ressource, mais que cela demandait d'être expliqué; qu'entreprendre de jouer simplement, avec les espérances communes, c'était le vrai moyen d'achever ma perte; que de prétendre exercer seul, et sans être soutenu, les petits moyens qu'un habile homme emploie pour corriger la fortune, était un métier trop dangereux; qu'il y avait une troisième voie, qui était celle de l'association, mais que ma jeunesse lui faisait craindre que messieurs les Confédérés ne me jugeassent point encore les qualités propres à la Ligue[1]. Il me promit néanmoins ses bons offices auprès d'eux; et ce que je n'aurais pas attendu de lui, il m'offrit quelque argent, lorsque je me trouverais pressé du besoin. L'unique grâce que je lui demandai, dans les circonstances[c], fût de ne rien apprendre à Manon de la perte que j'avais faite, et du sujet de notre conversation.

Je sortis de chez lui, moins satisfait encore que je n'y étais entré; je me repentis même de lui avoir confié mon secret. Il n'avait rien fait, pour moi, que je n'eusse pu obtenir de même sans cette ouverture, et je craignais mortellement qu'il ne manquât à la promesse qu'il m'avait

---

1. Les termes *Confédérés* et *Ligue* sont des euphémismes pour désigner l'association des tricheurs. — Noter que la voie de « l'association » est aussi suggérée à Cartouche, qui devient chef de bande à l'âge de des Grieux, et en même temps que lui. Voyez *Cartouche ou le vice puni*, poème, 1723, p. 39.

faite de ne rien découvrir à Manon. J'avais lieu d'appréhender aussi, par la déclaration de[a] ses sentiments, qu'il ne formât le dessein de tirer parti d'elle, suivant ses propres termes[b], en l'enlevant de mes mains, ou, du moins, en lui conseillant de me quitter pour s'attacher à quelque amant[c] plus riche et plus heureux. Je fis là-dessus mille réflexions, qui n'aboutirent qu'à me tourmenter et à renouveler le désespoir où j'avais été le matin. Il me vint plusieurs fois à l'esprit d'écrire à mon père, et de feindre une nouvelle conversion, pour obtenir de lui quelque secours d'argent; mais je me rappelai aussitôt que, malgré toute sa bonté, il m'avait resserré six mois dans une étroite prison, pour ma première faute; j'étais bien sûr[d] qu'après un éclat tel que l'avait[e] dû causer ma fuite de Saint-Sulpice, il me traiterait beaucoup plus rigoureusement. Enfin, cette confusion de pensées en produisit une qui remit le calme tout d'un coup dans mon esprit, et que je m'étonnai de n'avoir pas eue plus tôt, ce fut de recourir à mon ami Tiberge, dans lequel[f] j'étais bien certain[g] de retrouver toujours le même fond de zèle et d'amitié. Rien n'est plus admirable, et ne fait plus d'honneur à la vertu, que la confiance avec laquelle on s'adresse aux personnes dont on connaît parfaitement la probité. On sent qu'il n'y a point de risque[h] à courir. Si elles ne sont pas toujours en état d'offrir du secours, on est sûr qu'on en obtiendra du moins de la bonté et de la compassion. Le cœur, qui se ferme avec tant de soin au reste des hommes, s'ouvre naturellement en leur présence, comme une fleur s'épanouit à la lumière du soleil, dont elle n'attend qu'une douce[i] *influence[1].

Je regardai comme un effet de la protection du Ciel de m'être souvenu si à propos de Tiberge, et je résolus de chercher les moyens de le voir avant[j] la fin du jour.

---

1. Ce secours de la vertu, dont des Grieux parle avec tant d'épanchement, il ne le requiert que pour rester dans le vice et le dérèglement — à moins que l'amour, pour les lecteurs de 1731, ne soit en train de devenir à lui-même, quelles que soient les circonstances, sa propre justification.

Je retournai sur-le-champ au logis, pour lui écrire un mot, et lui marquer[a] un lieu propre à notre entretien. Je lui recommandais le silence et la discrétion, comme un des plus importants services qu'il pût me rendre dans la situation de mes affaires. La joie que l'espérance de le voir m'inspirait effaça les traces du chagrin que Manon n'aurait pas manqué d'apercevoir sur mon visage. Je lui parlai de notre malheur de Chaillot comme d'une bagatelle qui ne devait pas l'alarmer; et Paris étant[b] le lieu du monde où elle se voyait avec le plus de plaisir, elle ne fut pas fâchée de m'entendre dire qu'il était à propos d'y demeurer, jusqu'à ce qu'on eût réparé à Chaillot quelques légers effets de l'incendie. Une heure après, je reçus la réponse de Tiberge, qui me promettait de se rendre au lieu de l'assignation. J'y courus avec impatience. Je sentais néanmoins quelque honte d'aller paraître aux yeux d'un ami, dont la seule présence devait être[c] un reproche de mes désordres, mais l'opinion que j'avais de la bonté de son cœur et l'intérêt de Manon soutinrent ma hardiesse.

Je l'avais prié de se trouver au jardin du Palais-Royal[1]. Il y était avant moi. Il vint m'embrasser, aussitôt qu'il m'eut aperçu. Il me tint serré longtemps entre ses bras, et je sentis mon visage mouillé de ses larmes. Je lui dis que je ne me présentais à lui qu'avec confusion, et que je portais dans le cœur[d] un vif sentiment de mon ingratitude; que la première chose dont je le conjurais était de m'apprendre s'il m'était encore permis de le regarder comme mon ami, après avoir mérité si justement de perdre son estime et son affection. Il me répondit, du ton le plus tendre[e], que rien n'était capable de le faire renoncer à cette qualité; que mes malheurs mêmes, et si je lui permettais de le dire,

---

1. Le jardin du Palais-Royal, « l'un des mieux plantés, des mieux entretenus et des mieux fréquentés de cette ville », était particulièrement à la mode depuis l'accession au pouvoir, en 1715, de Philippe d'Orléans, qui y avait sa résidence : « Les jours d'Opéra, pendant l'été, la grande allée de marronniers, qui forme un très beau berceau, présente l'un des plus agréables spectacles que l'on puisse voir à Paris, par le concours de la nombreuse et brillante compagnie qui s'y trouve rassemblée » (*État ou tableau de la ville de Paris,* troisième partie, p. 17).

mes fautes et mes désordres, avaient redoublé sa tendresse pour moi; mais que c'était une tendresse mêlée de la plus vive douleur, telle qu'on la sent pour une personne chère, qu'on voit toucher à sa perte[a] sans pouvoir la secourir.

Nous nous assîmes sur un banc. Hélas! lui dis-je, avec un soupir parti du fond du cœur, votre compassion doit être excessive, mon cher Tiberge, si vous m'assurez qu'elle est égale à mes peines. J'ai honte de vous les[b] laisser voir, car je confesse que la cause n'en est pas glorieuse, mais l'effet en est si triste qu'il n'est pas besoin de m'aimer autant que vous faites pour en être attendri. Il me demanda, comme une marque d'amitié, de lui raconter sans déguisement ce qui m'était arrivé depuis mon départ de Saint-Sulpice. Je le satisfis; et loin d'altérer quelque chose à la vérité, ou de diminuer mes fautes pour les faire trouver plus excusables, je lui parlai de ma passion avec toute la force qu'elle m'inspirait[1]. Je la lui représentai comme un de ces coups particuliers du destin qui s'attache à la ruine d'un misérable, et dont il est aussi impossible à la vertu de se défendre qu'il l'a été à la sagesse de les prévoir. Je lui fis une vive peinture de mes agitations, de mes craintes, du désespoir où j'étais deux heures avant que de le voir, et de celui dans lequel j'allais retomber, si j'étais abandonné par mes amis aussi impitoyablement que par la fortune; enfin, j'attendris tellement le bon Tiberge, que je le vis aussi affligé par la compassion que je l'étais par le sentiment de mes peines. Il ne se lassait point de m'embrasser, et de m'exhorter à prendre du courage et de la consolation, mais, comme il supposait toujours qu'il fallait me séparer de Manon, je lui fis entendre nettement que c'était cette séparation même que je regardais comme la plus grande de mes infortunes, et que j'étais disposé à souffrir, non seulement le dernier excès de la misère, mais la mort la plus cruelle[c], avant que de recevoir un remède plus insupportable que tous mes maux ensemble.

1. Mais cette passion, présentée dans une perspective tragique, est précisément la meilleure *excuse*. Voyez l'*Introduction*, pp. CXXX et suiv.

Expliquez-vous donc, me dit-il : quelle espèce de secours suis-je capable de vous donner, si vous vous révoltez contre toutes mes propositions ? Je n'osais lui déclarer que c'était de sa bourse que j'avais besoin. Il le comprit pourtant à la fin, et m'ayant confessé qu'il croyait m'entendre, il demeura quelque temps suspendu, avec l'air d'une personne qui *balance. Ne croyez pas, reprit-il bientôt, que ma *rêverie vienne d'un refroidissement de zèle et d'amitié. Mais à quelle alternative me réduisez-vous, s'il faut que je vous refuse le seul secours que vous voulez accepter, ou que je blesse mon devoir en vous l'accordant ? car n'est-ce pas[a] prendre part à votre désordre, que de vous y faire persévérer ? Cependant, continua-t-il après avoir réfléchi un moment, je m'imagine que c'est peut-être l'état violent où l'indigence vous jette, qui ne vous laisse pas assez de liberté pour choisir le meilleur parti ; il faut un esprit tranquille pour goûter la sagesse et la vérité[1]. Je trouverai le moyen de vous faire avoir quelque argent. Permettez-moi, mon cher Chevalier, ajouta-t-il en m'embrassant, d'y mettre seulement une condition : c'est que vous m'apprendrez le lieu de votre demeure, et que vous souffrirez que je fasse du moins mes efforts pour vous ramener à la vertu, que je sais que vous aimez, et dont il n'y a que la violence de vos passions qui vous écarte. Je lui accordai sincèrement tout ce qu'il souhaitait, et je le priai de plaindre la *malignité de mon sort, qui me faisait profiter si mal des conseils d'un ami si vertueux. Il me mena aussitôt chez un banquier de sa connaissance, qui m'avança cent pistoles sur son billet[2], car il n'était rien moins qu'en argent comptant.

---

1. Tiberge se rend effectivement complice de son ami, en lui fournissant ce qui va lui servir, en fait, de mise de fonds pour commencer son métier de tricheur. L'argument par lequel il se justifie relève d'une casuistique particulièrement captieuse.

2. La pistole valant 10 francs (voyez p. 27, note 1), Tiberge souscrit à l'ordre de des Grieux un billet de 1 000 francs, soit le tiers ou davantage de la première année de son bénéfice, car certaines charges pèsent sur le revenu des abbayes en commende. Le *billet à ordre* est une « espèce de promesse » (Dictionnaire de l'Académie, 1694) par laquelle on s'engage à payer à ordre une certaine somme d'argent.

J'ai déjà dit qu'il n'était[a] pas riche. Son bénéfice[1] valait mille écus[b], mais, comme c'était la première année qu'il le possédait, il n'avait encore rien touché du revenu : c'était sur les fruits futurs qu'il me faisait cette avance.

Je sentis tout le prix de sa générosité. J'en fus touché, jusqu'au point de déplorer l'aveuglement d'un amour[c] fatal, qui me faisait violer tous les devoirs. La vertu eut assez de force pendant quelques moments pour s'élever dans mon cœur contre ma passion, et j'aperçus du moins, dans cet instant de lumière, la honte et l'indignité de mes chaînes. Mais ce combat fut léger et dura peu. La vue de Manon m'aurait fait précipiter du ciel, et je m'étonnai, en me retrouvant près d'elle[d], que j'eusse pu traiter un moment de honteuse[e] une tendresse si juste pour un objet si charmant[2].

Manon était une créature d'un caractère extraordinaire. Jamais fille n'eut moins d'attachement qu'elle pour l'argent, mais elle ne pouvait être[f] tranquille un moment, avec la crainte d'en manquer. C'était du plaisir et des passe-temps qu'il lui fallait. Elle n'eût jamais voulu toucher un sou, si l'on pouvait se divertir sans qu'il en coûte. Elle ne s'informait pas même quel était le fonds de nos richesses, pourvu qu'elle pût passer agréablement la journée, de sorte que, n'étant ni excessivement livrée au jeu ni capable d'être éblouie par le faste[g] des grandes dépenses, rien n'était plus facile que de la satisfaire, en lui faisant naître tous les jours des amusements de son goût. Mais c'était une chose si nécessaire pour elle, d'être ainsi occupée par le plaisir, qu'il n'y avait pas le moindre fond à faire, sans cela, sur son humeur et sur ses inclinations. Quoiqu'elle m'aimât tendrement, et que je fusse le seul, comme elle en convenait volontiers, qui pût lui faire goûter parfaitement les douceurs de l'amour, j'étais presque certain que sa tendresse ne tiendrait point contre de certaines craintes. Elle m'aurait préféré à toute la terre avec une une fortune *médiocre;

---

1. Sur le bénéfice, cf. ci-dessus, p. 42, note 2.
2. Voyez l'*Introduction*, pp. CXXXV à CXXXVIII.

mais je ne doutais nullement qu'elle ne m'abandonnât pour quelque nouveau B... lorsqu'il ne me resterait que de la constance[a] et de la fidélité à lui offrir[1]. Je résolus donc de régler si bien ma dépense particulière que je fusse toujours en état de fournir aux siennes, et de me priver plutôt de mille choses nécessaires que de la borner même pour le superflu. Le carrosse m'effrayait plus que tout le reste; car il n'y avait point d'apparence de pouvoir entretenir des chevaux et un cocher[2]. Je découvris ma peine à M. Lescaut. Je ne lui avais point caché que j'eusse reçu cent pistoles d'un ami. Il me répéta que, si je voulais tenter le hasard du jeu, il ne désespérait point qu'en sacrifiant de bonne grâce une centaine de francs pour traiter ses associés, je ne pusse être admis, à sa recommandation, dans la Ligue de l'Industrie[3]. Quelque répugnance que j'eusse à tromper, je me laissai entraîner par une cruelle nécessité[b].

M. Lescaut me présenta, le soir même, comme un de ses parents; il ajouta que j'étais d'autant mieux disposé à réussir, que j'avais besoin des plus grandes faveurs de la fortune. Cependant, pour faire connaître que ma misère n'était pas celle d'un homme de néant, il leur dit que j'étais dans le dessein de leur donner à souper. L'offre fut acceptée. Je les traitai magnifiquement. On s'entretint longtemps de la gentillesse de ma figure et de mes heureuses dispositions. On prétendit qu'il y avait beaucoup à espérer de moi, parce qu'ayant quelque chose dans la physionomie qui sentait l'*honnête homme, personne ne se

---

1. Ce portrait, dont l'importance est essentielle, doit être complété et précisé par les indications que l'on trouve pp. 52, 110 et 135.

2. « Et comment une femme pourrait-elle exister sans chevaux? Ne faut-il pas, dans l'espace de douze heures, avoir vu l'opéra, la revue, la foire; avoir assisté au bal, au pharaon? Les femmes, menant la vie la plus dissipée, se montrant partout, ont mis dans leur genre de vie la mobilité de leurs traits. » (Mercier, *Tableau de Paris,* chap. *Aller à pied,* édit. 1783, t. VIII, p. 136.) Sur le prix auquel revient l'entretien du cocher et des chevaux, voir ci-dessus, p. 49, note 5.

3. Nouvel euphémisme, l'*industrie* désignant ici les moyens illicites de faire des dupes au jeu. Voyez ce mot au *Glossaire*.

déferait de mes artifices[1]. Enfin, on rendit grâces à M. Lescaut[a] d'avoir procuré à l'Ordre un novice de mon mérite, et l'on chargea un des chevaliers[2] de me donner, pendant quelques jours, les instructions nécessaires. Le principal théâtre de mes exploits devait être l'hôtel de Transylvanie[3], où il y avait une table de pharaon[4] dans une salle et divers

---

1. Les « Confédérés » ne parlent pas au hasard. Chevrier observe, dans son *Colporteur* (à Londres, l'An de la vérité, p. 72), que les femmes qui donnent à jouer prennent la peine de choisir, pour les fonctions de *tailleur* et de *croupier,* des « hommes comme il faut », de préférence des titulaires de l'Ordre de Saint-Louis, vieux militaires qui prostituent leur honneur pour deux écus par soirée, le souper et la disposition d'un carrosse. Si l'on se souvient de ce que prétend être des Grieux, la remarque est donc particulièrement choquante. Mais il la rapporte avec la même voix neutre, la même simplicité ingénue avec laquelle il retrace plus bas sa carrière de tricheur.

2. L'Ordre des chevaliers d'Industrie parodie l'Ordre de Malte, qui a aussi ses chevaliers et ses novices (voir p. 18, note 1).

3. L'Hôtel de Transylvanie existe encore au numéro 9 du quai Malaquais, au coin de la rue Bonaparte. Son nom lui venait du prince François II Rakoczy, allié de Louis XIV à partir de 1702 dans la guerre de la Succession d'Espagne, et qui, après des succès initiaux en Hongrie, Transylvanie et Galicie, avait dû quitter la Hongrie en 1711 et se réfugier en France en 1713. Faute de ressources, les officiers de sa suite, installés dans l'Hôtel, y avaient organisé un tripot qui devint vite célèbre. Le commissaire Bizolon, qui y fit une descente le 3 avril 1713, en a laissé la description. Il y trouve, dit-il, « vingt carrosses arrêtés à la porte, et, dans la cour, dix-huit ou vingt chaises portatives et plusieurs porteurs et gens de livrée à côté, la porte et l'escalier éclairés de plusieurs lumières et un suisse à ladite porte ». Étant ensuite monté « au premier appartement ayant vue sur le quai », il y voit « dans une grande chambre trois tables et douze ou quinze joueurs à l'entour, assis, jouant au jeu de lansquenet, la plupart ayant des paniers devant eux remplis de pièces d'or et d'argent, et plus de soixante personnes, gens d'épée, allant et venant dans ladite chambre, les uns regardant, les autres pariant audit jeu de lansquenet ». En moins d'un quart d'heure, « plus de cinquante personnes, gens d'épée ou officiers », entrent dans la pièce et en sortent. (Léo Mouton, *l'Hôtel de Transylvanie, Bulletin Historique du VIe Arrondissement de Paris*, 1905 et 1909, cité par Lasserre, *Manon Lescaut*, p. 70.)

4. « Le pharaon se joue entre un banquier et un nombre illimité de pontes qui peuvent effectuer leurs prises à droite ou à gauche. Le banquier retourne ses cartes de droite à gauche alternativement, la carte la plus forte faisant gagner le côté où elle est posée, tandis qu'il ramasse les mises du côté opposé. En cas de cartes de valeur égale,

DG learns cheating – becomes well-off

autres jeux de cartes et de dés dans la galerie. Cette *académie se tenait au profit de M. le prince de R..., qui demeurait alors à Clagny[1], et la plupart de ses officiers étaient de notre société. Le dirai-je à ma honte?[a] Je profitai en peu de temps des leçons de mon maître. J'acquis surtout beaucoup d'habileté à faire une volte-face, à filer la carte[2], et m'aidant fort bien d'une[b] longue paire de manchettes, j'escamotais[3] assez légèrement[c] pour tromper les yeux des plus habiles, et ruiner sans affectation quantité d'honnêtes joueurs. Cette adresse extraordinaire hâta si fort les progrès de ma fortune, que je me trouvai en peu de semaines des sommes considérables, outre celles que je partageais de bonne foi avec mes associés. Je ne craignis plus, alors, de découvrir à Manon notre perte de Chaillot, et, pour la consoler, en lui apprenant cette fâcheuse nouvelle, je louai une maison garnie, où nous nous établîmes avec un air d'opulence et de sécurité[d].

---

tous les enjeux lui reviennent. » (Édit. Vernière.) Une ordonnance du 28 décembre 1719 venait de faire défense, « sous peine de désobéissance et de trois mille livres d'amende », de jouer à aucun jeu de dés et de cartes, surtout aux jeux de « hoca, biribi la dupe, pharaon et bassette » (Buvat, *Journal de la Régence,* t. I, p. 475). Mais les commissaires du Châtelet, à qui l'ordonnance donnait droit de confiscation chez les contrevenants, préféraient s'entendre avec eux, ainsi qu'il est largement expliqué dans les ouvrages du temps.

1. Le prince s'installa à Clagny en 1713, pour être plus près de la cour. Il n'y resta que jusqu'en 1714, ce qui constitue une difficulté chronologique. Du reste, en 1716, les officiers du prince quittèrent l'Hôtel qui fut donné à bail à un sieur Geoffroy Sinet, valet de pied du duc d'Orléans. Il est probable que ce personnage poursuivit l'exploitation.

2. L'expression *faire une volte-face* n'est expliquée par aucun commentateur ou lexicologue. Peut-être s'agit-il de retourner une carte déjà découverte (?). *Filer la carte* se dit du donneur ou *tailleur*, qui « tenant les cartes, a le secret de les connaître au tact [rappelons que les cartes ne sont pas imprimées, mais peintes au pochoir] et de *filer* celles qui lui sont nuisibles » (Chevrier, *le Colporteur,* p. 71). Voyez le *Glossaire.*

3. Selon Chevrier, déjà cité, on exige d'un croupier « qu'il portera des manchettes fort courtes et ne prendra point de tabac », car « un homme qui manie l'or à pleine poignées a bien vite escamoté dix louis au moyen de grandes manchettes », puis, faisant semblant de prendre du tabac, enfonce « cet or dans sa tabatière » (*ibid.*, pp. 71-72).

Tiberge n'avait pas manqué, pendant ce temps-là, de me rendre de fréquentes visites. Sa morale ne finissait point. Il recommençait sans cesse à me représenter le tort que je faisais à ma conscience, à mon honneur et à ma fortune. Je recevais ses avis avec amitié, et quoique je n'eusse pas la moindre disposition à les suivre, je lui savais bon gré de son zèle, parce que j'en connaissais la source. Quelquefois je le raillais *agréablement, dans la présence même de[a] Manon, et je l'exhortais à n'être pas plus scrupuleux qu'un grand nombre d'évêques et d'autres prêtres[b], qui savent accorder fort bien[c] une maîtresse avec un bénéfice[1]. Voyez, lui disais-je, en lui montrant les yeux de la mienne, et dites-moi s'il y a des fautes qui ne soient pas justifiées par une si belle cause. Il prenait patience. Il la poussa même assez loin[d]; mais lorsqu'il vit que mes richesses augmentaient[e], et que non seulement je lui avais restitué ses cent pistoles, mais qu'ayant loué une nouvelle maison et doublé ma dépense[f], j'allais me replonger plus que jamais dans les plaisirs, il changea entièrement de ton et de manières. Il se plaignit de mon endurcissement; il me menaça des châtiments du Ciel, et il me prédit une partie des malheurs qui ne tardèrent guère à m'arriver. Il est impossible, me dit-il, que les richesses qui servent à l'entretien de vos désordres vous soient venues par des voies légitimes. Vous les avez acquises injustement; elles vous seront ravies de même. La plus terrible punition de Dieu serait de vous en laisser jouir tranquillement. Tous mes conseils, ajouta-t-il, vous ont été inutiles; je ne prévois que trop qu'ils vous seraient bientôt importuns. Adieu, ingrat et faible ami. Puissent vos criminels plaisirs s'évanouir comme une ombre! Puissent votre fortune et votre argent périr sans ressource, et vous rester seul et nu, pour sentir la vanité des biens qui vous ont follement enivré! C'est alors que vous me trouverez[g] disposé à vous aimer et à vous servir, mais je romps aujourd'hui tout

---

1. C'est ici comme une première esquisse de cette justification par l'exemple d'une société corrompue, dont il fera plus tard un grand usage devant son père (pp. 163-164).

commerce avec vous, et je déteste la vie que voùs menez
Ce fut dans ma chambre, aux yeux de Manon, qu'il me fit cette harangue apostolique[1]. Il se leva pour se retirer. Je voulus le retenir, mais je fus arrêté par Manon, qui me dit que c'était un fou qu'il fallait laisser sortir.

Son discours ne laissa pas de faire quelque impression sur moi. Je remarque ainsi les diverses occasions où mon cœur sentit un retour vers le bien, parce que c'est à ce souvenir que j'ai dû ensuite une partie de ma force dans les plus malheureuses circonstances de ma vie. Les caresses de Manon dissipèrent, en un moment, le chagrin que cette scène m'avait causé. Nous continuâmes de mener une vie toute composée de plaisir et d'amour. L'augmentation de nos richesses redoubla notre affection; Vénus et la Fortune n'avaient point d'esclaves plus heureux et plus tendres. Dieux! pourquoi nommer[a] le monde un lieu de misères, puisqu'on y peut goûter de si charmantes délices? Mais, hélas! leur faible[b] est de passer trop vite. Quelle autre félicité voudrait-on se proposer, si elles étaient de nature à durer toujours[2]? Les nôtres eurent le sort commun, c'est-à-dire de durer peu, et d'être suivies par des regrets amers. J'avais fait, au jeu, des gains si considérables, que je pensais à placer une partie de mon argent. Mes domestiques n'ignoraient pas mes succès, surtout mon valet de chambre et la suivante de Manon, devant lesquels nous nous entretenions souvent sans défiance. Cette fille était jolie; mon valet en était amoureux. Ils avaient affaire à des maîtres jeunes et faciles, qu'il s'imaginèrent pouvoir tromper aisément. Ils en conçurent le dessein, et ils l'exécutèrent si malheureusement pour nous, qu'ils nous mirent dans un état dont il ne nous a jamais été possible de nous relever.

M. Lescaut nous ayant un jour donné à souper, il était environ minuit lorsque nous retournâmes au logis.

---

1. Les malédictions bibliques du bon abbé Tiberge sont légèrement tournées en ridicule; mais en même temps leur valeur prophétique est soulignée. Cette ambiguïté est caractéristique de tout le roman.

2. Ces remarques ne sont pas dans la trame du récit : c'est le chevalier de retour d'Amérique qui parle. Voyez l'*Introduction*, pp. CXVI et CXVIII.

J'appelai mon valet, et Manon sa femme de chambre[a]; ni l'un ni l'autre ne parurent. On nous dit qu'ils n'avaient point été vus dans la maison depuis huit heures, et qu'ils étaient sortis après avoir fait transporter quelques caisses, suivant les ordres[b] qu'ils disaient avoir reçus de moi[c]. Je pressentis une partie de la vérité, mais je ne formai point de soupçons qui ne fussent surpassés par ce que j'aperçus en entrant dans ma chambre. La serrure de mon cabinet avait été forcée, et mon argent enlevé, avec tous mes habits. Dans le temps que je réfléchissais, seul, sur cet accident, Manon vint, tout effrayée, m'apprendre qu'on avait fait le même ravage dans son * appartement. Le coup me parut si cruel qu'il n'y eut qu'un effort extraordinaire de raison qui m'empêcha de me livrer aux cris et aux pleurs. La crainte de communiquer mon désespoir à Manon me fit affecter de prendre un visage tranquille. Je lui dis, en badinant, que je me vengerais sur quelque dupe à l'hôtel de Transylvanie. Cependant, elle me sembla si sensible à notre malheur, que sa tristesse eut bien plus de force pour m'affliger, que ma joie feinte n'en avait eu pour l'empêcher d'être trop abattue. Nous sommes perdus! me dit-elle, les larmes aux yeux. Je m'efforçai en vain de la consoler par mes caresses; mes propres pleurs trahissaient mon désespoir et ma consternation. En effet, nous étions ruinés si absolument, qu'il ne nous restait pas une chemise.

Je pris le parti d'envoyer chercher sur-le-champ M. Lescaut. Il me conseilla d'aller, à l'heure même, chez M. le Lieutenant de Police et M. le Grand Prévôt de Paris[1]. J'y allai, mais ce fut pour mon plus grand malheur; car outre que cette démarche et celles que je fis faire à ces deux officiers de justice ne produisirent rien, je donnai

1. Depuis la création de la charge de Lieutenant Général de Police, en 1667, les attributions du Grand Prévôt de Paris, très étendues en principe, puisqu'on rendait au Châtelet la justice en son nom, étaient surtout nominales. Au contraire, celles du Lieutenant Général de Police, théoriquement son subordonné, étaient très effectives, et correspondaient à peu près à celles d'un Préfet de Police actuel. Il avait notamment la haute main sur les prisons.

le temps à Lescaut d'entretenir sa sœur, et de lui inspirer, pendant mon absence, une horrible résolution. Il lui parla de M. de G... M...[a], vieux voluptueux, qui payait prodiguement[b] les plaisirs, et il lui fit envisager tant d'avantages à se mettre à sa solde, que, troublée comme elle était par notre disgrâce, elle entra dans tout ce qu'il entreprit de lui persuader[1]. Cet honorable marché fut conclu avant mon retour, et l'exécution remise au lendemain, après que Lescaut aurait prévenu M. de G... M... Je le trouvai[c] qui m'attendait au logis; mais Manon s'était couchée dans son *appartement, et elle avait donné ordre à son laquais[d] de me dire qu'ayant besoin d'un peu de repos, elle me priait de la laisser seule pendant cette nuit. Lescaut me quitta, après m'avoir offert quelques pistoles que j'acceptai. Il était près de quatre heures[e], lorsque je me mis au lit, et m'y étant encore occupé[f] longtemps des moyens de rétablir ma fortune, je m'endormis si tard, que je ne pus me réveiller que vers onze heures ou midi[g]. Je me levai promptement pour aller m'informer de la santé de Manon; on me dit qu'elle était sortie, une heure auparavant, avec son frère, qui l'était venu prendre dans un carrosse de louage[2]. Quoiqu'une telle partie, faite avec Lescaut, me parût mystérieuse, je me fis violence pour suspendre mes soupçons. Je laissai couler quelques heures, que je passai à lire. Enfin, n'étant plus le maître de mon inquiétude, je me promenai à grands pas dans nos *appartements. J'aperçus, dans celui de Manon, une lettre cachetée qui était sur sa table. L'adresse était à moi, et l'écriture de sa main. Je l'ouvris avec un frisson mortel; elle était dans ces termes :

Je te jure, mon cher Chevalier, que tu es l'idole de mon cœur, et qu'il n'y a que toi au monde que je puisse

---

1. Des Grieux, comme toujours, oriente son récit de manière à justifier Manon : Lescaut est un tentateur habile, et profite de ce que sa sœur est *troublée*.

2. A la différence des carrosses appartenant à des propriétaires privés, les carrosses de louage (cf. p. 49, note 5) ne portaient pas d'armoiries et n'étaient pas identifiables. Lescaut s'est assuré la discrétion nécessaire à ses desseins.

aimer de la façon dont je t'aime; mais ne vois-tu pas, ma pauvre chère âme, que, dans l'état où nous sommes réduits, c'est une sotte vertu que la fidélité? Crois-tu qu'on puisse être bien tendre lorsqu'on manque de pain? La faim me causerait quelque méprise fatale; je rendrais quelque jour le dernier soupir, en croyant en pousser un d'amour[1]. Je t'adore, compte là-dessus; mais laisse-moi, pour quelque temps, le ménagement de notre fortune. Malheur à qui va tomber dans mes filets! Je travaille pour rendre mon Chevalier riche et heureux[2]. Mon frère t'apprendra des nouvelles de ta Manon, et qu'elle a pleuré de la nécessité de te quitter.

Je demeurai, après cette lecture, dans un état qui me serait difficile[a] à décrire car j'ignore encore aujourd'hui par quelle espèce de sentiments je fus alors agité. Ce fut une de ces situations uniques auxquelles on n'a rien éprouvé qui soit semblable. On ne saurait les expliquer aux autres, parce qu'ils n'en ont pas l'idée; et l'on a peine à se les bien démêler à soi-même, parce qu'étant seules de leur espèce, cela ne se lie à rien dans la mémoire, et ne peut même être rapproché d'aucun sentiment connu[b]. Cependant, de quelque nature que fussent les miens[c], il est certain qu'il devait y entrer de la douleur, du dépit, de la jalousie et de la honte[3]. Heureux s'il n'y fût pas entré encore plus d'amour! Elle m'aime, je le veux croire; mais ne faudrait-il pas, m'écriai-je, qu'elle fût un monstre pour me haïr? Quels droits eut-on jamais sur un cœur que je n'aie pas sur le sien? Que me reste-t-il à faire pour elle, après tout ce que je lui ai sacrifié? Cependant elle m'abandonne! et l'ingrate

---

1. Ces deux phrases ont été empruntées à peu près textuellement par Meilhac et Halévy, dans la chanson d'adieu de *la Périchole*, opéra-comique d'Offenbach. En fait, une certaine vulgarité les rendait propres à cet usage. Voir, sur le ton de certains passages de cette lettre, l'*Introduction*, p. CXLIV.

2. C'est la seconde fois que Manon explique à des Grieux qu'elle le quitte et le trompe par amour. Les offres de M. de B..., déjà, elle affirmait ne les avoir acceptées que pour « tirer de lui quelque somme considérable qui pût servir à [les] faire vivre commodément » (p. 46). Voir encore p. 145, note 1.

3. Voyez l'*Introduction*, pp. CXII à CXIV.

se croit à couvert de mes reproches en me disant qu'elle ne cesse pas de m'aimer! Elle appréhende la faim. Dieu d'amour[a]! quelle grossièreté de sentiments! et que c'est répondre mal[b] à ma délicatesse! Je ne l'ai pas appréhendée, moi qui m'y expose si volontiers pour elle en renonçant à ma fortune et aux douceurs de la maison de mon père; moi qui me suis retranché jusqu'au nécessaire pour satisfaire ses petites humeurs et ses caprices[1]. Elle m'adore, dit-elle. Si tu m'adorais[c], ingrate, je sais bien de qui tu aurais pris des conseils; tu ne m'aurais pas quitté, du moins, sans me dire adieu. C'est à moi qu'il faut demander quelles peines cruelles on sent à se séparer de ce qu'on adore. Il faudrait avoir perdu l'esprit pour s'y exposer volontairement.

Mes plaintes furent interrompues par une visite à laquelle je ne m'attendais pas. Ce fut celle de Lescaut. Bourreau! lui dis-je en mettant l'épée à la main, où est Manon? qu'en as-tu fait? Ce *mouvement l'effraya; il me répondit que, si c'était ainsi que je le recevais lorsqu'il venait me rendre compte du service le plus considérable qu'il eût pu me rendre, il allait se retirer, et ne remettrait jamais le pied chez moi. Je courus à la porte de la chambre, que je fermai soigneusement. Ne t'imagine pas, lui dis-je en me tournant[d] vers lui, que tu puisses me prendre encore une fois pour dupe et me tromper par des fables. Il faut défendre ta vie, ou me faire retrouver Manon. Là! que vous êtes vif! repartit-il; c'est l'unique sujet qui m'amène. Je viens vous annoncer un bonheur auquel vous ne pensez pas, et pour lequel vous reconnaîtrez peut-être que vous m'avez quelque obligation. Je voulus être éclairci sur-le-champ.

Il me raconta que Manon, ne pouvant soutenir la crainte de la misère, et surtout l'idée d'être obligée tout d'un coup à la réforme de notre *équipage[2], l'avait prié de lui procurer la connaissance de M. de G... M...[e], qui passait pour un

1. Cette tirade, où l'on retrouve certains éléments de la technique du monologue tragique, prend ici le ton de la comédie bourgeoise.

2. *Réformer* l'équipage, c'est le casser, comme on disait aussi des régiments dissous, c'est-à-dire renoncer purement et simplement à la voiture. Sur l'importance de ce luxe pour une femme à l'époque, voir p. 62, note 2.

homme généreux. Il n'eut garde de me dire que le conseil était venu de lui, ni qu'il eût préparé les voies, avant que de l'y conduire. Je l'y ai menée ce matin, continua-t-il, et cet *honnête homme a été si charmé de son mérite, qu'il l'a invitée d'abord à lui tenir compagnie à sa maison de campagne, où il est allé passer quelques jours. Moi, ajouta Lescaut, qui ai pénétré tout d'un coup de quel avantage cela pouvait être pour vous, je lui ai fait entendre adroitement que Manon avait essuyé des pertes considérables, et j'ai tellement piqué sa générosité, qu'il a commencé par lui faire un présent de deux cents pistoles. Je lui ai dit que cela était *honnête pour le présent, mais que l'avenir amènerait à ma sœur de grands besoins; qu'elle s'était chargée, d'ailleurs, du soin d'un jeune frère, qui nous était resté sur les bras après la mort de nos père et mère, et que, s'il la croyait digne de son estime, il ne la laisserait pas souffrir dans ce pauvre enfant qu'elle regardait comme la moitié d'elle-même. Ce récit n'a pas manqué de l'attendrir[a]. Il s'est engagé à louer une maison commode, pour vous et pour Manon, car c'est vous-même[b] qui êtes ce pauvre petit frère orphelin[c]. Il a promis de vous meubler proprement, et de vous fournir, tous les mois quatre cents bonnes livres, qui en feront, si je compte bien, quatre mille huit cents à la fin de chaque année. Il a laissé ordre à son intendant, avant que de partir pour sa campagne, de chercher une maison, et de la tenir prête[d] pour son retour. Vous reverrez alors Manon, qui m'a chargé de vous embrasser mille fois pour elle, et de vous assurer qu'elle vous aime plus que jamais[1].

---

1. Des Grieux se voit clairement proposer ici, et plus loin par Manon, le rôle de *greluchon*. Voyez ci-dessus, p. XCIV, et le *Glossaire*. Cette situation est la seule qui puisse résoudre le problème de Manon, qui est de concilier son attachement pour un amant démuni avec le goût des plaisirs dispendieux. On lit dans les *Mémoires d'un Honnête Homme* (édit. cit., t. XXXIII, p. 170) : « Condamnerez-vous deux passions aussi naturelles que la tendresse et le désir de vivre à son aise ? Une femme née pauvre et sensible serait bien à plaindre, si elle était forcée d'acheter les richesses au prix de son bonheur. N'est-ce pas assez qu'elle y mette ses charmes ? »

Je m'assis, en rêvant à cette bizarre disposition de mon sort. Je me trouvai dans un partage de sentiments, et par conséquent dans une incertitude si difficile à terminer, que je demeurai longtemps sans répondre à quantité de questions que Lescaut me faisait l'une sur l'autre. Ce fut, dans ce moment, que l'honneur et la vertu me firent sentir encore les pointes du remords, et que je jetai les yeux, en soupirant, vers Amiens, vers la maison de mon père, vers Saint-Sulpice et vers tous les lieux où j'avais vécu dans l'innocence. Par quel immense espace[a] n'étais-je pas séparé de cet heureux état! Je ne le voyais plus que de loin, comme une ombre qui s'attirait encore mes regrets et mes désirs, mais trop faible[b] pour exciter mes efforts. Par quelle fatalité, disais-je, suis-je devenu si criminel? L'amour est une passion innocente; comment s'est-il changé, pour moi, en une source de misères et de désordres[1]? Qui m'empêchait de vivre tranquille et vertueux avec Manon? Pourquoi ne l'épousais-je point, avant que d'obtenir rien de son amour? Mon père, qui m'aimait si tendrement, n'y aurait-il pas consenti si je l'en eusse pressé avec des instances légitimes? Ah! mon père l'aurait[c] chérie lui-même, comme une fille charmante, trop digne d'être la femme de[d] son fils; je serais heureux avec l'amour de Manon, avec l'affection de mon père, avec l'estime des honnêtes gens, avec les biens de la fortune et la tranquillité de la vertu[2]. Revers

1. Le ton de ce passage évoque les plaintes de Silvie, au moment où elle se sépare pour jamais de des Frans, après l'avoir trahi : « Je mourrai bientôt victime d'un amour légitime, d'un crime effectif, et de mon innocence entière. La vertu ne m'a jamais abandonnée, et pourtant je suis criminelle! Mon Dieu, continua-t-elle avec un torrent de larmes, par quel charme se peut-il que ces contrariétés soient effectivement en moi? » (R. Challes, *les Illustres Françaises*, édit. les Belles-Lettres, t. II, pp. 394-395.) De part et d'autre, *légitime* et *innocent* s'opposent à *criminel*, et l'on reconnaît le mouvement par *quel charme se peut-il*... dans le début de des Grieux : *Par quelle fatalité*... Quoique la situation soit toute différente, c'est l'état de douloureuse surprise devant les punitions attachées à l'amour qui rapproche les deux personnages. Sur l'affirmation de des Grieux que cette passion est en elle-même « innocente », voyez l'*Introduction*, pp. CXV à CXVII.

2. Sur ces tentatives tardives de conciliation entre l'amour et le devoir, voir l'*Introduction*, pp. CXLVI et CXLVII.

funeste! Quel est l'infâme personnage qu'on vient ici me proposer? Quoi! j'irai partager... Mais y a-t-il à *balancer, si c'est Manon qui l'a réglé, et si je la perds sans cette complaisance? Monsieur Lescaut, m'écriai-je en fermant les yeux, comme pour écarter de si chagrinantes réflexions, si vous avez eu dessein de me servir, je vous rends grâces. Vous auriez pu[a] prendre une voie plus *honnête; mais c'est une chose finie, n'est-ce pas? Ne pensons donc plus qu'à profiter de vos soins et à remplir votre projet. Lescaut, à qui ma colère, suivie d'un fort long silence, avait causé[b] de l'embarras, fut ravi de me voir prendre un parti tout différent de celui qu'il avait appréhendé sans doute[c]; il n'était rien moins que brave, et j'en eus de[d] meilleures preuves dans la suite. Oui, oui, se hâta-il de me répondre, c'est un fort bon service que je vous ai rendu, et vous verrez que nous en tirerons plus d'avantage que vous ne vous y attendez[e]. Nous concertâmes de quelle manière nous pourrions prévenir les défiances que M. de G... M... pouvait concevoir de notre[f] fraternité, en me voyant plus grand et un peu plus âgé peut-être qu'il ne se l'imaginait. Nous ne trouvâmes point d'autre moyen, que de prendre devant lui un air simple et provincial, et de lui faire croire que j'étais dans le dessein d'entrer dans l'état ecclésiastique, et que j'allais pour cela tous les jours au collège. Nous résolûmes aussi que je me mettrais fort mal, la première fois que je serais admis à l'honneur de le saluer. Il revint à la ville trois ou quatre jours[g] après; il conduisit lui-même Manon dans la maison[h] que son intendant avait eu soin de préparer[i]. Elle fit avertir aussitôt Lescaut[j] de son retour; et celui-ci m'en ayant donné avis, nous nous rendîmes tous deux chez elle. Le vieil amant en était déjà sorti.

Malgré la résignation avec laquelle je m'étais soumis à ses volontés, je ne pus réprimer le murmure de mon cœur en la revoyant. Je lui parus triste et languissant. La joie de la retrouver ne l'emportait pas tout à fait sur le chagrin de son infidélité. Elle, au contraire, paraissait transportée du plaisir de me revoir. Elle me fit des reproches de ma froideur. Je ne pus m'empêcher de laisser échapper les noms de perfide[k] et d'infidèle, que j'accompagnai d'autant de soupirs. Elle me railla d'abord de ma *simplicité; mais, lorsqu'elle vit mes regards s'attacher toujours tristement sur elle, et la peine que j'avais à digérer un changement si contraire à mon humeur et à mes désirs, elle passa seule dans son cabinet. Je la suivis un moment après. Je l'y trouvai tout[a] en pleurs; je lui demandai ce qui les causait. Il t'est bien aisé de le voir, me dit-elle, comment veux-tu que je vive, si ma vue n'est plus propre qu'à te causer un air sombre et chagrin? Tu ne m'as pas fait une seule caresse, depuis une heure que tu es ici, et tu as reçu les miennes avec la majesté du Grand Turc au Sérail.

Écoutez, Manon, lui répondis-je en l'embrassant, je ne puis vous cacher que j'ai le cœur mortellement affligé. Je ne parle point à présent des alarmes où votre fuite imprévue m'a jeté, ni de la cruauté que vous avez eue de m'abandonner sans un mot[b] de consolation, après avoir passé la nuit dans un autre lit que moi. Le *charme de votre présence m'en ferait bien oublier[c] davantage. Mais croyez-vous que je puisse penser sans soupirs, et même sans larmes, continuai-je en en versant quelques-unes, à la triste et malheureuse vie que vous voulez que je mène dans cette maison? Laissons ma naissance et mon honneur à part : ce ne sont plus des raisons si faibles[d] qui doivent entrer en concurrence avec un amour tel que le mien; mais cet amour même, ne vous imaginez-vous pas qu'il gémit de se voir si mal récompensé, ou plutôt traité si cruellement[e] par une ingrate et dure maîtresse?... Elle m'interrompit : tenez, dit-elle, mon Chevalier[f], il est inutile de me tourmenter par des reproches qui me percent le cœur, lorsqu'ils viennent de vous. Je vois ce qui vous blesse. J'avais espéré que vous consentiriez au projet que j'avais fait pour rétablir un peu notre fortune, et c'était pour ménager votre délicatesse que j'avais commencé à l'exécuter sans votre participation; mais j'y renonce, puisque vous ne l'approuvez pas. Elle ajouta qu'elle ne me demandait qu'un peu de complaisance[g], pour le reste du jour; qu'elle avait déjà reçu deux cents pistoles de son vieil amant, et qu'il lui avait promis de lui apporter le soir un beau collier de perles, avec d'autres bijoux, et par-dessus cela, la moitié de la pension annuelle qu'il lui avait promise[a]. Laissez-moi seulement le temps, me dit-elle, de recevoir ses présents; je vous jure qu'il ne pourra se vanter des avantages que je lui ai donnés sur moi[b], car je l'ai remis jusqu'à présent à la ville[1]. Il est vrai qu'il m'a baisé plus d'un million de fois les mains; il est juste qu'il paye ce plaisir, et ce ne sera point trop que cinq ou six mille francs, en proportionnant le prix à ses richesses et à son âge.

Sa résolution me fut beaucoup plus agréable que l'espérance des cinq mille livres. J'eus lieu de reconnaître que mon cœur n'avait point encore perdu tout sentiment d'honneur, puisqu'il était si satisfait d'échapper à l'infamie. Mais j'étais né pour les courtes joies et les longues douleurs[2]. La Fortune ne me délivra d'un précipice que pour me faire tomber dans un autre. Lorsque j'eus marqué à Manon, par mille caresses, combien je me croyais heureux de son changement, je lui dis qu'il fallait en instruire M. Lescaut, afin que nos mesures se prissent de concert. Il en murmura d'abord; mais les quatre ou cinq mille livres d'argent comptant le firent entrer gaîment dans nos vues[c]. Il fut donc réglé que nous nous trouverions tous à souper avec M. de G... M..., et cela pour deux raisons : l'une, pour nous donner le plaisir d'une scène agréable en me faisant passer pour un écolier, frère de Manon; l'autre, pour empêcher ce vieux libertin de s'émanciper trop avec ma

---

1. Cette phrase, qui n'a pas toujours été comprise, signifie simplement que Manon a remis le vieux G... M... jusqu'au jour où ils se trouveraient à la ville : ils avaient séjourné jusque-là dans sa maison de campagne. Sur les emplois de *remettre*, voyez le *Glossaire*.

2. Dans les *Mémoires d'un Honnête Homme*, encore, le héros se demande, sur le même ton élégiaque et fatal, s'il est un être maudit : « J'avais douté plusieurs fois si j'étais fait pour une vie heureuse », et plus loin : « Étais-je donc choisi par le Ciel pour grossir le nombre funeste des célèbres malheureux, et pour étonner quelque jour l'univers par mes infortunes et par mes crimes ? » (Édit. cit., t. XXXIII, pp. 196 et 197.) Ici, l'expression résume assez bien le mode de composition « pendulaire » du récit, dans lequel le souvenir de brèves périodes de joie (y compris l'épisode du Prince italien, qui joue son rôle dans cette perspective) balance l'évocation des longs moments de peine.

maîtresse, par le droit qu'il croirait s'être acquis en payant si libéralement d'avance. Nous devions nous retirer, Lescaut et moi, lorsqu'il monterait à la chambre où il comptait de passer la nuit; et Manon, au lieu de le suivre, nous promit de sortir, et de la venir passer avec moi. Lescaut se chargea du soin d'avoir exactement un carrosse à la porte.

L'heure du souper étant venue, M. de G... M... ne se fit pas attendre longtemps. Lescaut était avec sa sœur, dans la salle. Le premier compliment du vieillard fut d'offrir à sa belle un collier, des bracelets et des pendants de perles, qui valaient au moins mille écus[a]. Il lui compta ensuite, en beaux louis d'or, la somme de deux mille quatre cents livres, qui faisaient la moitié de la pension. Il assaisonna son présent de quantité de douceurs dans le goût de la vieille Cour[1]. Manon ne put lui refuser quelques baisers; c'était autant de droits qu'elle acquérait sur l'argent[b] qu'il lui mettait entre les mains. J'étais à la porte, où je prêtais l'oreille, en attendant que Lescaut m'avertît d'entrer.

Il vint me prendre par la main, lorsque Manon eut serré l'argent et les bijoux, et me conduisant[c] vers M. de G... M..., il m'ordonna de lui faire la révérence. J'en fis deux ou trois des plus profondes. Excusez, monsieur, lui dit Lescaut, c'est un enfant fort *neuf. Il est bien éloigné, comme vous voyez, d'avoir les airs de Paris; mais nous espérons qu'un peu d'usage le façonnera. Vous aurez l'honneur de voir ici souvent monsieur, ajouta-t-il, en se tournant vers moi; faites bien votre profit d'un si bon modèle. Le vieil amant parut prendre plaisir à me voir. Il me donna deux ou trois petits coups sur la joue, en me disant que j'étais un joli garçon, mais qu'il fallait être sur mes gardes à Paris, où les jeunes gens se laissent aller facilement à la débauche. Lescaut l'assura que j'étais naturellement si sage, que je ne parlais que de me faire prêtre, et que tout mon plaisir

---

1. L'expression, qui se dit à toute époque sous l'Ancien Régime, désigne des mœurs d'une politesse cérémonieuse et surannée.

Pl. XIX. Présentation du « frère » de Manon au vieux G... M...
(Illustration de Gravelot, 1753.)

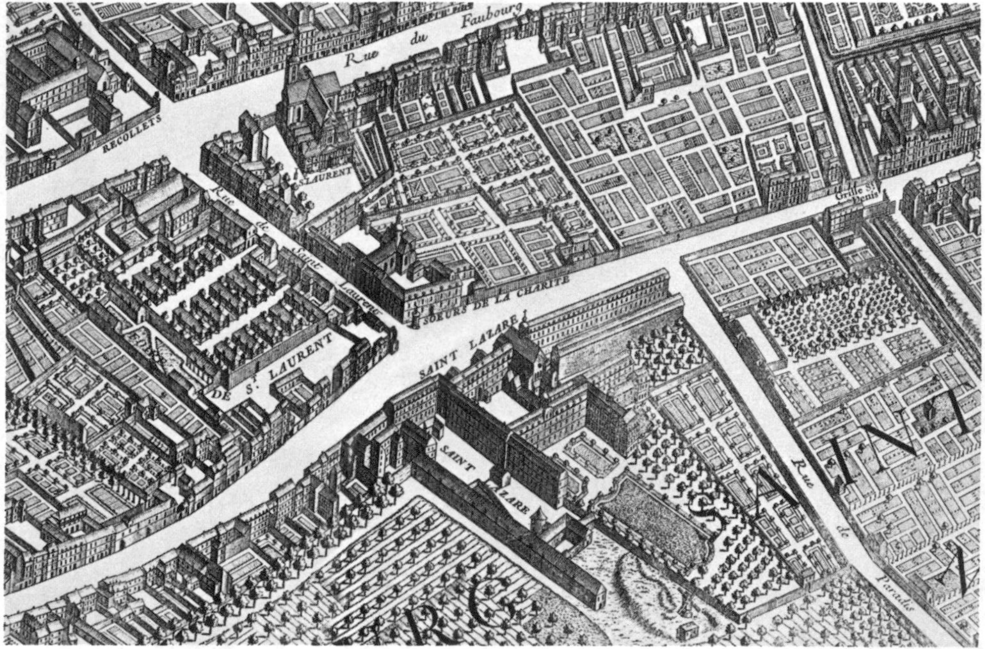

Pl. XX. Le quartier Saint-Lazare.

(Plan de Turgot.)

était à faire de petites chapelles[1]. Je lui trouve de l'air de Manon[a], reprit le vieillard en me haussant le menton avec la main. Je répondis d'un air niais : Monsieur, c'est que nos deux chairs se touchent de bien proche; aussi, j'aime ma sœur Manon comme un autre moi-même. L'entendez-vous? dit-il à Lescaut, il a de l'esprit. C'est dommage que cet enfant-là n'ait pas un peu plus de *monde. Oh! monsieur, repris-je, j'en ai vu beaucoup chez nous dans les églises, et je crois bien que j'en trouverai, à Paris, de plus sots que moi[b]. Voyez, ajouta-t-il, cela est admirable pour un enfant de province. Toute notre conversation fut à peu près du même goût[c], pendant le souper. Manon, qui était badine, fut sur le point, plusieurs fois,[d] de gâter tout par ses éclats de rire[e]. Je trouvai l'occasion, en soupant, de lui raconter sa propre histoire, et le mauvais sort qui le menaçait. Lescaut et Manon tremblaient pendant mon récit, surtout lorsque je faisais son portrait au naturel, mais l'amour-propre l'empêcha de[f] s'y reconnaître, et je l'achevai si adroitement, qu'il fut le premier à le trouver fort risible. Vous verrez que ce n'est pas sans raison que je me suis étendu sur cette ridicule scène[2]. Enfin, l'heure du sommeil étant arrivée, il parla d'amour et d'impatience[g]. Nous nous retirâmes, Lescaut et moi; on le conduisit à sa chambre, et Manon, étant sortie sous prétexte[h] d'un besoin, nous vint joindre à la porte. Le carrosse, qui nous attendait trois ou quatre maisons plus bas, s'avança pour nous recevoir. Nous nous éloignâmes en un instant du quartier.

Quoiqu'à mes propres yeux cette action fût une véritable

---

1. *Faire de petites chapelles*, c'est construire de petits reposoirs ou de petits autels ornés de fleurs. La coutume en existe encore dans certains établissements d'enseignement religieux, au moment de la Fête-Dieu. Stendhal utilise à peu près la même expression dans *Lucien Leuwen :* le maître de poste « regardait les officiers de l'âge de Lucien comme des enfants qui jouent à la chapelle ». C'est-à-dire comme des niais qui ignorent la vie (éd. H. Martineau, Monaco, Éditions du Rocher, 1945, in-8°, t. I, p. 64).

2. Sur cette scène *ridicule,* c'est-à-dire risible, digne de la comédie ou de la farce, voyez l'*Introduction*, pp. CXLII et CXLIV.

friponnerie, ce n'était pas la plus injuste que je crusse avoir à me reprocher[a]. J'avais plus de scrupule sur l'argent[b] que j'avais acquis au jeu[1]. Cependant nous profitâmes aussi peu de l'un que de l'autre, et le Ciel permit que la plus légère de ces deux injustices fût la plus rigoureusement punie.

M. de G... M... ne tarda pas longtemps à s'apercevoir qu'il était dupé. Je ne sais s'il fit, dès le soir même, quelques démarches pour nous découvrir, mais il eut assez de crédit pour n'en pas faire longtemps d'inutiles, et nous assez d'imprudence pour compter trop sur la grandeur de Paris et sur l'éloignement qu'il y avait de notre quartier au sien. Non seulement il fut informé de notre demeure et de nos affaires présentes, mais il apprit aussi qui j'étais, la vie que j'avais menée à Paris, l'ancienne liaison de Manon avec B..., la tromperie qu'elle lui avait faite, en un mot, toutes les parties scandaleuses de notre histoire. Il prit là-dessus la résolution de nous faire arrêter, et de nous traiter[c] moins comme des criminels que comme de fieffés libertins[d]. Nous étions encore au lit, lorsqu'un * exempt de police[e] entra dans notre chambre avec une demi-douzaine de gardes. Ils se saisirent d'abord de notre argent, ou plutôt de celui de M. de G... M..., et nous ayant fait lever brusquement, ils nous conduisirent à la porte, où nous trouvâmes deux carrosses, dans l'un desquels la pauvre Manon fut enlevée sans explication, et moi traîné dans l'autre[f] à Saint-Lazare[2]. Il faut avoir éprouvé de tels

1. Comme il l'a fait pour M. de B... (p. 34), Prévost a présenté M. de G... M... sous un jour peu favorable; il en a fait en outre un personnage ridicule. Enfin, suivant une casuistique qui lui est familière, des Grieux excuse encore sa faute par le fait que lui-même, ou d'autres, en ont commis de pires! Ainsi, la *friponnerie* des deux amants n'est plus, en dernière analyse, qu'un péché véniel.

2. Ancienne léproserie, d'où son nom, Saint-Lazare fut concédé en 1632 à une congrégation de missionnaires pour accueillir, à temps, soit des jeunes gens de condition, enfermés à la demande de leur famille, souvent pour prévenir une mésalliance, soit des prêtres dont la conduite laissait à désirer. La maison était située dans un vaste enclos, hors les murs de Paris, au faubourg Saint-Denis. Voir l'illustration, planche XX.

revers, pour juger du désespoir qu'ils peuvent causer. Nos gardes eurent la dureté de ne me pas permettre d'embrasser Manon, ni de lui dire une parole. J'ignorai longtemps ce qu'elle était devenue[1]. Ce fut sans doute un bonheur pour moi de ne l'avoir pas su d'abord, car une catastrophe si terrible m'aurait fait perdre le sens et, peut-être, la vie.

Ma malheureuse maîtresse fut donc enlevée, à mes yeux, et menée dans une retraite[2] que j'ai horreur de nommer[a]. Quel sort pour une créature toute charmante, qui eût occupé le premier trône du monde, si tous les hommes eussent eu mes yeux et mon cœur! On ne l'y traita pas barbarement; mais elle fut resserrée dans une étroite prison, seule[b], et condamnée à remplir tous les jours une certaine tâche de travail[c], comme une condition nécessaire pour obtenir quelque dégoûtante nourriture[3].

---

1. Prévost ménage à son lecteur l'effet de la scène touchante où des Grieux, avec des transports, apprendra ce qu'il ignorait (pp. 84-85).

2. C'est également dans cette *retraite* — le mot remplace le terme propre, l'Hôpital, qui figurait dans la version de 1731, de façon à prolonger l'effet de suspension signalé à la note précédente — que la duchesse de *** menace de faire enfermer la maîtresse de son mari : « J'aurai soin de la faire avertir, s'écrie-t-elle, que si elle le reçoit plus longtemps, elle sera dans quatre jours à l'Hôpital » (*Mémoires d'un Honnête Homme*, édit. cit., t. XXXIII, p. 144).

3. Quoique Manon ait été enlevée sans scandale dans un carrosse fermé, et non dans l'infamante charrette des filles de joie (voir planches V et XXVIII), elle n'est pas conduite à la Madelonnette ou au Refuge, comme le serait une fille de condition, mais à l'Hôpital, ou plutôt au principal établissement qui le constitue, la Salpêtrière, dont l'équivalent pour les hommes est Bicêtre. Sise hors les murs de Paris, au delà de la porte Saint-Bernard, elle occupait un vaste enclos allant du boulevard de l'Hôpital actuel à la Seine vers l'actuelle gare d'Orléans-Austerlitz. Les pensionnaires, une dizaine de mille à l'époque, y appartenaient à des catégories très diverses, depuis les pauvres qui s'y renfermaient volontairement jusqu'aux aliénées. Mais la sinistre réputation de la maison lui venait surtout de sa maison de force, dont les bâtiments existent encore partiellement, et qui comprenait trois principales divisions, la Grande Force (condamnées à perpétuité), la Prison (condamnées à temps), le Commun, où l'on enfermait les prostituées ou les femmes condamnées pour libertinage sur plainte de leurs maris. Mais on verra plus loin que ce n'est pas

Je n'appris ce triste détail que longtemps après, lorsque j'eus essuyé moi-même plusieurs mois d'une rude et ennuyeuse pénitence. Mes gardes ne m'ayant point averti non plus du lieu[a] où ils avaient ordre de me conduire, je ne connus mon destin qu'à la porte de Saint-Lazare. J'aurais préféré la mort, dans ce moment, à l'état où je me crus prêt de tomber. J'avais de terribles idées de cette maison. Ma frayeur augmenta lorsqu'en entrant les gardes visitèrent une seconde fois mes poches[b], pour s'assurer qu'il ne me restait ni armes, ni moyen de défense. Le supérieur parut à l'instant; il était prévenu sur mon arrivée; il me salua avec beaucoup de douceur. Mon Père, lui dis-je, point d'indignités[1]. Je perdrai mille vies avant que d'en souffrir une. Non, non, monsieur, me répondit-il; vous prendrez une conduite sage, et nous serons contents l'un de l'autre. Il me pria de monter dans une chambre haute. Je le suivis sans résistance. Les archers nous accompagnèrent jusqu'à la porte, et le supérieur, y étant entré avec moi, leur fit[c] signe de se retirer.

Je suis donc votre prisonnier! lui dis-je. Eh bien, mon Père, que prétendez-vous faire de moi? Il me dit qu'il était charmé de me voir prendre un ton raisonnable[d]; que son devoir[e] serait de travailler à m'inspirer le goût de la vertu et de la religion, et le mien, de profiter de ses exhortations et de ses conseils; que, pour peu que je

---

dans une de ces maisons que Manon est reçue. On n'y entre que par sentence de police. Or, dans le cas présent, Manon, comme des Grieux, est enfermée par lettre de cachet, ce qui lui vaut d'aller à la « Correction », dont le régime est moins sévère que le « Commun ». Voir ci-après, p. 102, note 2.

1. Les lazaristes passaient pour infliger le fouet à leurs pensionnaires, et Pontchartrain, au début du XVIIIe siècle, dut parfois les rappeler à plus de mansuétude. Mais ce traitement n'était pas administré sans discrimination et « ces bons missionnaires », comme les appelle des Prés, le héros des *Illustres Françaises*, savaient aussi reconnaître la vraie douleur. Voyez ci-après, p. 82, note 1. En revanche, à Bicêtre, équivalent pour les hommes de la Salpêtrière, des Grieux n'aurait sans doute pas plus échappé au fouet que n'y échappa, dit-on, l'abbé Desfontaines, qui y fut enfermé. Voyez la gravure reproduite planche XXI.

Pl. XXI. Les « indignités » (L'Abbé Desfontaines fessé).

(Cl. B. N.)

voulusse répondre aux attentions qu'il aurait pour moi, je ne trouverais que du plaisir[a] dans ma solitude. Ah! du plaisir! repris-je; vous ne savez pas, mon Père, l'unique chose qui est capable de m'en faire goûter! Je le sais, reprit-il; mais j'espère que votre inclination changera. Sa réponse me fit comprendre qu'il était instruit de mes aventures, et peut-être de mon nom. Je le priai de m'éclaircir[b]. Il me dit *naturellement qu'on l'avait informé de tout.

Cette connaissance fut le plus rude de tous mes châtiments. Je me mis à verser un ruisseau de larmes, avec toutes les marques d'un affreux désespoir[c]. Je ne pouvais me consoler d'une humiliation qui allait me rendre la fable de toutes les personnes de ma connaissance, et la honte de ma famille. Je passai ainsi huit jours dans le plus profond abattement sans être capable de rien entendre, ni de m'occuper d'autre chose que de mon opprobre. Le souvenir même de Manon n'ajoutait rien à ma douleur. Il n'y entrait, du moins, que comme un sentiment qui avait précédé cette nouvelle peine, et la passion dominante de mon âme était la honte et la confusion. Il y a peu de personnes qui connaissent la force de ces mouvements particuliers du cœur. Le commun des hommes n'est sensible qu'à cinq ou six passions, dans le cercle desquelles leur vie se passe, et où toutes leurs agitations se réduisent. Otez-leur l'amour et la haine, le plaisir et la douleur, l'espérance et la crainte, ils ne sentent plus rien. Mais les personnes d'un caractère plus noble[d] peuvent être remuées de mille façons différentes; il semble qu'elles aient plus de cinq sens, et qu'elles puissent recevoir des idées et des sensations qui passent les bornes ordinaires de la nature; et comme elles ont un sentiment de cette grandeur qui les élève au-dessus du vulgaire, il n'y a rien dont elles soient plus jalouses[1]. De là vient qu'elles souffrent si impatiemment le mépris et la risée, et que la honte est une de leurs plus violentes passions[e].

---

1. Sur le privilège du sentiment, voyez l'*Introduction*, pp. CXI à CXIV.

J'avais ce triste avantage à Saint-Lazare. Ma tristesse parut si excessive au supérieur, qu'en appréhendant les suites, il crut devoir me traiter avec beaucoup de douceur et d'indulgence. Il me visitait deux ou trois fois le jour. Il me prenait souvent avec lui, pour faire un tour de jardin, et son zèle s'épuisait[a] en exhortations et en avis salutaires[1]. Je les recevais avec douceur; je lui marquais même de la reconnaissance. Il en tirait l'espoir de ma conversion. Vous êtes d'un naturel si doux et si aimable, me dit-il un jour, que je ne puis comprendre les désordres dont on vous accuse. Deux choses m'étonnent : l'une, comment, avec de si bonnes qualités, vous avez pu vous livrer à l'excès du libertinage; et l'autre que j'admire encore plus, comment vous recevez si volontiers mes conseils et mes instructions, après avoir vécu plusieurs années dans l'habitude du désordre[2]. Si c'est repentir, vous êtes un exemple signalé des miséricordes du Ciel; si c'est bonté naturelle, vous avez du moins un excellent fond de caractère[b], qui me fait espérer que nous n'aurons pas besoin de vous retenir ici longtemps, pour vous ramener à une vie honnête

---

1. L'attitude du Supérieur est comparable à celle des Pères du même établissement dans *l'Histoire de des Prez et de Mlle de l'Espine*, dans *les Illustres Françaises,* de Robert Challes. Rappelons (cf. *Introduction*, p. LXXVIII), que des Prez a été enfermé à Saint-Lazare au moment où sa femme mourait à l'Hôpital, ce qu'il ignore encore : « Je ne pus être instruit de sa mort, qui arriva dans le moment même que j'y entrais. Je restai huit jours dans des impatiences incompréhensibles. Il venait à tout moment quelqu'un de ces bons missionnaires me tenir compagnie : ils tâchaient de me consoler, et me firent peu à peu craindre des malheurs plus grands que ma captivité. Enfin, ils m'instruisirent de la mort de ma chère femme. Ce fut là que je regrettai ma liberté, parce que je ne pouvais pas me venger par un coup de main, ni périr au gré de mon désespoir. Je dis et fis mille extravagances. On entreprit inutilement pendant trois mois de me donner quelque consolation. On dit que j'étais en délire, et la cause de ma douleur était trop juste pour la contraindre. Ces hommes pieux la respectèrent. Ils s'affligèrent avec moi pour me rendre traitable; s'ils n'ont pas réussi, du moins ils ont calmé des transports qui ne m'inspiraient que le meurtre. » (Édit. les Belles-Lettres, t. I, p. 269.)

2. Ces *plusieurs années* se réduisent en fait aux quelques mois à Chaillot et à Paris qui se sont écoulés depuis la fuite de Saint-Sulpice.

et réglée. Je fus ravi de lui voir cette opinion de moi. Je résolus de l'augmenter par une conduite qui pût le satisfaire[a] entièrement, persuadé que c'était le plus sûr moyen d'abréger ma prison. Je lui demandai des livres. Il fut surpris que, m'ayant laissé le choix de ceux que je voulais lire, je me déterminai pour quelques auteurs sérieux. Je feignis de[b] m'appliquer à l'étude avec le dernier attachement, et je lui donnai ainsi, dans toutes les occasions, des preuves du changement qu'il désirait.

Cependant il n'était qu'extérieur. Je dois le confesser[c] à ma honte, je jouai, à Saint-Lazare, un personnage d'hypocrite[1]. Au lieu d'étudier, quand j'étais seul, je ne m'occupais qu'à gémir de ma destinée; je maudissais ma prison et la tyrannie qui m'y retenait. Je n'eus pas plutôt quelque relâche du côté de cet accablement où m'avait jeté la confusion[2], que je retombai dans les tourments de l'amour. L'absence de Manon, l'incertitude de son sort, la crainte de ne la revoir jamais étaient l'unique objet de mes tristes méditations. Je me la figurais dans les bras de G... M...[d], car c'était la pensée que j'avais eue d'abord; et, loin de m'imaginer qu'il lui eût fait le même traitement qu'à moi, j'étais persuadé qu'il ne m'avait fait éloigner que pour la posséder tranquillement. Je passais ainsi des jours et des nuits dont la longueur me paraissait éternelle. Je n'avais d'espérance que dans le succès[e] de mon hypocrisie. J'observais soigneusement le visage et les discours du supérieur, pour m'assurer de ce qu'il pensait de moi, et je me faisais une étude de lui plaire, comme à l'arbitre de ma destinée. Il me fut aisé de reconnaître[f] que j'étais

1. Des Grieux est amené à plusieurs reprises à jouer le même personnage avec Tiberge, auquel il ment, au moins par omission (« excepté sur le dessein de ma fuite », p. 90, de même p. 112). Même lorsqu'il est violemment ému, il sait dissimuler ce qui ne lui est pas favorable : il parle au Supérieur de la « situation florissante » de sa fortune avant le vol de ses valets, mais il ne souffle mot, bien entendu, de l'origine de cette prospérité (p. 86). On a noté aussi qu'après le vol de Chaillot, il songe à écrire à son père et à « feindre une nouvelle conversion, pour obtenir de lui quelque secours d'argent » (p. 57).

2. Il s'agit des sentiments d'humiliation et de honte dont il est question plus haut.

parfaitement dans ses bonnes grâces. Je ne doutai plus[a] qu'il ne fût disposé à me rendre service. Je pris[b] un jour la hardiesse de lui demander si c'était de lui que mon élargissement dépendait. Il me dit qu'il n'en était pas absolument le maître[c], mais que, sur son témoignage, il espérait que M. de G... M..., à la sollicitation duquel M. le Lieutenant général de Police[d] m'avait fait renfermer[1], consentirait à me rendre la liberté. Puis-je me flatter, repris-je doucement, que deux mois de prison, que j'ai déjà essuyés, lui paraîtront une expiation suffisante? Il me promit de lui en parler, si je le souhaitais. Je le priai instamment de me rendre ce bon office. Il m'apprit, deux jours après, que G... M...[e] avait été si touché du bien qu'il avait entendu de moi, que non seulement il paraissait être dans le dessein de me laisser voir le jour, mais qu'il avait même marqué beaucoup d'envie de me connaître plus particulièrement, et qu'il se proposait de me rendre une visite dans ma prison. Quoique sa présence ne pût m'être agréable, je la regardai comme un acheminement prochain à ma liberté.

Il vint effectivement à Saint-Lazare. Je lui trouvai l'air plus grave et moins sot qu'il ne l'avait eu dans la maison de Manon. Il me tint quelques discours de bon sens sur ma mauvaise conduite. Il ajouta, pour justifier apparemment[f] ses propres désordres, qu'il était permis à la faiblesse des hommes de se procurer certains plaisirs que la nature exige[g], mais que la friponnerie et les artifices honteux méritaient d'être punis. Je l'écoutai avec un air de soumission dont il parut satisfait. Je ne m'offensai pas même de lui entendre[h] lâcher quelques railleries sur ma fraternité avec Lescaut et Manon, et sur les petites chapelles dont il supposait, me dit-il, que j'avais dû faire un grand nombre à Saint-Lazare, puisque je trouvais tant de plaisir à cette pieuse occupation. Mais il lui échappa, malheureusement pour lui et pour moi-même, de me dire que Manon

---

1. Les lettres de cachet étaient signées par le ministre de la Maison du Roi, mais, dans les cas de peu d'importance, elles étaient souvent délivrées par provision par le Lieutenant général de Police, après une enquête sommaire sur les faits allégués par le « suppliant ».

en aurait fait aussi, sans doute, de fort jolies à l'Hôpital. Malgré le frémissement que le nom d'Hôpital me causa, j'eus encore le pouvoir de le prier, avec douceur, de s'expliquer. Hé oui! reprit-il, il y a deux mois qu'elle apprend la sagesse à l'Hôpital Général, et je souhaite qu'elle en ait tiré autant de profit que vous à Saint-Lazare.

Quand j'aurais eu une prison éternelle, ou la mort même présente à mes yeux, je n'aurais pas été le maître de mon transport, à cette affreuse nouvelle. Je me jetai sur lui avec un si furieuse rage que j'en perdis la moitié de mes forces. J'en eus assez néanmoins pour le renverser par terre, et pour le prendre[a] à la gorge. Je l'étranglais, lorsque le bruit de sa chute, et quelques cris aigus[b], que je lui laissais à peine la liberté de pousser, attirèrent le supérieur et plusieurs religieux dans ma chambre. On le délivra de mes mains. J'avais presque perdu moi-même la force et la respiration. O Dieu! m'écriai-je, en poussant mille soupirs; justice du Ciel! faut-il que je vive un moment, après une telle infamie? Je voulus me jeter encore sur le barbare qui venait de m'assassiner. On m'arrêta. Mon désespoir, mes cris et mes larmes passaient toute imagination. Je fis des choses si étonnantes, que tous les assistants, qui en ignoraient la cause, se regardaient les uns les autres avec autant de frayeur que de surprise. M. de G... M... rajustait pendant ce temps-là sa perruque et sa cravate, et dans le dépit d'avoir été si maltraité, il ordonnait au supérieur de me resserrer plus étroitement que jamais, et de me punir par tous les châtiments qu'on sait être propres à Saint-Lazare[1]. Non, monsieur, lui dit le supérieur; ce n'est point avec une personne de la naissance de M. le Chevalier que nous en usons de cette manière. Il est si doux, d'ailleurs, et si *honnête, que j'ai peine à comprendre qu'il se soit porté à cet excès sans de fortes raisons[2]. Cette réponse acheva de déconcerter M. de G... M... Il sortit en disant qu'il saurait

---

1. Sur ces châtiments, voyez. p. 80, note 1.
2. L'hypocrisie du chevalier, et aussi son excellente éducation, ont porté leurs fruits. Malgré le pathétique de la scène, la confusion de G... M... fournit ici un élément comique.

faire plier et le supérieur, et moi, et tous ceux qui oseraient lui résister.

Le supérieur, ayant ordonné à ses religieux de le conduire, demeura seul avec moi. Il me conjura de lui apprendre promptement d'où venait ce désordre. O mon Père, lui dis-je, en continuant de pleurer comme un enfant, figurez-vous la plus horrible cruauté, imaginez-vous la plus détestable de toutes les barbaries, c'est l'action que l'indigne G... M... a eu la lâcheté de commettre. Oh! il m'a percé le cœur. Je n'en reviendrai jamais. Je veux vous raconter tout, ajoutai-je en sanglotant. Vous êtes bon, vous aurez pitié de moi. Je lui fis un récit abrégé de la longue et insurmontable passion que j'avais pour Manon, de la situation florissante de notre fortune avant que nous eussions été dépouillés par nos propres domestiques, des offres que G... M... avait faites à ma maîtresse, de la conclusion de leur marché, et de la manière dont il avait été rompu. Je lui représentai les choses, à la vérité, du côté le plus favorable pour nous : Voilà, continuai-je, de quelle source est venu le zèle de M. de G... M... pour ma conversion. Il a eu le crédit de me faire ici renfermer[a], par un pur motif de vengeance. Je lui pardonne, mais, mon Père, ce n'est[b] pas tout : il a fait enlever cruellement la plus chère moitié de moi-même, il l'a fait mettre honteusement à l'Hôpital, il a eu l'impudence de me l'annoncer aujourd'hui de sa propre bouche. A l'Hôpital, mon Père! O Ciel! ma charmante maîtresse, ma chère reine à l'Hôpital, comme la plus infâme de toutes les créatures! Où trouverai-je assez de force pour ne pas mourir de douleur et de honte[c]? Le bon Père, me voyant dans cet excès[d] d'affliction, entreprit de me consoler. Il me dit qu'il n'avait jamais compris mon aventure de la manière dont je la racontais; qu'il avait su, à la vérité, que je vivais dans le désordre, mais qu'il s'était figuré que ce qui avait obligé M. de G... M... d'y prendre[e] intérêt, était quelque liaison d'estime et d'amitié avec ma famille[1]; qu'il ne s'en était expliqué à lui-même

---

1. La même question, on s'en souvient, s'était posée avec M. de B... (p. 33).

que sur ce pied;[a] que ce que je venais de lui apprendre mettrait beaucoup de changement dans mes affaires, et qu'il ne doutait point que le récit fidèle qu'il avait dessein d'en faire à M. le Lieutenant général de Police[b] ne pût contribuer à ma liberté. Il me demanda ensuite pourquoi je n'avais pas encore pensé à donner de mes nouvelles[c] à ma famille, puisqu'elle n'avait point eu de part à ma captivité. Je satisfis à cette objection par quelques raisons prises de la douleur que j'avais appréhendé de causer à mon père, et de la honte que j'en aurais ressentie moi-même. Enfin il me promit d'aller de ce pas chez le Lieutenant de Police, ne fût-ce, ajouta-t-il, que pour prévenir quelque chose de pis, de la part de M. de G... M..., qui est sorti de cette maison fort mal satisfait, et qui est assez considéré pour se faire redouter[d].

J'attendis le retour du Père avec toutes les agitations d'un malheureux qui touche au moment de sa sentence. C'était pour moi un supplice inexprimable de me représenter Manon à l'Hôpital. Outre l'infamie de cette demeure, j'ignorais de quelle manière elle y était traitée, et le souvenir de quelques particularités que j'avais entendues de cette maison d'horreur renouvelait à tous moments mes transports[1].

---

1. Des Grieux connaît de l'Hôpital ce qu'en dit la rumeur publique, soit à peu près ceci. Ce sont les filles arrêtées pour mauvaise vie qui parlent, dans une chanson du temps :

Entrant dans l'Hôpital(e)
Par punition
Les sœurs nous régalent
Comme des lions.
Descendez, déshabillez-vous,
Pour danser au son
De ces violons-là !
Holà, holà, ma sœur,
Ma sœur holà !

Faut quitter les fontanges
Et falbalas
Et commencer à prendre
L'habit de drap ;
Puis après l'on vous rasera
Et l'on vous chaussera
De ces sabots-là.
Holà, etc.

Et plus loin, à propos du régime de vie et des punitions :

On se couche a six heures
Dans ce dortoir.
Tous les jours à cinq heures
On a le fouet,
On le donne à tous les repas,
L'on n'y manque pas, etc.

J'étais tellement résolu de la secourir, à quelque prix et par quelque moyen que ce pût être, que j'aurais mis le feu à Saint-Lazare, s'il m'eût été impossible d'en sortir autrement. Je réfléchis donc sur les voies que j'avais à prendre[a], s'il arrivait que le Lieutenant général de Police[b] continuât de m'y retenir malgré moi. Je mis mon *industrie à toutes les épreuves; je parcourus toutes les possibilités. Je ne vis rien qui pût m'assurer d'une évasion certaine, et je craignis d'être renfermé plus étroitement si je faisais une tentative malheureuse. Je me rappelai le nom de quelques amis, de qui je pouvais espérer du secours; mais quel moyen de leur faire savoir ma situation[c]? Enfin, je crus avoir formé un plan si adroit qu'il pourrait réussir, et je *remis à l'arranger encore mieux après le retour du Père supérieur, si l'inutilité de sa démarche me le rendait nécessaire. Il ne tarda point à revenir. Je ne vis pas[d], sur son visage, les marques de joie qui accompagnent une bonne nouvelle. J'ai parlé, me dit-il, à M. le Lieutenant général de Police[e], mais je lui ai parlé trop tard. M. de G... M... l'est allé voir en sortant d'ici, et l'a si fort prévenu contre vous, qu'il était sur le point de m'envoyer de nouveaux ordres pour vous resserrer davantage.

Cependant, lorsque je lui ai appris le fond de vos affaires, il a paru s'adoucir beaucoup, et riant un peu de l'incontinence du vieux M. de G... M..., il m'a dit qu'il fallait vous laisser ici six mois pour le satisfaire; d'autant mieux[f],

---

(Cité par H. Légier-Desgranges, *Manon Lescaut et la Salpêtrière*, article inédit.) La réalité n'était guère différente. *Le Réglement que le Roi veut être exécuté pour la punition des femmes d'une débauche publique et scandaleuse qui se pourront trouver dans sa bonne ville de Paris, et pour leur traitement dans la maison de la Salpêtrière de l'Hôpital Général, où elles seront renfermées*, ordonne que les femmes emprisonnées « par l'ordre de Sa Majesté ou en vertu des jugements qui seront rendus pour cet effet au Châtelet par le Lieutenant de Police », seront « habillées de tiretaine avec des sabots », qu'elles « auront du pain, du potage et de l'eau » pour nourriture, et une paillasse, des draps et une couverture pour se coucher; enfin qu'on les « fera travailler le plus longtemps et aux ouvrages les plus pénibles que leurs forces le pourront permettre... » (Édit du 20 avril 1684, Paris, François Muguet, 1684, pp. 5 à 7, Archives Nationales, AD XIV-2.)

a-t-il dit, que cette * demeure ne saurait vous être inutile. Il m'a recommandé de vous traiter * honnêtement, et je vous réponds que vous ne vous plaindrez point de mes manières.

Cette explication du bon supérieur fut assez longue pour me donner le temps de faire une sage réflexion[a]. Je conçus que je m'exposerais à renverser mes desseins si je lui marquais trop d'empressement pour ma liberté. Je lui témoignai, au contraire, que dans la nécessité de demeurer, c'était une douce consolation pour moi d'avoir quelque part à son estime. Je le priai ensuite, sans affectation, de m'accorder une grâce, qui n'était de nulle[b] importance pour personne, et qui servirait beaucoup à ma tranquillité; c'était de faire avertir un de mes amis, un saint ecclésiastique qui demeurait à Saint-Sulpice, que j'étais à Saint Lazare, et de permettre que je reçusse quelquefois sa visite[c]. Cette faveur me fut accordée sans délibérer. C'était mon ami Tiberge dont il était question; non que j'espérasse de lui les secours nécessaires pour ma liberté, mais je voulais l'y faire servir comme un instrument éloigné, sans qu'il en eût même connaissance[1]. En un mot, voici mon projet : je voulais écrire à Lescaut et le charger, lui et nos amis communs, du soin de me délivrer. La première difficulté était de lui faire[d] tenir ma lettre; ce devait être l'office de Tiberge. Cependant, comme il le connaissait pour le frère de ma maîtresse, je craignais qu'il n'eût peine à se charger de[e] cette commission. Mon dessein était de renfermer ma lettre à Lescaut dans une autre lettre que je devais adresser[f] à un honnête homme de ma connaissance, en le priant de rendre promptement la première[g] à son adresse, et comme il était nécessaire que je visse Lescaut pour nous accorder dans nos mesures, je voulais lui marquer de venir à Saint-Lazare, et de demander à me voir sous le nom de mon frère aîné, qui était venu exprès à Paris pour prendre connaissance de mes affaires. Je *remettais à convenir

---

1. Cette ruse est justifiée par la maxime « qu'on fait tout pour la liberté » (p. 115) et aussi par celle, qui n'est pas formulée dans le roman, mais qui y est toujours présente, qu'on fait tout pour l'amour.

avec lui des moyens qui nous paraîtraient les plus expéditifs et les plus sûrs. Le Père supérieur fit avertir Tiberge du[a] désir que j'avais de l'entretenir. Ce fidèle ami ne m'avait pas tellement perdu de vue qu'il ignorât mon aventure; il savait que j'étais à Saint-Lazare, et peut-être n'avait-il pas été fâché de cette disgrâce qu'il croyait capable de[b] me ramener au devoir. Il accourut aussitôt à ma chambre.

Notre entretien fut plein d'amitié. Il voulut être informé de mes dispositions. Je lui ouvris mon cœur sans réserve, excepté sur le dessein de ma fuite. Ce n'est pas à vos yeux, cher ami, lui dis-je, que je veux paraître ce que je ne suis point. Si vous avez cru trouver ici un ami sage et réglé dans ses désirs, un *libertin réveillé par les châtiments du Ciel, en un mot un cœur dégagé de l'amour et revenu des charmes de sa Manon, vous avez jugé trop favorablement de moi. Vous me revoyez tel que vous me laissâtes il y a quatre mois : toujours tendre, et toujours malheureux par cette fatale tendresse dans laquelle je ne me lasse point de chercher mon bonheur.

Il me répondit que l'aveu que je faisais me rendait inexcusable; qu'on voyait bien des pécheurs qui s'enivraient du faux bonheur du vice jusqu'à le préférer hautement à celui de la vertu; mais que c'était, du moins, à des images[c] de bonheur qu'ils s'attachaient, et qu'ils étaient les dupes de l'apparence; mais que, de reconnaître, comme je le faisais[d], que l'objet de mes attachements n'était propre qu'à me rendre coupable et malheureux, et de continuer à me précipiter volontairement dans l'infortune et dans le crime, c'était une contradiction d'idées et de conduite qui ne faisait pas honneur à ma raison.

Tiberge, repris-je, qu'il vous est aisé de vaincre, lorsqu'on n'oppose rien à vos armes! Laissez-moi raisonner à mon tour[1]. Pouvez-vous prétendre que ce que vous appelez le bonheur de la vertu soit exempt de peines, de traverses et d'inquiétudes? Quel nom donnerez-vous à la prison,

---

1. Sur l'étonnante doctrine qui est exposée plus bas, voyez l'*Introduction*, pp. CXV à CXVII.

aux croix, aux supplices et aux tortures des tyrans ? Direz-vous, comme font les mystiques, que ce qui tourmente le corps est un bonheur pour l'âme ? Vous n'oseriez le dire ; c'est un paradoxe insoutenable. Ce bonheur, que vous relevez tant, est donc mêlé de mille peines, ou pour parler plus juste, ce n'est qu'un tissu de malheurs au travers desquels on tend à la félicité. Or si la force de l'imagination fait trouver du plaisir dans ces maux mêmes, parce qu'ils peuvent conduire à un terme heureux qu'on espère, pourquoi traitez-vous de contradictoire et d'insensée, dans ma conduite, une disposition toute semblable ? J'aime Manon ; je tends au travers de mille douleurs à vivre heureux et tranquille auprès d'elle. La voie par où je marche est malheureuse ; mais l'espérance d'arriver à mon terme y répand toujours de la douceur, et je me croirai trop bien payé, par un moment passé avec elle, de tous les chagrins que j'essuie pour l'obtenir. Toutes choses me paraissent donc égales de votre côté et du mien ; ou s'il y a quelque différence, elle est encore à mon avantage, car le bonheur que j'espère est proche, et l'autre est éloigné ; le mien est de la nature des peines, c'est-à-dire sensible au corps, et l'autre est d'une nature inconnue, qui n'est certaine que par la foi.

Tiberge parut effrayé de ce raisonnement. Il recula de deux pas, en me disant, de l'air le plus sérieux, que, non seulement ce que je venais de dire blessait le bon sens, mais que c'était un malheureux sophisme d'impiété et d'irréligion : car cette comparaison, ajouta-t-il, du terme de vos peines avec celui qui est proposé par la religion, est une idée des plus *libertines et des plus monstrueuses.

J'avoue, repris-je, qu'elle n'est pas juste ; mais prenez-y garde, ce n'est pas sur elle que porte mon raisonnement. J'ai eu dessein d'expliquer ce que vous regardez comme une contradiction, dans la persévérance d'un amour malheureux, et je crois avoir fort bien prouvé[a] que, si c'en est une, vous ne sauriez vous en *sauver plus que moi[b]. C'est à cet égard seulement que j'ai traité les choses d'égales, et je soutiens encore qu'elles le sont. Répondrez-vous que le terme de la vertu est infiniment supérieur à celui de l'amour ?

Qui refuse d'en convenir? Mais est-ce de quoi il est question? Ne s'agit-il pas de la force qu'ils ont, l'un et l'autre, pour faire supporter les peines? Jugeons-en par l'effet. Combien trouve-t-on de déserteurs de la sévère vertu, et combien en trouverez-vous peu de l'amour? Répondrez-vous encore que, s'il y a des peines dans l'exercice du bien, elles ne sont pas infaillibles et nécessaires; qu'on ne trouve plus de tyrans ni de croix, et qu'on voit quantité de personnes vertueuses mener une vie douce et tranquille? Je vous dirai de même qu'il y a des amours paisibles et fortunés, et, ce qui fait encore une différence qui m'est extrêmement avantageuse, j'ajouterai que l'amour, quoiqu'il trompe assez souvent, ne promet du moins que des satisfactions et des joies, au lieu que la religion veut qu'on s'attende à une pratique triste et *mortifiante[1]. Ne vous alarmez pas, ajoutai-je en voyant son zèle prêt à se chagriner. L'unique chose que je veux conclure ici, c'est qu'il n'y a point de plus mauvaise méthode pour dégoûter un cœur de l'amour, que de lui en décrier les douceurs et de lui promettre plus de bonheur dans l'exercice de la vertu. De la manière dont nous sommes faits, il est certain que notre félicité consiste dans le plaisir; je défie qu'on s'en forme une autre idée; or le cœur n'a pas besoin de se consulter longtemps pour sentir que, de tous les plaisirs, les plus doux sont ceux de l'amour. Il s'aperçoit bientôt qu'on le trompe lorsqu'on lui en promet ailleurs de plus charmants, et cette tromperie le dispose à se défier des promesses les plus solides. Prédicateurs, qui voulez me ramener à la vertu, dites-moi qu'elle est indispensablement nécessaire,

---

1. Les héros de Prévost semblent apprécier assez peu l'ascétisme chrétien. On a vu plus haut comment des Grieux représentait une vie chrétienne conforme à ses goûts (pp. 40-41, note 1). Visitant la Trappe avec horreur, un personnage du *Monde moral* y trouve « un genre de vie qui n'est pas ordonné suivant les lois de la religion, et dont, ajoute-t-il, je ne comprenais pas la nécessité. Que le martyre n'ait point effrayé les chrétiens dans les anciennes persécutions, je le concevais sans peine, (...) mais depuis l'établissement du christianisme, les voies sont paisibles. » (Éd. citée, t. XXIX, p. 74.)

mais ne me déguisez pas qu'elle est sévère et pénible[1]. Établissez bien que les délices de l'amour sont passagères, qu'elles sont défendues, qu'elles seront suivies par d'éternelles peines, et ce qui fera peut-être encore plus d'impression sur moi, que, plus elles sont douces et charmantes, plus le Ciel sera magnifique à récompenser un si grand sacrifice, mais confessez qu'avec des cœurs tels que nous les avons, elles sont ici-bas nos plus parfaites félicités[a].

Cette fin de mon discours rendit sa bonne humeur à Tiberge. Il convint qu'il y avait quelque chose de raisonnable dans mes pensées. La seule objection qu'il ajouta fut de me demander pourquoi je n'entrais pas du moins dans mes propres principes, en sacrifiant mon amour à l'espérance de cette rémunération dont je me faisais une si grande idée. O cher ami! lui répondis-je, c'est ici que je reconnais ma misère et ma faiblesse. Hélas! oui, c'est mon devoir d'agir comme je raisonne! mais l'action est-elle en mon pouvoir? De quels secours n'aurais-je pas besoin pour oublier les charmes de Manon[2]? Dieu me pardonne, reprit Tiberge, je pense que voici encore un de nos jansénistes. Je ne sais ce que je suis, répliquai-je, et je ne vois pas trop clairement ce qu'il faut être; mais je n'éprouve que trop[b] la vérité de ce qu'ils disent.

Cette conversation servit du moins à renouveler la pitié de mon ami. Il comprit[c] qu'il y avait plus de faiblesse que de *malignité dans mes désordres. Son amitié en fut plus disposée, dans la suite, à me donner des secours, sans lesquels j'aurais péri infailliblement de misère. Cependant, je ne lui fis pas[d] la moindre ouverture du dessein que j'avais de m'échapper de Saint-Lazare. Je le priai seulement de se charger de ma lettre. Je l'avais préparée, avant qu'il fût venu, et je ne manquai point de prétextes pour *colorer

---

1. On a noté dans le roman divers emprunts à la casuistique des jésuites (voyez l'*Introduction*, pp. CV à CVII). C'est ici au contraire une observation qui contredit vigoureusement leur enseignement.

2. A rapprocher de « Tout ce qu'on dit de la liberté à S[aint]-Sulpice est une chimère » (p. 46). Sur ces formules et sur la question du jansénisme, voyez l'*Introduction*, pp. CXXV à CXXX.

la nécessité où j'étais d'écrire. Il eut la * fidélité de la porter exactement, et Lescaut reçut, avant la fin du jour, celle qui était pour lui[a].

Il me vint voir le lendemain, et il passa heureusement sous le nom de mon frère. Ma joie fut extrême[b] en l'apercevant dans ma chambre. J'en fermai la porte avec soin. Ne perdons pas un seul moment, lui dis-je; apprenez-moi d'abord des nouvelles de Manon, et donnez-moi ensuite un bon conseil pour rompre mes fers. Il m'assura qu'il n'avait pas vu sa sœur depuis le jour qui avait précédé mon emprisonnement, qu'il n'avait appris son sort et le mien qu'à force d'informations et de soins; que, s'étant présenté deux ou trois fois à l'Hôpital, on lui avait refusé la liberté de lui parler. Malheureux G... M...! m'écriai-je, que tu me le paieras cher[c]!

Pour ce qui regarde votre délivrance, continua Lescaut, c'est une entreprise moins facile que vous ne pensez. Nous passâmes hier la soirée, deux de mes amis et moi, à observer toutes les parties extérieures de cette maison, et nous jugeâmes que, vos fenêtres étant sur[d] une cour entourée de bâtiments, comme vous nous l'aviez marqué, il y aurait bien de la difficulté à vous tirer de là. Vous êtes d'ailleurs au troisième étage, et nous ne pouvons introduire ici ni cordes ni échelles[1]. Je ne vois donc nulle[e] ressource du côté du dehors. C'est dans la maison même qu'il faudrait imaginer quelque artifice. Non, repris-je; j'ai tout examiné, surtout depuis que ma clôture est un peu moins rigoureuse, par l'indulgence du supérieur. La porte de ma chambre ne se ferme plus avec la clef, j'ai la liberté de me promener dans les galeries des religieux; mais tous les escaliers sont bouchés par des portes épaisses, qu'on a soin de tenir fermées la nuit et le jour, de sorte qu'il est impossible que la seule * adresse puisse me sauver[f]. Attendez, repris-je, après avoir un peu réfléchi sur une idée qui me parut

1. Ces détails apparaissent assez bien sur le plan dont nous donnons un extrait, planche XX. La cellule de des Grieux se trouve sous les combles, et donne sur la cour intérieure visible au nord des bâtiments.

excellente, pourriez-vous m'apporter un pistolet? Aisément, me dit Lescaut; mais voulez-vous tuer quelqu'un? Je l'assurai que j'avais si peu dessein de tuer qu'il n'était pas même nécessaire que le pistolet fût chargé[1]. Apportez-le-moi demain, ajoutai-je, et ne manquez pas de vous trouver le soir[a], à onze heures, vis-à-vis de la porte[b] de cette maison, avec deux ou trois de nos amis. J'espère que je pourrai vous y rejoindre. Il me pressa en vain de lui en apprendre davantage. Je lui dis qu'une entreprise, telle que je la méditais, ne pouvait paraître raisonnable qu'après avoir réussi. Je le priai d'abréger sa visite, afin qu'il trouvât plus de facilité à me revoir le lendemain. Il fut admis avec aussi peu de peine que la première fois. Son air était grave, il n'y a personne qui ne l'eût pris pour un homme d'honneur[c].

Lorsque je me trouvai muni de l'instrument de ma liberté, je ne doutai presque plus du succès de mon projet. Il était bizarre et hardi; mais de quoi n'étais-je pas capable, avec les motifs qui m'animaient? J'avais remarqué, depuis qu'il m'était permis de sortir de ma chambre et de me promener dans les galeries, que le portier apportait chaque jour au soir les clefs de toutes les portes au supérieur, et qu'il régnait ensuite un profond silence dans la maison, qui marquait que tout le monde était retiré. Je pouvais aller sans obstacle, par une galerie de communication, de ma chambre à celle de ce Père. Ma résolution était de lui prendre ses clefs, en l'épouvantant avec mon pistolet s'il faisait difficulté de me les donner, et de m'en servir pour gagner la rue. J'en attendis le temps avec impatience. Le portier vint à l'heure ordinaire, c'est-à-dire un peu après neuf heures. J'en laissai passer encore une, pour m'assurer que tous les religieux et les domestiques étaient endormis. Je partis enfin, avec mon arme et une chandelle allumée. Je frappai d'abord doucement à la porte du Père, pour

---

1. L'intention de des Grieux est ainsi clairement établie : il ne songe qu'à menacer. Sur ce point, et sur l'irresponsabilité du héros dans la scène du meurtre, voyez l'*Introduction*, pp. CVII et CVIII.

l'éveiller sans bruit. Il m'entendit au second coup, et s'imaginant, sans doute, que c'était quelque religieux qui se trouvait mal et qui avait besoin de secours, il se leva pour m'ouvrir. Il eut, néanmoins, la précaution de demander, au travers de la porte, qui c'était et ce qu'on voulait de lui. Je fus obligé de me nommer[a]; mais j'affectai un ton plaintif, pour lui faire comprendre que je ne me trouvais pas bien. Ah! c'est vous, mon cher fils, me dit-il, en ouvrant la porte; qu'est-ce donc[b] qui vous amène si tard? J'entrai dans sa chambre, et l'ayant tiré à l'autre bout opposé à la porte, je lui déclarai qu'il m'était impossible de demeurer plus longtemps à Saint-Lazare; que la nuit était un temps commode pour sortir sans être aperçu, et que j'attendais de son amitié qu'il consentirait à m'ouvrir les portes, ou à me prêter ses clefs pour les ouvrir moi-même.

Ce *compliment[c] devait le surprendre. Il demeura quelque temps à me considérer, sans me répondre. Comme je n'en avais pas à perdre, je repris la parole pour lui dire que j'étais fort touché de toutes ses bontés, mais que, la liberté étant le plus cher de tous les biens, surtout pour moi[d] à qui on la ravissait injustement, j'étais résolu de me la procurer cette nuit même, à quelque prix que ce fût; et de peur qu'il ne lui prît envie d'élever la voix pour appeler du secours[e], je lui fis voir une *honnête raison de silence, que je tenais sous mon juste-au-corps. Un pistolet! me dit-il. Quoi! mon fils, vous voulez m'ôter la vie, pour reconnaître la considération que j'ai eue pour vous? A Dieu ne plaise, lui répondis-je. Vous avez trop d'esprit et de raison pour me mettre dans cette nécessité; mais je veux être libre, et j'y suis si résolu que, si mon projet manque par votre faute, c'est fait de vous absolument. Mais, mon cher fils, reprit-il d'un air pâle et effrayé, que vous ai-je fait? quelle raison avez-vous de vouloir ma mort? Eh non! répliquai-je avec impatience. Je n'ai pas dessein de vous tuer, si vous voulez vivre. Ouvrez-moi la porte, et je suis le meilleur de vos amis. J'aperçus les clefs qui étaient sur sa table. Je les pris et je le[f] priai de me suivre, en faisant le moins de bruit qu'il pourrait. Il fut obligé de s'y résoudre. A mesure que nous avancions et qu'il ouvrait une porte, il me répétait avec un soupir : Ah! mon fils, ah! qui l'aurait cru? Point de bruit, mon Père, répétais-je de mon côté à tout moment. Enfin nous arrivâmes à une espèce de barrière, qui est avant la grande porte de la rue. Je me croyais déjà libre[a], et j'étais derrière le Père, avec ma chandelle dans une main et mon pistolet dans l'autre. Pendant qu'il s'empressait d'ouvrir[b], un domestique, qui couchait dans une petite chambre voisine, entendant le bruit de quelques verrous, se lève et met la tête à sa porte. Le bon Père le crut apparemment capable de m'arrêter. Il lui ordonna, avec beaucoup d'imprudence, de venir à son secours. C'était un puissant coquin, qui s'élança sur moi sans *balancer. Je ne le *marchandai point[c]; je lui lâchai le coup au milieu de la poitrine. Voilà de quoi vous êtes cause, mon Père, dis-je assez fièrement à mon guide. Mais que cela ne vous empêche point d'achever[d], ajoutai-je en le poussant vers la dernière porte. Il n'osa refuser de l'ouvrir. Je sortis heureusement et je trouvai, à quatre pas, Lescaut qui m'attendait avec deux amis, suivant sa promesse.

Nous nous éloignâmes. Lescaut me demanda s'il n'avait pas entendu tirer un pistolet. C'est votre faute[1], lui dis-je; pourquoi me l'apportiez-vous chargé? Cependant je le remerciai d'avoir eu cette précaution, sans laquelle j'étais sans doute à Saint-Lazare pour longtemps. Nous allâmes passer la nuit chez un traiteur[2], où je me remis un peu de la mauvaise chère que j'avais faite depuis près de trois mois. Je ne pus néanmoins m'y livrer au plaisir. Je souffrais mortellement dans Manon[3]. Il faut la délivrer, dis-je à mes trois amis. Je n'ai souhaité la liberté que dans cette vue. Je vous demande le secours de votre *adresse; pour moi, j'y emploierai jusqu'à ma vie. Lescaut, qui ne manquait pas d'esprit et de prudence, me représenta qu'il fallait aller

---

1. Sur cette étonnante réplique et sur la responsabilité du meurtre, voyez l'*Introduction*, pp. CVII et CVIII.

2. Le groupe est rentré dans Paris, en passant la barrière de l'octroi, puis la Porte Saint-Denis. Voir l'illustration, planche XX.

3. L'immanence de l'être aimé par rapport à celui qui aime apparaît ici de façon particulièrement expressive; il semble que les deux amants ne forment qu'un seul être.

bride en main[1]; que mon évasion de Saint-Lazare, et le malheur qui m'était arrivé en sortant, causeraient infailliblement du bruit; que le Lieutenant général de Police[a] me ferait chercher, et qu'il avait les bras longs; enfin, que si je ne voulais pas être exposé à quelque chose de pis que S[aint]-Lazare, il était à propos de me tenir couvert et renfermé pendant quelques jours[b], pour laisser au premier feu de mes ennemis le temps de s'éteindre. Son conseil était sage, mais il aurait fallu l'être aussi pour le suivre. Tant de lenteur et de ménagement ne s'accordait pas avec ma passion. Toute ma complaisance se réduisit à lui promettre que je passerais le jour suivant à dormir. Il m'enferma dans sa chambre, où je demeurai jusqu'au soir.

J'employai une partie de ce temps à former des projets et des expédients pour secourir Manon. J'étais bien persuadé que sa prison était encore plus impénétrable que n'avait été la mienne. Il n'était pas question de force et de violence, il fallait de l'artifice; mais la déesse même de l'invention n'aurait pas su par où[c] commencer. J'y vis si peu de *jour, que je * remis à considérer mieux les choses lorsque j'aurais pris quelques informations sur l'arrangement intérieur de l'Hôpital.

Aussitôt que la nuit m'eut rendu la liberté[d], je priai Lescaut de m'accompagner. Nous liâmes conversation avec un des portiers, qui nous parut homme de bon sens. Je feignis d'être un étranger qui avait entendu parler avec admiration de l'Hôpital Général[2], et de l'ordre qui s'y

---

1. Cette image tirée de l'équitation signifie évidemment : prudemment, en modérant l'allure.

2. *La Nouvelle Description de la Ville de Paris,* par Germain Brice (1725), conseille en ces termes la visite de l'Hôpital aux étrangers : « Quoique pour les délicats ce ne soit pas une chose fort agréable de voir des pauvres, cependant il est surprenant d'en trouver ensemble un aussi grand nombre de tous âges et de tous sexes, dont les diverses misères sont soulagées avec un soin et une charité tout à fait édifiante. Rien n'est plus beau que l'ordre et la police qui y est observée, et on ne saurait assez louer le zèle et la vigilance des administrateurs de ce grand hôpital, de pouvoir contenir dans le devoir et dans la soumission un si grand nombre de personnes, la plupart déréglées par la misère ou par leur mauvaise éducation. On compte que plus de sept mille pauvres

appeal to M de T (son of administrator)

observe[a]. Je l'interrogeai sur les plus minces détails, et de circonstances en circonstances, nous tombâmes sur les administrateurs, dont je le priai de m'apprendre les noms et les qualités[1]. Les réponses qu'il me fit sur ce dernier article me firent naître une pensée dont je m'applaudis aussitôt, et que je ne tardai point à mettre en œuvre. Je lui demandai, comme une chose essentielle à mon dessein, si ces messieurs avaient des enfants. Il me dit qu'il ne pouvait pas m'en rendre un compte certain, mais que, pour M. de T., qui était un des principaux[2], il lui connaissait un fils en âge d'être marié, qui était venu plusieurs fois à l'Hôpital avec son père. Cette assurance me suffisait. Je rompis presque aussitôt notre entretien, et je fis part à Lescaut, en retournant chez lui, du dessein que j'avais conçu[b]. Je m'imagine, lui dis-je, que M. de T... le fils, qui est riche et de bonne famille[c], est dans un certain goût de plaisirs, comme la plupart des jeunes gens de son âge. Il ne saurait être ennemi des femmes, ni ridicule au point de refuser ses services pour une affaire d'amour. J'ai formé le dessein de l'intéresser à la liberté de Manon. S'il est *honnête homme, et qu'il ait des *sentiments, il nous accordera son secours par générosité. S'il n'est point capable d'être conduit par ce motif, il fera du moins quelque chose pour une fille aimable, ne fût-ce que par l'espérance d'avoir part à ses faveurs. Je ne veux pas différer de le voir,

---

sont entretenus dans cette seule maison, non seulement de nourriture, mais d'habits... » (8e édit. t. II, pp. 390-391.) Ajoutons que, du point de vue architectural, l'Hôpital passait pour un des bâtiments les plus audacieux et les plus modernes de Paris. Le dôme de son église, notamment, rivalisait avec ceux du Val-de-Grâce et des Invalides.

1. Le bureau qui administrait l'Hôpital comprenait vingt-neuf membres, mais les sept membres de droit avaient une prééminence sur les autres. C'étaient l'archevêque de Paris, les premiers présidents du Parlement, de la Cour des Aides et de la Cour des Comptes, le procureur général du Parlement, chargé spécialement d'examiner les demandes d'admission volontaires, le Lieutenant général de Police et le Prévôt des marchands. Voir H. Légier-Desgranges, *Hospitaliers d'autrefois*, Paris, Hachette, 1952, pp. 14 et suiv.

2. On a pensé à Trudaine, qui fut prévôt des marchands en 1720. Voyez l'*Introduction*, p. VII.

ajoutai-je, plus longtemps que jusqu'à demain[a]. Je me sens si consolé par ce projet, que j'en tire un bon augure. Lescaut convint lui-même qu'il y avait de la vraisemblance dans mes idées, et que nous pouvions espérer quelque chose par cette voie[b]. J'en passai la nuit moins tristement.

Le matin étant venu, je m'habillai le plus *proprement qu'il me fut possible, dans l'état d'indigence où j'étais, et je me fis conduire dans un fiacre à la maison de M. de T... Il fut surpris de recevoir la visite d'un inconnu. J'augurai bien de sa physionomie et de ses[c] civilités. Je m'expliquai *naturellement avec lui, et pour échauffer ses sentiments naturels, je lui parlai de ma passion et du mérite de ma maîtresse comme de deux[d] choses qui ne pouvaient être égalées que l'une par l'autre. Il me dit que, quoiqu'il n'eût jamais vu Manon, il avait entendu parler d'elle, du moins s'il s'agissait de celle qui avait été la maîtresse du vieux G... M... Je ne doutai point qu'il ne fût informé de la part que j'avais eue à cette aventure, et pour le gagner de plus en plus[e], en me faisant un mérite de ma confiance, je lui racontai le détail de tout ce qui était arrivé[f] à Manon et à moi. Vous voyez, monsieur, continuai-je, que l'intérêt de ma vie et celui de mon cœur sont maintenant entre vos mains. L'un ne m'est pas plus cher que l'autre. Je n'ai point de réserve avec vous, parce que je suis informé de votre générosité, et que la ressemblance de nos âges me fait espérer qu'il s'en trouvera quelqu'une dans nos inclinations. Il parut fort sensible à cette marque d'ouverture et de candeur. Sa réponse fut celle d'un homme qui a du *monde et des *sentiments; ce que le monde ne donne pas toujours et qu'il fait perdre souvent. Il me dit qu'il mettait ma visite au rang de ses bonnes fortunes, qu'il regarderait mon amitié comme une de ses plus heureuses acquisitions, et qu'il s'efforcerait de la mériter par l'ardeur de ses services[g]. Il ne promit pas de me rendre Manon, parce qu'il n'avait, me dit-il, qu'un crédit médiocre et mal assuré; mais il m'offrit de[h] me procurer le plaisir de la voir, et de faire tout[i] ce qui serait en sa puissance pour la remettre entre mes bras. Je fus plus satisfait de cette incertitude[j] de son crédit que je ne l'aurais été d'une pleine assurance de remplir tous mes désirs. Je trouvai, dans la modération de ses offres, une marque de franchise dont je fus charmé. En un mot, je me promis tout[a] de ses bons offices. La seule promesse de me faire voir Manon m'aurait fait tout entreprendre pour lui. Je lui marquai quelque chose de ces sentiments, d'une manière qui le persuada aussi que je n'étais pas d'un mauvais naturel. Nous nous embrassâmes avec tendresse, et nous devînmes amis, sans autre raison que la bonté de nos cœurs et une simple disposition qui porte un homme tendre et généreux à aimer un autre homme qui lui ressemble[1]. Il poussa les marques de son estime bien plus loin, car, ayant combiné mes aventures[2], et jugeant qu'en sortant de S[aint]-Lazare je ne devais pas me trouver à mon aise, il m'offrit sa bourse, et il me pressa de l'accepter. Je ne l'acceptai point; mais je lui dis : C'est trop, mon cher Monsieur. Si, avec tant de bonté et d'amitié, vous me faites revoir ma chère Manon, je vous suis attaché pour toute ma vie. Si vous me rendez tout à fait cette chère créature, je ne croirai pas être quitte en versant tout mon sang pour vous servir.

Nous ne nous séparâmes qu'après être convenus du temps et du lieu où nous devions nous retrouver. Il eut la complaisance de ne pas me remettre plus loin que l'après-midi du même jour. Je[b] l'attendis dans un café, où il vint me rejoindre vers les quatre heures, et nous prîmes ensemble le chemin de l'Hôpital. Mes genoux étaient tremblants en traversant les cours. Puissance d'amour! disais-je, je reverrai donc l'idole[c] de mon cœur, l'objet de tant de pleurs et d'inquiétudes! Ciel! conservez-moi assez de vie pour aller jusqu'à elle, et disposez après cela de ma fortune et de mes jours; je n'ai plus d'autre grâce à vous demander.

M. de T... parla à quelques concierges[3] de la maison qui

---

1. Sur cette sentimentalité vertueuse, dont on trouve aussi des traces, à la même époque, chez Marivaux, voyez l'*Introduction*, pp. CXI et CXII.

2. *Ayant combiné mes aventures*, c'est-à-dire ayant repassé dans son esprit l'enchaînement de mes aventures. Voyez le *Glossaire*.

3. Ce sont les gardiens de la prison. Le mot revient plusieurs fois dans ce sens par la suite.

s'empressèrent de lui offrir tout ce qui dépendait d'eux pour sa satisfaction. Il se fit montrer le quartier où Manon avait sa chambre, et l'on nous y conduisit avec une clef d'une grandeur effroyable, qui servit à ouvrir sa porte. Je demandai au valet qui nous menait, et qui était celui qu'on avait chargé du soin de la servir, de quelle manière elle avait passé le temps dans cette demeure. Il nous dit que c'était une douceur angélique[1]; qu'il n'avait jamais reçu d'elle un mot de dureté; qu'elle avait versé continuellement des larmes pendant les six premières semaines après son arrivée, mais que, depuis quelque temps, elle paraissait[a] prendre son malheur avec plus de patience, et qu'elle était occupée à coudre du matin jusqu'au soir, à la réserve de quelques heures qu'elle employait à la lecture. Je lui demandai encore si elle avait été entretenue *proprement. Il[b] m'assura que le nécessaire, du moins, ne lui avait jamais manqué[2].

---

1. Tour de la langue familière du temps. Comparer : « Cet enfant, c'est la douceur même. » Quoique des Grieux fasse parler le valet au style indirect, il reproduit textuellement ses propos. Le même procédé est fréquent à l'époque chez Marivaux. Voir par exemple dans *la Vie de Marianne :* « (le cocher)... sortit, traversa la foule, qui s'ouvrit alors, tant pour le laisser sortir, que pour livrer passage à Mme Dutour, qui voulait courir après lui, que j'en empêchai, et *qui me disait que, jour de Dieu, je n'étais qu'une petite sotte* » (édit. Garnier, p. 97).

2. Des détails donnés ici et plus haut (p. 79), il ressort que Manon doit être détenue dans le quartier dénommé la Correction, qui existait encore au début du xxe siècle. Il s'agissait d'un bâtiment d'un étage seulement, construit sur trois côtés d'une cour, ouvrant sur une galerie (mentionnée ici), et formant une espèce de cloître. On y logeait, d'une part, des jeunes filles recluses par voie de correction paternelle, d'autre part, des détenues privilégiées, enfermées par lettre de cachet sur plainte de quelque personnage influent, pour lesquelles il était payé par le plaignant une pension variable suivant la qualité de la prisonnière et le degré de confort requis. Alors que la première espèce de pensionnaires travaillait en ouvroir, sous la règle du silence, les secondes restaient dans leur chambre. Si elles devaient, comme les autres, endosser la robe de bure, on leur laissait leur linge et une cornette. Parfois, elles avaient la liberté des cours, plus souvent le droit de visite. Enfin, on notera qu'ici la présence d'un valet semble indiquer, suivant un spécialiste de l'histoire de l'établissement, que la chambre était chauffée (H. Légier-Desgranges, *Manon et la Salpêtrière*, article inédit).

Pl. XXII. Les retrouvailles a la Salpêtrière.

(Illustration de Pasquier, 1753.)

Nous approchâmes de sa porte. Mon cœur battait violemment. Je dis à M. de T... : Entrez seul et prévenez-la sur ma visite, car j'appréhende qu'elle ne soit trop saisie en me voyant tout d'un coup. La porte nous fut ouverte. Je demeurai dans la galerie. J'entendis néanmoins leurs discours. Il lui dit qu'il venait lui apporter un peu de consolation, qu'il était de mes amis, et qu'il prenait beaucoup d'intérêt à notre bonheur[a]. Elle lui demanda, avec le plus vif empressement[b], si elle apprendrait de lui ce que j'étais devenu. Il lui promit de m'amener à ses pieds, aussi tendre, aussi fidèle qu'elle pouvait le désirer. Quand? reprit-elle. Aujourd'hui même, lui dit-il; ce bienheureux moment ne tardera point; il va paraître à l'instant si vous le souhaitez. Elle comprit que j'étais à la porte. J'entrai, lorsqu'elle y accourait avec précipitation. Nous nous embrassâmes avec cette effusion de tendresse qu'une absence de trois mois fait trouver si charmante à de parfaits amants[1]. Nos soupirs, nos exclamations interrompues, mille noms d'amour répétés languissamment de part et d'autre, formèrent, pendant un quart d'heure, une scène qui attendrissait M. de T... Je vous porte envie, me dit-il, en nous faisant asseoir; il n'y a point de sort glorieux auquel je ne préférasse une maîtresse si belle et si passionnée. Aussi mépriserais-je[c] tous les empires du monde, lui répondis-je, pour m'assurer le bonheur d'être aimé d'elle.

Tout le reste d'une conversation si désirée ne pouvait manquer[d] d'être infiment tendre. La pauvre Manon me raconta ses aventures, et je lui appris les miennes. Nous pleurâmes amèrement en nous entretenant de l'état où elle était, et de celui d'où je ne faisais que sortir. M. de T... nous consola par de nouvelles promesses de s'employer ardemment pour finir nos misères. Il nous conseilla de ne

---

1. Les détails touchants et parfois édifiants de toute cette scène de retrouvailles en font comme une fête du sentiment, où le lecteur s'attendrit comme de M. de T... et le geôlier lui-même. M. de T... s'écrie : « C'est Versailles ». Ce sont aussi les bords du Lignon. Sur le contraste entre le prestige romanesque de ces *parfaits amants* et leur condition présente, ainsi que sur l'incident de la culotte (plus bas, p. 105), voyez l'*Introduction*, pp. CXXXIX et CXL.

pas rendre cette première entrevue trop longue[a], pour lui donner plus de facilité à nous en procurer d'autres. Il eut beaucoup de peine à nous faire goûter ce conseil; Manon, surtout, ne pouvait se résoudre à me laisser partir. Elle me fit remettre cent fois sur ma chaise; elle me retenait par les habits et par les mains. Hélas! dans quel lieu me laissez-vous! disait-elle. Qui peut m'assurer de vous revoir? M. de T... lui promit de[b] la venir voir souvent avec moi. Pour le lieu, ajouta-t-il agréablement, il ne faut plus l'appeler l'Hôpital; c'est Versailles[c], depuis qu'une personne qui mérite l'empire de tous les cœurs y est renfermée.

Je fis, en sortant, quelques libéralités au valet qui la servait, pour l'engager à lui rendre ses soins avec zèle. Ce garçon avait l'âme moins basse et moins dure que ses pareils. Il avait été témoin de notre entrevue; ce tendre spectacle l'avait touché. Un louis d'or, dont je lui fis présent, acheva de me l'attacher. Il me prit à l'écart, en descendant dans les cours. Monsieur, me dit-il, si vous me voulez prendre à votre service, ou me donner une *honnête récompense pour me dédommager de la perte de l'emploi que j'occupe ici, je crois qu'il me sera facile de délivrer Mademoiselle Manon. J'ouvris l'oreille à cette proposition, et quoique je fusse dépourvu de tout, je lui fis des promesses fort au-dessus de ses désirs. Je comptais bien qu'il me serait toujours aisé de récompenser un homme de cette étoffe. Sois persuadé, lui dis-je, mon ami, qu'il n'y a rien que je ne fasse pour toi, et que ta fortune est aussi assurée que la mienne. Je voulus savoir quels moyens il avait dessein d'employer. Nul autre[d], me dit-il, que de lui ouvrir le soir la porte de sa chambre, et de vous la conduire jusqu'à celle de la rue, où il faudra que vous soyez prêt à la recevoir. Je lui demandai s'il n'était point à craindre qu'elle ne fût[e] reconnue en traversant les galeries et les cours. Il confessa qu'il y avait quelque danger, mais il me dit qu'il fallait bien risquer quelque chose. Quoique je fusse ravi de le voir si résolu, j'appelai M. de T... pour lui communiquer ce projet, et la seule raison qui semblait pouvoir le rendre douteux. Il y trouva plus de difficulté que moi. Il convint qu'elle pouvait absolument s'échapper de cette manière;

mais, si elle est reconnue, continua-t-il, si elle est arrêtée en fuyant[a], c'est peut-être fait d'elle pour toujours. D'ailleurs, il vous faudrait donc[b] quitter Paris sur-le-champ, car vous ne seriez jamais assez caché aux recherches. On les redoublerait, autant par rapport à vous qu'à elle. Un homme s'échappe aisément, quand il est seul, mais il est presque impossible de demeurer inconnu avec une jolie femme. Quelque solide que me parût ce raisonnement, il ne put l'emporter, dans mon esprit, sur un espoir si proche de mettre Manon en liberté. Je le dis à M. de T..., et je le priai de pardonner un peu d'imprudence et de témérité à l'amour. J'ajoutai que mon dessein était, en effet, de quitter Paris, pour m'arrêter, comme j'avais déjà fait, dans quelque village voisin[c]. Nous convînmes donc, avec le valet, de ne pas remettre son entreprise plus loin qu'au jour suivant, et pour la rendre aussi certaine qu'il était en notre pouvoir, nous résolûmes d'apporter des habits d'homme, dans la vue de faciliter notre sortie[d]. Il n'était pas aisé de les faire entrer, mais je ne manquai pas d'invention pour en trouver le moyen. Je priai seulement M. de T... de mettre le lendemain deux vestes légères l'une sur l'autre, et je me chargea de tout le reste.

Nous retournâmes le matin à l'Hôpital. J'avais avec moi, pour Manon, du linge, des bas, etc., et par-dessus mon juste-au-corps, un surtout[1] qui ne laissait rien voir de trop enflé dans mes poches. Nous ne fûmes qu'un moment dans sa chambre. M. de T... lui laissa une de ses deux vestes; je lui donnai mon juste-au-corps, le surtout me suffisant pour sortir. Il ne se trouva rien de manque à son ajustement, excepté la culotte que j'avais malheureusement oubliée. L'oubli de cette pièce nécessaire nous eût, sans doute, *apprêté à rire si l'embarras où il nous mettait eût été moins sérieux. J'étais au désespoir qu'une bagatelle

1. Tandis que le « juste-au-corps » est un vêtement à manches, ajusté, qui va jusqu'aux genoux, le « surtout » est une sorte « de casaque que l'on met sur tous les autres habits ». Le *Dictionnaire de l'Académie* (1694), qui donne cette définition, ajoute l'exemple : « il a un surtout sur son juste-au-corps ».

de cette nature fût capable de nous arrêter[a]. Cependant, je pris mon parti, qui fut de sortir moi-même sans culotte. Je laissai la mienne à Manon. Mon surtout était long, et je me mis, à l'aide de quelques épingles, en état de passer décemment à la porte. Le reste du jour me parut d'une longueur insupportable. Enfin, la nuit étant venue, nous nous rendîmes un peu au-dessous de la porte de l'Hôpital[1], dans un carrosse. Nous n'y fûmes pas longtemps sans voir Manon paraître avec son conducteur. Notre portière étant ouverte, ils montèrent tous deux à l'instant[b]. Je reçus ma chère maîtresse dans mes bras. Elle tremblait comme une feuille. Le cocher me demanda où il fallait toucher. Touche au bout du monde, lui dis-je, et mène-moi quelque part où je ne puisse jamais être séparé de Manon[2].

Ce transport, dont je ne fus pas le maître, faillit de m'attirer[c] un fâcheux embarras. Le cocher fit réflexion à mon langage[d], et lorsque je lui dis ensuite le nom de la rue où nous voulions être conduits, il me répondit qu'il craignait que je ne l'engageasse dans une mauvaise affaire, qu'il voyait bien que ce beau jeune homme, qui s'appelait Manon, était une fille que j'enlevais de l'Hôpital, et qu'il n'était pas d'humeur à se perdre pour l'amour de moi. La *délicatesse de ce coquin n'était qu'une envie de me faire payer la voiture plus cher. Nous étions trop près de l'Hôpital pour ne pas filer doux. Tais-toi, lui dis-je, il y a un louis d'or à gagner pour toi. Il m'aurait aidé, après cela, à brûler l'Hôpital même. Nous gagnâmes la maison où demeurait Lescaut. Comme il était tard, M. de T... nous quitta en chemin, avec promesse de nous revoir le lendemain. Le valet demeura seul avec nous[e].

---

1. L'entrée principale, si c'est de celle-là qu'il s'agit, n'était pas située, comme aujourd'hui, en face de l'église, mais elle donnait sur la Seine, ainsi qu'il apparaît sur la gravure reproduite planche VII.

2. Non seulement cette exclamation est touchante, mais elle exprime le tragique de la destinée du héros. Même *au bout du monde,* en Amérique, on s'acharnera à le séparer de Manon. Des Grieux oublie toutefois que la vraie source de ses malheurs se trouve dans Manon elle-même, son caractère et son *penchant*.

Je tenais Manon si étroitement serrée entre mes bras que nous n'occupions qu'une place dans le carrosse. Elle pleurait de joie, et je sentais ses larmes qui mouillaient mon visage mais, lorsqu'il fallut descendre pour entrer chez Lescaut, j'eus avec le cocher un nouveau démêlé, dont les suites furent funestes. Je me repentis de lui avoir promis un louis, non seulement parce que le présent était excessif[a], mais par une autre raison bien plus forte, qui était l'impuissance de le payer. Je fis appeler Lescaut. Il descendit de sa chambre pour venir à la porte. Je lui dis à l'oreille dans quel embarras je me trouvais. Comme il était d'une humeur brusque, et nullement accoutumé à ménager un fiacre[1], il me répondit que je me moquais. Un louis d'or! ajouta-t-il. Vingt coups de canne à ce coquin-là! J'eus beau lui représenter doucement qu'il allait nous perdre, il m'arracha ma canne, avec l'air d'en vouloir maltraiter le cocher. Celui-ci, à qui il était peut être arrivé de tomber quelquefois sous la main d'un garde du corps ou d'un mousquetaire[2], s'enfuit de peur, avec son carrosse, en criant que je l'avais trompé, mais que j'aurais de ses nouvelles. Je lui répétai inutilement d'arrêter. Sa fuite me causa une extrême inquiétude. Je ne doutai point qu'il n'avertît le commissaire. Vous me perdez, dis je à Lescaut. Je ne serais pas en sûreté chez vous; il faut nous éloigner dans le moment. Je prêtai le bras à Manon pour marcher, et nous sortîmes promptement de cette dangereuse rue. Lescaut nous tint compagnie. C'est quelque chose d' *admirable que la manière dont la Providence enchaîne[b] les événements[3]. A peine avions-nous marché cinq ou six minutes, qu'un homme, dont je ne découvris point le visage, reconnut Lescaut. Il le cherchait sans doute aux environs de chez lui, avec[c] le malheureux

---

1. C'est-à-dire un cocher de fiacre.
2. Sur la réputation de ces personnages, voyez ci-dessus, p. 54, note 1.
3. Dans toutes les aventures qui marquent l'évasion, roman picaresque et roman galant se combinent de façon originale. Le récit est simple et sans affectation, avec des détails précis et convaincants; d'autre part, Manon délivrée est toujours présente, et la tension que crée chacun de ces incidents vient de ce qu'il menace le bonheur des deux amants.

dessein qu'il exécuta. C'est Lescaut, dit-il, en lui lâchant un coup de pistolet; il ira souper ce soir avec les anges. Il se déroba aussitôt. Lescaut tomba, sans le moindre mouvement de vie. Je pressai Manon de fuir, car nos secours étaient inutiles à un cadavre, et je craignais d'être arrêté par le guet[1], qui ne pouvait tarder à paraître. J'enfilai, avec elle et le valet, la première petite rue qui croisait. Elle était si éperdue que j'avais de la peine à la soutenir. Enfin j'aperçus un fiacre au bout de la rue[a]. Nous y montâmes, mais lorsque le cocher me demanda où il fallait nous conduire, je fus embarrassé à lui répondre. Je n'avais point d'asile assuré ni d'ami de confiance à qui j'osasse avoir recours. J'étais sans argent, n'ayant guère plus d'une demi-pistole dans ma bourse. La frayeur et la fatigue avaient tellement incommodé Manon qu'elle était à demi pâmée près[b] de moi. J'avais, d'ailleurs, l'imagination remplie du meurtre de Lescaut, et je n'étais pas encore sans appréhension de la part du[c] guet[1]. Quel parti prendre? Je me souvins heureusement de l'auberge de Chaillot, où j'avais passé quelques jours avec Manon, lorsque nous étions allés dans ce village pour y demeurer. J'espérai non seulement d'y être en sûreté, mais d'y pouvoir vivre quelque temps sans être pressé de payer. Mène-nous à Chaillot, dis-je au cocher. Il refusa d'y aller si tard, à moins d'une pistole : autre sujet d'embarras. Enfin nous convînmes de six francs; c'était toute la somme qui restait dans ma bourse[d].

Je consolais Manon, en avançant; mais, au fond[e], j'avais le désespoir dans le cœur. Je me serais donné mille fois la mort[f], si je n'eusse pas eu, dans mes bras, le seul bien qui m'attachait à la vie. Cette seule pensée me remettait. Je la tiens du moins, disais-je; elle m'aime, elle est à moi. Tiberge a beau dire, ce n'est pas là un fantôme de bonheur. Je verrais périr tout l'univers sans y prendre intérêt. Pourquoi? Parce que je n'ai plus[g] d'affection de

---

1. Sur le *guet*, ou corps de police chargé spécialement du service nocturne, voyez ci-après, page 152, note 1.

reste. Ce sentiment était vrai; cependant, dans le temps que je faisais si peu de cas des biens du monde, je sentais que j'aurais eu besoin d'en avoir du moins une petite partie, pour mépriser encore plus souverainement[a] tout le reste. L'amour est plus fort que l'abondance, plus fort que les trésors et les richesses, mais il a besoin de leur secours; et rien n'est plus désespérant, pour un amant délicat, que de se voir ramené par là, malgré lui, à la grossièreté des âmes les plus basses[1].

Il était onze heures[b] quand nous arrivâmes à Chaillot. Nous fûmes reçus à l'auberge comme des personnes de connaissance; on ne fut pas surpris de voir Manon en habit d'homme, parce qu'on est accoutumé, à Paris et aux environs, de voir[c] prendre aux femmes toutes sortes de formes. Je la fis servir aussi *proprement que si j'eusse été dans la meilleure fortune. Elle ignorait que je fusse mal en argent; je me gardai bien de lui en rien apprendre, étant résolu de retourner seul à Paris, le lendemain, pour chercher quelque remède à cette fâcheuse[d] espèce de maladie.

Elle me parut pâle et maigrie, en soupant. Je ne m'en étais point aperçu à l'Hôpital, parce que la chambre où je l'avais vue n'était pas des plus claires. Je lui demandai si ce n'était point encore un effet de la frayeur qu'elle avait eue en voyant assassiner son frère. Elle m'assura que, quelque touchée qu'elle fût de cet accident, sa pâleur ne venait que d'avoir essuyé pendant trois mois mon absence. Tu m'aimes donc extrêmement? lui répondis-je. Mille fois plus que je ne puis dire, reprit-elle. Tu ne me quitteras donc plus jamais? ajoutai-je. Non, jamais, répliqua-t-elle; et cette assurance fut confirmée[e] par tant de caresses et de serments, qu'il me parut impossible, en effet[f], qu'elle pût jamais les

---

1. Ce problème n'existait pas dans le roman galant traditionnel : les questions d'argent ne préoccupent ni Céladon, ni Mélinte, ni le Grand Cyre, ni même M. de Nemours, qui vivent tous, par convention ou par état, dans un monde délivré des nécessités matérielles. Au contraire, pour des Grieux, et pour lui surtout, étant donné les goûts de Manon, les richesses deviennent une des conditions, sinon de l'amour du moins de son accomplissement : la vie matérielle fait irruption dans le roman galant.

oublier. J'ai toujours été persuadé qu'elle était sincère; quelle raison aurait-elle eue de se contrefaire jusqu'à ce point? Mais elle était encore plus volage, ou plutôt elle n'était plus rien, et elle ne se reconnaissait pas elle-même, lorsque, ayant devant les yeux des femmes qui vivaient dans l'abondance, elle se trouvait dans la pauvreté et dans le besoin[1]. J'étais à la veille d'en avoir une dernière preuve qui a surpassé toutes les autres, et qui a produit la plus étrange aventure qui soit jamais arrivée à un homme de ma naissance et de ma *fortune[2].

Comme je la connaissais de cette humeur, je me hâtai le lendemain d'aller à Paris. La mort de son frère et la nécessité d'avoir du linge et des habits pour elle et pour moi étaient de si bonnes raisons que je n'eus pas besoin de prétextes. Je sortis de l'auberge, avec le dessein[a], dis-je à Manon et à mon hôte, de prendre un carrosse de louage; mais c'était une gasconnade. La nécessité m'obligeant [b] d'aller à pied, je marchai fort vite jusqu'au Cours-la-Reine[3], où j'avais dessein de[c] m'arrêter. Il fallait bien prendre un moment de solitude et de tranquillité pour m'arranger et prévoir ce que j'allais faire à Paris.

---

1. Le ton et les termes, dans le début du portrait de Manon, rappellent ceux du portrait de Silvie par des Frans, dans *l'Histoire de des Frans et de Silvie :* « ... elle paraissait toute sincère; elle était double, inconstante et volage, aimant les plaisirs, surtout ceux de l'amour, jusqu'au point de leur sacrifier toutes choses... » (*Les Illustres Françaises*, édit. cit., t. II, p. 292.) Mais l'originalité de Prévost n'en apparaît que mieux. A la différence de Silvie, qui même dans ses fautes, est animée d'une volonté positive, l'aliénation tragique de Manon, l'inconsistance et comme la dissolution du personnage, lorsqu'il se trouve dans le besoin, sont exprimées avec une netteté extrême, plus nettement même ici que dans d'autres passages (voyez pp. 52, 62 et 135).

2. Selon un procédé traditionnel, surtout dans le genre de l'histoire, où, par définition, le narrateur connaît le déroulement ultérieur des événements, Prévost excite la curiosité de son lecteur et lui fait pressentir, dans la suite du roman, des aventures extraordinaires.

3. Tracée sous Louis XIII le long de la Seine, en aval des Tuileries, dont elle était séparée par un mur, cette avenue, qui comprenait trois allées ombragées d'ormes, constituait la route directe pour Chaillot. Ce fut une promenade à la mode au XVIIe et au XVIIIe siècle. Elle fut ensuite supplantée par les Champs-Élysées.

Je m'assis sur l'herbe. J'entrai dans une mer de raisonnements et de réflexions, qui se réduisirent peu à peu à trois principaux articles. J'avais besoin d'un secours présent, pour un nombre infini de nécessités présentes. J'avais à chercher quelque voie qui pût, du moins, m'ouvrir des espérances pour l'avenir[a], et ce qui n'était pas de moindre importance, j'avais des informations et des mesures à prendre pour la sûreté de Manon et pour la mienne. Après m'être épuisé en projets et en combinaisons sur ces trois chefs, je jugeai encore à propos d'en retrancher les deux derniers. Nous n'étions pas mal à couvert, dans une chambre de Chaillot[b], et pour les besoins futurs[c], je crus qu'il serait temps d'y penser lorsque j'aurais satisfait aux présents.

Il était donc question de remplir actuellement ma bourse. M. de T... m'avait offert généreusement la sienne, mais j'avais une extrême répugnance à le remettre moi-même sur cette matière. Quel personnage, que d'aller exposer sa misère à un étranger, et de le prier de nous faire part de son bien! Il n'y a qu'une âme lâche qui en soit capable, par une bassesse qui l'empêche d'en sentir l'indignité, ou un chrétien humble, par un excès de *générosité qui le rend supérieur à cette honte. Je n'étais ni un homme lâche, ni un bon chrétien; j'aurais donné la moitié de mon sang pour éviter cette humiliation[1]. Tiberge, disais-je, le bon Tiberge, me refusera-t-il ce qu'il aura le pouvoir de[d] me donner? Non, il sera touché de ma misère; mais il m'assassinera par sa morale. Il faudra essuyer ses reproches, ses exhortations, ses menaces; il me fera acheter ses secours si cher, que je donnerais encore une partie de mon sang plutôt que de m'exposer à cette scène fâcheuse qui me laissera du trouble et des remords. Bon! reprenais-je, il faut donc renoncer à tout espoir, puisqu'il ne me reste point d'autre voie, et que je suis si éloigné de m'arrêter

---

1. La fierté de des Grieux — *un homme de ma naissance et de ma fortune,* a-t-il encore dit une page plus haut — est ici marquée une fois de plus; mais la destinée du personnage est de bafouer sans cesse cette fierté et de la sacrifier à Manon (voyez un peu plus bas : « Qu'ai-je à mettre en balance avec elle? »).

à ces deux-là, que je verserais plus volontiers la moitié de mon sang que d'en prendre une, c'est-à-dire tout mon sang plutôt que de les prendre toutes deux? Oui, mon sang tout entier, ajoutai-je, après une réflexion d'un moment; je le donnerais plus volontiers, sans doute, que de me réduire à de basses supplications[a]. Mais il s'agit bien ici de mon sang! Il s'agit de la vie et de l'entretien de Manon, il s'agit de son amour et de sa fidélité. Qu'ai-je à mettre en balance avec elle? Je n'y ai rien mis jusqu'à présent. Elle me tient lieu de gloire, de bonheur et de fortune. Il y a bien des choses, sans doute, que je donnerais ma vie pour obtenir ou pour éviter, mais estimer une chose plus que ma vie n'est pas une raison pour l'estimer autant que Manon. Je ne fus pas longtemps à me déterminer, après ce raisonnement. Je continuai mon chemin, résolu d'aller d'abord chez Tiberge, et de là chez M. de T...

En entrant à Paris, je pris un fiacre, quoique je n'eusse pas de quoi le payer; je comptais sur les secours que j'allais solliciter. Je me fis conduire au Luxembourg, d'où j'envoyai avertir Tiberge que j'étais à l'attendre[1]. Il satisfit mon impatience par sa promptitude. Je lui appris l'extrémité de mes besoins, sans nul[b] détour. Il me demanda si les cent pistoles que je lui avais rendues[2] me suffiraient, et, sans m'opposer un seul mot de difficulté, il me les alla chercher[c] dans le moment, avec cet air ouvert et ce plaisir à donner qui n'est connu que de l'amour et de la véritable amitié. Quoique je n'eusse pas eu le moindre doute du succès de ma demande, je fus surpris de l'avoir obtenue à si bon marché, c'est-à-dire sans qu'il m'eût querellé sur mon impénitence. Mais je me trompais, en me croyant tout à fait quitte de ses reproches, car lorsqu'il eut achevé de me compter son argent et que je me préparais à le quitter, il me pria de faire avec lui un tour d'allée. Je ne lui avais point parlé de Manon; il ignorait qu'elle fût en liberté; ainsi sa morale ne tomba que sur la fuite téméraire de Saint-Lazare

---

1. Saint-Sulpice, où demeure Tiberge, est en effet à peu de distance du Luxembourg.
2. Voyez plus haut, p. 65.

et sur la crainte où il était qu'au lieu de profiter des leçons de sagesse que j'y avais reçues, je ne reprisse le train du désordre. Il me dit qu'étant allé pour me visiter à Saint Lazare, le lendemain de mon évasion, il avait été frappé au-delà de toute expression en apprenant la manière dont j'en étais sorti ; qu'il avait eu là-dessus un entretien avec le Supérieur ; que ce bon père n'était pas encore remis de son effroi ; qu'il avait eu néanmoins la générosité de déguiser à M. le Lieutenant général de Police[a] les circonstances de mon départ[b], et qu'il avait empêché que la mort du portier ne fût connue au dehors[1] ; que je n'avais donc, de ce côté-là, nul[c] sujet d'alarme, mais que, s'il me restait le moindre sentiment de sagesse, je profiterais de cet heureux tour que le Ciel donnait à mes affaires ; que je devais commencer par écrire à mon père, et me remettre bien avec lui ; et que, si je voulais suivre une fois son conseil, il était d'avis que je quittasse Paris, pour retourner dans le sein de ma famille.

J'écoutai son discours jusqu'à la fin. Il y avait là bien[d] des choses satisfaisantes. Je fus ravi, premièrement, de n'avoir rien à craindre du côté de Saint-Lazare. Les rues de Paris me redevenaient un pays libre. En second lieu, je m'applaudis de ce que Tiberge n'avait pas la moindre idée de la délivrance de Manon et de son retour avec moi. Je remarquais même qu'il avait évité de me parler d'elle, dans l'opinion, apparemment, qu'elle me tenait moins au cœur, puisque je paraissais si tranquille sur son sujet. Je résolus, sinon de retourner dans ma famille, du moins d'écrire à mon père, comme il me le conseillait, et de lui témoigner que j'étais disposé à rentrer dans l'ordre de mes devoirs et de ses volontés. Mon espérance était de l'engager à m'envoyer de l'argent, sous prétexte de faire mes exercices à l'*Académie[2], car j'aurais eu peine à lui persuader que je

1. Il s'agit décidément d'un meurtre sans importance. On ne peut supposer que le bon Père ait été convaincu par la casuistique de des Grieux ; mais il reste sensible aux qualités qu'il a cru trouver chez ce jeune homme de bonne naissance, ainsi qu'aux conditions particulières de son emprisonnement.

2. Sur l'Académie, et sur les exercices, dont il est question plus loin, cf. p. 17, note 4.

fusse dans la disposition[a] de retourner à l'état ecclésiastique. Et dans le fond, je n'avais nul[b] éloignement pour ce que je voulais lui promettre. J'étais bien aise[c], au contraire, de m'appliquer à quelque chose d'*honnête et de raisonnable, autant que ce dessein[d] pourrait s'accorder[1] avec mon amour[e]. Je faisais mon compte de vivre avec ma maîtresse[f], et de faire en même temps mes exercices; cela était fort compatible. Je fus si satisfait de toutes ces idées que je promis à Tiberge de faire partir, le jour même, une lettre pour mon père. J'entrai effectivement dans un bureau d'écriture[2], en le quittant, et j'écrivis d'une manière si tendre et si soumise, qu'en relisant ma lettre, je me flattai d'obtenir[g] quelque chose du cœur paternel.

Quoique je fusse en état de prendre et de payer un fiacre après avoir quitté Tiberge, je me fis un plaisir de marcher fièrement à pied en allant chez M. de T... Je trouvais de la joie dans cet exercice de ma liberté, pour laquelle mon ami m'avait assuré qu'il ne me restait rien[h] à craindre. Cependant il me revint tout d'un coup à l'esprit que ses assurances ne regardaient que Saint-Lazare, et que j'avais, outre cela, l'affaire de l'Hôpital sur les bras, sans compter la mort de Lescaut, dans laquelle j'étais mêlé, du moins comme témoin. Ce souvenir m'effraya si vivement que[i] je me retirai dans la première *allée, d'où je fis appeler un carrosse. J'allai droit chez M. de T..., que je fis rire de ma frayeur. Elle me parut risible[j] à moi-même, lorsqu'il m'eut appris que je n'avais rien à craindre du côté de l'Hôpital, ni de celui de[k] Lescaut. Il me dit que, dans la pensée qu'on pourrait le soupçonner d'avoir eu part à l'enlèvement de

1. Sur la conciliation entrevue ici entre l'*honnête* et l'amour, et sur le drame social en général, voyez l'*Introduction*, pp. CXLIV à CXLVIII.

2. Les bureaux d'écriture, qui mettaient à la disposition du public, outre les commodités pour écrire, des *écrivains publics* auxquels recouraient les illettrés, figurent surtout dans l'histoire et le roman du temps quand il est question d'expédier une lettre anonyme (voir l'affaire des « couplets », en 1711, et l'épisode de Célénie dans *l'Histoire de Dupuis et de Mme de Londé*, la dernière des *Illustres Françaises*, édit. cit., t. II, p. 458). Chez Prévost, le détail souligne simplement la spontanéité de des Grieux.

Manon, il était allé le matin à l'Hôpital, et qu'il avait demandé à la voir en feignant[a] d'ignorer ce qui était arrivé; qu'on était si éloigné de nous accuser, ou lui, ou moi, qu'on s'était empressé, au contraire, de lui apprendre cette aventure comme une étrange nouvelle, et qu'on *admirait qu'une fille aussi jolie que Manon eût pris le parti de[b] fuir avec un valet : qu'il s'était contenté de répondre froidement qu'il n'en était pas surpris, et qu'on fait[c] tout pour la liberté. Il continua de[d] me raconter qu'il était allé de là chez Lescaut, dans l'espérance de m'y trouver avec ma charmante maîtresse; que l'hôte de la maison, qui était un carrossier, lui avait protesté qu'il n'avait vu ni elle ni moi; mais qu'il n'était pas[e] étonnant que nous n'eussions point paru chez lui, si c'était pour Lescaut que nous devions y venir, parce que nous aurions sans doute appris qu'il venait d'être tué à peu près dans le même temps. Sur quoi, il n'avait pas refusé d'expliquer[f] ce qu'il savait de la cause et des circonstances de cette mort. Environ deux heures auparavant[g], un garde du corps, des amis de Lescaut, l'était venu voir et lui avait proposé de jouer. Lescaut avait gagné si rapidement que l'autre s'était trouvé cent écus de moins en une heure, c'est-à-dire tout son argent. Ce malheureux, qui se voyait sans un sou, avait prié Lescaut de lui prêter la moitié de la somme qu'il avait perdue; et sur quelques difficultés nées à cette occasion, ils s'étaient querellés avec une animosité extrême. Lescaut avait refusé de sortir pour mettre l'épée à la main[1], et l'autre avait juré, en le quittant, de lui casser la tête : ce qu'il avait exécuté[h] le soir même[2]. M. de T... eut l'*honnêteté d'ajouter qu'il avait été fort inquiet par rapport à nous et qu'il continuait[i] de m'offrir ses services. Je ne *balançai point à lui apprendre le lieu de

---

1. On a vu que Lescaut, malgré sa profession, n'est « rien moins que brave » (p. 73).
2. Sur la chance vraiment étonnante du Chevalier, qui n'a plus à s'inquiéter maintenant, ni des suites de son évasion de Saint-Lazare et du meurtre du portier, ni de l'évasion de Manon, ni de la mort de Lescaut, et qui retrouve ainsi toute sa liberté d'action, en même temps que sa responsabilité, voyez l'*Introduction*, pp. CLI à CLIII.

notre retraite. Il me pria de trouver bon qu'il allât souper avec nous.

Comme il ne me restait qu'à prendre[a] du linge et des habits pour Manon, je lui dis que nous pouvions partir à l'heure même, s'il voulait avoir la complaisance[b] de s'arrêter un moment avec moi chez quelques marchands. Je ne sais s'il crut que je lui faisais cette proposition dans la vue d'intéresser sa générosité, ou si ce fut par le simple mouvement d'une belle âme[c], mais ayant consenti à partir aussitôt, il me mena chez les marchands qui fournissaient sa maison; il me fit choisir[d] plusieurs étoffes d'un prix plus considérable que je ne me l'étais[e] proposé, et lorsque je me disposais à les payer, il défendit absolument aux marchands de recevoir un sou de moi. Cette *galanterie se fit[f] de si bonne grâce que je crus pouvoir en profiter sans honte[1]. Nous prîmes ensemble le chemin de Chaillot, où j'arrivai avec moins d'inquiétude que je n'en étais parti.

Le chevalier des Grieux ayant employé plus d'une heure à ce récit, je le priai de prendre un peu de relâche, et de nous tenir compagnie à souper. Notre attention lui fit juger que nous l'avions écouté avec plaisir. Il[g] nous assura que nous trouverions quelque chose encore de plus intéressant dans la suite de son histoire, et lorsque nous eûmes fini de souper, il continua dans ces termes[h].

FIN DE LA PREMIÈRE PARTIE.

---

1. Ici encore, le comportement de des Grieux peut paraître étrange. Il ne peut souffrir l'humiliation d'avoir recours à la bourse de M. de T., et il accepte que le même M. de T. paie des étoffes destinées à Manon. Mais il s'agit d'un geste spontané — *un mouvement qui venait de lui-même,* lit-on dans la version de 1731 — qui marque le bon cœur et la délicatesse généreuse du personnage. Des Grieux se doit d'accepter.

fresh start Hopes of inheritance fr. mother —
enough to live on

DEUXIÈME PARTIE

Ma présence et les politesses[a] de M. de T... dissipèrent tout ce qui pouvait rester de chagrin à Manon. Oublions nos terreurs[b] passées, ma chère âme, lui dis-je en arrivant, et recommençons à vivre plus heureux que jamais. Après tout, l'amour est un bon maître; la fortune ne saurait nous causer autant de peines qu'il nous fait goûter de plaisirs. Notre souper fut une vraie scène de joie. J'étais plus fier et plus content, avec Manon et mes cent pistoles, que le plus riche partisan[1] de Paris avec ses trésors entassés. Il faut compter ses richesses par les moyens qu'on a de satisfaire ses désirs. Je n'en avais pas un seul à remplir; l'avenir même me causait peu d'embarras[c]. J'étais presque sûr que mon père ne ferait pas difficulté[d] de me donner de quoi vivre honorablement[e] à Paris, parce qu'étant dans ma vingtième année, j'entrais en droit[f] d'exiger ma part du bien de ma mère. Je ne cachai point à Manon que le fond de mes richesses n'était que de cent pistoles. C'était assez pour attendre tranquillement une meilleure fortune, qui semblait ne me pouvoir manquer, soit par mes droits naturels[2] ou par les ressources du jeu[g].

---

1. Les partisans ou traitants tiraient leur nom des partis ou traités par lesquels ils prenaient à ferme la perception des impôts, moyennant le versement anticipé d'une somme forfaitaire. Plus tard, la création des Fermes Générales (1720, cf. ci-dessus, p. 46 et note 2) leur valut le nom de fermiers généraux.

2. Il s'agit de l'héritage dont il vient d'être question. Prévost avait d'abord écrit : « soit du côté de ma famille ».

Ainsi[1], pendant les premières semaines, je ne pensai qu'à jouir de ma situation; et la force de l'honneur, autant qu'un reste de ménagement pour la police, me faisait remettre de jour en jour à renouer avec les associés de l'hôtel de T...[2], je me réduisis à jouer dans quelques assemblées moins décriées, où la faveur du sort m'épargna l'humiliation d'avoir recours à l'*industrie. J'allais passer à la ville une partie de l'après-midi, et je revenais souper à Chaillot, accompagné fort souvent de M. de T..., dont l'amitié croissait de jour en jour pour nous. Manon trouva des ressources contre l'ennui. Elle se lia, dans le voisinage, avec quelques jeunes personnes que le printemps y avait ramenées. La promenade et les petits exercices de leur sexe faisaient alternativement leur occupation. Une partie de jeu, dont elles avaient réglé les bornes, fournissait aux frais de la voiture[3]. Elles allaient prendre l'air au bois de Boulogne[4], et le soir, à mon retour, je retrouvais Manon plus belle, plus contente, et plus passionnée que jamais.

Il s'éleva néanmoins quelques nuages, qui semblèrent

---

1. Le passage qui commence avec ce mot, et va jusqu'à la page 124, ligne 31, constitue l'épisode du Prince italien, qui a été ajouté en 1753. Sur la signification de cette addition, voyez l'*Introduction*, pp. CXLIII et CXLVIII. Notez qu'en portant à quelques semaines au lieu de quelques jours le séjour à Chaillot, Prévost rend inexacte la chronologie de son roman. Voyez plus haut, p. XC, note 2, et ci-après, p. 159.

2. On a déjà vu (p. 63, note 3) que l'Hôtel de Transylvanie était tenu sous la surveillance de la police, qui, selon l'usage, y entretenait des « mouches », ou espions.

3. Les pertes de chaque joueuse vont à un fonds commun, qui est ici employé à l'entretien collectif d'un carrosse (voir p. 50, note 1). Plus ordinairement, dans les sociétés bourgeoises, le produit du jeu allait à un dîner fin ou à une partie de campagne, comme dans l'*Histoire de des Prés et de Mlle de l'Espine* (R. Challes, *les Illustres Françaises*, édit. les Belles-Lettres, t. I, pp. 212-218).

4. Le bois de Boulogne, ancienne forêt de Rouvray, occupait encore toute la boucle de la Seine, autour des villages d'Auteuil et de Boulogne, et s'étendait jusqu'aux portes de Chaillot. De caractère très rustique, il fournissait des promenades aux cavaliers et aux carrosses, et donnait lieu à des rencontres galantes. Voir la gravure *la Rencontre au Bois de Boulogne*, d'après Moreau le Jeune, qui est d'une époque quelque peu postérieure, il est vrai.

menacer l'édifice de mon bonheur. Mais ils furent nettement dissipés, et l'humeur folâtre de Manon rendit le dénouement si comique, que je trouve encore de la douceur dans un souvenir qui me représente sa tendresse et les agréments de son esprit.

Le seul valet qui composait notre *domestique me prit un jour à l'écart pour me dire, avec beaucoup d'embarras, qu'il avait un secret d'importance à me communiquer. Je l'encourageai à parler librement. Après quelques détours, il me fit entendre qu'un seigneur étranger semblait avoir pris beaucoup d'amour pour Mademoiselle Manon. Le trouble de mon sang se fit sentir dans toutes mes veines[1]. En a-t-elle pour lui? interrompis-je plus brusquement que la prudence ne permettait[a] pour m'éclaircir. Ma vivacité l'effraya[2]. Il me répondit, d'un air inquiet, que sa pénétration n'avait pas été si loin, mais qu'ayant observé, depuis plusieurs jours, que cet étranger venait assidûment au bois de Boulogne, qu'il y descendait de son carrosse, et que, s'engageant seul dans les *contre-allées, il paraissait chercher l'occasion de voir ou de rencontrer mademoiselle, il lui était venu à l'esprit de faire quelque liaison avec ses gens, pour apprendre le nom de leur maître; qu'ils le traitaient de prince italien, et qu'ils le soupçonnaient eux-mêmes de quelque aventure galante; qu'il n'avait pu se procurer d'autres lumières, ajouta-t-il en tremblant, parce que le Prince, étant alors sorti du bois, s'était approché familièrement de lui, et lui avait demandé son nom; après quoi, comme s'il eût deviné qu'il était à notre service, il l'avait félicité d'appartenir à la plus charmante personne du monde.

J'attendais impatiemment la suite de ce récit. Il le finit par des excuses timides, que je n'attribuai qu'à mes impru-

---

1. La noblesse de l'expression évoque la tragédie. Comparez dans *Phèdre*, acte I, scène 3, Œnone : « Tout mon sang dans mes veines se glace ».
2. Dès qu'il s'agit de Manon, des Grieux ne se contrôle plus. Même jeu avec Lescaut, plus haut, p. 70, et celui-ci observe : « Là! que vous êtes vif! »

dentes agitations. Je le pressai en vain de continuer sans déguisement. Il me protesta qu'il ne savait rien de plus, et que, ce qu'il venait de me raconter étant arrivé le jour précédent, il n'avait pas revu les gens du prince. Je le rassurai, non seulement par des éloges, mais par une* honnête récompense, et sans lui marquer la moindre défiance de Manon, je lui recommandai, d'un ton plus tranquille, de veiller sur toutes les démarches de l'étranger.

Au fond, sa frayeur me laissa de cruels doutes. Elle pouvait lui avoir fait supprimer une partie de la vérité. Cependant, après quelques réflexions, je revins de mes alarmes, jusqu'à regretter d'avoir donné cette marque de faiblesse. Je ne pouvais faire un crime à Manon d'être aimée. Il y avait beaucoup d'apparence qu'elle ignorait sa conquête[1]; et quelle vie allais-je mener si j'étais capable d'ouvrir si facilement l'entrée de mon cœur à la jalousie? Je retournai à Paris le jour suivant, sans avoir formé d'autre dessein que de hâter le progrès de ma fortune en jouant plus gros jeu, pour me mettre en état de quitter Chaillot au premier sujet d'inquiétude. Le soir, je n'appris rien de nuisible à mon repos. L'étranger avait reparu au bois de Boulogne, et prenant droit de ce qui s'y était passé la veille pour se rapprocher de mon confident, il lui avait parlé de son amour, mais dans des termes qui ne supposaient aucune intelligence avec Manon. Il l'avait interrogé sur mille détails. Enfin, il avait tenté de le mettre dans ses intérêts par des promesses considérables, et tirant une lettre qu'il tenait prête, il lui avait offert inutilement quelques louis d'or pour la rendre à sa maîtresse.

Deux jours se passèrent sans aucun autre incident. Le troisième fut plus orageux. J'appris, en arrivant de la ville assez tard, que Manon, pendant sa promenade, s'était écartée un moment de ses compagnes, et que l'étranger, qui la suivait à peu de distance, s'étant approché d'elle au signe

---

1. Le Chevalier est toujours prêt à justifier Manon et à faire les hypothèses les plus favorables : celles-ci, d'ordinaire, se révélent fausses, et le lecteur est aiguillé sur une autre piste; mais l'intérêt psychologique et romanesque n'y perd rien.

qu'elle lui en avait fait, elle lui avait remis une lettre qu'il avait reçue avec des transports de joie. Il n'avait eu le temps de les exprimer qu'en baisant amoureusement les caractères, parce qu'elle s'était aussitôt dérobée. Mais elle avait paru d'une gaieté extraordinaire pendant le reste du jour, et depuis qu'elle était rentrée au logis, cette humeur ne l'avait pas abandonnée. Je frémis, sans doute, à chaque mot. Es-tu bien sûr, dis-je tristement à mon valet, que tes yeux ne t'aient pas trompé? Il prit le Ciel à témoin de sa bonne foi. Je ne sais à quoi les tourments de mon cœur m'auraient porté si Manon, qui m'avait entendu rentrer, ne fût venue au-devant de moi avec une air d'impatience et des plaintes de ma lenteur. Elle n'attendit point ma réponse pour m'accabler de caresses, et lorsqu'elle se vit seule avec moi, elle me fit des reproches fort vifs de l'habitude que je prenais de revenir si tard. Mon silence lui laissant la liberté de continuer, elle me dit que, depuis trois semaines, je n'avais pas passé une journée entière avec elle; qu'elle ne pouvait soutenir de si longues absences; qu'elle me demandait du moins un jour, par intervalles; et que, dès le lendemain, elle voulait me voir près d'elle du matin au soir. J'y serai, n'en doutez pas, lui répondis-je d'un ton assez brusque. Elle marqua peu d'attention pour mon chagrin, et dans le *mouvement de sa joie, qui me parut en effet d'une vivacité singulière, elle me fit mille peintures plaisantes de la manière dont elle avait passé le jour. Étrange fille! me disais-je à moi-même; que dois-je attendre de ce prélude? L'aventure de notre première séparation me revint à l'esprit[1]. Cependant je croyais voir, dans le fond de sa joie et de ses caresses, un air de vérité qui s'accordait avec les apparences.

---

1. La situation, en effet, n'est pas sans analogie. Voyez plus haut pp. 27 à 31. Il y a même un mouvement identique : « Je fus tenté plusieurs fois de lui ouvrir mon cœur[...] Mais je me flattais, à chaque instant, que l'ouverture viendrait d'elle » (p. 122) reprend : « J'étais tenté d'abord de lui découvrir mes conjectures[...] je me retins, dans l'espérance qu'il lui arriverait peut-être de me prévenir » (p. 29).

Il ne me fut pas difficile de rejeter la tristesse, dont je ne pus me défendre pendant notre souper, sur une perte que je me plaignis d'avoir faite au jeu. J'avais regardé comme un extrême avantage que l'idée de ne pas quitter Chaillot le jour suivant fût venue d'elle-même. C'était gagner du temps pour mes délibérations. Ma présence éloignait toutes sortes de craintes pour le lendemain, et si je ne remarquais rien qui m'obligeât de faire éclater mes découvertes, j'étais déjà résolu de transporter, le jour d'après, mon établissement à la ville, dans un quartier où je n'eusse rien à démêler avec les princes. Cet arrangement me fit passer une nuit plus tranquille, mais il ne m'ôtait pas la douleur d'avoir à trembler pour une nouvelle infidélité.

A mon réveil, Manon me déclara que, pour passer le jour dans notre appartement, elle ne prétendait pas que j'en eusse l'air plus négligé, et qu'elle voulait que mes cheveux fussent accommodés de ses propres mains. Je les avais fort beaux. C'était un amusement qu'elle s'était donné plusieurs fois; mais elle y apporta plus de soins que je ne lui en avais jamais vu prendre. Je fus obligé, pour la satisfaire, de m'asseoir devant sa toilette, et d'essuyer toutes les petites recherches qu'elle imagina pour ma parure. Dans le cours de son travail, elle me faisait tourner souvent le visage vers elle, et s'appuyant des deux mains sur mes épaules, elle me regardait avec une curiosité avide. Ensuite, exprimant sa satisfaction par un ou deux baisers, elle me faisait reprendre ma situation pour continuer son ouvrage. Ce badinage nous occupa jusqu'à l'heure du dîner. Le goût qu'elle y avait pris m'avait paru si naturel, et sa gaieté sentait si peu l'artifice, que ne pouvant concilier des apparences si *constantes avec le projet d'une noire trahison, je fus tenté plusieurs fois de lui ouvrir mon cœur, et de me décharger d'un fardeau qui commençait à me peser. Mais je me flattais, à chaque instant, que l'ouverture viendrait d'elle, et je m'en faisais d'avance un délicieux triomphe.

Nous rentrâmes dans son cabinet. Elle se mit à rajuster mes cheveux, et ma complaisance me faisait céder à toutes ses volontés, lorsqu'on vint l'avertir que le prince de...

Pl. XXIII. La confusion du Prince italien.

(Illustration de Pasquier, 1753.)

Pl. XXIV. La confusion du Prince italien.

(Illustration de Marillier, 1783.)

demandait à la voir. Ce nom m'échauffa jusqu'au transport. Quoi donc ? m'écriai-je en la repoussant. Qui ? Quel prince ? Elle ne répondit point à mes questions. Faites-le monter, dit-elle froidement au valet; et se tournant vers moi : Cher amant, toi que j'adore, reprit-elle d'un ton enchanteur, je te demande un moment de complaisance, un moment, un seul moment. Je t'en aimerai mille fois plus. Je t'en saurai gré toute ma vie.

L'indignation et la surprise me lièrent la langue. Elle répétait ses instances, et je cherchais des expressions pour les rejeter avec mépris. Mais, entendant ouvrir la porte de l'antichambre, elle empoigna d'une main mes cheveux, qui étaient flottants sur mes épaules, elle prit de l'autre son miroir de toilette; elle employa toute sa force pour me traîner dans cet état jusqu'à la porte du cabinet, et l'ouvrant du genou, elle offrit à l'étranger, que le bruit semblait avoir arrêté au milieu de la chambre, un spectacle qui ne dut pas lui causer peu d'étonnement. Je vis un homme fort bien mis, mais d'assez mauvaise *mine. Dans l'embarras où le jetait cette scène, il ne laissa pas de faire une profonde révérence. Manon ne lui donna pas le temps d'ouvrir la bouche. Elle lui présenta son miroir : Voyez, monsieur, lui dit-elle, regardez-vous bien[1], et rendez-moi justice. Vous me demandez de l'amour. Voici l'homme que j'aime, et que j'ai juré d'aimer toute ma vie. Faites la comparaison vous-même. Si vous croyez lui pouvoir disputer mon cœur, apprenez-moi donc sur quel fondement, car je vous déclare qu'aux yeux de votre servante très humble, tous les princes d'Italie ne valent pas un des cheveux que je tiens.

Pendant cette folle harangue, qu'elle avait apparemment méditée, je faisais des efforts inutiles pour me dégager, et prenant pitié d'un homme de considération, je me sentais porté à réparer ce petit outrage par mes politesses. Mais, s'étant remis assez facilement, sa réponse, que je trouvai

---

1. Dans cette scène facétieuse et plaisante, Manon montre, non seulement les agréments de son esprit, comme dit des Grieux (p. 119), mais aussi une certaine vulgarité, dont on trouve d'autres traits ailleurs (voyez plus haut, p. 69, et l'*Introduction*, p. CXLIV).

un peu grossière, me fit perdre cette disposition. Mademoiselle, mademoiselle, lui dit-il avec un sourire forcé, j'ouvre en effet les yeux, et je vous trouve bien moins novice que je ne me l'étais figuré. Il se retira aussitôt sans jeter les yeux sur elle, en ajoutant, d'une voix plus basse, que les femmes de France ne valaient pas mieux que celles d'Italie. Rien ne m'invitait, dans cette occasion, à lui faire prendre une meilleure idée du beau sexe.

Manon quitta mes cheveux, se jeta dans un fauteuil, et fit retentir la chambre de longs éclats de rire. Je ne dissimulerai pas que je fus touché, jusqu'au fond du cœur, d'un sacrifice que je ne pouvais attribuer qu'à l'amour. Cependant la plaisanterie me parut excessive. Je lui en fis des reproches. Elle me raconta que mon rival, après l'avoir obsédée pendant plusieurs jours au bois de Boulogne, et lui avoir fait deviner ses sentiments par des grimaces, avait pris le parti de lui en faire une déclaration ouverte, accompagnée de son nom et de tous ses titres, dans une lettre qu'il lui avait fait remettre par le cocher qui la conduisait avec ses compagnes; qu'il lui promettait, au delà des monts, une brillante fortune et des adorations éternelles; qu'elle était revenue à Chaillot dans la résolution de me communiquer cette aventure, mais qu'ayant conçu que nous en pouvions tirer de l'amusement, elle n'avait pu résister à son imagination; qu'elle avait offert au Prince italien, par une réponse flatteuse, la liberté de la voir chez elle, et qu'elle s'était fait un second plaisir de me faire entrer dans son plan, sans m'en avoir fait naître le moindre soupçon. Je ne lui dis pas un mot des lumières qui m'étaient venues par une autre voie, et l'ivresse de l'amour triomphant me fit tout approuver.

J'ai remarqué, dans toute ma vie, que le Ciel a toujours choisi, pour me frapper de ses plus rudes châtiments[1], le temps où ma fortune me semblait le mieux établie. Je me croyais si heureux, avec l'amitié de M. de T... et la ten-

1. Sur des Grieux jouet de la Fatalité, voyez l'*Introduction*, p. CXXXIII.

dresse[1] de Manon, qu'on n'aurait pu me faire comprendre que j'eusse à craindre quelque nouveau malheur[a]. Cependant, il s'en préparait un si funeste, qu'il m'a réduit à l'état où vous m'avez vu à Pacy, et par degrés[b] à des extrémités si déplorables que vous aurez peine à croire mon récit fidèle.

Un jour que nous avions M. de T... à souper[c], nous entendîmes le bruit d'un carrosse qui s'arrêtait à la porte de l'hôtellerie. La curiosité nous fit désirer de savoir qui pouvait arriver à cette heure. On nous dit que c'était le jeune G... M...[d], c'est-à-dire le fils de notre plus cruel ennemi, de ce vieux débauché qui m'avait mis à Saint-Lazare et Manon à l'Hôpital. Son nom me fit monter la rougeur au visage. C'est le Ciel qui me l'amène, dis-je à M. de T..., pour le punir de la lâcheté de son père. Il ne m'échappera pas que nous n'ayons mesuré nos épées. M. de T..., qui le connaissait et qui était même de ses meilleurs amis, s'efforça de me faire prendre d'autres sentiments[e] pour lui. Il m'assura que c'était un jeune homme très aimable, et si peu capable d'avoir eu part à l'action de son père que je ne le verrais pas moi-même un moment sans lui accorder mon estime et sans désirer la sienne. Après avoir ajouté mille[f] choses à son avantage, il me pria de consentir qu'il allât lui proposer de venir prendre place avec nous, et de s'accommoder du reste de notre souper. Il prévint l'objection du péril où c'était exposer Manon que de découvrir[g] sa demeure au fils de notre ennemi, en protestant, sur son honneur et sur sa foi, que, lorsqu'il nous connaîtrait, nous n'aurions point de plus zélé défenseur. Je ne fis difficulté de rien, après de telles assurances. M. de T... ne nous l'amena point sans avoir pris[h] un moment pour l'informer qui nous étions. Il entra d'un air qui nous prévint effectivement en sa faveur. Il m'embrassa. Nous nous assîmes. Il admira Manon, moi, tout ce qui nous appartenait, et il mangea d'un appétit qui fit honneur à notre souper. Lorsqu'on eut desservi

---

1. Un des effets de l'épisode du Prince italien est, on le sait, de démontrer au Chevalier la solidité de cette tendresse.

la conversation devint plus sérieuse. Il baissa les yeux pour nous parler de l'excès où son père s'était porté contre nous[a]. Il nous fit les excuses les plus soumises. Je les abrège, nous dit-il, pour ne pas renouveler un souvenir qui me cause trop de honte. Si elles étaient sincères dès le commencement, elles le devinrent bien plus dans la suite, car il n'eut pas passé une demi-heure dans cet entretien, que[b] je m'aperçus de l'impression que les charmes de Manon faisaient sur lui. Ses regards et ses manières s'attendrirent par degrés[c]. Il ne laissa rien échapper néanmoins dans ses discours, mais, sans être aidé de la jalousie, j'avais trop d'expérience en amour pour ne pas discerner ce qui venait de cette source. Il nous tint compagnie pendant une partie de la nuit, et il ne nous quitta qu'après s'être félicité de[d] notre connaissance, et nous avoir demandé la permission de[e] venir nous renouveler quelquefois l'offre de ses services. Il partit le matin[f] avec M. de T..., qui se mit avec lui dans son carrosse.

Je ne me sentais, comme j'ai dit[g], aucun penchant à la jalousie. J'avais plus de crédulité[h] que jamais pour les serments de Manon. Cette charmante créature était si absolument maîtresse de mon âme que je n'avais pas un seul petit sentiment qui ne fût de l'estime et de l'amour. Loin de lui faire un crime d'avoir plu au jeune G... M... [i], j'étais ravi de l'effet de ses charmes, et je m'applaudissais d'être aimé d'une fille que tout le monde trouvait *aimable. Je ne jugeai pas même à propos de lui communiquer mes soupçons[j]. Nous fûmes occupés, pendant quelques jours, du soin de faire ajuster ses habits, et à délibérer si nous pouvions aller à la comédie sans appréhender d'être reconnus. M. de T... revint nous voir avant la fin de la semaine. Nous le consultâmes là-dessus. Il vit bien qu'il fallait dire oui, pour faire plaisir à Manon. Nous résolûmes[k] d'y aller le même soir avec lui.

Cependant cette résolution ne put s'exécuter, car m'ayant tiré aussitôt en particulier : Je suis, me dit-il[l], dans le dernier embarras depuis que je ne vous ai vu, et la visite que je vous fais aujourd'hui en est une suite. G... M... aime votre maîtresse. Il m'en a fait confidence.

Je suis son intime ami, et disposé en tout à le servir; mais je ne suis pas moins le vôtre. J'ai considéré que ses intentions sont injustes et je les ai condamnées. J'aurais[a] gardé son secret s'il n'avait dessein d'employer, pour plaire, que les voies communes, mais il est bien informé de l'humeur de Manon. Il a su, je ne sais d'où, qu'elle aime l'abondance et les plaisirs, et comme il jouit déjà d'un bien considérable, il m'a déclaré qu'il veut la tenter d'abord par un très gros présent et par l'offre de dix mille livres de pension. Toutes choses égales, j'aurais peut-être eu beaucoup plus de violence à me faire pour le trahir, mais la justice s'est jointe en votre faveur à l'amitié; d'autant plus qu'ayant été la cause imprudente de sa passion, en[b] l'introduisant ici, je suis obligé de prévenir les effets du mal que j'ai causé.

Je remerciai M. de T... d'un service de cette importance, et je lui avouai, avec un parfait retour de confiance, que le caractère de Manon était tel que G... M... se le figurait, c'est-à-dire qu'elle ne pouvait supporter le nom[c] de la pauvreté. Cependant, lui dis-je, lorsqu'il n'est question que du plus ou du moins, je ne la crois pas capable de m'abandonner pour un autre. Je suis en état de ne la laisser manquer de rien, et je compte que ma fortune va croître[d] de jour en jour. Je ne crains qu'une chose, ajoutai-je, c'est que G... M... ne se serve de la connaissance qu'il a de notre demeure pour nous rendre quelque mauvais office. M. de T... m'assura que je devais être sans appréhension de ce côté-là; que G... M... était capable d'une folie amoureuse, mais qu'il ne l'était point d'une bassesse; que s'il avait la lâcheté d'en commettre une, il serait le premier, lui qui parlait, à l'en punir et à réparer par là le malheur qu'il avait eu d'y donner occasion. Je vous suis obligé de ce sentiment, repris-je, mais le mal serait fait et le remède fort incertain. Ainsi le parti le plus sage est de le prévenir, en quittant Chaillot pour prendre une autre demeure. Oui, reprit M. de T... Mais vous aurez peine à le faire aussi promptement qu'il faudrait, car G... M... doit être ici à midi; il me le dit hier, et c'est ce qui m'a porté à venir si matin, pour vous informer de ses vues. Il peut arriver à tout moment.

Un avis si pressant me fit regarder[a] cette affaire d'un œil plus sérieux. Comme il me semblait impossible d'éviter la visite de G... M..., et qu'il me le serait aussi, sans doute, d'empêcher qu'il ne s'ouvrît[b] à Manon, je pris le parti de la prévenir moi-même sur le dessein de ce nouveau rival. Je m'imaginai que, me sachant instruit des propositions qu'il lui ferait, et les recevant à mes yeux, elle aurait assez de force pour les rejeter. Je[c] découvris ma pensée à M. de T..., qui me répondit que cela était extrêmement délicat. Je l'avoue, lui-dis-je, mais toutes les raisons qu'on peut avoir d'être sûr d'une maîtresse[d], je les ai de compter sur l'affection de la mienne. Il n'y aurait que la grandeur des offres qui pût l'éblouir[1], et je vous ai dit qu'elle ne connaît point l'intérêt[e]. Elle aime ses aises, mais elle m'aime aussi, et, dans la situation où sont mes affaires, je ne saurais croire qu'elle me préfère le fils d'un homme qui l'a mise à l'Hôpital. En un mot, je persistai dans mon dessein, et m'étant retiré à l'écart avec Manon, je lui déclarai *naturellement tout ce que je venais d'apprendre.

Elle me remercia de la bonne opinion que j'avais d'elle, et elle me promit de recevoir les offres de G... M... d'une manière qui lui ôterait l'envie de les renouveler. Non, lui dis-je, il ne faut pas l'irriter par une brusquerie. Il peut nous nuire. Mais tu sais assez, toi, friponne, ajoutai-je en riant, comment te défaire[f] d'un amant désagréable ou incommode[2]. Elle reprit, après[g] avoir un peu rêvé : Il me vient un dessein admirable, s'écria-t-elle, et je suis toute *glorieuse de l'invention. G... M... est le fils de notre plus cruel ennemi; il faut nous venger du père, non pas

---

1. C'est effectivement ce qui va se produire. Le lecteur est ainsi préparé à l'événement.

2. Le malheur des deux amants et le piège dans lequel ils vont se jeter sont ménagés avec beaucoup de naturel et de rigueur. M. de T... propose ses bons offices et laisse à des Grieux toute sa liberté. Manon est disposée à se comporter avec G... M... comme avec le Prince italien. C'est le Chevalier lui-même qui, en lui demandant de la diplomatie, l'amène à inventer la ruse d'où sortira la catastrophe. Il y a dans tout ce mouvement un sens extrême de la réalité psychologique.

sur le fils, mais sur sa bourse. Je veux l'écouter, accepter ses présents, et me moquer de lui. Le projet* est joli, lui dis-je, mais tu ne songes pas, mon pauvre enfant, que c'est le chemin qui nous a conduits droit[a] à l'Hôpital. J'eus beau lui représenter le péril de cette entreprise, elle me dit qu'il ne s'agissait que de bien prendre nos mesures, et elle répondit à toutes mes objections. Donnez-moi un amant qui n'entre point aveuglément dans tous les caprices d'une maîtresse adorée, et je conviendrai que j'eus tort de céder si facilement[1]. La[b] résolution fut prise de faire une dupe de G... M..., et par un tour bizarre de mon sort, il arriva que je devins la sienne.

Nous vîmes paraître son carrosse vers les onze heures. Il nous fit des compliments fort recherchés[c] sur la liberté qu'il prenait de venir dîner avec nous. Il ne fut pas surpris de trouver M. de T..., qui lui avait promis la veille de s'y rendre aussi, et qui avait feint[d] quelques affaires pour se dispenser de venir dans la même voiture. Quoiqu'il n'y eût pas un seul de nous qui ne portât la trahison dans le cœur, nous nous mîmes à table avec un air de confiance et d'amitié. G... M... trouva aisément l'occasion de déclarer ses sentiments à Manon. Je ne dus pas lui paraître gênant, car je m'absentai exprès pendant quelques minutes. Je m'aperçus, à mon retour, qu'on ne l'avait pas désespéré par un excès de rigueur. Il était de la meilleure humeur du monde. J'affectai de le paraître aussi. Il riait intérieurement de ma *simplicité, et moi de la sienne. Pendant tout l'après-midi, nous fûmes l'un pour l'autre une scène fort agréable[2]. Je[e] lui ménageai encore, avant son départ, un moment d'entretien particulier avec Manon, de sorte qu'il eut lieu de s'applaudir de ma complaisance autant que de la bonne chère.

---

1. On a déjà eu bien des exemples de la faiblesse de des Grieux à l'égard de Manon. Cette faiblesse vient tantôt de son amour, tantôt de sa crainte de perdre Manon. Voyez en particulier p. 73 : « Y-a-t-il à balancer, si c'est Manon qui l'a réglé, et si je la perds sans cette complaisance ? »

2. Sur les éléments de comédie dans le roman, voyez l'*Introduction*, p. CXLII à CXLIV.

Aussitôt qu'il fut monté en carrosse avec M. de T..., Manon accourut à moi, les bras ouverts, et m'embrassa[a] en éclatant de rire. Elle me répéta ses discours et ses propositions, sans y changer un mot. Ils se réduisaient à ceci : il l'adorait. Il voulait partager avec elle quarante mille livre de rente dont il jouissait déjà, sans compter ce qu'il attendait après la mort de son père. Elle allait être maîtresse de son cœur et de sa fortune, et, pour gage de ses bienfaits[b], il était prêt à lui donner un carrosse, un hôtel meublé, une femme de chambre, trois laquais et un cuisinier. Voilà un fils, dis-je à Manon, bien autrement généreux que son père. Parlons de bonne foi, ajoutai-je; cette offre ne vous tente-t-elle point? Moi? répondit-elle, en ajustant à sa pensée deux vers[c] de Racine :

Moi ! vous me soupçonnez de cette perfidie ?
Moi ! je pourrais souffrir un visage odieux,
Qui rappelle toujours l'Hôpital à mes yeux ?

Non, repris-je, en continuant la parodie :

J'aurais peine à penser que l'Hôpital, Madame,
Fût un trait dont l'Amour l'eût gravé dans votre âme[1].

Mais c'en est un bien séduisant qu'un hôtel meublé avec un carrosse et trois laquais; et l'amour en a peu

---

1. On connaît le goût extrême de Prévost pour Racine. Il est normal que Manon et des Grieux, qui sont des habitués de la comédie, le partagent, et qu'après avoir assisté à de nombreuses représentations d'*Iphigénie,* ils en connaissent des passages par cœur. Il s'agit ici d'une adaptation de la scène 5 de l'acte II, où Iphigénie démasque Ériphile et découvre en elle une rivale. Ériphile proteste et rappelle les circonstances de sa première rencontre avec Achille, vainqueur de Lesbos :

Moi? vous me soupçonnez de cette perfidie?
Moi, j'aimerais, Madame, un vainqueur furieux,
Qui toujours tout sanglant se présente à mes yeux...

Mais Iphigénie, à la différence de des Grieux, ne s'en laisse pas imposer, et lui répond :

... Ces morts, cette Lesbos, ces cendres, cette flamme,
Sont les traits dont l'amour l'a gravé dans votre âme...

d'aussi forts. Elle me protesta que son cœur était à moi pour toujours, et qu'il ne recevrait jamais d'autres traits que les miens. Les promesses qu'il m'a faites, me dit-elle, sont un aiguillon de vengeance, plutôt qu'un trait d'amour. Je lui demandai si elle était dans le dessein d'accepter l'hôtel et le carrosse. Elle me répondit qu'elle n'en voulait qu'à son argent. La difficulté était d'obtenir l'un sans l'autre. Nous résolûmes d'attendre l'entière explication du projet de G... M..., dans une lettre qu'il avait promis[a] de lui écrire. Elle la reçut en effet le lendemain, par un laquais sans livrée, qui se procura fort adroitement[b] l'occasion de lui parler sans témoins. Elle lui dit d'attendre sa réponse, et elle vint m'apporter aussitôt sa lettre. Nous l'ouvrîmes ensemble[1]. Outre les lieux communs de tendresse, elle contenait le détail des promesses de mon rival. Il ne bornait point sa dépense. Il s'engageait à lui compter dix mille francs, en prenant possession de l'hôtel[2], et à réparer tellement les diminutions de cette somme, qu'elle l'eût toujours devant elle en argent comptant. Le jour de l'inauguration n'était pas reculé trop loin : il ne lui en demandait que deux pour les préparatifs[c], et il lui marquait le nom de la rue et de l'hôtel, où il lui promettait de l'attendre l'après-midi du second jour, si elle pouvait se dérober de mes mains. C'était l'unique point sur lequel il la conjurait de le tirer d'inquiétude; il paraissait sûr de tout le reste, mais il[d] ajoutait que, si elle prévoyait de la difficulté à m'échapper, il trouverait le moyen de rendre sa fuite aisée.

G... M... était plus *fin que[e] son père; il voulait tenir sa proie avant que de compter ses espèces. Nous délibérâmes sur la conduite que Manon avait à tenir. Je fis encore des efforts pour lui ôter cette entreprise de la tête et je lui en représentai tous les dangers. Rien ne fut capable d'ébranler sa résolution[f].

---

1. Prévost souligne le parfait accord des deux amants. Il semble que des Grieux ait toutes les raisons d'être rassuré.

2. C'est-à-dire, bien entendu, au moment où *elle* prendrait possession de l'hôtel.

Elle fit une courte réponse à G... M..., pour l'assurer qu'elle ne trouverait pas de difficulté à se rendre à Paris le jour marqué, et qu'il pouvait[a] l'attendre avec certitude. Nous réglâmes ensuite que je partirais sur le champ pour aller louer un nouveau logement dans quelque village, de l'autre côté[b] de Paris, et que je transporterais avec moi notre petit *équipage; que le lendemain après-midi, qui était le temps de son *assignation, elle se rendrait de bonne heure à Paris; qu'après avoir reçu les présents de G... M..., elle le prierait instamment de la conduire à la Comédie; qu'elle prendrait avec elle tout ce qu'elle pourrait porter de la somme, et qu'elle chargerait du reste mon valet, qu'elle voulait mener avec elle. C'était toujours le même[c] qui l'avait délivrée de l'Hôpital, et qui nous était infiniment attaché. Je devais me trouver[d], avec un fiacre, à l'entrée de la rue Saint-André-des-Arcs, et l'y laisser vers les sept heures, pour m'avancer dans l'obscurité à la porte de la Comédie[1]. Manon me promettait d'inventer des prétextes[e] pour sortir un instant de sa loge, et de l'employer à descendre pour me rejoindre. L'exécution du reste était facile. Nous aurions regagné mon fiacre en un moment, et nous serions sortis de Paris par le faubourg Saint-Antoine, qui était le chemin de notre nouvelle demeure[2].

Ce dessein, tout extravagant qu'il était, nous parut assez bien arrangé. Mais il y avait, dans le fond, une folle imprudence à s'imaginer que, quand il eût réussi le plus heureusement du monde, nous eussions jamais pu nous mettre à couvert des suites. Cependant, nous nous exposâmes avec la plus téméraire confiance. Manon partit avec Marcel : c'est ainsi que se nommait notre valet[f]. Je la vis partir avec douleur. Je lui dis en l'embrassant : Manon, ne me trompez point[g]; me serez-vous fidèle? Elle se

---

1. La Comédie-Française se trouvait dans la rue neuve des Fossés-Saint-Germain (actuelle rue de l'Ancienne-Comédie). Voir le plan du quartier reproduit planche XXV.

2. Ils quittent donc Chaillot, à l'ouest de Paris, pour aller habiter à l'est, vers Vincennes.

plaignit tendrement de ma défiance, et elle me renouvela[a] tous ses serments[1].

Son compte était d'arriver à Paris sur les trois heures. Je partis après elle. J'allais me morfondre, le reste de l'après-midi, dans le café de Féré, au pont Saint-Michel[2]; j'y demeurai jusqu'à la nuit[b]. J'en sortis alors pour prendre un fiacre[3], que je postai, suivant[c] notre projet, à l'entrée de la rue Saint-André-des-Arcs; ensuite je gagnai à pied la porte de la Comédie. Je fus surpris de n'y pas trouver Marcel, qui devait être à m'attendre. Je pris patience pendant une heure, confondu dans une foule de laquais[4], et l'œil ouvert sur tous les passants[d]. Enfin, sept heures étant sonnées, sans que j'eusse rien aperçu qui eût rapport à nos desseins[5], je pris un billet de parterre pour aller voir si je découvrirais Manon et G... M... dans les loges. Ils n'y étaient ni l'un ni l'autre. Je retournai à la porte, où je passai encore un quart d'heure, transporté d'impatience et d'inquiétude. N'ayant rien vu paraître, je rejoignis mon fiacre, sans pouvoir m'arrêter à la moindre résolution[e]. Le cocher, m'ayant aperçu, vint quelques pas au-devant de moi pour me dire, d'un air mystérieux, qu'une jolie demoiselle m'attendait[f] depuis une heure dans le carrosse; qu'elle m'avait demandé, à des signes qu'il avait bien

---

1. Pour que la volte-face de Manon apparaisse plus surprenante encore, Prévost lui donne une fois l'occasion de bien marquer ses sentiments avant de quitter des Grieux.

2. Le café de Féré ne figure pas, semble-t-il, parmi les quelques cafés de cette époque dont le nom soit conservé. Il pouvait être situé, soit sur la petite place à l'extrémité sud du pont (qui occuperait une partie de l'actuelle place Saint-Michel) soit sur le pont lui même. Voyez la planche XXV.

3. La station de fiacres se trouvait sur le quai, vers les Grands-Augustins (voir la planche XXV).

4. Ces laquais attendent leurs maîtres jusqu'à la fin de la représentation, qui a commencé à cinq heures, et dure jusqu'à près de neuf heures.

5. Le spectacle commence par une comédie ou une tragédie en cinq actes, que suit une comédie en un ou trois actes, suivant la longueur de la première pièce. L'heure à laquelle doit s'échapper Manon semble coïncider avec l'entracte.

Pl. XXV. Le quartier Saint-André des Arts.

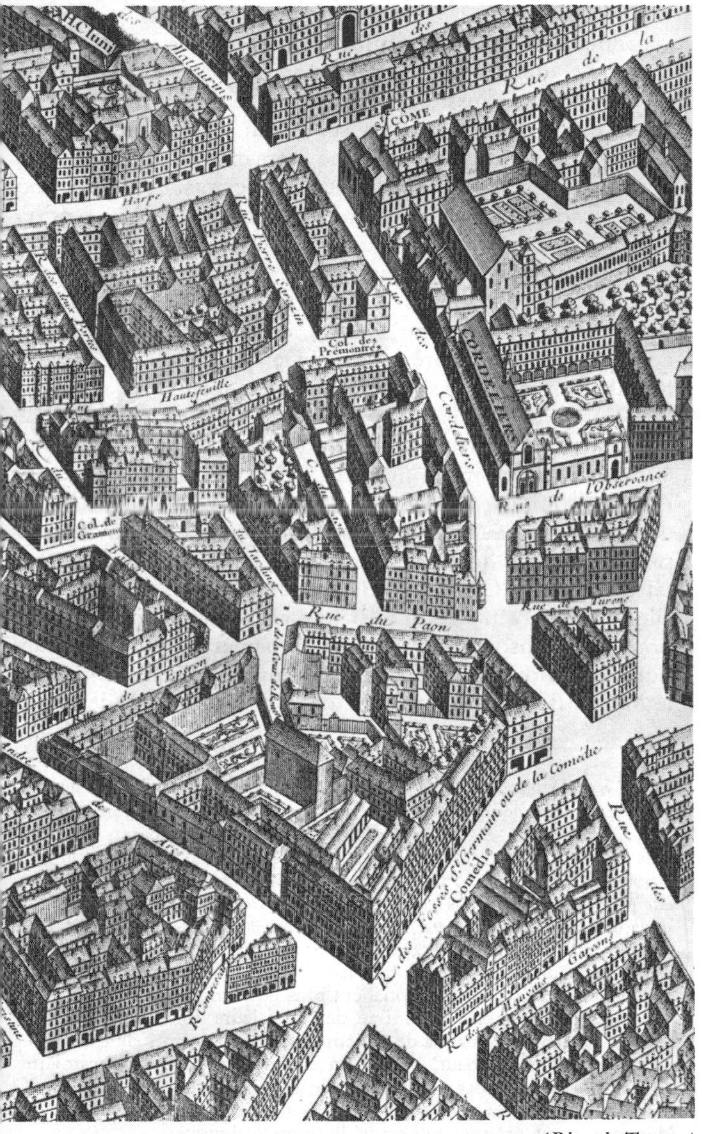

(Plan de Turgot.)

reconnus, et qu'ayant appris que je devais revenir, elle avait dit qu'elle ne s'impatienterait point à m'attendre. Je me figurai aussitôt que c'était Manon. J'approchai; mais je vis un joli petit visage, qui n'était pas le sien. C'était une étrangère, qui me demanda d'abord si elle n'avait pas l'honneur de parler à M. le chevalier des Grieux. Je lui dis que c'était mon nom. J'ai une lettre à vous rendre, reprit-elle, qui vous instruira du sujet qui m'amène, et par quel rapport j'ai l'avantage de connaître votre nom[1]. Je la priai de me donner le temps de la lire dans un cabaret voisin. Elle voulut me suivre, et elle me conseilla de demander une chambre à part[2]. De qui vient cette lettre? lui dis-je en montant : elle me remit à la lecture[3].

Je reconnus la main[a] de Manon. Voici à peu près ce qu'elle me marquait[4] : G... M... l'avait reçue avec une *politesse et une magnificence au delà de toutes ses idées[b]. Il l'avait comblée de présents; il[c] lui faisait envisager un sort de reine. Elle m'assurait néanmoins qu'elle ne m'oubliait pas dans cette nouvelle splendeur; mais que, n'ayant pu faire consentir G... M... à la mener ce soir à la Comédie, elle remettait à un autre jour le plaisir de me voir; et que, pour me consoler un peu de la peine qu'elle prévoyait que cette nouvelle pouvait me causer, elle avait trouvé le moyen de me procurer une des plus jolies filles de Paris,

---

1. Le style gauche de cette phrase, donnée au style direct, semble indiquer que la jeune fille répète en s'appliquant une leçon apprise.

2. Après avoir établi une distinction entre le cabaret, où l'on doit servir seulement du vin au comptoir, et la taverne, où l'on sert à boire et à manger, le dictionnaire de Furetière remarque qu'on ne fait plus ces distinctions et que, non seulement on donne à boire et à manger dans les cabarets, mais qu'il y en a même où on loge, qui se confondent avec les auberges. On en comptait plusieurs dans la rue Saint-André-des-Arts. Néanmoins la chambre dont il est ici question est, bien entendu, ce qu'on appellera plus tard un cabinet particulier.

3. Cette expression, rencontrée déjà plusieurs fois (cf. *Glossaire*) signifie : « elle me demanda de patienter jusqu'à la lecture de la lettre ».

4. On a vu plus haut, p. 68, un échantillon du style épistolaire de Manon. Ici Prévost se contente de rapporter toute la lettre, sauf la formule finale, au style indirect, mais il y insère les mots même de Manon, comme *procurer*, qui est ici le terme technique.

qui serait la porteuse de son billet. *Signé*, votre fidèle amante, MANON LESCAUT.

Il y avait quelque chose de si cruel et de si insultant pour moi dans cette lettre, que demeurant suspendu quelque temps entre la colère et la douleur, j'entrepris de faire un effort pour oublier éternellement mon ingrate et parjure maîtresse. Je jetai les yeux sur la fille qui était devant moi[a] : elle était extrêmement jolie, et j'aurai souhaité qu'elle l'eût été assez pour me rendre parjure et infidèle à mon tour. Mais je n'y trouvai point ces yeux *fins et languissants, ce port divin, ce teint de la composition de l'Amour, enfin ce fonds inépuisable de charmes que la nature avait prodigués à la perfide Manon[1]. Non, non, lui dis-je en cessant de la regarder, l'ingrate qui vous envoie savait fort bien qu'elle vous faisait faire une démarche inutile. Retournez à elle, et dites-lui de ma part qu'elle jouisse[b] de son crime, et qu'elle en jouisse, s'il se peut, sans remords. Je l'abandonne sans retour, et je renonce en même temps à toutes les femmes, qui ne sauraient être aussi aimables qu'elle, et qui sont, sans doute, aussi lâches et d'aussi mauvaise foi. Je fus alors sur le point de descendre et de me retirer, sans prétendre davantage à Manon, et la jalousie mortelle qui me déchirait le cœur se déguisant en une morne et sombre tranquillité, je me crus d'autant plus proche de ma guérison que je ne sentais nul[c] de ces *mouvements violents dont j'avais été agité dans les mêmes occasions[2]. Hélas! j'étais la dupe de l'amour autant que je croyais l'être de G... M... et de Manon.

---

1. Le vague de ce portrait le plus précis qui soit donné de Manon — frappe davantage encore si on le rapproche des nombreux portraits de jeunes filles des *Illustres Françaises*. La Manon de Challes, Manon Dupuis, a la peau « de la délicatesse de celle d'un enfant... les yeux plains, bien fendus, noirs et languissants... la physionomie douce et d'une vierge » (éd. cit., t. I, p. 17). Madeleine de l'Espine, madone florentine, et Silvie, vive Parisienne aux cheveux châtains, n'ont pas un type moins marqué. Sur les raisons et les effets du parti pris de Prévost, voyez l'*Introduction*, pp. XCIX-C.

2. Voyez plus haut pp. 34 et 69. (Sur l'intérêt psychologique pour les sentiments et la bizarrerie de leur expression, voyez l'*Introduction*, pp. CXII à CXIV.)

Cette fille qui m'avait apporté la lettre, me voyant prêt à descendre l'escalier, me demanda ce que je voulais donc qu'elle rapportât à M. de G... M... et à la dame qui était avec lui. Je rentrai dans la chambre à cette question[a], et par un changement incroyable à ceux qui n'ont jamais senti de passions violentes, je me trouvai, tout d'un coup, de la tranquillité où je croyais être, dans un transport terrible de fureur. Va, lui dis-je, rapporte au traître G... M... et à sa perfide maîtresse le désespoir où ta maudite lettre m'a jeté, mais apprends-leur qu'ils n'en riront pas longtemps, et que je les poignarderai tous deux de ma propre main. Je me jetai sur une chaise. Mon chapeau tomba d'un côté, et ma canne de l'autre[1]. Deux ruisseaux de larmes amères commencèrent à couler de mes yeux. L'accès de rage que je venais de sentir se changea dans une[b] profonde douleur; je ne fis plus que pleurer, en poussant des gémissements et des soupirs. Approche, mon enfant, approche, m'écriai-je en parlant à la jeune fille; approche, puisque c'est toi qu'on envoie pour me consoler. Dis-moi si tu sais des consolations contre la rage et le désespoir, contre l'envie de se donner la mort à soi-même, après avoir tué deux perfides qui ne méritent pas de vivre. Oui, approche, continuai-je, en voyant qu'elle faisait vers moi quelques pas timides et incertains. Viens essuyer mes larmes, viens rendre la paix à mon cœur, viens me dire que tu m'aimes, afin que je m'accoutume à l'être d'une autre que de mon infidèle. Tu es jolie, je pourrai peut-être t'aimer à mon tour. Cette pauvre enfant, qui n'avait pas seize ou dix-sept ans, et qui paraissait avoir plus de pudeur que ses pareilles, était extraordinairement surprise d'une si étrange scène. Elle s'approcha néanmoins[c] pour me faire quelques caresses, mais je l'écartai aussitôt, en la repoussant de mes mains. Que veux-tu de moi? lui dis-je. Ah! tu es une femme, tu es d'un sexe que je déteste et que je ne puis plus souffrir. La douceur de ton visage me menace encore

---

1. Sur le contraste entre ce détail familier et la noblesse tragique du transport qui précède, voyez l'*Introduction*, pp. CXXXIX à CXLI.

de quelque trahison[1]. Va-t'en et laisse-moi seul ici. Elle me fit une révérence, sans oser rien dire, et elle se tourna pour sortir. Je lui criai de s'arrêter. Mais apprends-moi du moins, repris-je, pourquoi, comment, à quel[a] dessein tu as été envoyée ici. Comment as-tu découvert mon nom et le lieu où tu pouvais me trouver?

Elle me dit qu'elle connaissait de longue main M. de G... M...; qu'il l'avait[b] envoyé chercher à cinq heures, et qu'ayant suivi[c] le laquais qui l'avait avertie, elle était allée dans une grande maison, où elle l'avait trouvé qui jouait au piquet[2] avec une jolie dame, et qu'ils l'avaient chargée tous deux de me rendre la lettre qu'elle m'avait apportée, après lui avoir appris qu'elle me trouverait dans un carrosse au bout de la rue Saint-André. Je lui demandai s'ils ne lui avaient rien dit de plus[d]. Elle me répondit, en rougissant, qu'ils lui avaient fait espérer que je la prendrais pour me tenir compagnie. On t'a trompée, lui dis-je; ma pauvre fille, on t'a trompée. Tu es une femme, il te faut un homme; mais il t'en faut un qui soit riche et heureux, et ce n'est pas ici que tu le peux trouver. Retourne, retourne à M. de G... M... Il a tout ce qu'il faut pour être aimé des belles; il a des hôtels meublés et des équipages à donner. Pour moi, qui n'ai que de l'amour et de la constance à offrir[3], les femmes méprisent ma misère et font leur jouet de ma * simplicité.

---

1. Des Grieux retrouve le thème traditionnel de l'opposition entre la douceur apparente de la femme et la noirceur supposée de son âme. Il venait d'être traité d'une façon très expressive par Marivaux dans *la Surprise de l'Amour* (1722). Lélio y comparait le cœur féminin à un monstre qui sème sur le chemin des voyageurs de l'argent, de l'or et des pierreries pour les attirer dans son antre et les dévorer.

2. Le piquet, très en faveur dans les milieux mondains au XVIIe et au XVIIIe siècle, se jouait surtout à deux. Chaque joueur possède alors douze cartes, dont trois pour le donneur et cinq pour son adversaire peuvent être écartées et remplacées par d'autres provenant d'un talon. Voir la description d'une partie de piquet dans les *Fâcheux* de Molière, acte II, sc. 2.

3. Il reprend les termes mêmes qu'il a naguère appliqués à Manon : « Je ne doutais nullement qu'elle ne m'abandonnât pour quelque nouveau B... lorsqu'il ne me resterait que de la constance et de la fidélité à lui offrir » (p. 62).

J'ajoutai mille choses, ou tristes ou violentes, suivant que les passions qui m'agitaient tour à tour cédaient ou emportaient le dessus. Cependant, à force de me tourmenter, mes transports diminuèrent assez pour faire place à quelques réflexions[a]. Je comparai cette dernière infortune à celles que[b] j'avais déjà essuyées dans le même genre, et je ne trouvai pas qu'il y eût plus à désespérer que dans les premières. Je connaissais Manon; pourquoi m'affliger tant d'un malheur que j'avais dû prévoir[1]? Pourquoi ne pas m'employer plutôt à chercher du remède? Il était encore temps. Je devais du moins n'y pas épargner mes soins, si je ne voulais avoir à me reprocher d'avoir contribué, par ma négligence, à mes propres peines. Je me mis là-dessus à considérer tous les moyens qui pouvaient m'ouvrir un chemin à l'espérance.

Entreprendre de l'arracher avec violence des mains de G... M..., c'était un parti désespéré, qui n'était propre qu'à me perdre, et qui n'avait pas la moindre apparence de succès. Mais il me semblait que si j'eusse pu me procurer le moindre entretien avec elle, j'aurais gagné infailliblement quelque chose sur son cœur. J'en connaissais si bien tous les endroits sensibles! J'étais si sûr d'être aimé d'elle[2]! Cette bizarrerie même de m'avoir envoyé une jolie fille pour me consoler, j'aurais parié qu'elle[c] venait de son invention, et que c'était un effet de sa[d] compassion pour mes peines. Je résolus d'employer toute mon * industrie pour la voir. Parmi quantité de voies que j'examinai l'une après l'autre, je m'arrêtai à celle-ci. M. de T... avait commencé à me rendre service avec trop d'affection pour me laisser le moindre doute de[e] sa sincérité et de son zèle.

---

1. C'est-à-dire : *que j'aurais dû prévoir*. Des Grieux se reproche maintenant d'avoir cru que Manon pouvait changer, et de n'avoir pas considéré son caractère comme une donnée immuable dont il fallait tenir compte.

2. Cette affirmation, — au moment même où il est trahi, — ainsi que la remarque qui suit, montrent que des Grieux est tout près de *comprendre* Manon. Il revient pourtant plus loin, dans la scène d'explication, aux concepts habituels de fidélité et d'amour, ce qui fait que Manon lui redevient incompréhensible.

Je me proposai d'aller chez lui sur le champ, et de l'engager à faire[a] appeler G... M..., sous le prétexte[b] d'une affaire importante. Il ne me fallait qu'une demi-heure pour parler à Manon. Mon dessein était de me faire introduire dans sa chambre même, et je crus[c] que cela me serait aisé dans l'absence de G... M... Cette résolution m'ayant rendu plus tranquille, je payai libéralement la jeune fille, qui était encore avec moi, et pour lui ôter l'envie de retourner chez ceux qui me l'avaient envoyée, je pris son adresse, en lui faisant espérer que j'irais passer la nuit avec elle. Je montai dans mon fiacre, et je me fis conduire à grand train chez M. de T... Je fus assez heureux pour l'y trouver. J'avais eu, là-dessus, de l'inquiétude en chemin. Un mot le mit au fait[d] de mes peines et du service que je venais lui demander. Il fut si étonné d'apprendre que G... M... avait pu séduire Manon, qu'ignorant que j'avais eu part moi-même à mon malheur[1], il m'offrit généreusement de rassembler[e] tous ses amis, pour employer leurs bras et leurs épées à la délivrance de ma maîtresse. Je lui fis comprendre que cet éclat pouvait être pernicieux à Manon et à moi. Réservons notre sang, lui dis-je, pour l'extrémité. Je médite une voie plus douce et dont[f] je n'espère pas moins de succès. Il s'engagea, sans exception, à faire tout ce que je demanderais de lui[g]; et lui ayant répété qu'il ne s'agissait que de faire avertir G... M... qu'il avait à lui parler, et de le tenir dehors une heure ou deux, il partit aussitôt avec moi pour me satisfaire.

Nous cherchâmes de[h] quel expédient il pourrait se servir pour l'arrêter si longtemps. Je lui conseillai de lui écrire d'abord un billet simple, daté d'un cabaret[i], par lequel il le prierait de s'y rendre aussitôt, pour une affaire si importante qu'elle ne pouvait souffrir de délai. J'observerai, ajoutai-je, le moment de sa sortie, et je m'introduirai sans peine dans la maison, n'y étant connu que de Manon et de Marcel, qui est mon valet. Pour vous, qui serez pendant

---

1. C'est ici un nouvel exemple de tromperie et de mensonge, que l'amour, comme ailleurs, vient justifier.

ce temps-là avec G... M..., vous pourrez lui dire que cette affaire importante, pour laquelle vous souhaitez de lui parler, est un besoin d'argent, que vous venez de perdre le vôtre au jeu, et que vous avez joué beaucoup plus sur votre parole, avec le même malheur. Il lui faudra du temps pour vous mener à son coffre-fort, et j'en aurai suffisamment pour exécuter mon dessein.

M. de T... suivit cet arrangement de point en point. Je le laissai dans un cabaret[a], où il écrivit promptement sa lettre. J'allai me placer à quelques pas de la maison de Manon. Je vis arriver le porteur du message, et G... M... sortir à pied, un moment après, suivi d'un laquais. Lui ayant laissé le temps de s'éloigner de la rue, je m'avançai à la porte de mon infidèle, et malgré toute ma colère, je frappai avec le respect qu'on a pour un temple. Heureusement, ce fut Marcel qui vint m'ouvrir. Je lui fis signe de se taire. Quoique je n'eusse rien à craindre des autres domestiques, je lui demandais tout bas s'il pouvait me conduire dans la chambre où était Manon, sans que je fusse aperçu. Il me dit que cela était aisé en montant doucement par le grand escalier. Allons donc promptement, lui dis-je, et tâche d'empêcher, pendant que j'y serai, qu'il n'y monte personne. Je pénétrai sans obstacle jusqu'à l'*appartement.

Manon était occupée à lire. Ce fut là que j'eus lieu d'admirer le caractère de cette étrange fille. Loin d'être effrayée et de paraître timide en m'apercevant, elle ne donna que ces marques légères de surprise dont on n'est pas le maître à la vue d'une personne qu'on croit éloignée. Ah! c'est vous, mon amour, me dit-elle en venant m'embrasser avec sa tendresse ordinaire. Bon Dieu! que vous êtes hardi! Qui vous aurait attendu aujourd'hui dans ce lieu? Je me dégageai de ses bras, et loin de répondre à ses caresses, je la repoussai avec dédain, et je fis deux ou trois pas en arrière pour m'éloigner d'elle. Ce mouvement ne laissa pas de la déconcerter. Elle demeura dans la situation où elle était et elle jeta[b] les yeux sur moi en changeant de couleur. J'étais, dans le fond, si charmé de la revoir, qu'avec tant de justes sujets de colère, j'avais à peine la force d'ouvrir la bouche pour la quereller. Cependant mon cœur saignait du cruel outrage qu'elle m'avait fait. Je le rappelais vivement à ma mémoire, pour exciter mon dépit, et je tâchais de faire briller dans mes yeux un autre feu que celui de l'amour. Comme je demeurai quelque temps en silence, et qu'elle remarqua mon agitation, je la vis trembler, apparemment par un effet de sa crainte.

Je ne pus soutenir ce spectacle. Ah! Manon, lui dis-je d'un ton tendre, infidèle et parjure Manon! par où commencerai-je à me plaindre? Je vous vois pâle et tremblante, et je suis encore si sensible à vos moindres peines, que je crains de vous affliger trop par mes reproches. Mais, Manon, je vous le dis, j'ai le cœur percé de la douleur de votre trahison. Ce sont là des coups qu'on ne porte point à un amant, quand on n'a pas résolu sa mort. Voici la troisième fois, Manon, je les ai bien comptées, il est impossible que cela s'oublie. C'est à vous de considérer[a], à l'heure même, quel parti vous voulez prendre, car mon triste cœur n'est plus à l'épreuve d'un si cruel traitement. Je sens qu'il succombe et qu'il est prêt à se fendre de douleur. Je n'en puis plus, ajoutai-je en m'asseyant sur une chaise; j'ai à peine la force de parler et de me soutenir.

Elle ne me répondit point, mais, lorsque je fus assis, elle se laissa tomber à genoux et elle appuya[b] sa tête sur les miens, en cachant son visage de mes mains. Je sentis en un instant qu'elle les mouillait de ses larmes. Dieux! de quels mouvements n'étais-je point agité! Ah! Manon, Manon, repris-je avec un soupir, il est bien tard de me donner des larmes, lorsque vous avez causé ma mort. Vous affectez une tristesse que vous ne sauriez sentir. Le plus grand de vos maux est sans doute ma présence, qui a toujours été importune à vos plaisirs. Ouvrez les yeux, voyez qui je suis; on ne verse pas des pleurs si tendres pour un malheureux qu'on a trahi, et qu'on abandonne[c] cruellement. Elle baisait mes mains sans changer de posture. Inconstante Manon, repris-je encore, fille ingrate et sans foi, où sont vos promesses et vos serments? Amante mille fois volage et cruelle, qu'as-tu fait de cet amour que tu me jurais encore aujourd'hui?

Juste Ciel, ajoutai-je, est-ce ainsi qu'une infidèle se rit de vous, après vous avoir attesté si saintement[1]? C'est donc le parjure qui est récompensé! Le désespoir et l'abandon sont pour la constance et la fidélité[2].

Ces paroles furent accompagnées d'une réflexion si amère, que j'en laissai échapper malgré moi quelques larmes. Manon s'en aperçut au changement de ma voix. Elle rompit enfin le silence. Il faut bien que je sois coupable, me dit-elle tristement, puisque j'ai pu vous causer tant de douleur et d'émotion; mais que le Ciel me punisse si j'ai cru l'être, ou si j'ai eu la pensée de le devenir[3]! Ce discours me parut si dépourvu de sens et de bonne foi, que je ne pus me défendre d'un vif mouvement de colère. Horrible dissimulation! m'écriai-je. Je vois mieux que jamais que tu n'es qu'une[a] coquine et une perfide. C'est à présent que je connais ton misérable[b] caractère. Adieu, lâche créature, continuai-je en me levant; j'aime mieux mourir mille fois que d'avoir désormais le moindre *commerce avec[c] toi. Que le Ciel me punisse moi-même si je t'honore jamais du moindre regard! Demeure avec ton nouvel amant, aime-le, déteste-moi, renonce à l'honneur, au bon sens; je m'en ris, tout m'est égal.

Elle fut si épouvantée de ce transport, que, demeurant à genoux près de[d] la chaise d'où je m'étais levé, elle me regardait en tremblant et sans oser respirer. Je fis encore quelques pas vers la porte, en tournant la tête, et tenant

---

1. Allusion aux serments que Manon a faits après sa sortie de l'Hôpital (p. 109) et renouvelés au moment même de partir pour cette dernière expédition (p. 133). *Vous*, dans cette phrase, représente évidemment le Ciel.

2. Les plaintes de des Grieux forment trois mouvements que séparent des indications sur l'attitude de Manon qui les écoute. Ce morceau lyrique, avant tout simple et touchant, est également noble et pathétique. Le ton monte dans la troisième partie, qui est comme un fragment de tragédie en prose.

3. Sur l'inconscience de Manon, ou plutôt sur sa conception particulière de l'amour, qui, par une sorte de quiproquo psychologique, va exciter l'indignation de des Grieux, voyez l'*Introduction*, pp. CXXII à CXXIV.

les yeux fixés sur elle. Mais il aurait fallu que j'eusse perdu tous sentiments d'humanité pour m'endurcir contre tant de charmes[1]. J'étais si éloigné d'avoir cette force barbare que, passant tout d'un coup[a] à l'extrémité opposée, je retournai vers elle, ou plutôt, je m'y précipitai sans réflexion[2]. Je la pris entre mes bras, je lui donnai mille tendres baisers. Je lui demandai pardon de mon emportement. Je confessai que j'étais un brutal, et que je ne méritais pas le bonheur d'être aimé d'une fille comme elle. Je la fis asseoir, et, m'étant mis à genoux à mon tour, je la conjurai de m'écouter en cet état. Là, tout ce qu'un amant soumis et passionné peut imaginer de plus respectueux et de plus tendre, je le renfermai en peu de mots dans mes excuses. Je lui demandai en grâce de prononcer qu'elle me pardonnait[3]. Elle laissa tomber ses bras sur mon cou, en disant que c'était elle-même qui avait besoin de ma bonté pour me faire oublier les chagrins qu'elle me causait, et qu'elle commençait à craindre avec raison que je ne goû-

---

1. Dans la scène du parloir, qui n'est pas sans analogie, des Grieux s'écriait de même : « Où trouver un barbare qu'un repentir si vif et si tendre n'eût pas touché ? » (P. 47.)

2. C'est le brusque retournement qui caractérise les scènes de dépit amoureux; mais la situation est ici bien différente, et ce mouvement vrai traduit seulement l'excès d'amour de des Grieux. Voir la note suivante.

3. Le mouvement de la scène, et jusqu'au ton des propos de des Grieux, rappellent une scène analogue dans *les Illustres Françaises*, celle où des Frans, venu pour rompre définitivement avec Silvie, ne tarde pas à abandonner ses résolutions : « Il était de mon destin de lui trouver tous les jours des charmes nouveaux. J'eus pitié de l'état où elle était. La compassion réveilla toute ma tendresse. J'oubliai mes résolutions; et bien loin de lui dire toutes les duretés que j'avais préméditées, je ne songeai qu'à la consoler. Quelle bassesse, quelle faiblesse! J'essuyai les pleurs que je faisais répandre; je la priai d'en arrêter le cours, de donner les duretés que je lui avais dites aux premiers transports d'une colère dont je n'avais pas été le maître : que j'en étais assez puni par le regret que j'en avais, et l'état où il m'avait mis. Je la priai de ne le point renouveler en me faisant voir toute l'indignation qu'elle en avait conçue... » (Édit. les Belles-Lettres, t. II, p. 317.) La comparaison de détail entre les deux passages montre pourtant que Prévost utilise très librement les souvenirs qui peuvent lui rester des *Illustres Françaises*.

tasse point ce qu'elle avait à me dire pour se justifier. Moi! interrompis-je aussitôt, ah! je ne vous demande point de justification. J'approuve tout ce que vous avez fait. Ce n'est point à moi d'exiger[a] des raisons de votre conduite; trop content, trop heureux, si ma chère Manon ne m'ôte point la tendresse de son cœur! Mais, continuai-je, en réfléchissant[b] sur l'état de mon sort, toute-puissante Manon! vous qui faites à votre gré mes joies et mes douleurs[c], après vous avoir satisfait par mes humiliations et par les marques de mon repentir, ne me sera-t-il point permis de vous parler de ma tristesse et de mes peines? Apprendrai-je de vous ce qu'il faut que je devienne aujourd'hui, et si c'est sans retour que vous allez signer ma mort, en passant la nuit avec mon rival?

Elle fut quelque temps à méditer sa[d] réponse : Mon Chevalier, me dit-elle, en reprenant un air tranquille, si vous vous étiez d'abord expliqué si nettement, vous vous seriez épargné bien du trouble et à moi une scène bien affligeante. Puisque votre peine ne vient que de votre jalousie, je l'aurais guérie en m'offrant à vous suivre sur le champ au bout du monde. Mais je me suis figuré que c'était la lettre que je vous ai écrite sous les yeux de M. de G... M... et la fille que nous vous avons envoyée[e] qui causaient[f] votre chagrin. J'ai cru que vous auriez pu regarder ma lettre comme une raillerie et cette fille, en vous imaginant qu'elle était allée vous trouver de ma part, comme une déclaration que je renonçais à vous[g] pour m'attacher à G... M... C'est cette pensée qui m'a jetée tout d'un coup dans la consternation, car, quelque innocente que je fusse, je trouvais, en y pensant, que les apparences ne m'étaient pas favorables. Cependant, continua-t-elle, je veux que vous soyez mon juge, après que je vous aurai expliqué la vérité du fait.

Elle m'apprit alors tout ce qui lui était arrivé depuis qu'elle avait trouvé G... M..., qui l'attendait dans le lieu où nous étions. Il l'avait reçue effectivement comme la première princesse du monde. Il lui avait montré tous les *appartements, qui étaient d'un goût et d'une *propreté admirables. Il lui avait compté dix mille livres dans son cabinet, et il y avait[a] ajouté quelques bijoux, parmi lesquels étaient le collier et les bracelets de perles qu'elle avait déjà eus de son père. Il l'avait menée de là dans un salon qu'elle n'avait pas encore vu, où elle avait trouvé une collation exquise. Il l'avait fait servir par les nouveaux domestiques qu'il avait pris pour elle, en leur ordonnant de la regarder désormais comme leur maîtresse. Enfin, il lui avait fait voir le carrosse, les chevaux et tout le reste de ses présents; après quoi, il lui avait proposé une partie de jeu, pour attendre le souper. Je vous avoue, continua-t-elle, que j'ai été frappée de cette magnificence. J'ai fait réflexion que ce serait dommage de nous priver[1] tout d'un coup de tant de biens, en me contentant d'emporter les dix mille francs et les bijoux, que c'était une fortune toute faite pour vous et pour moi, et que[b] nous pourrions vivre agréablement aux dépens de G... M... Au lieu de lui proposer la Comédie, je me suis mis dans la tête de le sonder sur votre sujet, pour pressentir quelles facilités nous aurions à nous voir, en supposant l'exécution de mon système. Je l'ai trouvé d'un caractère fort traitable. Il m'a demandé ce que je pensais de vous, et si je n'avais pas eu quelque regret à vous quitter. Je lui ai dit que vous étiez si *aimable et que vous en aviez toujours usé si *honnêtement avec moi, qu'il n'était pas naturel que je pusse vous haïr. Il a confessé que vous aviez du mérite, et qu'il s'était senti porté à désirer votre amitié. Il a voulu savoir de quelle manière je croyais que vous prendriez mon départ, surtout lorsque vous viendriez à savoir que j'étais entre ses mains. Je lui ai répondu que la date de notre amour était déjà si ancienne qu'il avait eu le temps de se refroidir

---

1. On a noté le pluriel, *nous*. C'est toujours pour son Chevalier que Manon travaille (voyez plus haut p. 69 et la note 2); c'est par amour qu'elle trompe. Le conflit entre son *penchant* et son amour existe aux yeux de des Grieux pour qui l'infidélité est du corps aussi bien que du cœur; il n'existe pas véritablement pour Manon. Son *système* (plus bas) est toujours le même, c'est, on l'a vu, le ménage à trois, où l'amant qui paie est trompé en faveur de l'amant de cœur, le *greluchon* (voyez plus haut, p. 71, note 1, ainsi que le *Glossaire*).

M's yarn – love has cooled : GM jr offers [illegible]

un peu, que vous n'étiez pas d'ailleurs fort à votre aise, et que vous ne regarderiez peut-être pas ma perte comme un grand malheur, parce qu'elle vous déchargerait d'un fardeau qui vous pesait sur les bras. J'ai ajouté qu'étant tout à fait convaincue que vous agiriez pacifiquement, je[a] n'avais pas fait difficulté de vous dire que je venais à Paris pour quelques affaires, que vous y aviez consenti et qu'y étant venu vous-même, vous n'aviez pas paru extrêmement inquiet, lorsque je vous avais quitté. Si je croyais, m'a-t-il dit, qu'il fût d'humeur à bien vivre avec moi, je serais le premier à lui offrir mes services et mes civilités. Je l'ai assuré que, du caractère dont je vous connaissais, je ne doutais point que vous n'y répondissiez *honnêtement, surtout, lui ai-je dit, s'il pouvait vous servir dans vos affaires, qui étaient fort dérangées depuis que vous étiez mal avec votre famille. Il m'a interrompue, pour me protester qu'il vous rendrait tous les services qui dépendraient de lui, et que, si vous vouliez même vous embarquer dans un autre amour, il vous procurerait une jolie maîtresse, qu'il avait quittée pour s'attacher à moi. J'ai applaudi à son idée, ajouta-t-elle, pour prévenir plus parfaitement tous ses soupçons, et me confirmant de plus en plus dans mon projet, je ne souhaitais que de pouvoir trouver le moyen de vous en informer, de peur que vous ne fussiez trop alarmé lorsque vous me verriez manquer à notre *assignation. C'est dans cette vue que je lui ai proposé de vous envoyer cette nouvelle maîtresse dès le soir même, afin d'avoir une occasion de vous écrire; j'étais obligée d'avoir recours à cette *adresse, parce que je ne pouvais[b] espérer qu'il me laissât libre un moment. Il a ri de ma proposition. Il a appelé son laquais, et lui ayant demandé[c] s'il pourrait retrouver sur le champ son ancienne maîtresse, il l'a envoyé de côté et d'autre pour la chercher. Il s'imaginait que c'était à Chaillot qu'il fallait qu'elle allât vous trouver, mais je lui ai appris qu'en vous quittant je vous avais promis de vous rejoindre à la Comédie, ou que, si quelque raison m'empêchait d'y aller, vous vous étiez engagé à m'attendre dans un carrosse au bout de la rue S[aint]-André; qu'il valait mieux, par conséquent, vous envoyer là votre nouvelle amante, ne fût-ce que pour vous empêcher de vous y morfondre pendant toute la nuit. Je lui ai dit encore qu'il était à propos de vous écrire un mot pour vous avertir de cet échange, que vous auriez peine à comprendre sans cela. Il y a consenti, mais j'ai été obligée d'écrire en sa présence, et je me suis bien gardée de m'expliquer trop ouvertement dans ma lettre. Voilà, ajouta Manon, de quelle manière les choses se sont passées. Je ne vous déguise rien, ni de ma conduite, ni de mes desseins. La jeune fille est venue, je l'ai trouvée jolie, et comme je ne doutais point que mon absence ne vous causât de la peine, c'était sincèrement que je souhaitais qu'elle pût servir à vous désennuyer quelques moments, car la fidélité que je souhaite de vous est celle du cœur[1]. J'aurais été ravie de pouvoir vous envoyer Marcel, mais je n'ai pu me procurer un moment pour l'instruire de ce que j'avais à vous faire savoir. Elle conclut enfin son récit, en m'apprenant l'embarras où G... M... s'était trouvé en recevant le billet de M. de T... Il a *balancé, me dit-elle, s'il devait me quitter, et il m'a assuré que son retour ne tarderait point. C'est ce qui fait que je ne vous vois point ici sans inquiétude, et que j'ai marqué de la surprise à votre arrivée.

J'écoutai ce discours avec beaucoup de patience. J'y trouvais assurément quantité de traits cruels et mortifiants pour moi, car le dessein de son infidélité était si clair qu'elle n'avait pas même eu le soin de me le déguiser. Elle ne pouvait espérer que G... M... la laissât, toute la nuit, comme une vestale. C'était donc avec lui qu'elle comptait de la passer. Quel aveu pour un[a] amant! Cependant, je considérai que j'étais cause en partie de sa faute, par la connaissance que je lui avais donnée d'abord des sentiments que G... M... avait pour elle, et par la complaisance que j'avais eue d'entrer aveuglément dans le plan téméraire de son aventure[2]. D'ailleurs, par un tour naturel de *génie

---

1. Sur cette formule significative, voir l'*Introduction*, pp. CXXII et CXXIII.

2. Des Grieux s'acharne, ici encore, à trouver des excuses à Manon. Mais la confiance qu'il lui a montrée en lui apprenant les sentiments

qui m'est particulier[a], je fus touché de l'*ingénuité de son récit, et de cette manière bonne et ouverte avec laquelle elle me racontait jusqu'aux circonstances[b] dont j'étais le plus offensé. Elle pèche sans *malice, disais-je en moi-même; elle est légère et imprudente, mais elle est droite et sincère[1]. Ajoutez que l'amour suffisait seul pour me fermer les yeux sur toutes ses fautes. J'étais trop satisfait de l'espérance de l'enlever le soir même à mon rival. Je lui dis néanmoins : Et la nuit, avec qui l'auriez-vous passée ? Cette question, que je lui fis tristement, l'embarrassa. Elle ne me répondit que par des mais et des si interrompus. J'eus pitié de sa peine, et rompant ce discours, je lui déclarai *naturellement que j'attendais d'elle qu'elle me suivît à l'heure même. Je le veux bien, me dit-elle; mais vous n'approuvez donc pas mon projet ? Ah! n'est-ce pas assez, repartis-je, que j'approuve tout ce que vous avez fait jusqu'à présent ? Quoi! nous n'emporterons pas même les dix mille francs ? répliqua-t-elle. Il me les a donnés. Ils sont à moi[2]. Je lui conseillai d'abandonner tout, et de ne penser qu'à nous éloigner promptement, car, quoiqu'il y eût à peine une demi-heure que j'étais avec elle, je craignais le retour de G... M... Cependant, elle me fit de si pressantes instances pour me faire consentir à ne pas sortir les mains vides, que je crus lui devoir accorder quelque chose après avoir tant obtenu d'elle[3].

Dans le temps que nous nous préparions au départ, j'entendis frapper à la porte de la rue. Je ne doutai nulle-

---

de G... M... auraient dû au contraire lui donner la force d'y résister; ce qui est présenté comme une sorte de justification pourrait apparaître tout aussi bien comme une circonstance aggravante. En fait, ce n'est pas avec ces raisonnements, mais avec son amour, — et il le reconnaît lui même, — que des Grieux excuse Manon.

1. Sur la morale de l'intention, l'irresponsabilité générale des êtres et la sincérité comme vertu, voyez l'*Introduction*, pp. CV à CX.

2. En quittant M. de B..., Manon disait de même : « J'emporterai, comme de justice, les bijoux et près de soixante mille francs que j'ai tirés de lui... » (p. 48); mais elle avait du moins vécu deux ans avec lui.

3. Des Grieux vient de déplorer la « complaisance qu['il avait] eue d'entrer aveuglément dans le plan téméraire de [l']aventure » avec G... M... Mais il est — ou plutôt son amour est — incorrigible.

ment que ce ne fût G... M..., et dans le trouble où cette pensée me jeta, je dis à Manon que c'était un homme mort s'il paraissait. Effectivement, je n'étais pas assez revenu de mes transports pour me modérer à sa vue. Marcel finit ma peine en m'apportant un billet qu'il avait reçu pour moi à la porte. Il était de M. de T... Il me marquait que, G... M... étant allé lui chercher[a] de l'argent à sa maison, il profitait de son absence pour me communiquer une pensée fort plaisante : qu'il lui semblait que je ne pouvais me venger plus agréablement de mon rival qu'en mangeant son souper et en couchant, cette nuit même, dans le lit qu'il espérait d'occuper avec ma maîtresse; que cela lui paraissait assez facile, si je pouvais m'assurer de trois ou quatre hommes qui eussent assez de résolution pour l'arrêter dans la rue, et de *fidélité pour le garder à vue jusqu'au lendemain; que, pour lui, il promettait de l'amuser encore une heure pour le moins, par des raisons qu'il tenait prêtes pour son retour. Je montrai ce billet à Manon, et je lui appris de quelle ruse je m'étais servi pour m'introduire librement chez elle. Mon invention et celle de M. de T... lui parurent admirables. Nous en rîmes à notre aise pendant quelques moments. Mais, lorsque je lui parlai de la dernière comme d'un badinage, je fus surpris qu'elle insistât sérieusement à me la proposer comme une chose dont l'idée la ravissait. En vain lui demandai-je où elle[b] voulait que je trouvasse, tout d'un coup, des gens propres à arrêter G... M... et à le garder * fidèlement. Elle me dit qu'il fallait du moins tenter, puisque M. de T... nous garantissait encore une heure, et pour réponse à mes autres objections, elle me dit que je faisais le tyran et que je n'avais pas de complaisance pour elle. Elle ne trouvait rien de si *joli que ce projet[1]. Vous aurez son couvert à souper, me répétait-elle, vous coucherez dans ses draps, et, demain, de grand matin, vous

1. Manon, cette fois n'est pas à l'origine de ce plan facétieux, mais il est naturel qu'il lui plaise, étant donné ce que nous savons de son caractère folâtre et de son goût de la mystification (voyez l'*Introduction*, p. CXLIII). Des Grieux, une fois de plus, est incapable de résister.

enlèverez sa maîtresse et son argent. Vous serez bien vengé du père et du fils.

Je cédai à ses instances, malgré les mouvements secrets de mon cœur qui semblaient me présager une *catastrophe malheureuse. Je sortis, dans le dessein de prier deux ou trois gardes du corps, avec lesquels Lescaut m'avait mis en liaison, de se charger du soin d'arrêter G... M... Je n'en trouvai qu'un au logis, mais c'était un homme entreprenant, qui n'eut pas plutôt su de quoi il était question qu'il m'assura du succès. Il me demanda seulement dix pistoles, pour récompenser trois soldats aux gardes, qu'il prit la résolution d'employer, en se mettant à leur tête. Je le priai de ne pas perdre de temps. Il les assembla en moins d'un quart d'heure. Je l'attendais à sa maison, et lorsqu'il fut de retour avec ses associés, je le conduisis moi-même au coin d'une rue par laquelle[a] G... M... devait nécessairement rentrer dans celle de Manon. Je lui recommandai de ne le pas maltraiter, mais de le garder si étroitement jusqu'à sept heures du matin, que je pusse être assuré qu'il ne lui échapperait pas. Il me dit que son dessein était de le conduire à sa chambre et de l'obliger à se déshabiller, ou même à se coucher[b] dans son lit, tandis que lui et ses trois *braves passeraient la nuit à boire et à jouer[c]. Je demeurai avec eux jusqu'au moment où[d] je vis paraître G... M..., et je me retirai alors quelques pas au-dessous, dans un endroit obscur, pour être[e] témoin d'une scène si extraordinaire. Le garde du corps l'aborda, le pistolet au poing, et lui expliqua civilement qu'il n'en voulait ni à sa vie ni à son argent, mais que, s'il faisait la moindre difficulté de le suivre, ou s'il jetait le moindre cri, il allait lui brûler la cervelle. G... M..., le voyant soutenu par trois soldats, et craignant sans doute la bourre du pistolet[1], ne fit pas de résistance. Je le vis emmener comme un mouton.

Je retournai aussitôt chez Manon, et pour ôter tout soupçon aux domestiques, je lui dis, en entrant, qu'il ne fallait pas attendre M. de G... M... pour souper, qu'il

---

1. Ironique : le pistolet n'est pas chargé à balle, mais à bourre, c'est-à-dire à blanc.

lui était survenu des affaires qui le retenaient malgré lui, et qu'il m'avait prié de venir lui en faire ses excuses et souper avec elle, ce que je regardais comme une grande faveur auprès d'une si belle dame. Elle seconda fort adroitement[a] mon dessein. Nous nous mîmes à table. Nous y prîmes un air grave, pendant que les laquais demeurèrent à nous servir. Enfin, les ayant congédiés[b], nous passâmes une des plus charmantes soirées de notre vie. J'ordonnai en secret à Marcel de chercher un fiacre et de l'avertir de se trouver le lendemain à la porte, avant six heures du matin. Je feignis de quitter Manon vers minuit; mais étant rentré doucement, par le secours de Marcel, je me préparai à occuper le lit de G... M..., comme j'avais rempli sa place à table. Pendant ce temps là, notre mauvais génie travaillait à nous perdre. Nous étions dans le délire du plaisir[c], et le glaive était suspendu sur nos têtes[1]. Le fil qui le soutenait allait se rompre. Mais, pour faire mieux entendre toutes les circonstances de notre ruine, il faut en éclaircir la cause.

G... M... était suivi d'un laquais, lorsqu'il avait été arrêté par le garde du corps. Ce garçon, effrayé de l'aventure de son maître, retourna en fuyant sur ses pas, et la première démarche qu'il fit, pour le secourir, fut d'aller avertir le vieux G... M... de ce qui venait d'arriver. Une si fâcheuse nouvelle ne pouvait manquer de l'alarmer beaucoup : il n'avait que ce fils, et sa vivacité était extrême[d] pour son âge. Il voulut savoir d'abord du laquais tout ce que son fils avait fait l'après-midi, s'il s'était querellé avec quelqu'un, s'il avait pris part au démêlé d'un autre, s'il s'était trouvé dans quelque maison suspecte. Celui-ci, qui croyait

1. Cette phrase à effet manifeste d'une manière plus voyante ici qu'ailleurs le souci constant qu'a Prévost de maintenir son lecteur en haleine, en lui annonçant de façon vague et menaçante un avenir mouvementé d'incidents et de malheurs. Le héros de *Cleveland* disait de même : « Je ne sais quel triste plaisir je trouve, à mesure que j'avance dans cette histoire, à m'interrompre ainsi moi-même et à prévenir, comme je le fais, mes lecteurs sur ce qui me reste à leur raconter » (éd. cit., t. V, p. 267). *Manon Lescaut*, ne l'oublions pas, est aussi un roman d'aventures; on vient de le voir dans la scène de l'enlèvement de G... M...

son maître dans le dernier danger et qui s'imaginait ne devoir plus rien ménager pour lui procurer du secours[a], découvrit tout ce qu'il savait de son amour pour Manon et la dépense qu'il avait faite pour elle, la manière dont il avait passé l'après-midi dans sa maison jusqu'aux environs de neuf heures, sa sortie et le malheur de son retour. C'en fut assez pour faire soupçonner au vieillard que l'affaire de son fils était une querelle d'amour. Quoiqu'il fût au moins dix heures et demie du soir, il ne *balança point à se rendre aussitôt chez M. le Lieutenant de Police. Il le pria de faire donner des ordres particuliers à toutes les escouades du guet[1], et lui en ayant demandé une pour se faire[b] accompagner, il courut lui-même vers la rue où son fils avait été arrêté. Il visita tous les endroits de la ville où il espérait de le[c] pouvoir trouver, et n'ayant pu découvrir ses traces, il se fit conduire enfin à la maison de sa maîtresse, où il se figura qu'il pouvait être retourné.

J'allais me mettre au lit, lorsqu'il arriva. La porte de la chambre étant fermée, je n'entendis point frapper à celle de la rue; mais il entra suivi[d] de deux archers, et s'étant informé inutilement de ce qu'était devenu son fils, il lui prit envie de voir sa maîtresse, pour tirer d'elle quelque lumière. Il monte à l'appartement, toujours accompagné de ses archers. Nous étions prêts à nous mettre au lit. Il ouvre la porte, et il nous glace le sang par sa vue. O Dieu! c'est le vieux G... M..., dis-je à Manon. Je saute sur mon épée; elle était malheureusement embarrassée[e] dans mon ceinturon. Les archers, qui virent mon mouvement, s'approchèrent aussitôt pour me la saisir. Un homme en chemise est sans résistance. Ils m'ôtèrent tous les moyens de me défendre.

---

1. Le *guet royal,* placé, jusqu'en 1733, sous les ordres du *chevalier du guet,* dont la chanson des *compagnons de la marjolaine* conserve le souvenir, comprenait trois compagnies régulières, organisées militairement, l'une de 160 cavaliers, l'autre de 472 fantassins, et la troisième de 240 gardes de nuit. L'effectif de cette dernière compagnie était distribué en trente-cinq escouades comprenant chacune un sergent, un caporal et cinq hommes. On leur donnait le nom d'archers du guet, quoique leur armement comprît depuis longtemps un fusil.

Pl. XXVI. Le vieux G... M... montre les bijoux a Manon.

(Illustration de Pasquier, 1753.)

Pl. XXVII. *Enlèvement de police.*

(Gravure d'après Jeaurat.)

G... M..., quoique troublé par ce spectacle, ne tarda point à me reconnaître. Il * remit encore plus aisément Manon. Est-ce une illusion? nous dit-il gravement; ne vois-je point le chevalier des Grieux et Manon Lescaut? J'étais si enragé de honte et de douleur, que je ne lui fis pas de réponse. Il parut rouler, pendant quelque temps, diverses pensées dans sa tête, et comme si elles eussent allumé tout d'un coup sa colère, il s'écria en s'adressant à moi : Ah! malheureux, je suis sûr que tu as tué mon fils! Cette injure me piqua vivement. Vieux scélérat, lui répondis-je avec fierté, si j'avais eu à tuer quelqu'un de ta famille, c'est par toi que j'aurais commencé. Tenez-le bien, dit-il aux archers. Il faut qu'il me dise des nouvelles de mon fils; je le ferai pendre demain, s'il ne m'apprend tout à l'heure ce qu'il en a fait. Tu me feras pendre? repris-je. Infâme! ce sont tes pareils qu'il faut chercher au gibet[a]. Apprends que je suis d'un sang plus noble et plus pur que le tien[1]. Oui, ajoutai-je, je sais ce qui est arrivé à ton fils, et si tu m'irrites davantage, je le ferai étrangler avant qu'il soit demain, et je te promets le même sort après lui.

Je commis une imprudence en lui confessant que je savais où était son fils; mais l'excès de ma colère me fit faire cette indiscrétion. Il appela aussitôt cinq ou six autres archers, qui l'attendaient à la porte, et il leur ordonna de s'assurer de tous les domestiques de la maison. Ah! monsieur le chevalier, reprit-il d'un ton railleur, vous savez où est mon fils et vous le ferez étrangler, dites-vous? Comptez que nous y mettrons bon ordre. Je sentis aussitôt la faute que j'avais commise. Il s'approcha de Manon, qui était assise sur le lit en pleurant; il lui dit quelques galanteries ironiques sur l'empire qu'elle avait sur le père et sur le fils, et sur[b] le bon usage qu'elle en faisait. Ce vieux monstre d'incontinence voulut prendre quelques familiarités

---

1. Sur ces fières paroles, prononcées par un homme en chemise, voyez l'*Introduction,* pp. CXXXIX à CXLII. Des Grieux veut dire qu'en cas de condamnation capitale, sa qualité de gentilhomme lui vaudrait la faveur de la décapitation. G... M..., qui est roturier, serait voué à la pendaison sur le gibet.

avec elle. Garde-toi de la toucher! m'écriai-je, il n'y aurait rien de sacré qui te pût sauver de mes mains. Il sortit en laissant trois archers dans la chambre, auxquels il ordonna de nous faire prendre promptement nos habits.

Je ne sais quels étaient alors ses desseins sur nous. Peut-être eussions-nous obtenu la liberté en lui apprenant où était son fils. Je méditais, en m'habillant, si ce n'était pas le meilleur parti[a]. Mais, s'il était[b] dans cette disposition en quittant notre chambre, elle était bien changée lorsqu'il y revint. Il était allé interroger les domestiques de Manon, que les archers avaient arrêtés. Il ne put rien apprendre de ceux qu'elle avait reçus de son fils, mais, lorsqu'il sut que Marcel nous avait servis auparavant, il résolut de le faire parler en l'intimidant par des menaces.

C'était un garçon *fidèle, mais *simple et *grossier. Le souvenir de ce qu'il avait fait à l'Hôpital, pour délivrer Manon, joint à la terreur que G... M... lui inspirait, fit tant d'impression sur son esprit faible qu'il s'imagina qu'on allait le conduire à la potence ou sur la roue. Il promit de découvrir tout ce qui était venu à sa connaissance, si l'on voulait lui sauver la vie. G... M... se persuada là-dessus qu'il y avait quelque chose, dans nos affaires, de plus sérieux et de plus criminel qu'il n'avait eu lieu jusque-là de se le figurer. Il offrit à Marcel, non seulement la vie, mais des récompenses pour sa confession. Ce[c] malheureux lui apprit une partie de notre dessein, sur lequel nous n'avions pas fait difficulté de nous entretenir devant lui, parce qu'il devait y entrer pour quelque chose. Il est vrai qu'il ignorait entièrement les changements que nous y avions faits[d] à Paris; mais il avait été informé, en partant de Chaillot, du plan de l'entreprise et du rôle qu'il y devait jouer. Il lui déclara donc que notre vue était de duper son fils, et que Manon devait recevoir, ou avait déjà reçu, dix mille francs, qui, selon notre projet, ne retourneraient jamais aux héritiers de la maison de G... M...

Après cette découverte, le vieillard emporté remonta brusquement dans notre chambre. Il passa, sans parler, dans le cabinet, où il n'eut pas de peine à trouver la somme et les bijoux. Il revint à nous avec un visage enflammé, et, nous montrant ce qu'il lui plut de nommer notre larcin[1], il nous accabla de reproches outrageants. Il fit voir de près, à Manon, le collier de perles et les bracelets. Les reconnaissez-vous? lui dit-il avec un souris moqueur. Ce n'était pas la première fois que vous les eussiez vus. Les mêmes[a], sur ma foi. Ils étaient de votre goût, ma belle; je me le persuade aisément. Les pauvres enfants! ajouta-t-il. Ils sont bien aimables, en effet, l'un et l'autre; mais ils sont un peu fripons. Mon cœur crevait de rage à ce discours insultant. J'aurais donné, pour être libre un moment... Juste Ciel! que n'aurais-je pas donné! Enfin, je me fis violence pour lui dire, avec une modération qui n'était qu'un raffinement de fureur : Finissons, monsieur, ces insolentes railleries. De quoi est-il question? Voyons, que prétendez-vous faire de nous? Il est question, monsieur le chevalier, me répondit il, d'aller de ce pas au Châtelet. Il fera jour demain[2]; nous verrons plus clair dans nos affaires, et j'espère que vous me ferez la grâce, à la fin, de[b] m'apprendre où est mon fils.

Je compris, sans beaucoup de réflexions, que c'était une chose d'une terrible conséquence pour nous d'être une fois renfermés au Châtelet. J'en prévis, en tremblant, tous les dangers. Malgré toute ma fierté, je reconnus qu'il fallait plier sous le poids de ma *fortune et flatter mon plus cruel ennemi, pour en obtenir quelque chose par la soumission. Je le priai, d'un ton *honnête, de m'écouter un moment. Je me rends justice, monsieur, lui dis-je. Je confesse que la jeunesse m'a fait commettre de grandes fautes, et que vous en êtes assez blessé pour vous plaindre. Mais, si vous connaissez la force de l'amour, si vous pouvez juger de ce que souffre un malheureux jeune homme à qui l'on enlève tout

---

1. Des Grieux semble contester le vol, et, dans un étrange aveuglement, reprendre à son compte la formule de Manon (p. 148) : « Il me les a donnés. Ils sont à moi. »

2. Cette expression proverbiale, jointe au jeu de mots qui suit sur *jour* et *clair,* est caractéristique du langage « bourgeois » de G... M..., qui s'oppose au langage noble de des Grieux.

ce qu'il aime[1], vous me trouverez peut-être pardonnable d'avoir cherché le plaisir d'une petite vengeance[a], ou du moins, vous me croirez assez puni par l'affront que je viens de recevoir. Il n'est besoin ni de prison ni de supplice pour me forcer de vous découvrir où est Monsieur votre fils. Il est en sûreté. Mon dessein n'a pas été de lui nuire ni de vous offenser. Je suis prêt à vous nommer le lieu où il passe tranquillement la nuit, si vous me faites la grâce de nous accorder la liberté. Ce vieux tigre, loin d'être touché de ma prière, me tourna le dos en riant. Il lâcha seulement quelques mots, pour me faire comprendre qu'il savait notre dessein jusqu'à l'origine. Pour ce qui regardait son fils, il ajouta brutalement qu'il se retrouverait assez[b], puisque je ne l'avais pas assassiné. Conduisez-les au Petit-Châtelet[2], dit-il aux archers, et prenez garde que le Chevalier ne vous échappe. C'est un rusé, qui s'est déjà sauvé de Saint-Lazare.

Il sortit, et me laissa dans l'état que vous pouvez vous imaginer. O Ciel! m'écriai-je, je recevrai avec soumission tous les coups qui viennent de ta main, mais qu'un malheureux coquin ait le pouvoir de me traiter avec cette tyrannie, c'est ce qui me réduit au dernier désespoir[3]. Les archers nous prièrent de ne pas les faire attendre plus longtemps. Ils avaient un carrosse[c] à la porte. Je tendis la main à Manon pour descendre. Venez, ma chère reine, lui dis-je, venez vous soumettre à toute la rigueur de notre

---

1. Des Grieux, bien entendu, a oublié que c'est avec son accord que Manon est allée rejoindre le jeune G... M...

2. Ce n'est pas au Grand Châtelet qu'on va mener Manon et des Grieux. Cette ancienne forteresse défendant Paris, sise au nord de la Seine, sur la partie occidentale de l'actuelle place du Châtelet, servait à l'époque de prison pour les détenus de droit commun. C'est au Petit Châtelet qu'on les conduit, ancienne forteresse également, mais sur la rive gauche, au débouché du Petit-Pont, et qui servait tant à la détention des prisonniers pour dettes que comme Dépôt.

3. Le mépris qu'il a pour ce *coquin* de G... M... et son *incontinence* enlève au Chevalier toute conscience de sa faute et de la situation dans laquelle il vient d'être surpris. Il se présente comme une noble victime d'un sort inexplicable et fatal.

sort[a]. Il plaira peut-être au Ciel de nous rendre quelque jour plus heureux[1].

Nous partîmes dans le même carrosse. Elle se mit dans mes bras. Je ne lui avais pas entendu prononcer un mot[b] depuis le premier moment de l'arrivée de G... M...; mais, se trouvant seule alors[c] avec moi, elle me dit mille tendresses en se reprochant d'être la cause de mon malheur. Je l'assurai que je ne me plaindrais jamais de mon sort, tant qu'elle ne cesserait pas de m'aimer[d]. Ce n'est pas moi qui suis à plaindre, continuai-je. Quelques mois de prison ne m'effraient nullement, et je préférerai toujours le Châtelet à Saint-Lazare[2]. Mais c'est pour toi, ma chère âme, que mon cœur s'intéresse. Quel sort pour une créature si charmante[e]! Ciel, comment traitez-vous avec tant de rigueur le plus parfait de vos ouvrages[3]? Pourquoi ne sommes-nous pas nés, l'un et l'autre, avec des qualités conformes à notre misère? Nous avons reçu de l'esprit, du goût, des sentiments. Hélas! quel triste usage en faisons-nous, tandis que tant d'âmes basses et dignes de notre sort jouissent de toutes les faveurs de la fortune! Ces réflexions me pénétraient de douleur; mais ce n'était rien en comparaison de celles qui regardaient l'avenir[f], car je séchais de crainte pour Manon. Elle avait déjà été à l'Hôpital, et, quand elle en fût sortie par la bonne porte, je savais que les rechutes en ce genre étaient d'une conséquence extrêmement dangereuse. J'aurais voulu lui exprimer mes frayeurs; j'appréhendais de lui en causer trop. Je tremblais pour elle, sans oser l'avertir du danger, et je l'embrassais en soupirant, pour l'assurer, du moins, de mon amour, qui était presque le seul sentiment que j'osasse exprimer. Manon, lui dis-je, parlez sincèrement; m'aimerez-

---

1. Sur le contraste entre la dignité tragique du personnage et ce qu'il est en train de faire, voir l'*Introduction,* pp. CXXXIX à CXLI.
2. Voyez, sur la réputation de Saint-Lazare, p. 80, note 1.
3. Tout entier à sa colère et à ses craintes, des Grieux se montre incapable du moindre retour sur lui-même, sur les responsabilités de Manon et sur les siennes. Mais il est transporté d'amour, et c'est là ce qui l'excuse une fois de plus aux yeux du lecteur sensible.

vous toujours? Elle me répondit qu'elle était bien malheureuse que j'en pusse douter. Hé bien, repris-je, je n'en doute point, et je veux braver tous nos ennemis avec cette assurance. J'emploierai ma famille pour sortir du Châtelet; et tout mon sang ne sera utile à rien si je ne vous en tire pas aussitôt que je serai libre.

Nous arrivâmes à la prison. On nous mit chacun dans un lieu séparé. Ce coup me fut moins rude, parce que je l'avais prévu. Je recommandai Manon au concierge, en lui apprenant que j'étais un homme de quelque distinction, et lui promettant une récompense considérable. J'embrassai ma chère maîtresse[a], avant que de la quitter. Je la conjurai de ne pas s'affliger excessivement et de ne rien craindre tant que je serais au monde. Je n'étais pas sans argent; je lui en donnai une partie et je payai au concierge, sur ce qui me restait, un mois de grosse pension d'avance[b] pour elle et pour moi[1].

Mon argent eut un fort bon effet. On me mit dans une chambre proprement meublée, et l'on m'assura que Manon en avait une pareille[2]. Je m'occupai aussitôt des moyens de hâter ma liberté. Il était clair qu'il n'y avait rien d'absolument criminel dans mon affaire, et supposant même que le dessein de notre vol fût prouvé par la déposition de Marcel, je savais fort bien qu'on ne punit point les simples volontés[3]. Je résolus d'écrire promptement à mon père,

---

1. Il existait en effet un tarif de pensions pour les prisons de Paris, datant de 1684 et inséré à la suite de l'Arrêt du Règlement du 18 juin 1717. Une ordonnance de 1670 interdisait bien aux geôliers et guichetiers de « recevoir des prisonniers aucunes avances pour leurs nourritures, gîtes et geôlages » (*Traité de Justice Criminelle,* par Jousse, Paris, 1771, t. II, p. 239), mais on peut douter que ce dernier article fût observé (cf. Marivaux, *le Paysan parvenu,* édit. Garnier, p. 149).

2. Le *Traité de Justice Criminelle,* cité ci-dessus, observe qu'en France « on ne met au cachot que les grands criminels, comme les voleurs de grand chemin, que les assassins, les séditieux, les voleurs insignes et autres gens de cette espèce » (t. II, p. 224).

3. Bien qu'il justifie d'ordinaire ses actions les plus condamnables, parexemp le le meurtre de Saint-Lazare, par une morale de l'intention, des Grieux (comme plus haut, p. 155 et note 1) se montre ici formaliste et légaliste; mais aussi bien il s'agit de sortir de prison, et de ruser, si on le peut, avec la justice.

pour le prier[a] de venir en personne à Paris. J'avais bien moins de honte, comme je l'ai dit[b], d'être au Châtelet qu'à Saint-Lazare; d'ailleurs, quoique je conservasse tout le respect dû à l'autorité paternelle, l'âge et l'expérience avaient diminué beaucoup ma timidité. J'écrivis donc, et l'on ne fit pas difficulté, au Châtelet, de laisser sortir ma lettre[1]; mais c'était une peine que j'aurais pu m'épargner, si j'avais su[c] que mon père devait arriver le lendemain à Paris.

Il avait reçu celle que je lui avais écrite huit jours auparavant[2]. Il en avait ressenti une joie extrême; mais, de quelque espérance que je l'eusse flatté au sujet de ma conversion, il n'avait pas cru devoir s'arrêter tout à fait à mes promesses. Il avait pris le parti de venir s'assurer de mon changement par ses yeux, et de régler sa conduite sur la sincérité de mon repentir. Il arriva le lendemain de mon emprisonnement. Sa première visite fut celle qu'il rendit à Tiberge, à qui je l'avais prié d'adresser sa réponse. Il ne put savoir de lui ni ma demeure ni ma condition présente; il en apprit seulement mes principales aventures, depuis que je m'étais échappé de Saint-Sulpice. Tiberge lui parla fort avantageusement des dispositions que je lui avais marquées pour le bien, dans notre dernière entrevue. Il ajouta qu'il me croyait entièrement dégagé de Manon, mais qu'il était surpris, néanmoins, que je ne lui eusse pas donné de mes nouvelles depuis huit jours. Mon père n'était pas dupe; il comprit qu'il y avait quelque chose qui échappait à la pénétration de Tiberge, dans le silence dont il se plaignait, et il employa tant de soins pour découvrir mes traces que, deux jours après son arrivée, il apprit que j'étais au Châtelet.

---

1. Sauf prescription particulière du juge, la communication avec l'extérieur n'était pas interdite, sauf pour les prisonniers détenus au cachot (*Traité de Justice criminelle,* t. II, p. 224).

2. Il s'agit de la lettre écrite après l'entretien avec Tiberge au Luxembourg, voyez p. 114. L'introduction de l'épisode du Prince italien rend inexacte cette précision chronologique, confirmée par Tiberge un peu plus loin. Il a été dit en effet, p. 118, que le séjour à Chaillot dure « plusieurs semaines ».

Avant que de recevoir sa visite, à laquelle j'étais fort éloigné de m'attendre sitôt, je reçus celle de M. le Lieutenant général de Police[a], ou pour expliquer les choses par leur nom, je subis l'interrogatoire[1]. Il me fit quelques reproches, mais ils n'étaient ni durs ni désobligeants. Il me dit, avec douceur, qu'il plaignait ma mauvaise conduite; que j'avais manqué de sagesse en me faisant un ennemi tel que M. de G... M...; qu'à la vérité il était aisé de remarquer qu'il y avait, dans mon affaire, plus d'imprudence et de légèreté que de *malice; mais que c'était néanmoins la[b] seconde fois que je me trouvais sujet à son tribunal, et qu'il avait espéré que je fusse devenu[c] plus sage, après avoir pris deux ou trois mois de leçons à Saint-Lazare[2]. Charmé d'avoir affaire à un juge raisonnable, je m'expliquai avec lui d'une manière si respectueuse et si modérée, qu'il parut extrêmement satisfait de mes réponses. Il me dit que je ne devais pas[d] me livrer trop au chagrin, et qu'il se sentait disposé à me rendre service, en faveur de ma naissance et de ma jeunesse[3]. Je me hasardai à lui recommander Manon, et à lui faire l'éloge de sa douceur et de son bon naturel. Il me répondit, en riant, qu'il ne l'avait point encore vue, mais qu'on la représentait comme une dangereuse personne. Ce mot excita tellement ma tendresse que je lui dis mille choses passionnées pour la défense de ma pauvre maîtresse, et je ne pus[e] m'empêcher de répandre quelques larmes. Il ordonna qu'on me reconduisît à ma chambre. Amour,

---

1. Le premier article des attributions du Lieutenant général de Police concerne la « netteté et sûreté de la Ville ». C'est à ce titre que des Grieux passe devant lui. Il échappe ainsi à la juridiction du Lieutenant criminel.

2. C'est en effet de ce magistrat que des Grieux dépendait à Saint-Lazare. C'est à lui que G... M... s'était adressé pour le faire incarcérer, à lui encore que le Supérieur avait fait appel, mais trop tard, pour le faire libérer. Voyez plus haut, pp. 78 et 84.

3. On voit assez l'indulgence de l'époque à l'égard des jeunes gens de famille. Dans une telle atmosphère, la bonne conscience de des Grieux est peut-être moins surprenante. Il est piquant de constater que le magistrat, pour excuser des Grieux, emploie les mêmes mots que celui-ci pour excuser Manon : « Elle pèche sans malice, avait-il dit[...] elle est légère et imprudente » (p. 148).

amour! s'écria ce grave magistrat en me voyant sortir, ne te réconcilieras-tu jamais avec la sagesse[1]?

J'étais à m'entretenir tristement de mes idées, et à réfléchir sur la conversation que j'avais eue avec M. le Lieutenant général de Police[a], lorsque j'entendis ouvrir la porte de ma chambre : c'était mon père. Quoique je dusse être à demi préparé à cette vue, puisque je m'y attendais quelques jours plus tard, je ne laissai pas d'en être frappé si vivement que je me serais précipité au fond de la terre, si elle s'était entr'ouverte à mes pieds. J'allai l'embrasser, avec toutes les marques d'une extrême confusion. Il s'assit sans que ni lui ni moi eussions encore ouvert la bouche.

Comme je demeurais debout, les yeux baissés et la tête découverte : Asseyez-vous, monsieur, me dit-il gravement, asseyez-vous. Grâce au[b] scandale de votre libertinage et de vos friponneries, j'ai découvert le lieu de votre demeure. C'est l'avantage d'un mérite tel que le vôtre de ne pouvoir demeurer caché. Vous allez à la renommée par un chemin infaillible. J'espère que le terme en sera bientôt la Grève, et que vous aurez, effectivement, la gloire d'y être exposé à l'admiration de tout le monde[2].

---

1. Prévost fait-il ici, comme le croit P. Vernière, allusion à cette figure de magistrat intelligent et malicieux que fut Hérault, seigneur de Fontaine-l'Abbé et de Vaucresson, ancien condisciple de Voltaire à Louis-le-Grand? C'est possible, puisque Hérault fut Lieutenant général de Police d'août 1725 à décembre 1739, ce qui signifie qu'il était en charge au moment de la composition du roman. Cependant, Prévost peut aussi bien penser à l'un de ses prédécesseurs, qui furent de Paulmy, marquis d'Argenson (janvier 1697-janvier 1718), Louis-Charles Machault (janvier 1718-janvier 1720), de Paulmy, comte d'Argenson (janvier-juillet 1720), Teschereau de Baudry (juillet 1720-août 1722), de nouveau le comte d'Argenson (août 1722-janvier 1724), et enfin d'Ombreval (1724-août 1725).

2. La place de Grève, actuellement place de l'Hôtel-de-Ville, tirait son nom de la plage ou grève qui la constituait, avant que les quais ne fussent construits à la fin du XVIIe siècle. Les condamnés y étaient exécutés, et c'est là que furent roués, le 26 mars 1720, au moment où se passe l'action du roman, le comte de Horn et son complice de Milly, convaincus d'avoir assassiné, pour le voler, un courtier de la rue Quincampoix. L'*admiration* — c'est-à-dire l'étonnement — de la foule avait été grande de voir ainsi exécuter deux gentilshommes anciens officiers.

Je ne répondis rien. Il continua : Qu'un père est malheureux[a], lorsque, après avoir aimé tendrement un fils et n'avoir rien épargné pour en faire un honnête homme, il n'y trouve, à la fin, qu'un fripon qui le déshonore! On se console d'un malheur de fortune : le temps l'efface, et le chagrin diminue; mais quel remède contre un mal qui augmente tous les jours, tel que les désordres d'un fils vicieux qui a perdu tous sentiments d'honneur? Tu ne dis rien, malheureux, ajouta-t-il; voyez cette modestie contrefaite et cet air de douceur hypocrite; ne le prendrait-on pas pour le plus honnête homme de sa *race?

Quoique je fusse obligé de reconnaître que je méritais une partie de ces outrages, il me parut néanmoins que c'était les porter à l'excès. Je crus qu'il m'était permis d'expliquer *naturellement ma pensée. Je vous assure, monsieur, lui dis-je, que la modestie où vous me voyez devant vous n'est nullement affectée; c'est la situation naturelle d'un fils bien né, qui respecte infiniment son père, et surtout un père irrité. Je ne prétends pas non plus passer pour l'homme le plus *réglé de notre * race. Je me connais digne de vos reproches, mais je vous conjure d'y mettre un peu plus de bonté et de ne pas me traiter comme le plus infâme de tous les hommes. Je ne mérite pas des noms si durs. C'est l'amour, vous le savez, qui a causé toutes mes fautes. Fatale passion[1]! Hélas! n'en connaissez-vous pas la force, et se peut-il que votre sang, qui est la source du mien, n'ait jamais ressenti les mêmes ardeurs? L'amour m'a rendu trop tendre, trop passionné, trop fidèle et, peut-être, trop complaisant pour les désirs d'une maîtresse toute charmante; voilà mes crimes. En voyez-vous là quelqu'un qui vous déshonore? Allons, mon cher père, ajoutai-je tendrement, un peu de pitié[b] pour un fils qui a toujours été plein de respect et d'affection pour vous, qui n'a pas renoncé, comme vous pensez, à l'honneur et au devoir, et qui est mille fois plus à plaindre que vous ne sauriez vous

---

1. Sur cette référence à l'amour tragique, et sur la justification qu'elle implique, voyez l'*Introduction*, p. CXXV à CXXIX.

l'imaginer. Je laissai tomber quelques larmes en finissant ces paroles.

Un cœur de père est le chef-d'œuvre de la nature; elle y règne, pour ainsi parler, avec complaisance, et elle en règle elle-même tous les ressorts. Le mien, qui était avec cela homme d'esprit et de goût[a], fut si touché du tour que j'avais donné à mes excuses qu'il ne fut pas le maître de me cacher[b] ce changement. Viens, mon pauvre chevalier, me dit-il, viens m'embrasser; tu me fais pitié. Je l'embrassai; il me serra d'une manière qui me fit juger de ce qui se passait dans son cœur. Mais quel moyen prendrons-nous donc, reprit-il, pour te tirer d'ici? Explique-moi toutes tes affaires sans déguisement. Comme il n'y avait rien, après tout, dans le gros de ma conduite[c], qui pût me déshonorer absolument, du moins en la mesurant sur celle des jeunes gens d'un certain monde, et qu'une maîtresse[d] ne passe point pour une infamie dans le siècle où nous sommes, non plus qu'un peu d'adresse à s'attirer la fortune du jeu[1], je fis sincèrement à mon père le détail de la vie que j'avais menée. A chaque faute dont je lui faisais l'aveu, j'avais soin de joindre des exemples célèbres, pour en diminuer la honte. Je vis avec une maîtresse, lui disais-je, sans être lié par les cérémonies du mariage : M. le duc de... en entretient deux, aux yeux de tout Paris; M. de...[e] en a une depuis dix ans, qu'il aime avec une fidélité qu'il n'a jamais eue pour sa femme; les deux tiers des *honnêtes gens de France se font honneur d'en avoir. J'ai usé de quelque supercherie au jeu : M. le marquis de... et le comte de... n'ont point d'autres revenus; M. le prince de... et M. le duc de... sont les chefs d'une bande de chevaliers du même Ordre[2].

---

1. La tromperie au jeu n'est pas considérée au XVIIe siècle, non plus qu'au XVIIIe, comme déshonorante. Le comte de Grammont, connu pour exercer son « adresse » au jeu, était reçu dans les meilleures sociétés, ainsi qu'à la cour, et Mazarin lui-même passait pour tricher (voir les *Mémoires de Grammont,* de Hamilton, Paris, Renouard, 1812, t. I, pp. 81-82, etc.).

2. Sur l' « Ordre » dont il est ici question, voyez plus haut, p. 56 note 1. On a noté (p. 63, note 3) que *le prince de...* est le prince de Transylvanie. *Le duc de...* est certainement le duc de

Pour ce qui regardait mes desseins sur la bourse des deux G... M..., j'aurais pu prouver aussi facilement que je n'étais pas sans modèles; mais il me restait trop d'honneur pour ne pas me condamner moi-même, avec tous ceux dont j'aurais pu me proposer l'exemple, de sorte que je priai mon père de pardonner cette faiblesse aux deux violentes passions qui m'avaient agité, la vengeance et l'amour. Il me demanda si je pouvais lui donner quelques ouvertures sur les plus courts moyens d'obtenir ma liberté, et d'une[a] manière qui pût lui faire éviter l'éclat. Je lui appris les sentiments de bonté que le Lieutenant général de Police[b] avait pour moi. Si vous trouvez quelques difficultés, lui dis-je, elles ne peuvent venir que de la part des G... M...; ainsi, je crois qu'il serait à propos que vous prissiez la peine de les voir. Il me le promit. Je n'osai le prier de solliciter pour Manon. Ce ne fut point un défaut de hardiesse, mais un effet de la crainte où j'étais de le révolter par cette proposition, et de lui faire naître quelque dessein funeste à elle et à moi. Je suis encore à savoir si cette crainte n'a pas causé mes plus grandes infortunes en m'empêchant de *tenter les dispositions de mon père, et de faire des efforts pour lui en inspirer de favorables à ma malheureuse maîtresse. J'aurais peut-être excité encore une fois sa pitié. Je l'aurais mis en garde contre les impressions qu'il allait recevoir trop facilement du vieux G... M... Que sais-je? Ma mauvaise destinée l'aurait peut-être emporté sur tous mes efforts, mais je n'aurais eu qu'elle, du moins, et la cruauté de mes ennemis, à accuser de mon malheur.

En me quittant, mon père alla faire une visite à M. de G... M... Il le trouva avec son fils, à qui le garde du corps avait *honnêtement rendu la liberté. Je n'ai jamais su les particularités de leur conversation, mais il ne m'a été que trop facile d'en juger par ses mortels effets. Ils allèrent ensemble, je dis les deux pères, chez M. le Lieutenant géné-

---

Gesvres, qui, donnant à jouer dans son hôtel, par un abus de ses privilèges de gouverneur de Paris, se faisait un revenu annuel de 130 000 livres. — Sur ces excuses tirées de la corruption de la société ambiante, voyez *l'Introduction,* pages CII à CIV.

Pl. XXVIII. Filles conduites a la Salpêtrière.

(Tableau de Jeaurat.)

ral de Police, auquel[a] ils demandèrent deux grâces : l'une, de me faire sortir sur-le-champ du Châtelet; l'autre, d'enfermer Manon pour le reste de ses jours, ou de l'envoyer en Amérique[1]. On commençait[2], dans le même temps[b], à embarquer quantité de gens sans aveu pour le Mississippi. M. le Lieutenant général de Police[c] leur donna sa parole[d] de faire partir Manon par le premier vaisseau. M. de G... M... et mon père vinrent aussitôt m'apporter ensemble la nouvelle de ma liberté. M. de G... M... me fit un *compliment civil sur le passé, et m'ayant félicité sur le bonheur que j'avais d'avoir un tel père, il m'exhorta à profiter désormais de ses leçons et de ses exemples. Mon père m'ordonna de lui faire des excuses de l'injure prétendue[3] que j'avais faite[e] à sa famille, et de le remercier de s'être employé avec lui pour mon élargissement. Nous sortîmes ensemble, sans avoir dit un mot de[f] ma maîtresse. Je n'osai même parler d'elle aux +guichetiers en leur présence. Hélas! mes tristes recommandations eussent été bien inutiles! L'ordre cruel était venu en même temps que celui de ma délivrance. Cette fille infortunée fut conduite, une heure après, à l'Hôpital, pour y être associée à quelques malheureuses qui étaient condamnées à subir le même sort. Mon père m'ayant obligé de le suivre à la maison où il avait pris sa demeure, il était presque six heures du soir lorsque je trouvai le moment de me dérober de[g] ses yeux pour retourner au Châtelet. Je n'avais dessein que de faire tenir quelques *rafraîchissements à Manon, et de la recom-

---

1. L'accord des deux pères se fait sur le dos de Manon. Il y a là une réaction de l'ordre social contre un individu *désencadré* qui le trouble.

2. Le *Journal de la Régence*, de Buvat, qui représente fidèlement l'état d'esprit du public parisien à cette époque, contient sur ces déportations et sur les réactions qu'elles provoquaient dans l'opinion des renseignements précieux. Nous reproduisons plus loin, dans l'*Appendice*, les plus intéressantes des notes prises au jour le jour par Buvat entre août 1719 et mai 1720, dates extrêmes entre lesquelles on doit placer l'épisode qui va suivre.

3. Des Grieux continue à juger que la séquestration du jeune G... M... et la tentative de vol ne sortent pas du cadre des vengeances permises. Il oublie, bien entendu, qu'il n'aurait pas eu à se venger, si Manon et lui-même n'avaient eu des desseins sur la bourse du jeune homme.

mander au concierge, car je ne me promettais pas que la liberté de la voir me fût accordée. Je n'avais point encore eu le temps, non plus, de réfléchir aux moyens de la délivrer.

Je demandai à parler au concierge. Il avait été content de ma libéralité et de ma douceur, de sorte qu'ayant quelque disposition à me rendre service[a], il me parla du sort de Manon comme d'un malheur dont il avait beaucoup de regret parce qu'il pouvait m'affliger. Je ne compris point ce langage. Nous nous entretînmes quelques moments sans nous entendre. A la fin, s'apercevant que j'avais besoin d'une explication, il me la donna, telle que j'ai déjà eu horreur de vous la dire, et que j'ai encore de[b] la répéter. Jamais apoplexie violente ne causa d'effet plus subit et plus terrible. Je tombai, avec une palpitation de cœur si douloureuse, qu'à l'instant que je perdis la connaissance, je me crus délivré de la vie pour toujours[1]. Il me resta même quelque chose de cette pensée lorsque je revins à moi. Je tournai mes regards vers toutes les parties de la chambre et sur moi-même, pour m'assurer si je portais encore la malheureuse qualité d'homme vivant. Il est certain qu'en ne suivant que le mouvement naturel qui fait chercher à se délivrer de ses peines, rien ne pouvait me paraître plus doux que la mort, dans ce moment de désespoir et de consternation. La religion même ne pouvait me faire envisager rien de plus insupportable, après la vie, que les convulsions cruelles dont j'étais tourmenté. Cependant, par un miracle propre à l'amour, je retrouvai bientôt assez de force pour remercier le Ciel de m'avoir rendu la connaissance et la raison. Ma mort n'eût été utile qu'à moi. Manon avait besoin de ma vie pour la délivrer, pour la secourir, pour la venger. Je jurai de m'y employer sans ménagement.

---

1. On se souvient de son évanouissement (« je tombai sur le plancher, sans sentiment et sans connaissance », p. 34) lorsqu'il apprend les détails de la première trahison de Manon, de sa crise de folie furieuse (« Je fis des choses si étonnantes, que tous les assistants[...] se regardaient », p. 85) quand G... M... lui dit que Manon est à l'Hôpital. Les réactions de des Grieux sont d'une extrême violence chaque fois qu'il s'agit de Manon.

Le concierge me donna toute l'assistance que j'eusse pu attendre du meilleur de mes amis. Je reçus ses services avec une vive reconnaissance. Hélas! lui dis-je, vous êtes donc touché de mes peines? Tout le monde m'abandonne. Mon père même est sans doute un de mes plus cruels persécuteurs. Personne n'a pitié de moi. Vous seul, dans le séjour de la dureté et de la barbarie, vous marquez de la compassion pour le plus misérable de tous les hommes! Il me conseillait de ne point paraître dans la rue sans être un peu remis du trouble où j'étais. Laissez, laissez, répondis-je en sortant; je vous reverrai plus tôt que vous ne pensez. Préparez-moi le plus noir de vos cachots; je vais travailler à le mériter[1]. En effet, mes premières résolutions n'allaient à rien moins qu'à me défaire des deux G... M... et du Lieutenant général de Police[a], et fondre[b] ensuite à main armée sur l'Hôpital, avec tous ceux que je pourrais engager dans ma querelle[c]. Mon père lui-même eût à peine été respecté[d], dans une vengeance qui me paraissait si juste, car le concierge ne m'avait pas caché que lui et G... M... étaient les auteurs de ma perte. Mais, lorsque j'eus fait quelques pas dans les rues, et que l'air eut un peu rafraîchi mon sang et mes humeurs, ma fureur fit place peu à peu à des sentiments plus raisonnables. La mort de nos ennemis eût été d'une faible utilité pour Manon, et elle m'eût exposé sans doute à me voir ôter tous les moyens de la secourir. D'ailleurs, aurais-je eu recours à un lâche assassinat? Quelle autre voie pouvais-je m'ouvrir à la vengeance? Je recueillis toutes mes forces et tous mes esprits pour travailler d'abord à la délivrance de Manon, remettant tout le reste après le succès de cette importante entreprise. Il me restait peu d'argent. C'était, néanmoins, un fondement nécessaire, par lequel il fallait commencer. Je ne voyais que trois personnes de qui j'en pusse attendre : M. de T..., mon père et Tiberge. Il y avait peu d'apparence d'obtenir quelque chose des deux derniers, et j'avais honte

---

1. C'est le mouvement d'Oreste dans son défi aux Dieux : « Méritons leur courroux, justifions leur haine » (*Andromaque*, acte III, sc. 1).

de fatiguer l'autre par mes importunités. Mais ce n'est point dans le désespoir qu'on garde des ménagements. J'allai sur-le-champ au Séminaire de Saint-Sulpice, sans m'embarrasser si j'y serais reconnu. Je fis appeler Tiberge. Ses premières paroles me firent comprendre qu'il ignorait encore mes dernières aventures. Cette idée[a] me fit changer le dessein que j'avais, de l'attendrir par la compassion. Je lui parlai, en général, du plaisir que j'avais eu de revoir mon père, et je le priai ensuite de[b] me prêter quelque argent, sous prétexte de payer, avant mon départ de Paris, quelques dettes que je souhaitais de tenir inconnues. Il me présenta aussitôt sa bourse. Je pris cinq cents francs[c], sur six cents que j'y trouvai. Je lui offris mon billet[1]; il était trop généreux pour l'accepter.

Je tournai[d] de là chez M. de T... Je n'eus point de réserve avec lui. Je lui fis l'exposition de mes malheurs et de mes peines : il en savait déjà jusqu'aux moindres circonstances[2], par le soin qu'il avait eu de suivre l'aventure du jeune G... M...; il m'écouta néanmoins, et il me plaignit beaucoup. Lorsque je lui demandai ses conseils sur les moyens de délivrer Manon, il me répondit tristement qu'il y voyait si peu de *jour, qu'à moins d'un secours extraordinaire du Ciel, il fallait renoncer à l'espérance[e], qu'il avait passé exprès à l'Hôpital, depuis qu'elle y était renfermée, qu'il n'avait pu obtenir lui-même la liberté de la voir; que les ordres du Lieutenant général de Police[f] étaient de la dernière rigueur, et que, pour comble d'infortune, la malheureuse bande où elle devait entrer était destinée à partir le surlendemain du jour où nous étions[3].

---

1. Sur le *billet à ordre*, voir p. 60, note 2.

2. En ce cas, il est un peu surprenant qu'il ait la même optique que des Grieux (plus haut, p. 165, note 3). S'il connaît les aveux de Marcel, il n'ignore pas que Manon est allée chez G... M... avec l'accord de des Grieux : celui-ci, dans ces conditions, devrait mériter moins de compassion. Mais l'amour, une fois encore, excuse tout, ennoblit tout; même s'il est indélicat, même s'il est malheureux par sa faute.

3. L'établissement d'une liste de déportées exigeait d'ordinaire de longues négociations entre le Lieutenant Général et la directrice de l'Hôpital. Ici, suivant une procédure qui n'est pas sans exemple, Manon

J'étais si consterné de son discours qu'il eût pu parler une heure sans que j'eusse pensé à[a] l'interrompre. Il continua de me dire qu'il ne m'était point allé voir au Châtelet, pour se donner plus de facilité à me servir lorsqu'on le croirait sans liaison avec moi; que, depuis quelques heures que j'en étais sorti, il avait eu le chagrin[b] d'ignorer où je m'étais retiré, et qu'il avait souhaité de me voir promptement pour me donner le seul conseil dont il semblait que je pusse espérer du changement dans le sort de Manon, mais un conseil dangereux, auquel[c] il me priait de cacher éternellement qu'il eût part[d] : c'était de choisir quelques *braves qui eussent le courage d'attaquer les gardes de Manon lorsqu'ils seraient sortis de Paris avec elle. Il n'attendit point que je lui parlasse de mon indigence. Voilà cent *pistoles, me dit-il, en me présentant une bourse, qui pourront vous être de quelque usage. Vous me les remettrez, lorsque la fortune aura rétabli vos affaires. Il ajouta que, si le soin de sa réputation lui eût permis d'entreprendre lui-même la délivrance de ma maîtresse, il m'eût offert son bras et son épée.

Cette excessive générosité me toucha jusqu'aux larmes. J'employai, pour lui marquer ma reconnaissance, toute la vivacité que mon affliction[e] me laissait de reste[f]. Je lui demandai s'il n'y avait rien à espérer, par la voie des intercessions, auprès du Lieutenant général de Police[g]. Il me dit qu'il y avait pensé, mais qu'il croyait cette ressource inutile[h], parce qu'une grâce de cette nature ne pouvait se demander sans motif, et qu'il ne voyait pas bien quel motif on pouvait employer[i] pour se faire un intercesseur d'une personne grave et puissante[1]; que, si l'on pouvait se flatter de quelque chose de ce côté-là, ce ne pouvait être

---

est ajoutée d'office à un convoi en instance de départ. Voir, sur ces listes, le document reproduit planche VI, et sur les « malheureuses bandes », la planche XXIX.

1. Malgré l'indulgence et la compréhension du Lieutenant Général, Manon est sans excuse dans le monde de l'ordre et des lois : on voit qu'il reste un fossé profond entre ce monde et celui de l'amour et du sentiment. C'est bien pourquoi des Grieux maudira le monde des lois humaines pour exalter celui de la nature (p. 180).

qu'en faisant changer de sentiment à M. de G... M... et à mon père, et en les engageant à prier eux-mêmes M. le Lieutenant général de Police[a] de révoquer sa sentence. Il m'offrit de faire tous ses efforts[b] pour gagner le jeune G... M..., quoiqu'il le crût un peu refroidi à son égard par quelques soupçons qu'il avait conçus de lui à l'occasion de notre affaire, et il m'exhorta à ne rien omettre, de mon côté, pour fléchir l'esprit de mon père.

Ce n'était pas une légère entreprise pour moi, je ne dis pas seulement par la difficulté que je devais naturellement trouver à le vaincre, mais par une autre raison qui me faisait même redouter ses approches : je m'étais dérobé de son logement[c] contre ses ordres, et j'étais fort résolu de n'y pas retourner depuis que j'avais appris la triste destinée de Manon. J'appréhendais avec sujet qu'il ne me fît[d] retenir malgré moi, et qu'il ne me reconduisît de même en province. Mon frère aîné avait usé autrefois de cette méthode. Il est vrai que j'étais devenu plus âgé, mais l'âge était une faible raison contre la force. Cependant je trouvai une voie qui me *sauvait du danger[e]; c'était de le faire appeler dans un endroit public, et de m'annoncer à lui sous un autre nom. Je pris aussitôt ce parti. M. de T... s'en alla chez G... M... et moi au Luxembourg[1], d'où j'envoyai avertir mon père qu'un gentilhomme de ses serviteurs était à l'attendre. Je craignais qu'il n'eût quelque peine à venir, parce que la nuit approchait[f]. Il parut néanmoins peu après, suivi de son laquais. Je le priai de prendre une allée où nous puissions être seuls. Nous fîmes cent pas, pour le moins, sans parler.

---

1. Des Grieux choisit ce jardin comme lieu de rendez-vous parce qu'il est peu fréquenté et qu'il y sera à l'abri d'une surprise. « L'air champêtre et solitaire de ce jardin, dit le rédacteur de l'*État ou Tableau de la ville de Paris* (Prault, 1760, IIe partie, p. 16), le fait rechercher par les gens de lettres, les nouvellistes, et généralement par tous ceux qui désirent trouver dans un même endroit un air pur, de l'exercice et de la tranquillité. Il n'est guère fréquenté, sur le soir, que par les personnes du quartier... On entre dans cette promenade par trois portes, celle du château, celle des Carmes et celle de la rue d'Enfer... » On se souvient que c'est là que Prévost lui-même, à sa sortie de l'abbaye de Saint-Germain-des-Prés, avait échangé contre le *petit collet* son froc de bénédictin.

Il s'imaginait bien, sans doute, que tant de préparations ne s'étaient pas faites sans un dessein d'importance. Il attendait ma harangue, et je la méditais.

Enfin, j'ouvris la bouche. Monsieur, lui dis-je en tremblant, vous êtes un bon père. Vous m'avez comblé de grâces et vous m'avez pardonné un nombre infini de fautes. Aussi le Ciel m'est-il témoin que j'ai pour vous tous les sentiments du fils le plus tendre et le plus respectueux. Mais il me semble... que votre rigueur... Hé bien! ma rigueur? interrompit mon père, qui trouvait sans doute que je parlais lentement pour son impatience. Ah! monsieur, repris-je, il me semble que votre rigueur est extrême, dans le traitement que vous avez fait à la malheureuse Manon. Vous vous en êtes rapporté à M. de G... M... Sa haine vous l'a représentée sous les plus noires couleurs. Vous vous êtes formé d'elle une affreuse idée. Cependant, c'est la plus douce et la plus aimable créature qui fût jamais. Que n'a-t-il plu au Ciel de vous inspirer l'envie de la voir un moment! Je ne suis pas plus sûr qu'elle est charmante, que je le suis qu'elle vous l'aurait paru. Vous auriez pris parti pour elle; vous auriez détesté les noirs artifices de G... M...; vous auriez eu compassion d'elle et de moi. Hélas! j'en suis sûr. Votre cœur n'est pas insensible; vous vous seriez laissé attendrir. Il m'interrompit encore, voyant que je parlais avec une ardeur qui ne m'aurait pas permis de finir sitôt. Il voulut savoir[a] à quoi j'avais dessein d'en venir par un discours si passionné. A vous demander la vie, répondis-je, que je ne puis conserver un moment si Manon part une fois pour l'Amérique. Non, non, me dit-il d'un ton sévère; j'aime mieux te voir sans vie que sans sagesse et sans honneur[b]. N'allons donc pas plus loin! m'écriai-je en l'arrêtant par le bras. Otez-la moi, cette vie odieuse et insupportable, car, dans le désespoir où vous me jetez, la mort sera une faveur pour moi. C'est un présent digne de la main d'un père.

Je ne te donnerais que ce que tu mérites, répliqua-t-il. Je connais bien des pères qui n'auraient pas attendu si longtemps pour être eux-mêmes tes bourreaux, mais c'est ma bonté excessive qui t'a perdu.

Je me jetai à ses genoux. Ah! s'il vous en reste encore, lui dis-je en les embrassant, ne vous endurcissez donc pas contre mes pleurs. Songez que je suis votre fils... Hélas! souvenez-vous de ma mère. Vous l'aimiez si tendrement[1]! Auriez-vous souffert qu'on l'eût arrachée de vos bras? Vous l'auriez défendue jusqu'à la mort. Les autres n'ont-ils pas un cœur comme vous? Peut-on être barbare, après avoir une fois[a] éprouvé ce que c'est que la tendresse et la douleur?

Ne me parle pas davantage de ta mère, reprit-il d'une voix irritée; ce souvenir échauffe mon indignation. Tes désordres la feraient mourir de douleur, si elle eût assez vécu pour les voir. Finissons cet entretien, ajouta-t-il; il m'importune, et ne me fera point changer de résolution. Je retourne au logis; je t'ordonne de me suivre. Le ton sec et dur[b] avec lequel il m'intima cet ordre me fit trop comprendre que son cœur était inflexible. Je m'éloignai de quelques pas, dans la crainte qu'il ne lui prît envie de m'arrêter de ses propres mains. N'augmentez pas mon désespoir, lui dis-je, en me forçant de vous désobéir. Il est impossible que je vous suive. Il ne l'est pas moins que je vive, après la dureté avec laquelle vous me traitez. Ainsi je vous dis un éternel adieu. Ma mort, que vous apprendrez bientôt, ajoutai-je tristement, vous fera peut-être reprendre pour moi des sentiments de père. Comme je me tournais pour le quitter : Tu refuses donc de me suivre? s'écria-t-il avec une vive colère. Va, cours à ta perte. Adieu, fils ingrat et rebelle. Adieu, lui dis-je dans mon transport, adieu, père barbare et dénaturé[2].

---

1. Sauf une allusion à sa mort (p. 117), c'est la première fois qu'il est ici question de la mère de des Grieux, qui a disparu avant que son fils ne parvienne à l'adolescence. Elle ne saurait avoir de place dans le roman, car, dans toutes les histoires du temps qui roulent sur des amours contrariées, les pères sont beaucoup plus sévères sur ce chapitre que les mères : celles-ci finissent toujours par se laisser attendrir et se réconcilient même avec leur belle-fille (voyez *l'Histoire de Contamine et d'Angélique* et *l'Histoire de des Frans et de Silvie* de Challes, ainsi que la *Vie de Marianne* de Marivaux).

2. Ces deux répliques théâtrales terminent comme il convient cette scène où l'on trouve souvent les sentiments et la langue de la tragédie.

Je sortis aussitôt du Luxembourg. Je marchai dans les rues comme un furieux jusqu'à la maison de M. de T... Je levais, en marchant, les yeux et les mains pour invoquer toutes les puissances célestes. O Ciel! disais-je, serez-vous aussi impitoyable que les hommes? Je n'ai plus de secours à attendre que de vous. M. de T... n'était point encore retourné chez lui, mais il revint après que je l'y eus attendu quelques moments. Sa négociation n'avait pas réussi mieux que la mienne. Il me le dit d'un visage abattu. Le jeune G... M..., quoique moins irrité que son père contre Manon et contre moi, n'avait pas voulu entreprendre de le solliciter en notre faveur. Il s'en était défendu par la crainte qu'il avait lui-même de ce vieillard vindicatif, qui s'était déjà fort emporté contre lui en lui reprochant ses desseins de *commerce avec Manon. Il ne me restait donc que la voie de la violence[a], telle que M. de T... m'en avait tracé le plan; j'y réduisis toutes mes espérances. Elles sont bien incertaines, lui dis-je, mais la plus solide et la plus consolante pour moi est celle de périr du moins dans l'entreprise. Je le quittai en le priant de me secourir par ses vœux, et je ne pensai plus qu'à m'associer des camarades à qui je pusse communiquer une étincelle de mon courage et de ma résolution.

Le premier qui s'offrit à mon esprit, fut le même garde du corps que j'avais employé pour arrêter G... M... J'avais dessein aussi d'aller passer la nuit dans sa chambre, n'ayant pas eu[b] l'esprit assez libre, pendant l'après-midi, pour me procurer un logement. Je le trouvai seul. Il eut de la joie de me voir sorti du Châtelet. Il m'offrit affectueusement ses services. Je lui expliquai ceux qu'il pouvait me rendre. Il avait assez de bon sens pour en apercevoir toutes les difficultés, mais il fut assez généreux pour entreprendre de les surmonter. Nous employâmes une partie de la nuit à raisonner sur mon dessein. Il me parla des trois soldats aux gardes, dont il s'était servi dans la dernière occasion, comme

---

Cet adieu ne cadrerait guère avec le personnage de fils soumis et respectueux qui a toujours été celui du Chevalier; aussi ce dernier prend-il soin de noter : « ... lui dis-je dans mon transport ».

de trois *braves à l'épreuve[1]. M. de T... m'avait informé exactement du nombre des archers qui devaient conduire Manon; ils n'étaient que six. Cinq hommes hardis et résolus suffisaient pour donner l'épouvante à ces misérables, qui ne sont point capables de se défendre honorablement lorsqu'ils peuvent éviter le péril du combat par une lâcheté[2]. Comme je ne manquais point d'argent, le garde du corps me conseilla de ne rien épargner pour[a] assurer le succès de notre attaque. Il nous faut des chevaux, me dit-il, avec des pistolets, et chacun notre mousqueton[b]. Je me charge de prendre demain le soin de ces préparatifs. Il faudra aussi trois habits communs pour nos soldats, qui n'oseraient paraître dans une affaire de cette nature avec l'uniforme du régiment. Je lui mis entre les mains les cent pistoles que j'avais reçues de M. de T... Elles furent employées, le lendemain, jusqu'au dernier sol[c]. Les trois soldats passèrent en revue devant moi. Je les animai par de grandes promesses, et pour leur ôter toute défiance, je commençai par leur faire présent, à chacun, de dix pistoles. Le jour de l'exécution étant venu, j'en envoyai un de grand matin à l'Hôpital, pour s'instruire, par ses propres yeux, du moment auquel les archers partiraient avec leur proie. Quoique je n'eusse pris cette précaution que par un excès d'inquiétude et de prévoyance, il se trouva qu'elle avait été absolument nécessaire. J'avais compté sur quelques

---

1. Voyez, sur ces personnages de « braves à l'épreuve », c'est-à-dire d'hommes de main, que sont les gardes du corps, ci-dessus, p. 54, note 1.

2. La faible estime dans laquelle le public tient les « bandouliers », recrutés parmi les laquais et les vagabonds, est aussi attestée. Une ordonnance du 4 mai 1720 dut interdire, sous peine de vie, de « troubler les archers nouvellement établis pour arrêter les vagabonds, gens sans aveu, et les pauvres mendiants (...) pour les plus jeunes être envoyés dans les colonies françaises de l'Amérique et du Mississippi... », et Buvat, qui la signale, ajoute que la populace s'est « plusieurs fois soulevée contre la mauvaise foi de ces archers », qui font arrêter des personnes « qui ne sont pas de leur compétence » pour toucher la prime d'une pistole par personne promise par la Compagnie des Indes. Une vingtaine d'entre eux avaient été tués, et un plus grand nombre blessés (*Histoire de la Régence,* t. II, p. 78).

fausses informations qu'on m'avait données de leur route, et, m'étant persuadé que c'était à La Rochelle que cette * déplorable troupe devait être embarquée, j'aurais perdu mes peines à l'attendre sur le chemin d'Orléans[1]. Cependant, je fus informé, par le rapport du soldat aux gardes, qu'elle prenait le chemin de Normandie, et que c'était du Havre-de-Grâce[a] qu'elle devait partir pour l'Amérique.

Nous nous rendîmes aussitôt à la Porte Saint-Honoré, observant de marcher par des rues différentes. Nous nous réunîmes au bout du faubourg. Nos chevaux étaient frais. Nous ne tardâmes point[2] à découvrir les six gardes et les deux misérables voitures que vous vîtes à Pacy, il y a deux ans[b]. Ce spectacle faillit de m'ôter[c] la force et la connaissance. O *fortune, m'écriai-je, fortune cruelle! accorde-moi ici, du moins, la mort ou la victoire[3]. Nous tînmes conseil un moment sur la manière dont nous ferions notre attaque. Les archers n'étaient guère plus de quatre cents pas devant nous, et nous pouvions les couper en passant au travers d'un petit champ, autour duquel le grand chemin tournait. Le garde du corps fut d'avis de prendre cette voie, pour les surprendre en fondant tout d'un coup sur eux. J'approuvai sa pensée et je fus le premier à piquer mon cheval. Mais la fortune avait rejeté impitoyablement mes vœux. Les archers, voyant cinq cavaliers accourir vers eux[d], ne doutèrent point que ce ne fût pour

---

1. Le véritable port d'embarquement était bien La Rochelle. Pourtant il arriva que, pour éviter la fatigue d'une trop longue route dans de mauvaises charrettes, on fit embarquer des convois à Rouen ou au Havre pour La Rochelle, d'où on les transférait sur d'autres bâtiments. Voir l'*Introduction*, p. IX.

2. L'attaque du convoi doit donc avoir lieu beaucoup plus près de Paris qu'on ne l'imaginerait, sans doute dans la plaine Monceau, avant le passage de la Seine à Asnières, si le convoi prend la route directe pour Rouen, plutôt que celle qui passe par Saint-Germain.

3. Cette invocation, digne de l'épopée ou de la tragédie, est celle d'un héros qui va livrer une bataille dont dépend le sort de l'univers. Or il s'agit d'un jeune homme de famille qui va attaquer quelques gendarmes pour délivrer une fille de mauvaise vie. Sur ce contraste, voyez l'*Introduction*, pp. CXXXVIII à CXLII.

les attaquer. Ils se mirent en défense, en préparant leurs baïonnettes et leurs fusils d'un air assez résolu. Cette vue, qui ne fit que nous animer, le garde du corps et moi, ôta tout d'un coup le courage à nos trois lâches compagnons. Ils s'arrêtèrent comme de concert, et, s'étant dit entre eux quelques mots que je n'entendis point, ils tournèrent la tête de leurs chevaux, pour reprendre le chemin de Paris à bride abattue. Dieux! me dit le garde du corps, qui paraissait aussi éperdu que moi de cette infâme désertion, qu'allons-nous faire? Nous ne sommes que deux[a]. J'avais perdu la voix, de fureur et d'étonnement. Je m'arrêtai, incertain si ma première vengeance ne devait pas s'employer à la poursuite et au châtiment des lâches qui m'abandonnaient. Je les regardais fuir et je jetais les yeux, de l'autre côté, sur les archers. S'il m'eût été possible de me partager, j'aurais fondu tout à la fois sur ces deux objets de ma rage; je les dévorais tous ensemble. Le garde du corps, qui jugeait de mon incertitude par le mouvement égaré de mes yeux, me pria d'écouter son conseil. N'étant que deux, me dit-il, il y aurait de la folie à attaquer six hommes aussi bien armés que nous et qui paraissent nous attendre de pied ferme. Il faut retourner à Paris et tâcher de réussir mieux dans le choix de nos *braves. Les archers ne sauraient faire de grandes journées avec deux pesantes voitures[1]; nous les rejoindrons demain sans peine.

Je fis un moment de réflexion sur ce parti, mais, ne voyant de tous côtés que des sujets de désespoir, je pris une résolution véritablement désespérée. Ce fut de remercier mon compagnon de ses services, et, loin d'attaquer les archers, je résolus d'aller[b], avec soumission, les prier de me recevoir dans leur troupe pour accompagner Manon avec eux jusqu'au Havre-de-Grâce et passer ensuite au delà des mers avec elle. Tout le monde me persécute ou me trahit, dis-je au garde du corps. Je n'ai plus de fond à faire sur personne. Je n'attends plus rien, ni de la *fortune,

---

1. Voyez ces « pesantes voitures » sur la planche XXIX

ni du secours des hommes. Mes malheurs sont au comble[1]; il ne me reste plus que de m'y soumettre. Ainsi, je ferme les yeux à toute espérance. Puisse le Ciel récompenser votre générosité! Adieu, je vais aider mon mauvais sort à consommer ma ruine, en y courant moi-même volontairement. Il fit inutilement ses efforts pour m'engager à retourner à Paris. Je le priai de me laisser suivre mes résolutions et de me quitter sur-le-champ, de peur que les archers ne continuassent de croire que notre dessein était de les attaquer.

J'allai seul vers eux, d'un pas lent et le visage si consterné qu'ils ne durent rien trouver d'effrayant dans mes approches. Ils se tenaient néanmoins en défense[a]. Rassurez-vous, messieurs, leur dis-je, en les abordant; je ne vous apporte point la guerre, je viens vous demander des grâces. Je les priai de continuer leur chemin sans défiance et je leur appris, en marchant, les faveurs que j'attendais d'eux. Ils consultèrent ensemble de quelle manière ils devaient recevoir cette ouverture. Le chef de la bande prit la parole pour les autres. Il me répondit que les ordres qu'ils avaient de veiller sur leurs captives étaient d'une extrême rigueur; que je lui paraissais néanmoins si *joli homme que lui et ses compagnons se relâcheraient un peu de[b] leur devoir; mais que je devais comprendre[c] qu'il fallait qu'il m'en coûtât quelque chose. Il me restait environ quinze pistoles; je leur dis *naturellement en quoi consistait le fond de ma bourse. Hé bien! me dit l'archer, nous en userons généreusement. Il ne vous coûtera qu'un écu par heure pour entretenir celle de nos filles qui vous plaira le plus; c'est le prix courant de Paris[2]. Je ne leur avais pas parlé de

1. Sur cette formule, ainsi que sur des Grieux, héros tragique, voyez l'*Introduction,* pp. CXXX à CXXXV. Jusqu'alors, le Chevalier avait tenté toutes les voies, mais maintenant il refuse l'offre du garde du corps de tenter l'expédition avec de meilleures chances : « [Il se] livre en aveugle [— *je ferme les yeux,* phrase suivante] au destin qui [l']entraîne. » Sur la signification sociale de ce désespoir, voyez l'*Introduction,* pp. CXLVI à CXLVIII.

2. Le lecteur passe, presque sans transition, des régions sublimes de la tragédie aux détails réalistes et cyniques; ou plutôt, ces détails sont intégrés à la tragédie à laquelle ils donnent une couleur étrange.

Manon en particulier, parce que je n'avais pas dessein qu'ils connussent ma passion. Ils s'imaginèrent d'abord que ce n'était qu'une fantaisie de jeune homme qui me faisait chercher un peu de passe-temps avec ces créatures[a]; mais lorsqu'ils crurent s'être aperçus que j'étais amoureux, ils augmentèrent tellement le tribut, que ma bourse se trouva épuisée en partant de Mantes, où nous avions couché, le jour que nous arrivâmes à Pacy.

Vous dirai-je quel fut le déplorable sujet de mes entretiens avec Manon pendant cette route, ou quelle impression sa vue fit sur moi lorsque j'eus obtenu des gardes la liberté d'approcher de son chariot? Ah! les expressions ne rendent jamais qu'à demi les sentiments du cœur[1]. Mais figurez-vous ma pauvre maîtresse enchaînée par le milieu du corps[2], assise sur quelques poignées de paille, la tête appuyée languissamment sur un côté de la voiture, le visage pâle et mouillé d'un ruisseau de larmes qui se faisaient un passage au travers de ses paupières, quoiqu'elle eût continuellement les yeux fermés. Elle n'avait pas même eu la curiosité de les ouvrir lorsqu'elle avait entendu le bruit de ses gardes, qui craignaient d'être attaqués. Son linge était sale et dérangé, ses mains délicates exposées à l'injure de l'air[3]; enfin, tout ce composé charmant[b], cette figure capable de ramener l'univers à l'idolâtrie[4], paraissait dans un désordre et un abattement inexprimables. J'employai quelque temps à la considérer, en allant à cheval à côté du

---

1. Sur l'insuffisance du langage dans le domaine des sentiments, voyez l'*Introduction,* pp. CXIII et CXIV.

2. Les déportées étaient ordinairement enchaînées par deux au moyen d'une chaîne légère, qui était ferrée la veille du départ.

3. Manon n'a plus ici les gants qu'elle portait à Paris. Cette créature de luxe est maintenant privée des raffinements de la civilisation qui étaient nécessaires à sa vie. Fragile et vulnérable comme elle l'est, il est clair qu'elle ne pourra supporter l'inconfort américain.

4. Quoique préparée par plusieurs passages du roman (cf. pp. 45-46 et 91), cette formule, appliquée précisément à Manon avilie, est remarquable. C'est la seule, on s'en souvient, qui ait trouvé grâce aux yeux de Mathieu Marais, par ailleurs fort hostile à Prévost et à son roman (voir l'*Introduction,* p. CLXIII).

Pl. XXIX. Manon sur sa charrette revoit des Grieux.

(Illustration de Pasquier, 1753.)

Pl. XXX. Indiens et Français au Mississipi (1719).

chariot. J'étais si peu à moi-même que je fus sur le point, plusieurs fois, de tomber dangereusement. Mes soupirs et mes exclamations fréquentes m'attirèrent d'elle quelques regards. Elle me reconnut, et je remarquai que, dans le premier mouvement, elle tenta de se précipiter hors de la voiture pour venir à moi; mais, étant retenue par sa chaîne, elle retomba dans sa première attitude. Je priai les archers d'arrêter un moment par compassion; ils y consentirent par *avarice. Je quittai mon cheval pour m'asseoir auprès d'elle. Elle était si languissante et si affaiblie qu'elle fut longtemps sans pouvoir se servir de sa langue ni remuer ses mains. Je les mouillais pendant ce temps-là de mes pleurs, et, ne pouvant proférer moi-même une seule parole, nous étions l'un et l'autre dans une des plus tristes situations dont il y ait jamais eu d'exemple. Nos expressions ne le furent pas moins, lorsque nous eûmes retrouvé la liberté de parler. Manon parla peu. Il semblait que la honte et la douleur eussent altéré les organes de sa voix[1]; le son en était faible et tremblant. Elle me remercia de ne l'avoir pas oubliée, et de la satisfaction que je lui accordais, dit-elle en soupirant, de me voir du moins encore une fois et de me dire le dernier adieu. Mais, lorsque je l'eus assurée que rien n'était capable de me séparer d'elle et que j'étais disposé à la suivre jusqu'à l'extrémité du monde pour prendre soin d'elle, pour la servir, pour l'aimer et pour attacher inséparablement ma misérable destinée à la sienne, cette pauvre fille se livra à des sentiments si tendres et si douloureux, que j'appréhendai quelque chose pour sa vie d'une si violente émotion. Tous les mouvements de son âme semblaient se réunir[a] dans ses yeux. Elle les tenait fixés sur moi. Quelquefois elle ouvrait la bouche, sans avoir la force d'achever quelques mots qu'elle commen-

1. La honte, qui accablait des Grieux à Saint-Lazare (plus haut, p. 81), écrase maintenant Manon. Ces personnages sont engagés dans un ordre social qu'ils ne mettent pas véritablement en question. La situation infamante où la société réduit Manon est donc ressentie comme telle par celle-ci, et elle en souffre plus que du dénuement et de l'extrême inconfort matériel où elle se trouve.

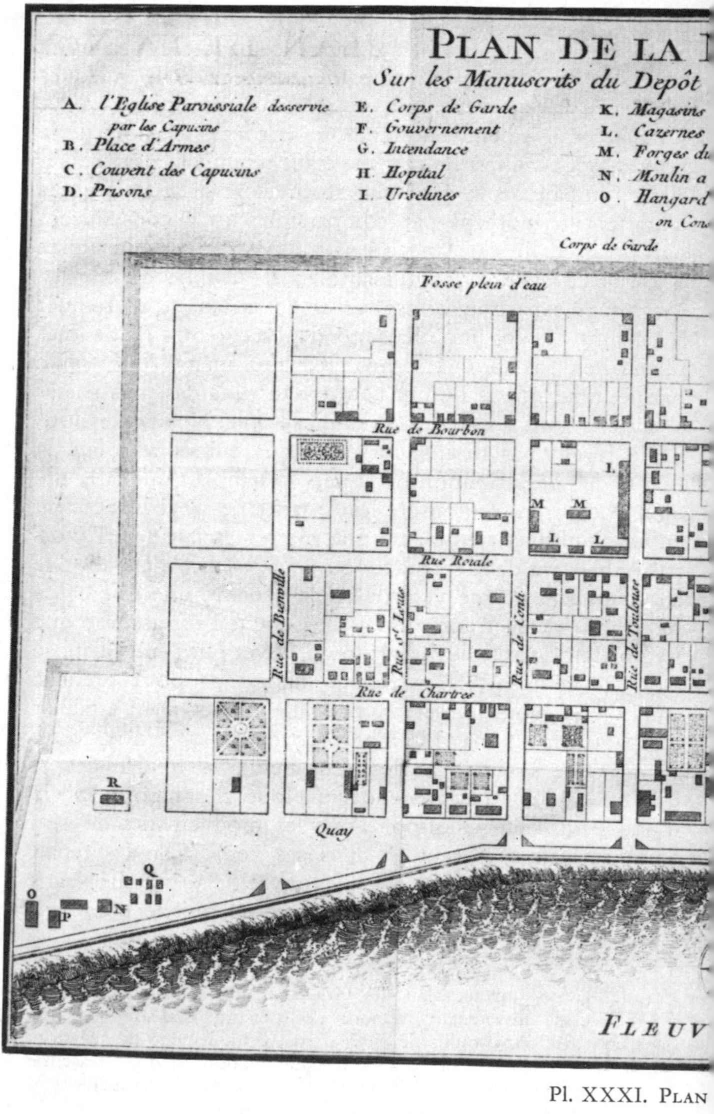

PLAN DE LA N

Sur les Manuscrits du Depôt

A. *l'Eglise Paroissiale desservie par les Capucins*
B. *Place d'Armes*
C. *Couvent des Capucins*
D. *Prisons*
E. *Corps de Garde*
F. *Gouvernement*
G. *Intendance*
H. *Hopital*
I. *Urselines*
K. *Magasins*
L. *Cazernes*
M. *Forges du*
N. *Moulin a*
O. *Hangard*
on Cons

Corps de Garde

Fosse plein d'eau

Rue de Bourbon

Rue Roiale

Rue de Chartres

Rue de Bienville

Rue St Louis

Rue de Conti

Rue de Toulouse

Quay

FLEUV

Pl. XXXI. PLAN

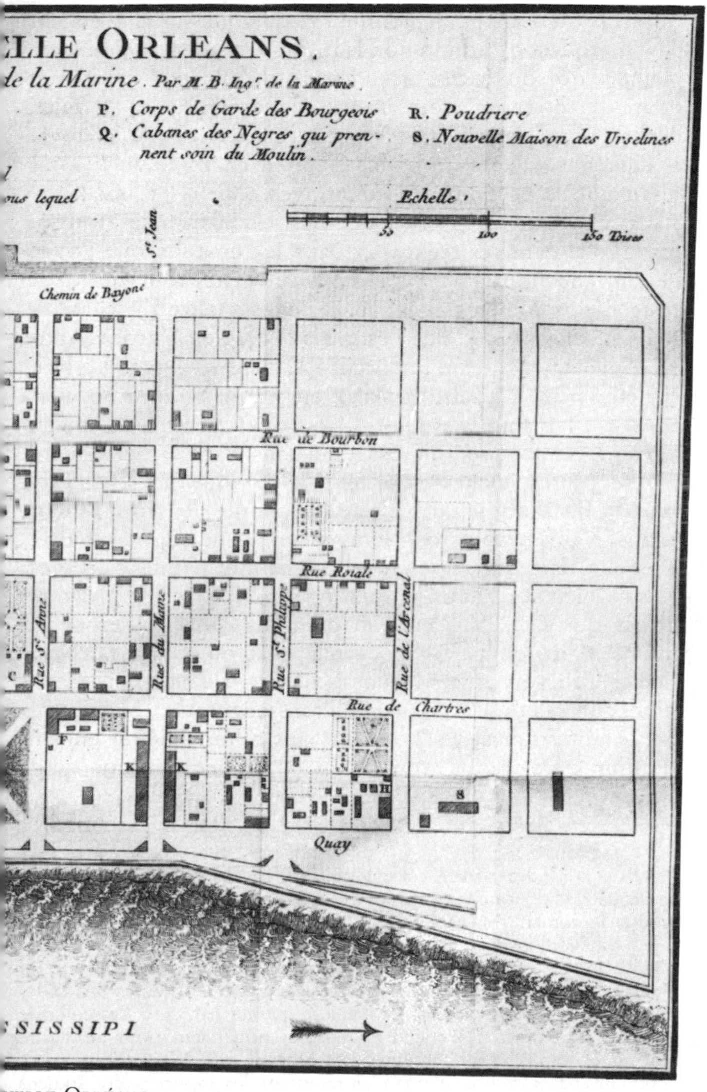

ELLE ORLEANS.

de la Marine. Par M. B. Ing.r de la Marine.

P. Corps de Garde des Bourgeois

Q. Cabanes des Negres qui prennent soin du Moulin.

R. Poudriere

S. Nouvelle Maison des Urselines

ous lequel

Echelle.

50 100 150 Toises

St. Jean

Chemin de Bayone

Rue de Bourbon

Rue Roiale

Rue St. Anne

Rue du Maine

Rue St. Philippe

Rue de l'Arcenal

Rue de Chartres

Quay

SSISSIPI

VELLE-ORLÉANS.

çait. Il lui en échappait néanmoins quelques-uns. C'étaient des marques d'*admiration sur mon amour, de tendres plaintes de son excès, des doutes qu'elle pût être assez heureuse pour m'avoir inspiré une passion si parfaite, des instances pour me faire renoncer au dessein de la suivre et chercher ailleurs un bonheur digne de moi, qu'elle me disait que je ne pouvais espérer avec elle[1].

En dépit du plus cruel de tous les sorts[a], je trouvais ma félicité dans ses regards et dans la certitude que j'avais de son affection. J'avais perdu, à la vérité, tout ce que le reste des hommes estime; mais j'étais maître du cœur de Manon, le seul bien que j'estimais. Vivre en Europe, vivre en Amérique, que m'importait-il[b] en quel endroit vivre, si j'étais sûr[c] d'y être heureux en y vivant avec ma maîtresse? Tout l'univers n'est-il pas la patrie de deux amants fidèles? Ne trouvent-ils pas l'un dans l'autre, père, mère, parents, amis, richesses et félicité? Si quelque chose me causait de l'inquiétude, c'était la crainte de voir Manon exposée aux besoins de l'indigence. Je me supposais déjà, avec elle, dans une région inculte et habitée par des sauvages. Je suis bien sûr, disais-je, qu'il ne saurait y en avoir d'aussi cruels que G... M... et mon père. Ils nous laisseront du moins vivre en paix. Si les relations qu'on en fait sont fidèles[2], ils suivent les lois de la nature. Ils ne connaissent[d] ni les fureurs de l'*avarice, qui possèdent G... M..., ni les idées fantastiques de l'honneur, qui m'ont fait un ennemi de mon père. Ils ne troubleront point deux amants qu'ils

---

1. Ce sont des scènes comme celle-ci, où la description, malgré sa délicatesse de touche, est précise et d'une grande vérité, qui donnent à tout le roman son caractère touchant.

2. Allusion, par exemple, aux articles parus dans le *Mercure* entre 1717 et 1719, qui faisaient état de précisions telles que celle-ci : « les sauvages sont si fort apprivoisés avec les Français, que les uns et les autres vivent et commercent de manière que les habitants des colonies françaises n'ont rien à craindre d'eux, et pourraient pour ainsi dire dormir en repos » (Bibliothèque de l'Arsenal, ms. 6650, folio 54-55). Voir aussi la gravure de 1719 représentant les rapports des Indiens et des Européens au « port de Mississippi » (pl. XXX).

verront vivre avec autant de simplicité qu'eux[1]. J'étais donc tranquille de ce côté-là. Mais je ne me formais point des idées romanesques par rapport aux besoins communs de la vie. J'avais éprouvé trop souvent qu'il y a des nécessités insupportables, surtout pour une fille délicate qui est accoutumée à une vie commode et abondante. J'étais au désespoir d'avoir épuisé inutilement ma bourse et que le peu d'argent qui me restait fût encore sur le point de m'être ravi par la friponnerie des archers. Je concevais qu'avec une petite somme j'aurais pu espérer, non seulement de me soutenir quelque temps contre la misère en Amérique, où l'argent était rare, mais d'y former même quelque entreprise pour un établissement durable. Cette considération me fit naître la pensée d'écrire à Tiberge, que j'avais toujours trouvé si prompt à m'offrir les secours de l'amitié. J'écrivis, dès la première ville où nous passâmes. Je ne lui apportai point d'autre motif que le pressant besoin dans lequel je prévoyais que je me trouverais au Havre-de-Grâce, où je lui confessais que j'étais allé conduire Manon. Je lui demandais cent pistoles. Faites-les moi tenir au Havre, lui disais-je, par le maître de la poste. Vous voyez bien que c'est la dernière fois que j'importune votre affection et que, ma malheureuse maîtresse m'étant enlevée pour toujours, je ne puis la laisser partir sans quelques soulagements qui adoucissent son sort et mes mortels regrets.

Les archers devinrent si intraitables, lorsqu'ils eurent découvert la violence de ma passion, que, redoublant continuellement le prix de leurs moindres faveurs, ils me réduisirent bientôt à la dernière indigence. L'amour, d'ailleurs, ne me permettait guère de ménager ma bourse. Je m'oubliais du matin au soir près de Manon, et ce n'était plus par heure que le temps m'était mesuré, c'était par la longueur entière des jours. Enfin, ma bourse étant tout à

---

1. Ici, des Grieux ne se réfère plus seulement au mythe romanesque ou colonial du bon sauvage. Tous ses jugements, au cours de son *Histoire,* impliquent, on l'a vu, une foi dans la bonté de la nature et du sentiment.

fait vide, je me trouvai exposé aux caprices et à la brutalité de six misérables, qui me traitaient avec une hauteur[a] insupportable. Vous en fûtes témoin à Pacy. Votre rencontre fut un heureux moment de relâche, qui me fut accordé par la fortune. Votre pitié, à la vue de mes peines, fut ma seule recommandation auprès de votre cœur généreux. Le secours, que vous m'accordâtes libéralement, servit à me faire gagner le Havre, et les archers tinrent leur promesse avec plus de fidélité que je ne l'espérais[1].

Nous arrivâmes au Havre. J'allai *d'abord à la poste. Tiberge n'avait point encore eu le temps de me répondre. Je m'informai exactement quel jour je pouvais attendre sa lettre. Elle ne pouvait arriver que[b] deux jours après[2], et par une étrange disposition de mon mauvais sort, il se trouva que notre vaisseau devait partir le matin de celui[c] auquel j'attendais l'ordinaire. Je ne puis vous représenter mon[d] désespoir. Quoi ! m'écriai-je[e], dans le malheur même, il faudra toujours que je sois distingué par des excès ! Manon répondit : Hélas ! une vie si malheureuse mérite-t-elle le soin que nous en prenons ? Mourons au Havre, mon cher Chevalier. Que la mort finisse[f] tout d'un coup nos misères ! Irons-nous les traîner dans un pays inconnu, où nous devons nous attendre, sans doute, à d'horribles extrémités, puisqu'on a voulu m'en faire[g] un supplice ? Mourons, me répéta-t-elle ; ou du moins, donne-moi la mort, et va chercher un autre sort dans les bras d'une amante plus heureuse. Non, non, lui dis-je, c'est pour moi un sort digne d'envie que d'être malheureux avec vous. Son discours me fit trembler. Je jugeai qu'elle était accablée

---

1. Les menaces de l'Homme de qualité (p. 15) ont été efficaces. Le récit de des Grieux a maintenant couvert tout le temps qui précède la scène par laquelle s'ouvre le roman. Il reste à raconter les événements qui se sont déroulés dans l'intervalle qui sépare sa première rencontre avec l'Homme de qualité de la seconde, où il fait le récit que nous sommes en train de lire.

2. Il y avait trois services par semaine entre Paris et Rouen, les lundi, mercredi et vendredi, et deux seulement, les mercredi et vendredi, entre Rouen et Le Havre (*État ou Tableau de la Ville de Paris*, édit. cit., p. 346).

de ses maux. Je m'efforçai de prendre un air plus tranquille, pour lui ôter ces funestes pensées de mort et de désespoir. Je résolus de tenir la même conduite à l'avenir; et j'ai éprouvé, dans la suite, que rien n'est plus capable d'inspirer du courage à une femme que l'intrépidité d'un homme qu'elle aime.

Lorsque j'eus perdu l'espérance de recevoir du secours de[a] Tiberge, je vendis mon cheval. L'argent que j'en tirai, joint à ce qui me restait encore de vos libéralités, me composa la petite somme de dix-sept pistoles. J'en employai sept à l'achat de quelques soulagements nécessaires à Manon, et je serrai les dix autres avec soin, comme le fondement de notre fortune et de nos espérances en Amérique. Je n'eus point de peine à me faire recevoir dans le vaisseau. On cherchait alors des jeunes gens[b] qui fussent disposés à se joindre volontairement à la colonie. Le passage et la nourriture me furent accordés gratis[1]. La poste de Paris devant partir le lendemain, j'y laissai une lettre pour Tiberge. Elle était touchante et capable de l'attendrir, sans doute, au dernier point, puisqu'elle lui fit prendre une résolution qui ne pouvait venir que d'un fonds infini de tendresse et de générosité pour un ami malheureux[2].

Nous mîmes à la voile. Le vent ne cessa point de nous être favorable[c]. J'obtins du capitaine un lieu à part pour Manon et pour moi. Il eut la bonté de nous regarder d'un autre œil que le commun de nos misérables associés. Je l'avais pris en particulier dès le premier jour, et, pour m'attirer de lui quelque considération, je lui avais découvert une partie de mes infortunes. Je ne crus pas me rendre

1. « La Compagnie fait transporter gratis à la Louisiane tous ceux qui se présentent avec leurs hardes et ustensiles, ceux qui cultivent les terres de cet heureux pays ne sont sujets à aucune imposition et sont les maîtres de vendre leurs denrées à qui bon leur semble. Une pareille récompense [trois arpents de terre] est donnée à tous ceux qui s'engagent pour servir la Compagnie. » (Ms. Arsenal, 6650, f° 54-55.)

2. Ici encore, Prévost ménage un *agréable suspens* à son lecteur. Celui-ci n'apprendra qu'à la fin (p. 203) quelle a été la résolution prise par Tiberge.

coupable d'un mensonge honteux en lui disant que j'étais marié à Manon. Il feignit de[a] le croire, et il m'accorda sa protection. Nous en reçûmes des marques pendant toute la navigation. Il eut soin de nous faire nourrir *honnêtement, et les égards qu'il eut pour nous servirent à nous faire respecter des compagnons de notre misère[1]. J'avais une attention continuelle à ne pas laisser souffrir la moindre incommodité à Manon. Elle le remarquait bien, et cette vue, jointe au vif *ressentiment de l'étrange extrémité où je m'étais réduit pour elle, la rendait si tendre et si passionnée, si attentive aussi à mes plus légers besoins, que c'était, entre elle et moi, une perpétuelle émulation de services et d'amour. Je ne regrettais point l'Europe. Au contraire, plus nous avancions vers l'Amérique, plus je sentais mon cœur s'élargir et devenir tranquille. Si j'eusse pu m'assurer de n'y pas manquer[b] des nécessités absolues de la vie, j'aurais remercié la fortune d'avoir donné un tour si favorable à nos malheurs.

Après une navigation de deux mois, nous abordâmes enfin au rivage désiré. Le pays ne nous offrit rien d'agréable à la première vue. C'étaient des campagnes stériles et inhabitées, où l'on voyait à peine quelques roseaux et quelques arbres dépouillés par le vent. Nulle[c] trace d'hommes ni d'animaux[2]. Cependant, le capitaine ayant fait tirer[d] quelques pièces de notre artillerie, nous ne fûmes pas longtemps sans apercevoir une troupe de citoyens du Nouvel Orléans[3], qui s'approchèrent de nous avec de vives

---

1. Sur la sympathie qu'inspire, à tous et en toutes occasions, le chevalier des Grieux, voyez l'*Introduction,* pp. C et CI.

2. Cette description contraste avec les affirmations officielles, répandues dans le *Mercure* de septembre 1717 à mars 1719, qui faisaient de la Louisiane un tableau idyllique : « On y respire un printemps presque perpétuel... le terroir produit toutes sortes de fruits naturellement » (cité par P. Vernière). Voir la gravure de 1719 représentant le *commerce des Français avec les Indiens au port de Mississippi* (pl. XXX). On y verra comment on se représentait en France le port de débarquement de la Compagnie, Biloxi.

3. Dès mars 1717, époque de fondation de la ville, le nom est féminin, comme le montrent les documents cités par Villiers *(Histoire de la fondation de la Nouvelle-Orléans)*. Ce genre répond à une tendance

marques de joie. Nous n'avions pas découvert la ville. Elle est cachée, de ce côté-là, par une petite colline[1]. Nous fûmes reçus comme des gens descendus du Ciel. Ces pauvres habitants s'empressaient pour nous faire mille questions sur l'état de la France et sur les différentes provinces où ils étaient nés. Ils nous embrassaient comme leurs frères et comme de chers compagnons qui venaient partager leur misère et leur solitude. Nous prîmes le chemin de la ville avec eux, mais nous fûmes surpris de découvrir, en avançant, que, ce qu'on nous avait vanté jusqu'alors comme une bonne ville, n'était qu'un assemblage de quelques pauvres cabanes. Elles étaient habitées par cinq ou six cents personnes.[2] La maison du Gouverneur nous parut un peu distinguée par sa hauteur et par sa situation. Elle est défendue par quelques ouvrages de terre, autour desquels règne un large fossé.

---

très répandue au XVIIe siècle, qui, sous l'influence du mot *ville*, met au féminin les noms de villes, surtout s'ils ont une initiale vocalique. Cependant, certains protestèrent, car le mot d'Orléans est étymologiquement masculin *(Aureliani)*. « Me voilà enfin arrivé dans cette fameuse ville, écrit le P. Charlevoix dans une lettre du 10 janvier 1722, qu'on a nommée la Nouvelle-Orléans. Ceux qui ont donné ce nom croyaient qu'Orléans est du genre féminin. Mais qu'importe ? L'usage est établi, et il est au-dessus des règles de grammaire. » La forme adoptée par Prévost, contre l'usage, s'explique donc par une réaction : Voyez William S. Wood, *L'abbé Prévost and the Gender of New-Orleans, Modern Language Notes,* t. LXVI, p. 259, et la réponse de Leo Spitzer, *ibid.*, t. LXVI (?), p. 571. Noter qu'en 1757, au tome XIV de *l'Histoire des Voyages*, Prévost adopte enfin le féminin, non sans observer : l'usage l'emporte pour ce nom, quoique aussi choquant que le serait *la Nouvelle Paris* (éd. in-4°, p. 742).

1. Cette précision pourrait à la rigueur s'appliquer au vieux Biloxi, situé à quelque distance au nord-est du nouveau Biloxi, point de débarquement habituel en 1719-1720. Elle ne convient pas du tout à La Nouvelle-Orléans qui avait été fondée en 1718 à une grande distance de là (soixante milles), au sud du lac Pontchartrain, sur le Mississippi, dans un terrain humide et marécageux. Voyez la carte, planche XXXII.

2. Ici, Prévost, renseigné peut-être par des voyageurs comme le P. Charlevoix, rectifie les données de la propagande officielle : « On y a déjà bâti plus de six cents maisons commodes », disait en 1719 le document conservé à l'Arsenal sous la cote Ms. 6650, f° 54-55. Le plan de la ville ne paraît pas moins optimiste. Voyez planche XXXI et le commentaire.

Nous fûmes d'abord présentés à lui. Il s'entretint longtemps en secret avec le capitaine, et, revenant ensuite à nous, il considéra, l'une après l'autre, toutes les filles qui étaient arrivées par le vaisseau. Elles étaient au nombre de trente, car nous en avions trouvé au Havre une autre bande, qui s'était jointe à la nôtre[a]. Le Gouverneur, les ayant longtemps examinées, fit appeler divers jeunes gens de la ville qui languissaient dans l'attente d'une épouse. Il donna les plus jolies aux principaux et le reste fut tiré au sort[1]. Il n'avait point encore parlé à Manon, mais, lorsqu'il eut ordonné aux autres de se retirer, il nous fit demeurer, elle et moi. J'apprends du capitaine, nous dit-il, que vous êtes mariés et qu'il vous a reconnus sur la route pour deux personnes d'esprit et de mérite. Je n'entre point dans les raisons qui ont causé votre malheur, mais, s'il est vrai que vous ayez autant de savoir-vivre[b] que votre figure me le promet, je n'épargnerai rien pour adoucir votre sort, et vous contribuerez vous-mêmes à me faire trouver quelque agrément dans ce lieu sauvage et désert. Je lui répondis de la manière que je crus la plus propre à confirmer l'idée qu'il avait de nous. Il donna quelques ordres pour nous faire préparer[c] un logement dans la ville, et il nous retint à souper avec lui. Je lui trouvai beaucoup de *politesse, pour un chef de malheureux bannis. Il ne nous fit point de questions, en public, sur le fond de nos aventures. La conversation fut générale, et, malgré notre tristesse, nous nous efforçâmes, Manon et moi, de contribuer à la rendre agréable.

Le soir, il nous fit conduire au logement qu'on nous avait préparé. Nous trouvâmes une misérable cabane, composée de planches et de boue[2], qui consistait en deux ou trois chambres[d] de plain-pied, avec un grenier au-dessus.

---

1. Ce mode d'attribution fut pratiqué, exceptionnellement, pour départager plusieurs candidats à la main d'une même femme (Heinrich, *l'Abbé Prévost historien de la Louisiane*). Mais il semble avoir frappé Prévost, qui en tire un parti considérable dans *Cleveland* (édi. cit., t. IV, pp. 304 à 487).

2. Il s'agit d'un matériau appelé *adobe* qui est encore utilisé de nos jours dans les régions misérables du sud des États-Unis et du Mexique.

Il y avait fait mettre cinq ou six chaises[a] et quelques commodités nécessaires à la vie. Manon parut effrayée à la vue d'une si triste demeure. C'était pour moi qu'elle s'affligeait, beaucoup plus que pour elle-même. Elle s'assit, lorsque nous fûmes seuls, et elle se mit à pleurer amèrement. J'entrepris d'abord de la consoler, mais lorsqu'elle m'eut fait entendre que c'était moi seul qu'elle plaignait, et qu'elle ne considérait, dans nos malheurs communs, que ce que j'avais à souffrir, j'affectai de montrer assez de courage, et même assez de joie[b] pour lui en inspirer. De quoi me plaindrai-je ? lui dis-je. Je possède tout ce que je désire. Vous m'aimez, n'est-ce pas ? Quel autre bonheur me suis-je jamais proposé ? Laissons au Ciel le soin de notre *fortune. Je ne la trouve pas si désespérée. Le Gouverneur est un homme civil; il nous a marqué de la considération; il ne permettra pas que nous manquions du nécessaire. Pour ce qui regarde la pauvreté de notre cabane et la grossièreté de nos meubles, vous avez pu remarquer qu'il y a peu de personnes ici qui paraissent mieux logées et mieux meublées que nous. Et puis, tu es une chimiste admirable, ajoutai-je en l'embrassant, tu transformes tout en or.

Vous serez[1] donc la plus riche personne de l'univers, me répondit-elle, car, s'il n'y eut jamais d'amour tel que le vôtre, il est impossible aussi d'être aimé plus tendrement que vous l'êtes[c]. Je me rends justice, continua-t-elle. Je sens bien que je n'ai jamais mérité ce prodigieux attachement que vous avez pour moi. Je vous ai causé des chagrins, que vous n'avez pu me pardonner sans une bonté extrême. J'ai été légère et volage, et même en vous aimant éperdument, comme j'ai toujours fait, je n'étais qu'une ingrate[2].

---

1. Notez que dans tout ce passage Manon dit *vous* à des Grieux, qui la tutoie.

2. Après le choc qu'a produit en elle la générosité du Chevalier décidé à la suivre en Amérique (plus haut, p. 179), Manon est préparée à ce retour sur elle-même. Sur cette conversion, voyez l'*Introduction,* pp. CXLVII à CL. Elle comprend ses torts, et elle reprend, en en réalisant maintenant le sens, les mots mêmes que des Grieux avait employés : « Fille ingrate et sans foi, s'était-il écrié,... amante mille fois volage et cruelle » (p. 141).

Mais vous ne sauriez croire combien je suis changée. Mes larmes, que vous avez vues couler si souvent depuis notre départ de France, n'ont pas eu une seule fois mes malheurs pour objet. J'ai cessé de les sentir aussitôt que vous avez commencé à les partager. Je n'ai pleuré que de tendresse et de compassion pour vous. Je ne me console point d'avoir pu vous chagriner un moment dans ma vie. Je ne cesse point de me reprocher mes inconstances et de m'attendrir, en *admirant de quoi l'amour vous a rendu capable pour une malheureuse qui n'en était pas digne, et qui ne payerait pas bien de[a] tout son sang, ajouta-t-elle avec une abondance de larmes, la moitié des peines qu'elle vous a causées.

Ses pleurs, son discours et le ton dont elle le prononça firent sur moi une impression si étonnante, que je crus sentir une espèce de division dans mon âme[1]. Prends garde, lui dis-je, prends garde, ma chère Manon. Je n'ai point assez de force pour supporter des marques si vives de ton affection; je ne suis point accoutumé à ces excès[b] de joie. O Dieu! m'écriai-je, je ne vous demande plus rien. Je suis assuré du cœur de Manon. Il est tel que je l'ai souhaité pour être heureux; je ne puis plus cesser de l'être à présent. Voilà ma félicité bien établie. Elle l'est, reprit-elle, si vous la faites dépendre de moi, et je sais où je puis compter aussi de trouver toujours la mienne. Je me couchai avec ces charmantes idées, qui changèrent ma cabane en un palais digne du premier roi du monde. L'Amérique me parut un lieu de délices après cela[c]. C'est au nouvel Orléans qu'il faut venir, disais-je souvent à Manon, quand on veut goûter les vraies douceurs de l'amour. C'est ici qu'on s'aime sans intérêt, sans jalousie, sans inconstance. Nos compatriotes y viennent chercher de l'or[2]; ils ne s'ima-

1. Cette expression a frappé un commentateur ancien, dont on reproduit le jugement pp. CLXIX-CLXX.

2. C'est encore un autre thème de la propagande, selon lequel les sauvages « vendent, ou pour parler plus juste, troquent [l'or] pour une hache à couper, bien souvent pour un miroir, pour une chopine d'eau de vie, ou autre chose semblable, qu'ils trouvent de leur goût » (manuscrit de l'Arsenal, n° 6650, f°s 54-55).

ginent pas que nous y avons trouvé des trésors bien plus estimables[1].

Nous cultivâmes soigneusement l'amitié du Gouverneur. Il eut la bonté, quelques semaines après notre arrivée, de me donner un petit emploi qui vint à vaquer dans le fort. Quoiqu'il ne fût pas bien distingué, je l'acceptai comme une faveur du Ciel. Il me mettait en état de vivre sans être à charge à personne. Je pris un valet pour moi et une servante pour Manon[2]. Notre petite *fortune s'arrangea. J'étais réglé dans ma conduite; Manon ne l'était pas moins. Nous ne laissions point échapper l'occasion de rendre service et de faire du bien à nos voisins. Cette disposition officieuse et la douceur de nos manières nous attirèrent la confiance et l'affection de toute la colonie. Nous fûmes en peu de temps si considérés, que nous passions pour les premières personnes de la ville après le Gouverneur.

L'innocence de nos occupations, et la tranquillité

---

1. Le Nouvel-Orléans est l'Eldorado du sentiment. Le thème du bon sauvage et de la bonne nature, développé à satiété pendant tout le XVIIIe siècle, est étranger à la pensée de des Grieux, puisqu'il ne s'agit que de son aventure individuelle, et que les « sauvages » n'interviennent pas. Il y a en revanche une condamnation implicite de la société « civilisée » qui a toujours fait obstacle à leur amour. — En son nom propre, l'abbé Prévost a formulé un jugement sévère sur les grandes villes, « où le pouvoir du vice est si tyrannique qu'on s'y trouve quelquefois soumis malgré son inclination [...] Quelle qu'ait pu être, écrit-il dans le *Pour et Contre* (nombre XIV, vers août 1734, t. I, p. 330), la pensée de Saint-Évremond lorsqu'il prétend que Paris, Londres ou Rome étaient le seul séjour qui convînt à un honnête homme, j'ai peine à la trouver juste; du moins si l'idée qu'il se formait d'un honnête homme était celle d'un homme vertueux, quelle satisfaction peut-il y avoir pour la vertu dans la présence continuelle de tous les vices qui y sont opposés ? Les grandes villes sont comme leur asile. Ils y trouvent une espèce de protection dans l'exemple, et d'encouragement dans l'impunité. »

2. Dès cette époque, la proportion des Noirs amenés d'Afrique dépassait celle des Blancs dans la colonie. Ils fournissaient à bon marché une importante main-d'œuvre domestique aussi bien qu'agricole. Il n'est d'ailleurs pas possible de savoir si l'abbé Prévost a songé à cette particularité.

où nous étions continuellement, servirent à nous faire rappeler insensiblement des idées de[a] religion[1]. Manon n'avait jamais été une fille impie. Je n'étais pas non plus de ces * libertins outrés, qui font gloire[b] d'ajouter l'irréligion à la dépravation des mœurs. L'amour et la jeunesse[c] avaient causé tous nos désordres. L'expérience commençait à nous tenir lieu d'âge; elle fit sur nous le même effet que les années. Nos conversations, qui étaient toujours réfléchies, nous mirent insensiblement dans le goût d'un amour vertueux. Je fus le premier qui proposai ce changement à Manon. Je connaissais les principes de son cœur. Elle était droite et naturelle dans tous ses sentiments, qualité qui dispose toujours à la vertu[2]. Je lui fis comprendre qu'il manquait une chose à notre bonheur. C'est, lui dis-je, de le faire approuver du Ciel. Nous avons l'âme trop belle, et le cœur trop bien fait, l'un et l'autre, pour vivre volontairement dans l'oubli du devoir[d]. Passe d'y avoir vécu en France, où il nous était également impossible de cesser de nous aimer et de nous satisfaire par une voie légitime; mais en Amérique, où nous ne dépendons que de nous-mêmes, où nous n'avons plus à ménager les lois arbitraires du rang et de la bienséance, où l'on nous croit même mariés, qui empêche que nous ne le soyons bientôt effectivement et que nous n'anoblissions[e] notre amour par des serments que la religion autorise[3]? Pour moi, ajoutai-je, je ne vous offre rien de nouveau en vous offrant mon cœur et ma main, mais je suis prêt à vous en renouveler le don au pied d'un autel. Il me parut que ce discours la pénétrait de joie. Croiriez-vous, me répondit-

1. Voyez le même mouvement plus haut, p. 25, note 4. Une conduite réglée ramène à la piété.

2. C'est là précisément ce que l'histoire qui précède ne démontre guère dans le cas de Manon; mais il faut entendre que cette qualité *est* la vertu même, quels que soient les actes qu'elle inspire.

3. Voyez à la page suivante les justifications qu'il croit encore devoir apporter (« Laissons craindre aux amants vulgaires », etc.) Sur le problème du mariage de des Grieux et sur la nature des difficultés rencontrées en France, voyez l'*Introduction*, pp. CXLIV à CXLVIII, et plus haut, p. 26, note 1.

elle, que j'y ai pensé mille fois, depuis que nous sommes en Amérique? La crainte de vous déplaire m'a fait renfermer ce désir dans mon cœur. Je n'ai point la présomption d'aspirer à la qualité[a] de votre épouse. Ah! Manon, répliquai-je, tu serais bientôt celle d'un roi[b], si le Ciel m'avait fait naître avec une couronne. Ne *balançons plus. Nous n'avons nul[c] obstacle à redouter[d]. J'en veux parler dès aujourd'hui au Gouverneur et lui avouer que nous l'avons trompé jusqu'à ce jour. Laissons craindre aux amants vulgaires, ajoutai-je, les chaînes indissolubles du mariage. Ils ne les craindraient pas s'ils étaient sûrs[e], comme nous, de porter toujours celles de l'amour. Je laissai Manon au comble de la joie, après cette résolution.

Je suis persuadé qu'il n'y a point d'honnête homme au monde qui n'eût approuvé mes vues dans les circonstances où j'étais, c'est-à dire asservi fatalement à une passion que je ne pouvais vaincre et combattu par des remords que je ne devais point étouffer. Mais se trouvera-t-il quelqu'un qui accuse mes plaintes d'injustice, si je gémis de la rigueur du Ciel à rejeter un dessein que je n'avais formé que pour lui plaire? Hélas! que dis je, à le rejeter? Il l'a puni comme un crime. Il m'avait souffert avec patience tandis que[f] je marchais aveuglément dans la route du vice, et ses plus rudes châtiments m'étaient réservés lorsque je commençais à retourner à la vertu[1]. Je crains de manquer de force pour achever le récit du plus funeste événement qui fût jamais[2].

J'allai chez le Gouverneur, comme j'en étais convenu avec Manon, pour le prier de consentir à la cérémonie de notre mariage. Je me serais bien gardé d'en parler, à lui ni à personne, si j'eusse pu me promettre que son aumônier, qui était alors le seul prêtre de la ville, m'eût rendu ce service sans sa participation; mais, n'osant espérer qu'il

---

1. Sur le thème des reproches aux Dieux et sur l'univers tragique, voyez l'*Introduction*, pp. CXXXIII à CXXXV.

2. Prévost, par un procédé dont on a déjà vu bien des exemples, pique une fois de plus la curiosité du lecteur.

voulût s'engager au silence[1], j'avais pris le parti d'agir ouvertement. Le Gouverneur avait un neveu, nommé Synnelet, qui lui était extrêmement cher. C'était un homme de trente ans, brave, mais emporté et violent. Il n'était point marié. La beauté de Manon l'avait touché dès le jour de notre arrivée[a]; et les occasions sans nombre qu'il avait eues de la voir, pendant neuf ou dix mois, avaient tellement enflammé sa passion, qu'il se consumait en secret pour elle. Cependant, comme il était persuadé, avec son oncle et toute la ville, que j'étais réellement marié, il s'était rendu maître de son amour jusqu'au point de n'en laisser rien éclater[b] et son zèle s'était même déclaré pour moi, dans plusieurs occasions de me rendre service. Je le trouvai avec son oncle, lorsque j'arrivai au fort[c]. Je n'avais nulle[d] raison qui m'obligeât de[e] lui faire un secret de mon dessein, de sorte que je ne fis point difficulté de m'expliquer en sa présence. Le Gouverneur m'écouta avec sa bonté ordinaire. Je lui racontai une partie de mon histoire, qu'il entendit avec plaisir, et, lorsque je le priai d'assister à la cérémonie que je méditais, il eut la générosité de s'engager à faire toute la dépense de la fête. Je me retirai fort content.

Une heure après[f], je vis entrer l'aumônier chez moi. Je m'imaginai qu'il venait me donner quelques instructions sur mon mariage; mais, après m'avoir salué froidement, il me déclara, en deux mots, que M. le Gouverneur me défendait d'y penser, et qu'il avait d'autres vues sur Manon. D'autres vues sur Manon! lui dis-je avec un mortel saisissement de cœur, et quelles vues donc, Monsieur l'aumônier? Il me répondit que je n'ignorais pas que M. le Gouverneur était le maître; que Manon ayant été envoyée de France

---

1. En France, l'évêque, par la personne de son official, peut accorder la permission de conclure un mariage clandestin « d'une clandestinité non irritante » dans certains cas particuliers. Il ne peut être question de cette procédure ici. Resterait le mariage secret, conclu avec la complicité du prêtre, en infraction aux règles ecclésiastiques et civiles (comme dans *l'Histoire de des Prez et de Mlle de l'Espine*). Mais le risque serait très grand, et l'aumônier n'a aucune raison de le courir.

pour la colonie, c'était à lui à disposer d'elle[1]; qu'il ne l'avait pas fait jusqu'alors, parce qu'il la croyait mariée, mais, qu'ayant appris de moi-même qu'elle ne l'était point, il jugeait à propos de la donner à M. Synnelet, qui en était amoureux[2]. Ma vivacité l'emporta sur ma prudence. J'ordonnai fièrement à l'aumônier de sortir de ma maison, en jurant que le Gouverneur, Synnelet et toute la ville ensemble[a] n'oseraient porter la main sur ma femme[b], ou ma maîtresse, comme ils voudraient l'appeler.

Je fis part aussitôt à Manon du funeste message que je venais de recevoir. Nous jugeâmes que Synnelet avait séduit l'esprit de son oncle depuis mon retour et que c'était l'effet de quelque dessein médité depuis longtemps. Ils étaient les plus forts. Nous nous trouvions dans le nouvel Orléans comme au milieu de la mer, c'est-à-dire séparés du reste du monde par des espaces immenses. Où fuir? dans un pays inconnu, désert, ou habité par des bêtes féroces, et par[c] des sauvages aussi barbares[3] qu'elles? J'étais estimé dans la ville, mais je ne pouvais espérer d'*émouvoir assez le peuple en ma faveur, pour en espérer un secours proportionné au mal. Il eût fallu de l'argent; j'étais pauvre. D'ailleurs, le succès d'une *émotion populaire était incertain, et, si la *fortune nous eût manqué, notre malheur serait devenu sans remède. Je roulais toutes

1. C'est en effet la règle, et cela est si bien connu que Lesage en a fait le ressort d'une pièce inspirée sans doute par *Manon Lescaut, les Mariages du Canada,* qu'il donna à la Foire en juillet 1734.

2. Comme c'est le libre consentement des parties qui constitue véritablement le mariage chrétien, on peut juger que l'attitude de l'aumônier est singulière. Mais le mariage a aussi des effets civils, et c'est la raison pour laquelle, à l'époque notamment, l'Église refuse de conférer le sacrement de mariage à ceux qui ne remplissent pas les conditions requises par l'État. En outre, dans le cas présent, il s'agit d'une colonie, Manon est déportée, et le gouverneur a effectivement tous les pouvoirs. Voyez plus haut, p. 192, note 1.

3. Sans doute ne faut-il pas tout à fait donner au mot *barbare* le sens moderne de cruel, puisque des Grieux a dit, p. 180, que les « sauvages » « suivent les lois de la nature ». Mais Prévost, ou son héros, n'ignorent pas que certaines peuplades sont aussi féroces que les Rouintons dont il est beaucoup question au livre V de *Cleveland* (éd. cit., t. V).

ces pensées dans ma tête. J'en communiquais une partie à Manon. J'en formais de nouvelles sans écouter sa réponse. Je prenais un parti ; je le rejetais pour en prendre un autre. Je parlais seul, je répondais tout haut à mes pensées ; enfin j'étais dans une agitation que je ne saurais comparer à rien parce qu'il n'y en eut jamais d'égale. Manon avait les yeux sur moi. Elle jugeait, par mon trouble, de la grandeur du péril, et, tremblant pour moi plus que pour elle-même, cette tendre fille n'osait pas même ouvrir la bouche pour m'exprimer ses craintes[a]. Après une infinité de réflexions, je m'arrêtai à la résolution d'aller trouver le Gouverneur, pour m'efforcer de le toucher par des considérations d'honneur et par le souvenir de mon respect et de son affection. Manon voulut s'opposer à ma sortie. Elle me disait, les larmes aux yeux : Vous allez à la mort. Ils vont vous tuer. Je ne vous reverrai plus[b]. Je veux mourir avant vous. Il fallut beaucoup d'efforts[c] pour la persuader de la nécessité où j'étais de sortir et de celle qu'il y avait pour elle de demeurer au logis. Je lui promis qu'elle me reverrait dans un instant[d]. Elle ignorait, et moi aussi, que c'était sur elle-même que devait tomber toute la colère du Ciel et la rage de nos ennemis.

Je me rendis au fort. Le Gouverneur était avec son aumônier. Je m'abaissai, pour le toucher, à des *soumissions qui m'auraient fait mourir de honte si je les eusse faites pour toute autre cause. Je le pris par tous les motifs qui doivent faire une impression certaine sur un cœur qui n'est pas celui d'un tigre féroce et cruel. Ce barbare ne fit à mes plaintes que deux réponses, qu'il répéta cent fois : Manon, me dit-il, dépendait de lui ; il avait donné sa parole à[e] son neveu. J'étais résolu de me modérer jusqu'à l'extrémité. Je me contentai de lui dire que je le croyais trop de mes amis pour vouloir ma mort, à laquelle je consentirais plutôt qu'à la perte de ma maîtresse.

Je fus trop persuadé, en sortant, que je n'avais rien à espérer de cet opiniâtre vieillard, qui se serait damné mille fois pour son neveu. Cependant, je persistai dans le dessein de conserver jusqu'à la fin un air de modération, résolu, si l'on en venait aux excès d'injustice, de donner à l'Amérique[a] une des plus sanglantes et des plus horribles scènes que l'amour ait jamais produites[1]. Je retournais chez moi, en méditant sur ce projet, lorsque le sort, qui voulait hâter ma ruine, me fit rencontrer Synnelet. Il lut dans mes yeux une partie de mes pensées. J'ai dit qu'il était brave; il vint à moi. Ne me cherchez-vous pas? me dit-il. Je connais que mes desseins vous offensent, et j'ai bien prévu qu'il faudrait se couper la gorge avec vous. Allons voir qui sera le plus heureux. Je lui répondis qu'il avait raison, et qu'il n'y avait que ma mort qui pût finir[b] nos différends. Nous nous écartâmes d'une centaine de pas hors de la ville. Nos épées se croisèrent; je le blessai et je le désarmai presque en même temps. Il fut si enragé de son malheur, qu'il refusa de me demander la vie et de renoncer à Manon. J'avais peut-être le droit[c] de lui ôter tout d'un coup l'un et l'autre[d], mais un sang *généreux ne se dément jamais. Je lui jetai son épée. Recommençons, lui dis-je, et songez que c'est sans quartier. Il m'attaqua avec une furie inexprimable. Je dois confesser que je n'étais pas[e] fort dans les armes, n'ayant eu que trois mois de salle à Paris. L'amour conduisait mon épée. Synnelet ne laissa pas de me percer le bras d'outre en outre, mais je le pris sur le temps[2] et je lui fournis un coup si vigoureux qu'il tomba à mes pieds sans mouvement.

Malgré la joie que donne la victoire après un combat mortel[3], je réfléchis aussitôt sur les conséquences de cette mort. Il n'y avait, pour moi, ni grâce ni délai de supplice à espérer. Connaissant, comme je faisais, la passion du Gouverneur pour son neveu, j'étais certain[f] que ma mort ne serait pas différée d'une heure après la connaissance de la sienne. Quelque pressante que fût cette crainte, elle n'était pas la plus forte cause de mon inquiétude. Manon,

---

1. Des Grieux s'exprime avec toute la grandeur qui convient à sa vocation de héros tragique.

2. *Prendre sur le temps* : « frapper son adversaire d'une botte au moment où il s'occupe de quelque mouvement » (Littré). De même, *tirer sur le temps* signifie « pousser une botte, au moment où l'adversaire se prépare lui-même à en tirer une ».

3. C'est-à-dire : un combat à mort.

l'intérêt de Manon, son péril et la nécessité de la perdre, me troublaient jusqu'à répandre de l'obscurité sur mes yeux et à m'empêcher de reconnaître le lieu où j'étais. Je regrettai le sort de Synnelet. Une prompte mort me semblait le seul remède de[a] mes peines. Cependant, ce fut cette pensée même qui me fit rappeler vivement mes esprits et qui me rendit capable de prendre une résolution. Quoi! je veux mourir, m'écriai-je, pour finir mes peines? Il y en a donc que j'appréhende plus que la perte de ce que j'aime? Ah! souffrons jusqu'aux plus cruelles extrémités pour secourir[b] ma maîtresse, et *remettons à mourir après les avoir souffertes inutilement. Je repris le chemin de la ville. J'entrai chez moi. J'y trouvai Manon à demi-morte de frayeur et d'inquiétude. Ma présence la ranima. Je ne pouvais lui déguiser le[c] terrible accident qui venait de m'arriver. Elle tomba sans connaissance entre mes bras, au récit de la mort de Synnelet et de ma blessure. J'employai plus d'un quart d'heure à lui faire retrouver le sentiment[1].

J'étais à demi-mort moi-même. Je ne voyais pas le moindre *jour à sa sûreté, ni à la mienne. Manon, que ferons-nous? lui dis-je lorsqu'elle eut repris un peu de force[d]. Hélas! qu'allons-nous faire? Il faut nécessairement que je m'éloigne. Voulez-vous demeurer dans la ville? Oui, demeurez-y. Vous pouvez encore y être heureuse; et moi, je vais, loin de vous, chercher la mort parmi les sauvages ou entre les griffes des bêtes féroces. Elle se leva malgré sa faiblesse; elle[e] me prit par la main, pour me conduire vers la porte. Fuyons ensemble, me dit-elle, ne perdons pas un instant. Le corps de Synnelet peut avoir été trouvé par hasard, et nous n'aurions pas le temps de nous éloigner[f]. Mais, chère Manon! repris-je tout éperdu, dites-moi donc où nous pouvons aller. Voyez-vous quelque ressource? Ne vaut-il pas mieux que vous tâchiez de vivre ici sans moi, et que je porte volontairement ma tête au Gouverneur? Cette proposition ne fit qu'augmenter

1. L'état d'émotion intense où se trouve Manon et sa fragilité physique sont ici soulignés de manière à préparer le lecteur à l'issue tragique.

son ardeur à partir. Il fallut la suivre. J'eus encore assez de présence d'esprit, en sortant, pour prendre quelques liqueurs fortes[a] que j'avais dans ma chambre et toutes les provisions que je pus faire entrer dans mes poches. Nous dîmes à nos domestiques, qui étaient dans la chambre voisine, que nous partions pour la promenade du soir, nous avions cette coutume tous les jours, et nous nous éloignâmes de la ville, plus promptement que la délicatesse de Manon ne semblait le permettre.

Quoique je ne fusse pas sorti de mon irrésolution sur[b] le lieu de notre retraite, je ne laissais pas d'avoir deux espérances, sans lesquelles j'aurais préféré la mort à l'incertitude de ce qui pouvait arriver à Manon. J'avais acquis assez de connaissance du pays, depuis près de dix mois que j'étais en Amérique, pour ne pas ignorer de quelle manière on apprivoisait les sauvages[1]. On pouvait se mettre entre leurs mains, sans courir à une mort certaine. J'avais même appris quelques mots de leur langue et quelques-unes de leurs coutumes dans les diverses occasions que j'avais eues de les voir[2]. Avec cette triste ressource, j'en avais une autre du côté des Anglais qui ont, comme nous, des établissements[c] dans cette partie du Nouveau Monde. Mais j'étais effrayé de l'éloignement. Nous avions à traverser, jusqu'à leurs colonies[d], de stériles campagnes de plusieurs journées de largeur, et quelques montagnes si hautes et si escarpées que le chemin en paraissait difficile aux hommes les plus grossiers et les plus vigoureux[3]. Je me flattais,

---

1. Voir p. 188, note 2.

2. Maintenu dans les bornes d'une narration très stricte par le genre de l'*histoire* (voyez l'*Introduction,* p. LXXXVIII et LXXXIX), Prévost évite ici heureusement les développements mi-romanesques, mi exotiques que le thème des sauvages pourrait aisément lui fournir. Il se rattrapera amplement dans les chapitres du livre V de *Cleveland* où il raconte le séjour du héros chez les Abaquis, ses tentatives pour leur donner un gouvernement et une religion, etc.

3. A quelles colonies Prévost fait-il allusion? A celles de l'Ohio, pour lesquelles il faudrait traverser le plateau escarpé des Alleghanys? Mais elles sont à plusieurs mois de marche. La route la plus naturelle serait celle de l'est, vers la Floride et la Georgie. Les montagnes qu'il faudrait traverser seraient alors les contreforts méridionaux des

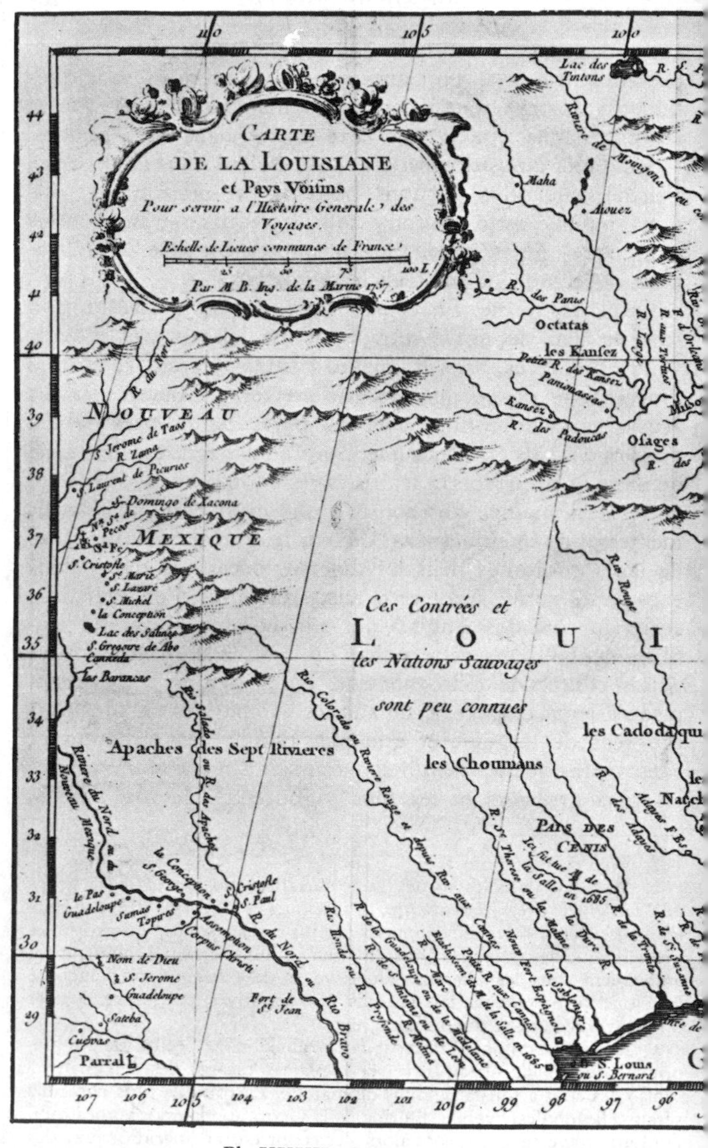

Pl. XXXII. Carte de la Louisiane.

Lac des Vieux Deserts
LAC MICHIGAN
Saguinam
F. Toronto
L. Ste Claire
Sault de Niagara
le Detroit
L. ERIE
Montagnes Pelées
F. Checagou
F. S. Joseph
F. des Miamis
Sandoske F. Fr
F. S. Louis
Fort Crevecoeur
F. Duquesne
Caoquas
Ft. de Chartres
la Belle Riviere
l'Oyo
Rin. des Cheraquis
Grand Tellique
Waterrick
les Chicachas
les Tchatas
Allibamous
FLORIDE
GEORGIE
Yasous
Natchez
Tonicas
Balouxi
Penšacola
Fredericа
S. Augustin
PRESQU ISLE DE LA FLORIDE
Embouchures du Missisipi
DU MEXIQUE
Marc d'Apalache
Cap Canaveral

néanmoins, que nous pourrions tirer parti de ces deux ressources : des sauvages pour aider à nous conduire, et des Anglais pour nous recevoir dans leurs habitations.

Nous marchâmes aussi longtemps que le courage de Manon put la soutenir, c'est-à-dire environ deux lieues, car cette amante incomparable refusa constamment[a] de s'arrêter plus tôt[1]. Accablée enfin de lassitude, elle me confessa qu'il lui était impossible d'avancer davantage[2]. Il était déjà nuit. Nous nous assîmes au milieu d'une vaste plaine, sans avoir pu trouver un arbre pour nous mettre à couvert[3]. Son premier soin fut de changer le linge de ma blessure, qu'elle avait pansée elle-même avant notre départ. Je m'opposai en vain à ses volontés. J'aurais achevé de l'accabler mortellement, si je lui eusse refusé la satisfaction de me croire à mon aise et sans danger, avant que de penser à sa propre conservation. Je me soumis durant quelques moments à ses désirs. Je reçus ses soins en silence et avec honte. Mais, lorsqu'elle eut satisfait sa tendresse,

---

Appalaches. Il est probable qu'en 1731 au moins, sinon en 1753, les notions géographiques de Prévost sur l'Amérique sont encore sommaires. Voyez la carte de la Louisiane et pays voisins jointe au t. XIV de *l'Histoire des Voyages* (in-4°) reproduite ici pl. XXXII.

1. Cette marche d'environ neuf kilomètres (une *lieue de terre* vaut 4,440 km) est un exploit pour une jeune femme élégante, qui, hors de brèves promenades, ne se déplaçait, en France, qu'en carrosse.

2. Déjà, dans le livre VIII des *Mémoires et Aventures d'un Homme de qualité*, la jeune fille captive du corsaire Andredi et dont Brissant avait ménagé la fuite avouait à celui-ci, au bout d'une lieue « qu'elle n'en pouvait plus, et qu'il lui était impossible d'avancer ». Il est vrai qu'elle était sans souliers et que, « marchant dans cet état par des chemins difficiles, [...] elle avait senti des douleurs inexprimables ». Elle s'arrête donc, et elle meurt aussitôt (éd. cit., t. II, pp. 13-14).

3. On a remarqué que cette description du paysage conviendrait mieux aux plaines sablonneuses du Biloxi qu'au pays marécageux qui entoure La Nouvelle-Orléans. Mais le décor a sa justification en lui-même. Son horreur s'ajoute à celle de la scène qui va se dérouler. C'est l'image même du désert : une étendue immense et plate, désolée, sans la moindre végétation, n'offrant aucun abri. Les deux amants sont dans un dénuement total, condamnés par le Ciel et les hommes, *exposés* comme ces nouveau-nés que la mythologie représente abandonnés, nus, au sommet d'une montagne.

avec quelle ardeur la mienne ne prit-elle[a] pas son tour! Je me dépouillai de tous mes habits, pour lui faire trouver la terre moins dure en les étendant sous elle[b]. Je la fis consentir, malgré elle, à me voir employer à son usage tout ce que je pus imaginer de moins incommode. J'échauffai ses mains par mes baisers ardents et par la chaleur de mes soupirs. Je passai la nuit entière à veiller près d'elle[c], et à prier le Ciel de lui accorder un sommeil doux et paisible. O Dieu! que mes vœux étaient vifs et sincères! et par quel rigoureux jugement aviez-vous résolu de ne les pas exaucer!

Pardonnez, si j'achève en peu de mots un récit qui me tue. Je vous raconte un malheur qui n'eut jamais d'exemple. Toute ma vie est destinée à le pleurer. Mais, quoique je le porte sans cesse dans ma mémoire, mon âme semble reculer[d] d'horreur, chaque fois que j'entreprends de l'exprimer[1].

Nous avions passé tranquillement une partie de la nuit. Je croyais ma chère maîtresse endormie et je n'osais pousser le moindre souffle, dans la crainte de[e] troubler son sommeil. Je m'aperçus dès le point du jour, en touchant ses mains, qu'elle les avait froides et tremblantes. Je les approchai de mon sein, pour les échauffer. Elle sentit ce mouvement, et, faisant un effort pour saisir les miennes, elle me dit, d'une voix faible, qu'elle se croyait à sa dernière heure. Je ne pris d'abord ce discours que pour un langage ordinaire[f] dans l'infortune, et je n'y répondis que par les tendres consolations de l'amour[g]. Mais, ses soupirs fréquents, son silence à mes interrogations, le serrement de ses mains, dans lesquelles elle continuait de tenir les miennes me firent connaître que la fin de ses malheurs approchait. N'exigez point de moi que je vous décrive mes sentiments, ni que je vous rapporte ses dernières expressions. Je la perdis; je reçus d'elle des marques d'amour, au moment même qu'elle expirait. C'est tout ce que j'ai la force de

---

1. Le mouvement, dans sa noblesse, est analogue à celui d'Énée sur le point de faire à Didon le récit de la dernière nuit de Troie : *horresco referens*.

vous apprendre de ce fatal et déplorable événement[a].

Mon âme ne suivit pas la sienne. Le Ciel ne me trouva point, sans doute, assez rigoureusement puni. Il a voulu que j'aie traîné, depuis, une vie languissante et misérable. Je renonce volontairement à la mener jamais[b] plus heureuse.

Je demeurai plus de vingt-quatre heures la bouche[c] attachée sur le visage et sur les mains de ma chère Manon. Mon dessein était d'y mourir; mais je fis réflexion, au commencement du second jour[d], que son corps serait exposé, après mon trépas, à devenir la pâture des bêtes sauvages. Je formai la résolution de l'enterrer et d'attendre la mort sur sa fosse. J'étais déjà si proche de ma fin, par l'affaiblissement que le jeûne et la douleur m'avaient causé, que j'eus besoin de quantité d'efforts pour me tenir debout. Je fus obligé de recourir aux liqueurs que j'avais apportées. Elles me rendirent autant de force[e] qu'il en fallait pour le triste office que j'allais exécuter. Il ne m'était pas difficile d'ouvrir la terre, dans le lieu où je me trouvais. C'était une campagne couverte de sable. Je rompis mon épée, pour m'en servir à creuser, mais j'en tirai moins de secours que de mes mains[1]. J'ouvris une large fosse. J'y plaçai l'idole de mon cœur, après avoir pris soin de l'envelopper de tous mes habits, pour empêcher le sable de la toucher. Je ne la mis dans cet état qu'après l'avoir embrassée mille fois, avec toute l'ardeur du plus parfait amour. Je m'assis encore près d'elle[f]. Je la considérai longtemps. Je ne pouvais me résoudre à fermer la fosse. Enfin, mes forces recommençant à s'affaiblir, et craignant d'en manquer tout à fait avant la fin de mon entreprise, j'ensevelis pour toujours dans le sein de la terre ce qu'elle[g] avait porté de plus parfait et de plus aimable. Je me couchai ensuite sur la fosse, le visage tourné vers le sable, et fermant les yeux avec le dessein[h] de ne les ouvrir jamais, j'invoquai le secours du Ciel et j'attendis la mort avec impatience. Ce qui vous paraîtra difficile à croire, c'est que, pendant

---

1. Dans ce récit de l'ensevelissement de Manon, l'œuvre de Prévost atteint le sommet du pathétique. Aussi cette scène est-elle une de celles qui ont particulièrement inspiré les illustrateurs.

Pl. XXXIII. La scène de l'ensevelissement.

(Illustration de Pasquier, 1753.)

tout l'exercice de ce lugubre ministère, il ne sortit point une larme de mes yeux ni un soupir[a] de ma bouche. La consternation profonde où j'étais et le dessein déterminé de mourir avaient coupé le cours à toutes les expressions du désespoir et de la douleur[1]. Aussi, ne demeurai-je pas longtemps dans la posture où j'étais sur la fosse, sans perdre le peu de connaissance et de sentiment qui me restait.

Après ce que vous venez d'entendre, la conclusion de mon histoire est de si peu d'importance, qu'elle ne mérite pas[b] la peine que vous voulez bien prendre à l'écouter. Le corps de Synnelet ayant été rapporté à la ville et ses plaies visitées avec soin, il se trouva, non seulement qu'il n'était pas mort, mais qu'il n'avait pas même reçu de blessure dangereuse. Il apprit à son oncle de quelle manière les choses s'étaient passées entre nous, et sa générosité le porta sur-le-champ à publier[c] les effets de la mienne. On me fit chercher[d], et mon absence, avec Manon, me fit soupçonner d'avoir pris le parti de la fuite. Il était trop tard pour envoyer sur mes traces; mais le lendemain et le jour suivant furent employés à me poursuivre. On me trouva, sans apparence de vie, sur la fosse de Manon, et ceux qui me découvrirent en cet état, me voyant presque nu et sanglant de ma blessure, ne doutèrent point que je n'eusse été volé et assassiné. Ils me portèrent à la ville. Le mouvement du transport réveilla mes sens[e]. Les soupirs que je poussai, en ouvrant les yeux et en gémissant de me retrouver parmi les vivants, firent connaître que j'étais encore en état de recevoir du secours. On m'en donna de trop heureux. Je ne laissai pas d'être renfermé[f] dans une étroite prison. Mon procès fut instruit, et, comme Manon ne paraissait point, on m'accusa de m'être défait d'elle par un mouvement de rage et de jalousie. Je racontai *naturel lement ma pitoyable aventure. Synnelet, malgré les transports de douleur où ce récit le jeta, eut la générosité de solliciter ma grâce. Il l'obtint. J'étais si faible qu'on fut

---

1. Sur l'intérêt de des Grieux pour le sentiment et ses anomalies, voyez l'*Introduction*, pp. CXIII et CXIV.

obligé de me transporter de la prison dans mon lit, où je fus retenu pendant trois mois par une violente[a] maladie. Ma haine pour la vie ne diminuait point. J'invoquais continuellement la mort et je m'obstinai longtemps à rejeter tous les remèdes[1]. Mais le Ciel, après m'avoir puni[b] avec tant de rigueur, avait dessein de me rendre utiles mes malheurs et ses châtiments. Il m'éclaira de ses lumières, qui me firent rappeler des idées dignes de ma naissance et de mon éducation[2]. La tranquillité[c] ayant commencé de renaître un peu dans mon âme, ce changement fut suivi de près par ma guérison[d]. Je me livrai entièrement aux inspirations de l'honneur, et je continuai de[e] remplir mon petit emploi, en attendant les vaisseaux de France qui vont, une fois chaque année, dans cette partie de l'Amérique. J'étais résolu de retourner dans ma patrie pour y réparer, par une vie sage et réglée, le scandale de ma conduite[f].

---

1. Dernier rapprochement avec *les Illustres Françaises*. Après la perte de Silvie, des Frans tombe dangereusement malade. Lorsque son confesseur lui apprend que les médecins le condamnent, il lui dit qu'il n'a « jamais reçu de nouvelle plus agréable ». Il surmonte pourtant la crise, et la résolution de revenir à Silvie lui ayant « rendu l'esprit plus tranquille », sa santé se rétablit peu à peu. Une grande faiblesse le retient pourtant « deux mois » au lit (édit. cit., t. II, pp. 296-397). Comparer surtout, ici : « La tranquillité ayant commencé de renaître un peu dans mon âme, ce changement fut suivi de près par ma guérison. » Les raisons de la *tranquillité* de des Grieux sont pourtant différentes. Voir la note suivante.

2. Dans sa première rédaction (1731), Prévost insistait sur l'aspect religieux de ce retour à la vie : c'était comme une nouvelle conversion. Éclairé par la *grâce,* le héros revenait à Dieu *par les voies de la pénitence* et se livrait *entièrement aux exercices de la piété*. Cette conversion a été, on le voit, en grande partie laïcisée en 1753 : le héros désormais décide de revenir à une conduite plus digne de sa *naissance,* et se livre *entièrement aux inspirations de l'honneur*. Ces corrections sont heureuses : la première conversion de des Grieux et son entrée à Saint-Sulpice ne l'avaient pas empêché de retomber une première fois dans les bras de Manon; une nouvelle conversion n'inspirerait guère confiance, d'autant plus que le personnage est un homme d'honneur, sérieux, ayant du goût pour l'étude, mais dont la vie religieuse n'a jamais été intense, et qui n'a rien d'un mystique. Enfin, revenu d'Amérique, il continue à voir dans l'amour de *charmantes délices* (voyez plus haut, p. 66, et l'*Introduction,* p. CXVI).

Synnelet avait pris soin[a] de faire transporter le corps de ma chère maîtresse dans un lieu honorable.

Ce fut environ six semaines après mon rétablissement que[b], me promenant seul, un jour, sur le rivage, je vis arriver un vaisseau que des affaires de commerce amenaient au Nouvel Orléans. J'étais attentif au débarquement de l'équipage. Je fus frappé d'une surprise extrême[c] en reconnaissant Tiberge parmi ceux qui s'avançaient vers la ville. Ce fidèle ami me remit de loin, malgré les changements que la tristesse avait faits sur mon visage. Il m'apprit que l'unique motif de son voyage avait été le désir[d] de me voir et de m'engager à retourner en France; qu'ayant reçu la lettre que je lui avais écrite du Havre, il s'y était rendu en personne pour me porter les secours que[e] je lui demandais; qu'il avait ressenti la plus vive douleur en apprenant mon départ et qu'il serait parti[f] sur le champ pour me suivre, s'il eût trouvé un vaisseau prêt à faire voile; qu'il en avait cherché pendant plusieurs mois dans divers ports et qu'en ayant enfin rencontré un, à Saint-Malo, qui levait l'ancre pour la Martinique[g], il s'y était embarqué, dans l'espérance de se procurer de là un passage facile au Nouvel Orléans; que, le vaisseau malouin ayant été pris en chemin par des corsaires espagnols et conduit dans une de leurs îles[1], il s'était échappé par

1. Ce détail pose un petit problème historique. Dans la version de 1731, il semble que Prévost ait songé à la guerre franco-espagnole, qui dura de février 1719 à la fin de la même année, avec une suspension d'armes en juillet. Comme les nouvelles arrivaient aux colonies avec quelques mois de retard, on peut à la rigueur placer la capture de Tiberge au début de 1720, ce qui convient à la chronologie du roman. Le remplacement de Québec par les Antilles, dans la version définitive, ne répond pas seulement à un souci d'exactitude géographique. Il donne à penser que Prévost ne pense pas à de véritables corsaires, qui pratiquent la guerre de course en vertu d'une commission officielle, mais à des pirates. L'emploi du mot dans ce sens n'aurait rien de surprenant à l'époque, et Prévost lui-même le définit dans son *Manuel Lexique:* « celui qui commet sur mer des brigandages... sans aucune commission ». Il l'emploie indifféremment avec cette valeur, à côté de *pirate* et *boucanier,* dans ses *Voyages de Robert Lade,* où il est précisément question de pirates de nationalités diverses, français, espagnols

*adresse; et qu'après diverses courses, il avait trouvé l'occasion du petit bâtiment[a] qui venait d'arriver, pour se rendre heureusement près de[b] moi[1].

Je ne pouvais marquer trop de reconnaissance pour un ami si généreux et si constant. Je le conduisis chez moi. Je le rendis le maître de tout ce que je possédais. Je lui appris tout ce qui m'était arrivé depuis mon départ de France, et pour lui causer une joie à laquelle il ne s'attendait pas, je lui déclarai que les semences de vertu qu'il avait jetées autrefois dans mon cœur commençaient à produire des fruits dont il allait être satisfait. Il me protesta qu'une si douce assurance le dédommageait de toutes les fatigues[c] de son voyage.

Nous avons passé deux mois[d] ensemble au Nouvel Orléans, pour attendre l'arrivée des vaisseaux de France, et nous étant enfin mis en mer, nous prîmes terre, il y a quinze jours, au Havre-de-Grâce. J'écrivis à ma famille en arrivant. J'ai appris, par la réponse de mon frère aîné, la triste nouvelle de la mort de mon père, à laquelle je tremble, avec trop de raison, que mes égarements n'aient contribué. Le vent étant[e] favorable pour Calais, je me suis embarqué aussitôt, dans le dessein de me rendre à quelques lieues de[f] cette ville, chez un gentilhomme de mes parents, où mon frère m'écrit qu'il doit attendre mon arrivée[g].

FIN DE LA DEUXIÈME PARTIE[h].

---

et anglais, opérant dans la mer des Antilles (éd. cit., t. XV, pp. 345 à 351).

1. La contagion du roman d'aventures atteint ici, sans grande nécessité, semble-t-il, jusqu'au bon Tiberge lui-même.

NOTE
SUR L'ÉTABLISSEMENT DU TEXTE

Toutes les éditions de Manon Lescaut *remontent à l'un ou l'autre des deux prototypes suivants : l'édition originale, de 1731, désignée par la lettre A dans la Bibliographie que l'on trouvera plus loin, l'édition revue et corrigée de 1753, désignée par U dans la même Bibliographie. Certaines des éditions parues entre 1732 et 1753 présentent, il est vrai, certaines particularités par rapport à l'originale ; mais il ne s'agit là, de toute évidence, que de menues divergences sans signification, dues, soit à des habitudes d'imprimeurs*[1]*, soit, exceptionnellement, à l'intention de certains éditeurs de présenter* Manon Lescaut *indépendamment des* Mémoires d'un Homme de qualité. *Toutes ces éditions sont fondamentalement semblables à la première, et ne présentent aucune correction d'auteur. De même, toutes les éditions postérieures à celle de 1753 s'y rattachent directement. C'est donc entre ces deux éditions de 1731 et de 1753 qu'il faut procéder à un choix primordial. La plupart des éditeurs modernes ont suivi le texte définitif, mais d'autres ont préféré reproduire le texte original, ou qu'ils croyaient tel*[2].

Les raisons de ces derniers sont diverses, et plus ou moins plausibles. Considérant le roman comme un document autobiographique, composé dès 1722, immédiatement après que Prévost eut

1. C'est le cas de C et des éditions dérivés. Voyez ci-après la *Bibliographie*.

2. Dans la collection Bibliotheca Romanica, Strasbourg, 1907, H. Gillot reproduit le texte de l'édition de 1733 (E), qu'il tient encore pour l'originale, malgré la démonstration de Harrisse.

vécu les événements qu'il rapporte, Joseph Aynard reproduit, assez logiquement, le plus ancien texte connu, qu'il tient pour le plus authentique. Georges Matoré arrive au même choix par des considérations d'un autre ordre. Pour lui, c'est surtout le style de l'édition originale, jugé moins littéraire, et par conséquent plus « spontané », qui doit la faire préférer à celle de 1753. On peut répondre, et l'on a déjà répondu à la première de ces deux argumentations, que la thèse de l'autobiographie est loin d'être démontrée, et que, le fût-elle un jour, on ne pourrait y réduire l'explication du chef-d'œuvre ; à la seconde, on objectera qu'il est impossible de négliger le remarquable effort de révision de l'auteur, qui, par près de six cents corrections de tout ordre, cherche à la fois à tenir compte de l'évolution de la langue, à donner à son style plus d'élégance et de propriété, enfin à rendre plus vraisemblables les sentiments de ses personnages.

La façon même dont parut l'édition de 1753 en soulignait l'importance. Malgré la proscription plus ou moins stricte dont les romans étaient alors victimes en France, le Mercure *l'annonçait, à titre exceptionnel, dans les termes suivants :*

L'auteur de *Manon Lescaut*, ouvrage si original, si bien écrit et si intéressant, sollicité depuis longtemps de donner une édition correcte de ce roman, s'est déterminé à ne rien négliger pour la rendre telle qu'on la désire : papier, caractère, figures, tout y est digne de l'attention du public. Elle a paru dans le courant d'avril avec des additions considérables. On en a tiré peu d'exemplaires afin que la beauté des caractères ne reçût aucune diminution. Ce livre se vend chez Didot, quai des Augustins, à la Bible d'Or.

On remarque en effet qu'un feuillet est réimprimé pour permettre une correction légère à la page 150 du premier tome[1]*, qu'un errata est ajouté pour rectifier trois erreurs minimes*[2]*, et que des gravures déjà très belles sont retouchées. Surtout, l'addition de*

---

1. Voyez p. 64, variante c : *j'escamotais assez promptement* devient *j'escamotais assez légèrement.*

2. Voyez p. 40, variante g; p. 43, note g. En outre, p. 71, *moi* [...] *qui ait pénétré* est corrigé en *qui ai...*

l'épisode du Prince italien, présentée par Prévost lui-même comme nécessaire à la plénitude d'un des principaux caractères, *ne peut être négligée, même si elle gêne les commentateurs. La diversité même des interprétations qu'ils en donnent est significative : elle répond à l'ambiguïté foncière, non seulement de l'épisode, mais du personnage même de Manon.*

Un second problème, une fois fait ce choix fondamental, est de savoir si l'édition définitive est bien celle de 1753 ou l'une des deux éditions dérivées parues du vivant de l'auteur, celle de 1756, qui comporte une trentaine de variantes par rapport à celle de 1753, ou celle de 1759, qui en ajoute une centaine à celles, conservées, de 1756.

Une attention particulière doit être accordée à l'édition de 1756 [1]. *Une typographie soignée, la présence des gravures, surtout le fait qu'elle complète la très importante édition définitive de 1756 des* Mémoires et Aventures d'un Homme de qualité, *tout cela dénote une provenance légitime. Pourtant, les corrections qui s'y trouvent sont, ou d'importance minime* [2], *ou franchement fâcheuses* [3]. *Il serait surprenant que Prévost eût pris la peine de revoir son texte pour si peu de profit, alors qu'il y laisse subsister les inadvertances chronologiques de l'édition de 1753, et même les erreurs signalées dans l'errata de la même édition.*

L'édition de 1759, dont Max Brun a découvert deux exemplaires, procède de l'édition de 1756, dont elle adopte toutes les corrections, en intégrant enfin l'errata. Mais elle s'en distingue par un peu plus d'une centaine de corrections nouvelles : faut-il les attribuer à l'abbé Prévost, ou à un éditeur peu scrupuleux ? En fait, ce qui a été dit de l'édition de 1756 s'applique avec plus de force encore à celle-ci. La plupart de ces corrections ont un caractère à la fois dérisoire et systématique. Vingt-cinq fois point *est corrigé en* pas, *et une vingtaine de fois* nul *devient* aucun : *comme*

1. Plus exactement aux deux éditions presque identiques, W et X de la *Bibliographie*, dont les deux volumes font suite aux six volumes des *Mémoires et Aventures d'un Homme de qualité*.

2. Voyez p. 35, var. d; p. 45, var. d (correction heureuse, mais que ferait n'importe quel lecteur); 105, var. a.

3. Voyez p. 71, var. b; 73, var. e; 77, var. c; 103, var. c (faute évidente); 109, var. a, etc.

l'a remarqué Jean Sgard, les corrections de Prévost témoignent d'infiniment plus de souplesse et d'attention au contexte. A plusieurs reprises, les variantes sont de pures et simples erreurs. Deux fois, dans la seule page 43 de son édition, Mlle Claire-Éliane Engel, qui suit le texte de 1759, est ainsi obligée de revenir à celui de 1753 [1]. *Enfin, ce que l'on ne saurait trop mettre en évidence c'est que les plus notables des prétendues corrections de 1759 sont souvent des fautes typographiques d'un type connu, à savoir des « bourdons » s'expliquant par un « saut du même au même » propre à l'œil du copiste ou du typographe. Ainsi, dans* Il conduisit lui-même Manon dans la maison que son intendant avait eu soin de préparer, *le saut de la finale* -on *de* Manon *à la même finale de* maison *aboutit au texte* il conduisit lui-même Manon que son intendant avait eu soin de préparer, *qui est absurde et choquant* [2].

Si l'on considère que la plupart des variantes qui ne sont pas des fautes [3] *sont des corrections inutiles* [4], *peu heureuses* [5], *ou allant à l'encontre des tendances stylistiques de Prévost* [6] *— alors que sont négligées les retouches vraiment nécessaires, comme celles qui corrigeraient les erreurs de chronologie introduites en 1753, — on est bien forcé de révoquer en doute l'authenticité du texte de 1759. Il s'ajoute encore à cela que cette édition, dépourvue des figures auxquelles Prévost attachait un grand prix, publiée par des libraires, Arkstée et Merkus, qui ne passaient pas pour scrupu-*

---

1. Voyez ici pp. 29, variante m, et 30, variante a. D'autres retours au texte seraient nécessaires; ainsi, « *suivant les ordres que je leur avais donnés* » ne peut remplacer le texte de 1753, *suivant les ordres qu'ils disaient avoir reçus de moi* (p. 67); dans « *pour mépriser encore plus souverainement tout le reste* » (p. 109), on ne peut supprimer *plus*, etc.

2. Voyez p. 73, variante i. Autres fautes du même type : 38a, 45c, 175a, 187b, 193c, etc.

3. Autres exemples de fautes : les variantes 109f, 111c, 139f, 146c.

4. Exemple : variante 126g.

5. Variantes 73a, 182c.

6. Jean Sgard note dans l'édition de 1756 des *Mémoires d'un Homme de qualité* (édition critique de Mysie Robertson), les corrections de *avec qui* en *avec lequel*, de *devoir* en *obliger de*, de *c'était à vous à* en *c'était à vous de*, qui contredisent les corrections inverses de 1759 (*A propos du texte de Manon Lescaut*, dans *Studi Francesi*, 1961, pp. 89-93).

leux, ne présente pas les garanties externes qui permettraient de la tenir pour la légitime.

Enfin, deux éditions de Manon Lescaut *postérieures à la mort de Prévost doivent être examinées, car leur diffusion a été considérable, ce sont celles qui figurent chaque fois au tome III de la collection en trente-neuf volumes des* Œuvres choisies de l'abbé Prévost, *publiées respectivement en 1783 et 1810. Basée sur l'édition de 1756, l'édition de 1783 comporte un nombre assez important de variantes, qui vont au-delà des corrections de langue. Chose curieuse, l'édition de 1810, qui reproduit en principe le texte de 1783, a été, dans le cas de* Manon Lescaut, *collationnée sur l'édition de 1753, si bien que la plupart des corrections de 1783 — mais pas toutes — en ont été éliminées.*

Compte tenu de ces considérations, on a adopté dans la présente édition le texte de 1753. On a respecté, en particulier, la disposition des alinéas, car elle répond à des habitudes de composition de l'abbé Prévost [1]*. On trouvera, dans l'apparat critique qui suit : 1° Toutes les variantes de l'édition de 1731, relevées directement sur l'original* [2]*. 2° Toutes les variantes de l'édition de 1756. 3° Toutes les variantes de l'édition de 1759, à l'exception des corrections de* point *en* pas. *4° Un large choix de variantes des éditions de 1783 et 1810. Comme l'orthographe de la présente édition a été modernisée, on a naturellement négligé les variantes purement orthographiques* [3]*. L'appel des notes critiques se fait*

---

1. Ainsi qu'on le verra dans nombre de passages, Prévost réunit dans un même paragraphe la phrase ou les phrases introduisant une réplique au style direct, cette réplique et la phrase de conclusion. Introduire, comme le font la plupart des éditeurs, chaque réplique au style direct sous forme d'un nouvel alinéa, aboutit à morceler des ensembles et à trahir délibérément les intentions de l'écrivain.

2. A titre exceptionnel, on a relevé quelques variantes de l'édition E de 1733, qui a été longtemps tenue pour l'original. Il en ressort que les corrections nécessaires, que Prévost n'aurait pas manqué de faire s'il en avait surveillé l'impression, n'y ont pas été apportées.

3. Conformément aux usages de son temps, Prévost ne distingue pas *fond* et *fonds*. Dans plusieurs cas, la différenciation serait impossible à établir. On maintient donc la forme *fond*. Inversement, à la différence de ses contemporains, Prévost respecte les règles des grammairiens concernant l'accord des participes passés. Son usage est donc le nôtre sur ce point.

par une lettre placée à la fin des passages modifiés. Le début de ces passages est signalé par la présence d'éléments communs aux deux textes, ou par une ponctuation forte. Comme pour le texte, l'astérisque placé devant un mot des variantes indique que ce mot figure au Glossaire.

VARIANTES

Page 1 :

Dans l'édition de 1731, la page de faux titre porte Mémoires du Marquis de ***, *tome VII. La page suivante est celle du titre (voyez planche IV). Puis vient une page comportant le titre de tête,* Histoire du chevalier des Grieux et de Manon Lescaut. *Dans l'édition E de 1733, entre la page de titre et l'*Avis de l'Auteur, *figure encore une* Lettre de l'Éditeur à Messieurs de la Compagnie des libraires d'Amsterdam. *Cette lettre est tirée de l'édition de 1731 des* Mémoires d'un Homme de qualité, *où, placée en tête du tome V, elle servait à introduire cette dernière livraison de l'ouvrage. On en trouvera le texte à l'*Appendice, *avec les variantes de 1733.*

Page 3 :

a. pu insérer *(1731)*
b. du malheureux chevalier *(1731)*
c. les voir ici séparément *(1731)*
d. de prétendre dans cet ouvrage à *(1731)*
e. être quelquefois déchargée de quantité de circonstances *(1731)*

Page 4 :

a. source de ces sortes de règles *(1731)*
b. ne sera point mal satisfait *(1731)*
c. un jeune homme aveugle *(1731)*

Page 5 :

a. qu'on lui présente *(1731)*
b. que je vais présenter aux yeux de mes lecteurs *(1731)*
c. comme un amusement inutile *(1731)*

d. en le divertissant *(1731)*
e. On s'étonne quelquefois en réfléchissant sur les préceptes de la morale de les voir *(1731)*
f. s'éloigne continuellement dans *(1731)*
g. Si, par exemple, les personnes *(1731)*
h. Les plus doux moments de la vie pour les gens d'un certain goût sont *(1731)*
i. tombe ensuite si aisément *(1731)*

Page 6 :

a. que j'en apporterai ici *(1731)*
b. et elles sont portées d'inclination à la pratiquer *(1731)*
c. Cent pareilles difficultés *(1731)*
d. l'exemple qu'il *(1731)* | *L'édition de 1733 porte :* l'exemple qui
e. d'une utilité extrême; j'entends lorsqu'ils *(1731)*
f. lumière, et une instruction *(1731)*
g. L'ouvrage tout entier *(1731)*

Page 7 :

a. voir prendre *(1756, 1759)*
b. est juste *(1731)*
c. sera du moins mon *(1731)*

Page 8 :

a. Le nota *de la page 8 est introduit dans l'édition de 1753. Il est conservé intégralement dans l'édition de 1756. Dans l'édition de 1759, qui n'est pas illustrée, la dernière phrase est supprimée.*

Page 9 :

a. Livre premier *(1731, 1733)*
b. environ cinq ou six mois *(1731)*

Page 10 :

a. un *(sic, 1731 et 1733)* *affaire qui pendait au Parlement pour la succession de quelques terres auxquelles elle prétendait du côté *(1731)*
b. d'un mauvais cabaret au-devant duquel étaient *(1731)*
c. paraissaient tout fumants *(1731)* — paraissaient excédés *(1783, 1810)*
d. d'où venait l'émotion *(1731)*
e. faisait aucune *(1759)*
f. vers le cabaret *(1731)*

Page 11 :

a. de ce tumulte *(1731)*
b. de femmes publiques *(1783 ; 1810 revient à* filles de joie)

c. J'aurais passé outre *(1731)*
d. sortait du cabaret en joignant les mains et en criant *(1731)*
e. que je laissai à mon valet, et étant entré avec peine, je vis *(1731)*

Page 12 :

a. prise pour une princesse. Sa *(1731)*
b. d'un sentiment de douceur et de modestie *(1731)*
c. Monsieur le Lieutenant de Police *(1731)*
d. je n'aie point *(1731)*
e. sur son sujet *(1731)*

Page 13 :

a. paraissait être dans *(1731)*
b. une personne qui *(1731)*
c. m'asseyant auprès de lui *(1731)*
d. inhumanité, c'est que ces *(1731)*
e. ne veulent plus me *(1731)*
f. attaquer à force ouverte *(1731)*
g. et se sont enfuis avec *(1731)*

Page 14 :

a. quand je fais *(1759)*
b. Il n'y a qu'un moment *(1731)*
c. ils m'ont allongé deux ou trois grands coups du bout de leurs fusils *(1731)*
d. continuer du moins la route *(1731)*
e. faire ce récit assez tranquillement *(1731)*
f. je ne vois point *(1731)*
g. pour me conduire jusque-là, et pour procurer *(1731)*

Page 15 :

a. voudrait sans cesse être *(1731)*
b. cela nous incommode *(1756, 1759)*
c. ce qu'il faut vous donner pour *(1731)*
d. ce jeune homme *(1731)*
e. je ne pus être informé *(1731)*
f. Il se passa environ deux ans *(1731)*

Page 16 :

a. si je me souviens *(1731)*
b. et plus pâle beaucoup que *(1731)*
c. sur les bras *(1756, 1759)*
d. trop belle et trop frappante pour *(1759)*
e. Il me répondit en deux mots qu'il *(1731)*
f. revenu d'Amérique *(1731)*

g. J'y retournai en effet peu après, plein *(1731)*
h. j'ordonnai dans l'auberge qu'on *(1731)*
i. me dit-il étant dans ma chambre, vous *(1731)*

Page 17 :

a. son récit; je n'y mêlerai *(1731)*
b. collège; ce n'est pas que *(1731)*
c. mériter cette qualité *(1731)*
d. pour des vertus ce qui n'était qu'une exemption de vices grossiers *(1731)*
e. quelques bonnes qualités naturelles *(1731)*
f. Je me tirai de mes exercices *(1731)*

Page 18 :

a. Tout mon regret *(1731)*
b. avec qui *(1759)*
c. et il demeurait à *(1731)*
d. les exemples les plus célèbres *(1731)*

Page 19 :

a. profité de ses secours *(1731)*
b. *Les éditions de 1731, 1733, 1753, 1756, 1759, 1783, portent* plutôt, *que celle de 1810 corrige en* plus tôt
c. que je pensais quitter *(1731)*
d. nous le suivîmes par curiosité jusqu'à l'auberge *(1731)*
e. Nous n'avions point d'autre dessein que de savoir de quelles personnes il était rempli *(1731)*
f. aussitôt; il n'en resta qu'une *(1731)*
g. Elle était si charmante *(1731)*
h. différence des sexes, et à qui il n'était peut-être jamais arrivé de regarder une fille pendant une minute; moi, dis-je *(1731)*
i. jusqu'au transport et à la folie. J'avais le défaut naturel d'être *(1731)*

Page 20 :

a. elle reçut le compliment honnête que je lui fis, sans *(1731)*
b. couvent, et pour *(1731)*
c. laissait aucun *(1759)*
d. qu'elle m'avait déjà inspirée *(1731)*
e. en y réfléchissant depuis *(1731)*
f. s'il n'était accoutumé à opérer *(1731)*

Page 21 :

a. secours pour elle *(1731)*
b. venu pendant ce temps-là nous *(1731)*
c. m'appela *(sic; 1731, 1733)*

d. dit *(1731)*
e. dans un cabaret, dont l'hôte *(1731)*
f. entretien, s'étant promené *(1731)*
g. je me défis de lui sous prétexte d'une commission dont je le priai de se charger; de sorte qu'étant arrivé à l'auberge j'eus le plaisir d'entretenir seul dans une chambre la souveraine *(1731)*
h. que je ne croyais l'être *(1731)*

Page 22 :

a. m'avoir l'obligation *(1731)*
b. parce que n'étant point de qualité, quoique d'assez bonne naissance, elle *(1731)*
c. je viendrais *(1731)*
d. de nos autres arrangements *(1731)*
e. que je n'en ai *(1731)*
f. projet. Cela me fut d'autant plus facile *(1731)*
g. donc aucune *(1759)*
h. faillit à rompre *(1731, 1783, 1810)*

Page 23 :

a. d'un sang *(1733)*
b. quoiqu'il fût neuf heures *(1731)*
c. la contrainte où elle me mettait *(1731)*
d. obligé à *(1731, 1783 : 1810 revient à :* obligé de*)*
e. avec des marques de *(1783 ; 1810 revient au texte original).*
f. et il finit en renouvelant la menace qu'il m'avait faite de *(1731)*
g. mon projet *(1783 ; 1810 revient à :* mon dessein)

Page 24 :

a. rendu à l'auberge *(1731)*
b. d'autre équipage à emporter que *(1731)*
c. éloignâmes promptement *(1783 ; 1810 revient à :* aussitôt)
d. de ville (*1731 ; 1733 corrige :* de la ville)
e. qu'elle fut *(sic ; 1731, 1733)*
f. il le poussa *(1731)*
g. quelle en a été *(1731)*

Page 25 :

a. Nos hôtes et nos postillons *(1731)*
b. que j'avais mis *(faute de composition probable) (1731, 1733*)
c. Ce qui fait mon désespoir aurait pu faire *(1731)*
d. le sort du monde le plus doux *(1783 ; 1810 revient au texte de 1753)*
e. de M. B... le célèbre *(1731)*
f. j'avais été si occupé *(1731)*
g. comme la bouche *(1731, 1733 : faute d'impression)*
h. n'avait aucune *(1759)*

Page 26 :

a. quelque chose, nos fonds s'étant extrêmement altérés; je *(1783; 1810 revient au texte de 1753)*
b. coup affreux *(1783; 1810 reprend le texte de 1753)*

Page 27 :

a. qu'en elle *(1759)* — que pour elle *(1783, 1810)*
b. qu'elle avait acheté *(1731)*
c. déconcerta tellement que *(1731)*
d. dans le moment et *(1731)*

Page 28 :

a. sans savoir encore quels sentiments en étaient la source *(1783; 1810 reprend le texte de 1753)*
b. m'étant assis auprès *(1731)*
c. sur les deux mains *(1731)*
d. que Manon pût me trahir, *(1731)*
e. Cependant j'étais embarrassé à expliquer la visite et la sortie furtive de M. de B... *(1731)*
f. donner à tout cela *(1731)*
g. nous aurait causé sûrement trop de peine *(1731)*

Page 29 :

a. où Manon eût pu s'occuper d'un autre que de moi *(1731)*
b. M. de B..., disais-je *(1731)*
c. se sont sans doute servis *(1731)*
d. de lui, et il est *(1731)*
e. s'est fait un jeu *(1731)*
f. rentré à mon ordinaire *(1731)*
g. de venir m'affliger ici *(1731)*
h. si fortement l'esprit de *(1733)*
i. J'embrassai tendrement Manon à mon ordinaire *(1731)*
j. de découvrir *(1731)*
k. à table avec un air fort gai *(1731)*
l. entre nous deux *(1731)*
m. que ces regards (*1759, faute manifeste*)

Page 30 :

a. les siennes *(1759; nouvelle faute)*
b. à notre porte *(1731)*
c. le cabinet dont elle ferma la porte après elle *(1731)*
d. reconnus aussitôt pour *(1731)*
e. les gens *(1783; 1810 revient au texte de 1753)*
f. de me manquer ainsi de respect, et ils *(1731)*
g. conduisit rapidement *(1783; 1810 reprend le texte de 1753)*

Page 31 :

a. de ma connaissance *(1783; 1810 reprend le texte de 1753)*
b. s'imagina qu'il était un effet *(1731)*
c. rien à appréhender *(1731)*
d. dans le même cabaret où *(1731)*

Page 32 :

a. il y a un mois, avec *(1731)*
b. si fort. Mon Dieu! qu'elle était *(1731)*
c. comme ils se baisaient! *(1731)*
d. Je faisais semblant de *(1731)*
e. et nous nous rendîmes chez nous le lendemain. Il *(1731)*
f. que je n'avais compté *(1731)*
g. Je ne pris ces paroles *(1731)*

Page 33 :

a. à la table *(1733; mais 1731 a correctement :* à table)
b. m'occupait continuellement le cœur *(1731)*

Page 34 :

a. une parfaite amitié *(1731)*
b. Il a appris d'elle *(1731)*

Page 35 :

a. de me laisser à Paris *(1759, texte inacceptable)*
b. ou un *(1731)*
c. contraindre à m'abandonner *(1731)*
d. ne voyant aucune *(1756, 1759)*
e. par là *(1731)*

Page 36 :

a. dans le dessein *(1759)*
b. toujours à m'apporter *(1731)*
c. *Texte de 1731. Le* s *de* ses *dans* ses traits *étant mal encré, a été lu ensuite* les *dans les éditions ultérieures, d'où le texte de 1733, 1753, etc.* : les traits.
d. *Le texte que nous adoptons,* Je le sentais, *résulte d'une correction proposée par Jean Sgard. Toutes les éditions, 1731, 1733, 1753, 1756, 1759, 1783, 1810, etc. portent :* Je me sentais bien, *qui n'a pas de sens.*

Page 37 :

a. mon père *(1783; 1810 reprend :* mon cher père*)*
b. capable d'une telle lâcheté *(1731)*
c. de la plus noire *(1731)*

d. toutes les perfides *(1731 : erreur typographique de l'édition princeps, corrigée ensuite)*
e. six mois tous entiers *(1731, 1733)*

Page 38 :

a. Les mots d'espérance ou de désespoir *sont sautés dans l'édition de 1759, par une faute de copie (saut du même au même).*
b. je pris *(1731)*
c. de quelque utilité *(1731 : faute typographique de l'édition princeps, reproduite en 1733.)*
d. un cœur comme le mien *(1731)*
e. qui eussent pu *(1731)*
f. entre des jeunes gens *(1731 ; de même 1733)*
g. discours m'inspira quelque respect *(1731)*

Page 39 :

a. les fruits de l'un *(1759)*
b. à en découvrir les différences *(1731)*
c. un mépris qui n'a point son égal *(1731)*
d. une demi-heure avant *(1731 ; lapsus reproduit en 1733)*
e. où il y avait apparence qu'il pourrait *(1731)*

Page 40 :

a. continua-t-il *manque dans l'édition de 1731.*
b. J'y ai appris *(1731)*
c. causée; je n'ai *(1731)*
d. vous voir que je ne fusse assuré *(1731)*
e. m'occupai point *(1731)*
f. ce parti-là *(1731)*
g. une vie simple et chrétienne *(1731, 1733)* — une vie sainte et chrétienne *(1753, 1756 : dans ces deux éditions, un erratum signale la correction* sage et chrétienne, *qui est adoptée dans les éditions de 1759, 1783, 1810)*
h. là-dessus par avance *(1731)*
i. d'eau pure *(1731)*
j. qui demeurerait *(1731)*

Page 41 :

a. il y aurait fallu être *(1731)*
b. que ses intentions étaient *(1731)*
c. il ne se réservait *(1731)*
d. scolastique s'approchait *(1731)*

Page 42 :

a. ne fit nulle *(1731)*
b. Ma réputation devint telle *(1731)*

c. ce qu'il appelait *(1731)*
d. ascendant l'on *(1731)*

Page 43 :

a. me croyais délivré absolument *(1731)*
b. des sens, je dis même à ceux *(1731)*
c. que, me retrouvant *(1731)*
d. bien loin *(1733, faute manifeste)*
e. me faire violence là-dessus *(1731)*
f. obtenir cette victoire *(1731)*
g. sous le déguisement d'abbé *(1731, 1733)* — sous le nom d'abbé *(1753, 1756, qui l'une et l'autre donnent à l'errata :* sous le titre d'abbé, *correction adoptée enfin par les éditions de 1759, 1783)*
h. ou bien *(1731)*

Page 44 :

a. Elle assista à *(1731)*
b. et sans doute qu'elle n'eut nulle peine *(1731)*
c. On me vint avertir *(1733)*
d. de m'informer d'elle *(1731, 1733)* — de m'informer de son sort *(1753 : c'est le texte que nous adoptons ; comparer, avec J. Sgard, page 43 :* J'avais passé près d'un an à Paris, sans m'informer des affaires de Manon) — de l'informer de mon sort *(1756, 1759, 1783, 1810)*
e. qu'il y en avait bien *(1731)*
f. en entendant ce discours *(1731)*

Page 45 :

a. l'un auprès de l'autre *(1731)*
b. qui mettait sa félicité (*1733 donne :* toute sa félicité*)*
c. que jamais; au nom de *(1759 : évidente faute typographique, dite bourdon)*
d. fidélité tant *(1753 :* par, *omis dans cette édition, est rétabli dans celle de 1756)*

Page 46 :

a. par de B... *(1759)*
b. commodément mais qu'il *(1731)*
c. ébranler peu à peu *(1731)*

Page 47 :

a. de ma condition, de mes exercices *(1731)*
b. n'aurait pas touché *(1731)*
c. Pour moi, j'avoue que *(1731)*
d. lieu plus assuré *(1731)*

Page 48 :

a. sans un sol *(1733)*
b. elle était assez riche *(1731, 1733, 1759, 1783, 1810; 1756 suit 1753)*
c. pour mépriser si peu de chose *(1731)*
d. et environ *(1731)*
e. donné aucun *(1759)*
f. heureusement ensemble *(1731)*
g. me laissa entendre *(1731)*
h. un milieu raisonnable *(1731)*
i. village aux environs de *(1731)*

Page 49 :

a. me parut alors *(1731)*
b. mes peines passées *(1731)*
c. que je lui proposai *(1731)*
d. les spectacles et les plaisirs de Paris *(1731)*
e. nous irons trois fois *(1731, 1733)* — nous y irons deux fois *(1759)*

Page 50 :

a. jamais dix pistoles *(1731)*
b. retournait à ville *(sic)*, la campagne *(1731)* — retournait à la ville, la campagne *(1733, 1783)* — retournait à la ville, et la campagne *(1753, 1756, 1810)*

Page 51 :

a. nous eûmes ainsi la charge de *(1731)*
b. qu'il la croyait *(1731)*

Page 52 :

a. s'accoutuma à *(1731)*
b. qu'il fit bientôt sa (*1731*)
c. à nos frais et il nous engagea à payer *(1731)*
d. Manon. Je fis même semblant de *(1731)*
e. qui nous a abîmés *(1731)*
f. multitude de personnes *(1731)*

Page 53 :

a. assez de prudence *(1731)*
b. restait aucune *(1759)*
c. une pensée *(1731)*
d. et que soit par industrie, soit par quelque bonheur de fortune *(1731)*
e. et qu'aucun *(1759)*
f. prendrai-je *(1759)*

Page 54 :

a. il y a une justice admirable là-dedans *(1731)*
b. pour se retirer *(1756, 1759, 1783, 1810)*
c. qui est de vivre à leurs dépens *(1731)*
d. connaissait parfaitement son Paris *(1731)*

Page 55 :

a. heureusement sur moi *(1783; 1810 :* dans ma poche*)*
b. pour moi un milieu à espérer *(1731)*
c. qui se voyaient réduits là *(1731)*
d. quand vous voudrez *(1731)*
e. pour passer une nuit avec une fille comme Manon *(1731)*
f. que vous aviez eu, de m'accorder votre amitié, était un sentiment pour votre sœur tout opposé *(1731)*

Page 56 :

a. pensé de même, et qu'après avoir passé les bornes de l'honneur, comme elle avait fait, il ne se serait jamais réconcilié avec elle, si ce n'eût été dans l'espérance de profiter de sa mauvaise conduite *(1731)*
b. que nous avions été ses dupes jusqu'alors *(1731)*
c. demandai pour le présent *(1731)*

Page 57 :

a. par la déclaration qu'il m'avait faite de *(1731)*
b. *Les mots :* suivant ses propres termes *sont ajoutés en 1753.*
c. s'attacher à un amant *(1731)*
d. bien assuré *(1731)*
e. tel qu'avait *(1731)*
f. en qui *(1759)*
g. bien assuré *(1731)*
h. point de péril *(1731)*
i. qu'une douce et utile *(1731)*
j. de le voir même avant *(1731)*

Page 58 :

a. et lui assigner *(1731)*
b. devait point l'alarmer, et comme Paris était *(1731)*
c. dont la seule présence serait *(1731)*
d. dans mon cœur *(1731)*
e. le plus tendre et le plus naturel *(1731)*

Page 59 :

a. toucher à sa ruine *(1731)*
b. de vous le *(1731)*
c. la mort même la plus cruelle *(1731)*

Page 60 :

a. car ce n'est pas *(1756, 1759)*

Page 61 :

a. qu'il n'est *(1731)*
b. valait deux mille francs *(1731)*
c. de l'amour *(1783; 1810 :* d'un amour*)*
d. retrouvant auprès d'elle *(1731)*
e. de honteuse passion *(1783, 1810)*
f. l'argent, et elle ne pouvait néanmoins être *(1731)*
g. ni d'humeur à aimer le faste *(1731)*

Page 62 :

a. de la confiance *(1731, 1733 : faute de lecture d'un type connu)*
b. par la nécessité *(1731)*

Page 63 :

a. on remercia M. Lescaut (*1731*)

Page 64 :

a. La phrase : Le dirai-je à ma honte? *est ajoutée en 1753.*
b. et avec le secours d'une *(1731)*
c. assez *proprement *(1731) — Certains exemplaires de l'édition de 1753 (par exemple celui de la collection* Rothschild *à la Bibliothèque nationale) portent* assez promptement. *Le feuillet a été ensuite réimprimé pour permettre la correction définitive.*
d. d'opulence et de *propreté *(1731)*

Page 65 :

a. agréablement, en présence même de *(1759)*
b. plus scrupuleux que la plupart des évêques et des autres prêtres *(1731)*
c. savent fort bien accorder *(1759)*
d. patience, et il la poussa jusqu'à un certain point *(1731)*
e. mes richesses s'augmentaient *(1731)*
f. maison et embelli mon *équipage (*1731, cf. p. 70*)
g. que vous me retrouverez *(1731)*

Page 66 :

a. pourquoi appeler *(1731)*
b. leur essence *(1783, 1810)*

Page 67 :

a. sa fille de chambre *(1731)*
b. quelques caisses, selon les ordres *(1731)*
c. que je leur avais donnés *(1759 : texte inacceptable)*

Page 68 :

a. M. de M... G... *(1731 — de même quelques lignes plus loin)*
b. avec prodigalité *(1759)*
c. Je le retrouvai *(1731)*
d. ordre à un laquais *(1731)*
e. Il était presque quatre heures *(1731)*
f. m'y étant encore entretenu *(1731)*
g. que vers les onze heures *(1731)*

Page 69 :

a. qui serait difficile *(1759)*
b. d'aucuns sentiments connus *(1731)*
c. que les miens fussent *(1731)*

Page 70 :

a. grand Dieu *(1783, 1810)*
b. et que cela répond mal *(1731)*
c. Si tu m'adores *(1733)*
d. en me retournant *(1731)*
e. de M. de M... G... *(1731)*

Page 71 :

a. Ce récit l'a attendri *(1731)*
b. pour Manon; c'est vous-même *(1756, 1759 : texte peu satisfaisant)*
c. petit frère si à plaindre *(1731)*
d. la tenir préparée *(1731)*

Page 72 :

a. Par quel espace immense *(1731)*
b. mais qui était trop faible *(1731)*
c. Ah! il l'aurait *(1731)*
d. d'être l'épouse de *(1731)*

Page 73 :

a. Vous auriez peut-être pu *(1731)*
b. ma colère et ensuite mon silence avaient causé *(1731)*
c. appréhendé pendant quelques moments *(1731)*
d. et j'en eus encore de *(1731)*
e. que vous ne pensez *(1731)* — que vous ne vous y attendiez *(1756, 1759 : correction inférieure au texte de 1753)*
f. que Mr. M. G. pourrait avoir de notre *(1731)*
g. à la ville cinq ou six jours *(1731)*
h. Les mots *dans la maison* sont omis dans *1759*, ce qui produit un contresens impardonnable.
i. soin de tenir prête *(1731)*

j. aussitôt son frère *(1731)*
k. les mots de perfide *(1731)*

Page 74 :

a. toute *(1731, 1753, 1756, 1759 : orthographe conforme à l'usage du XVIIIe siècle)*
b. sans me dire un mot *(1731)*
c. ferait oublier *(1756, 1759)*
d. plus ces raisons légères *(1731)*
e. récompensé, je n'ose dire traité si tyranniquement *(1731)*
f. mon cher Chevalier *(1759)*
g. qu'un peu de ma complaisance *(1731)*

Page 75 :

a. de la pension qu'il lui avait promise chaque année *(1731)*
b. je vous jure qu'il n'aura pas la satisfaction d'avoir passé une seule nuit avec moi *(1731)*
c. entrer dans mes raisons *(1731)*

Page 76 :

a. au moins cent pistoles *(la correction triple la valeur des bijoux) (1731)*
b. sur la somme *(1731)*
c. bijoux ; me conduisant *(1756, 1759)*

Page 77 :

a. *Texte de l'édition originale, qui signifie : « Je lui trouve un air de ressemblance avec Manon. » Cette variante est conforme à l'usage du temps :* « Il avait de l'air d'Arlequin, » *écrit Marivaux dans* la Double Inconstance *(acte II, sc. 11). L'édition de 1753 et les éditions ultérieures portent :* « Je lui trouve l'air de Manon », *ce qui n'est guère satisfaisant. Il ne s'agit pas là d'une correction de Prévost. En effet, des éditions illégitimes antérieures à 1753 portent déjà ce texte (par exemple 1733), et Prévost a dû le laisser subsister sur l'exemplaire dont il se servait pour ses corrections, et qui ne devait pas appartenir à l'édition originale.*
b. j'en trouverai de plus sots que moi à Paris *(1731)*
c. du même genre *(1756, 1759 : correction peu heureuse)*
d. fut plusieurs fois sur le point *(1759)*
e. de gâter tout en éclatant de rire *(1731)*
f. mais j'étais bien sûr que l'amour-propre l'empêcherait de *(1731)*
g. l'heure de se coucher étant arrivée, il proposa à Manon d'aller au lit *(1731)*
h. sous le prétexte *(1731)*

Page 78 :

a. Quoiqu'il y eût quelque chose de fripon dans cette action, ce

n'était pas l'argent que je croyais avoir gagné le plus injustement *(1731)*
b. sur celui *(1731)*
c. de nous faire traiter *(1731)*
d. comme des fieffés libertins *(1733 : correction inacceptable)*
e. exempt du Lieutenant de Police *(1731)*
f. Manon fut menée à l'Hôpital général, et moi dans l'autre *(1731)*

Page 79 :

a. Ma malheureuse maîtresse fut donc conduite à l'Hôpital *(1731)*
b. resserrée seule dans une étroite prison *(1759)*
c. une certaine taxe d'ouvrage *(1731)*

Page 80 :

a. point averti du lieu *(1731)*
b. lorsque mes gardes en entrant visitèrent mes poches une seconde fois *(1731)*
c. avec moi, il leur fit *(1731)*
d. un ton si raisonnable *(1731)*
e. son devoir par rapport à moi *(1731)*

Page 81 :

a. du plaisir et de la satisfaction *(1731)*
b. m'éclaircir là-dessus *(1731)*
c. marques du désespoir *(1731)*
d. d'un certain caractère *(1731)*
e. de leurs passions les plus violentes *(1731)*

Page 82 :

a. et il s'épuisait *(1731)*
b. fond de rectitude morale *(1731)*

Page 83 :

a. qui le satisferait *(1731)*
b. Je fis semblant de *(1731)*
c. Je le dois confesser *(1731)*
d. de M. de G. M. *(1731)*
e. Je n'avais point d'autre espérance que dans celle *(1731)*
f. aisé de voir *(1731)*

Page 84 :

a. doutai point *(1731)*
b. J'en pris *(1731 ; la variante :* Je pris *se trouve dès l'édition de 1733)*
c. pas le maître absolument *(1731)*
d. Mr. le Lieutenant de Police *(1731)*

e. que Mr de G. M. *(1731)*
f. conduite, et il ajouta, pour justifier sans doute *(1731)*
g. que la nature exigeait *(1731)*
h. de l'entendre *(1731)*

Page 85 :

a. pour le précipiter par terre et le prendre *(1731)*
b. et quelques gémissements *(1731)*

Page 86 :

a. faire renfermer ici *(1731)*
b. mais, mon père, hélas ! ce n'est *(1731)*
c. pour supporter un si étrange malheur sans mourir *(1731)*
d. dans un tel excès *(1731)*
e. Mr de G. M. à y prendre *(1731)*

Page 87 :

a. sur ce pied-là, *(1731)*
b. Mr le Lieutenant de Police *(1731)*
c. n'avais point pensé à écrire *(1731)*
d. pour se rendre redoutable *(1731)*

Page 88 :

a. que je pourrais prendre *(1731)*
b. que Mr le Lieutenant de Police *(1731)*
c. faire savoir seulement de mes nouvelles *(1731)*
d. Je ne vis point *(1731)*
e. Mr le Lieutenant de Police *(1731)*
f. d'autant plus *(1759)*

Page 89 :

a. de sages réflexions *(1759)*
b. n'était d'aucune *(1759)*
c. quelquefois son édifiante visite *(1731)*
d. était à lui faire *(1731)*
e. peine à accepter *(1731)*
f. que j'adresserais *(1731)*
g. promptement l'incluse *(1731)*

Page 90 :

a. Tiberge, dès le lendemain, du *(1731)*
b. qu'il espérait pouvoir servir à *(1731)*
c. à une image *(1731)*
d. comme je faisais *(1731)*

Page 91 :

a. avoir prouvé fort bien *(1731)*
b. vous en sauver non plus que moi *(1731)*

Page 93 :

a. ici-bas notre plus parfaite félicité *(1759, correction peu utile)*
b. mais j'éprouve *(1731)*
c. Il vit bien *(1731)*
d. misère. Je ne lui fis pas pourtant *(1731)*

Page 94 :

a. reçut celle qui était pour lui avant la fin du jour *(1731)*
b. fut grande *(1731)*
c. tu me la paieras cher *(1731)*
d. vos fenêtres donnant sur *(1759)*
e. donc aucune *(1759)*
f. adresse me puisse sauver *(1731)*

Page 95 :

a. trouver le même soir *(1731)*
b. vis-à-vis la porte *(1731)*
c. pris pour un *honnête homme *(1731)*

Page 96 :

a. obligé de lui dire qui j'étais *(1731)*
b. Qui est-ce donc *(1731 ; tour archaïque, dans lequel* qui *est neutre)*
c. Le compliment *(1731)*
d. surtout à moi *(1733)*
e. pour appeler au secours *(1731 ; 1733, 1753, 1756, 1759, etc. ont :* appeler du secours)
f. et le *(1733)*

Page 97 :

a. déjà en sûreté *(1731)*
b. pendant qu'il s'occupait à ouvrir *(1731)*
c. *Certaines éditions attribuent ici par erreur la leçon :* « Je ne le lui marchandai point » *à l'édition originale, qui porte bien :* « Je ne le marchandai point ». *Sur l'expression, expliquée par Littré, voir le* Glossaire.
d. dis-je au Supérieur. Mais que cela n'empêche point que vous n'acheviez *(1731)*

Page 98 :

a. Lieutenant de Police *(1731)*
b. renfermé quelques jours *(1733)*

c. pas su par quelle voie *(1731)*
d. que la nuit eut amené l'obscurité *(1731)*

Page 99 :

a. qui s'y observait *(1731)*
b. chez lui de l'idée qui m'était venue à la tête *(1731)*
c. riche et de bonne maison *(1731)*

Page 100 :

a. plus longtemps que demain *(1731)*
b. de la vraisemblance dans ce que je lui disais et que nous avions quelque chose à espérer de ce côté-là *(1731)*
c. de sa physionomie et ses *(1733)*
d. comme des deux *(1731)* — comme deux *(1733)*
e. et pour le gagner davantage *(1731)*
f. tout ce qui nous était arrivé *(1731)*
g. la mériter par son zèle à me servir *(1731)*
h. mais il s'engagea à *(1731)*
i. et à faire tout *(1731)*
j. incertitude où il me paraissait être *(1731)*

Page 101 :

a. Je trouvai dans cette modération de ses offres une marque de sincérité et de franchise dont je fus charmé. Je me promis tout *(1731)*
b. plus loin qu'à l'après-midi. Je *(1731)*
c. je reverrai donc la chère reine *(1731)*

Page 102 :

a. mais qu'elle paraissait depuis quelque temps *(1731)*
b. proprement et avec *honnêteté; il *(1731)*

Page 103 :

a. d'intérêt à notre fortune *(1731)*
b. avec beaucoup d'empressement *(1731)*
c. Aussi méprisais-je *(1756, 1759 : faute évidente)*
d. ne pouvait pas manquer *(1731)*

Page 104 :

a. entrevue si longue *(1731)*
b. M. de T. s'engagea à *(1731)*
c. c'est un Versailles *(1731)*
d. d'employer. Aucun autre *(1759)*
e. qu'elle fût *(1731)*

Page 105 :

a. mais si elle est arrêtée et reconnue en fuyant, continua-t-il *(1731, 1753)* — mais si elle est reconnue, continua-t-il, et si elle est arrêtée *(1756, 1759)*
b. *Le mot* donc *est omis dans l'édition de 1759.*
c. déjà fait, à quelque village des environs *(1731)*
d. faciliter sa sortie *(1731, 1733)*

Page 106 :

a. de cette nature nous arrêtât *(1731)*
b. étant toute ouverte, ils montèrent tous deux en un instant *(1731)*
c. faillit à m'attirer *(1731)*
d. fit réflexion à mes paroles *(1731)*
e. Le valet demeura avec nous *(1731)*

Page 107 :

a. était exorbitant *(1731)*
b. la Providence conduit *(1731)*
c. chez lui, dans *(1759)*

Page 108 :

a. ayant aperçu un fiacre au bout de la rue, je le fis appeler *(1731)*
b. demi pâmée auprès *(1731)*
c. pas encore hors de l'appréhension du *(1731)*
d. c'est tout ce qui me restait dans la bourse *(1759)*
e. mais dans le fond *(1731)*
f. donné la mort *(1756, 1759)*
g. Pourquoi? je n'ai plus *(1731)*

Page 109 :

a. encore souverainement *(1756, 1759 : faute manifeste)*
b. Il était environ onze heures *(1731)*
c. environs, à voir *(1731)*
d. cette embarrassante *(1731)*
e. et elle me confirma cette assurance *(1731)*
f. *Les mots :* en effet *sont omis dans l'édition de 1759.*

Page 110 :

a. l'auberge, dans le dessein *(1759)*
b. La nécessité m'obligea *(1731)*
c. où je voulais *(1759 : correction destinée à éviter la répétition du mot* dessein)

Page 111 :

a. des espérances pour le futur *(1731)*
b. à couvert à Chaillot *(1731)*

c. Les mots : pour les besoins futurs *sont malencontreusement omis dans l'édition* de *1759.*
d. ce qu'il sera en état de *(1731)*

Page 112 :

a. je le donnerais plutôt que de me réduire à une basse supplication *(1731)*
b. sans aucun *(1759)*
c. il me les fut quérir *(1731)*

Page 113 :

a. Lieutenant de Police *(1731)*
b. de mon évasion *(1731)*
c. côté-là, aucun *(1759)*
d. Il y avait bien *(1759 : l'omission de* là *est injustifiable)*

Page 114 :

a. que j'eusse dessein *(1731)*
b. n'avais aucun *(1759)*
c. lui promettre, étant bien aise *(1731)*
d. autant que cela *(1731, 1733, 1759 ; 1753 et 1756 ont :* autant que ce dessein*; c'est par hasard que le correcteur de 1759, toujours à l'affût d'un moyen d'abréger, retrouve le texte de 1731).*
e. mon amour pour Manon *(1731)*
f. de vivre avec elle *(1731)*
g. soumise, que je ne doutai point que je n'obtinsse *(1731)*
h. assuré que je n'avais plus rien *(1731)*
i. m'effraya tellement, que *(1731)*
j. parut encore plus risible *(1731)*
k. ni de *(1731)*

Page 115 :

a. à l'Hôpital demander à la voir et faisant semblant *(1731)*
b. eût consenti à *(1731)*
c. et qu'on faisait *(1731)*
d. continua à *(1731)*
e. qu'il n'était point *(1731)*
f. le temps dont M. de T... parlait. Sur quoi il lui raconta *(1731)*
g. Tout ce passage est au style indirect dans les éditions antérieures à 1753, avec quelques autres variantes, soit : Il lui dit qu'environ deux heures auparavant, un garde du corps, des amis de Lescaut, l'était venu voir et lui avait proposé de jouer; que Lescaut avait gagné si rapidement que l'autre s'était trouvé cent écus de moins en une heure, c'est-à-dire tout son argent; que ne lui restant point un sou, il avait prié Lescaut de lui prêter la moitié de la somme qu'il

avait perdue; et que sur quelques difficultés nées à cette occasion, ils s'étaient querellés avec une animosité extrême; que Lescaut avait refusé de sortir pour mettre l'épée à la main, et que l'autre avait juré, en le quittant, de lui casser la tête : *(1731)*

h. avait apparemment exécuté *(1731)*

i. et il continua *(1731)*

Page 116 :

a. il ne me restait plus qu'à acheter *(1731)*

b. s'il voulait prendre la peine *(1731)*

c. cette proposition à dessein d'intéresser sa générosité ou si ce fut par un mouvement qui venait de lui-même *(1731)*

d. et après m'avoir fait choisir *(1731)*

e. que je ne m'étais *(1731)*

f. il défendit absolument au marchand de recevoir un sou de mon argent. Il fit cette galanterie *(1731)*

g. de relâche, jusqu'après notre souper. Il convint lui-même qu'il en avait besoin, et jugeant par notre attention que nous l'avions écouté avec plaisir, il *(1731)*

h. nous trouverions encore quelque chose de plus intéressant dans la suite de son histoire. Il la reprit ainsi lorsque nous eûmes fini de souper *(1731)*

Page 117 :

a. et la compagnie *(1731)*

b. Oublions nos frayeurs *(1731)*

c. l'avenir même ne me causait nul embarras *(1731)*

d. ne ferait point difficulté *(1731)*

e. vivre honnêtement *(1731)*

f. j'étais en droit *(1731)*

g. qui ne me semblait pas pouvoir manquer, soit du côté de ma famille, soit du côté du jeu *(tout le passage qui suit, jusqu'à la page 124, ligne 31, est une addition de 1753.)*

Page 119 :

a. ne le permettait *(1759)*

Page 125 :

a. me semblait le plus solidement établie. Je me croyais si heureux en soupant avec M. de T... et Manon qu'on n'aurait pu me faire comprendre que j'eusse à craindre encore quelque nouvel obstacle à ma félicité *(1731)*

b. et ensuite *(1731)*

c. Dans le temps que nous étions à table *(1731)*

d. savoir qui ce pouvait être qui arrivait si tard. On nous dit que c'était le jeune Monsieur de G. M. *(1731)*

e. prendre de meilleurs sentiments *(1731)*
f. Après m'avoir dit mille *(1731)*
g. du péril où l'on exposait Manon, de découvrir *(1759 : correction inutile)*
h. M. de T... nous l'amena après avoir pris *(1731)*

Page 126 :

a. sérieuse. Il nous parla de l'excès où son père s'était porté contre nous avec détestation *(1731)*
b. une demi-heure à s'entretenir avec nous que *(1731)*
c. Je vis ses regards et ses manières s'attendrir *(1731)*
d. félicité beaucoup de *(1731)*
e. nous avoir prié de lui accorder la liberté de *(1731)*
f. Il partit le lendemain *(1731)*
g. Je n'avais, comme j'ai dit, nul penchant *(1731, 1733)* — Je ne me sentais, comme je l'ai dit *(1759, correction acceptable, mais pas indispensable)*.
h. J'étais plus crédule *(1731)*
i. d'avoir plu à G. M. *(1731)*
j. communiquer le soupçon que j'avais conçu de G. M. *(1731)*
k. résolûmes donc *(1759)*
l. avec lui, ce que nous ne pûmes exécuter, car m'ayant tiré aussitôt en particulier : Je me suis trouvé, dit-il *(1731)*

Page 127 :

a. condamnées. Cependant j'aurais *(1731)*
b. cause imprudente de la passion de G. M. en *(1731)*
c. supporter l'image *(1783 ; 1810 reprend le texte de Prévost)*
d. va s'augmenter *(1731)*

Page 128 :

a. Cette dernière circonstance commença à me faire regarder *(1731)*
b. sans doute, de l'empêcher de s'ouvrir *(1731)*
c. les rejeter et me demeurer fidèle. Je *(1731)*
d. sûr du cœur d'une maîtresse *(1731)*
e. qu'elle n'est point *avare *(1731)*
f. Mais vous savez, vous autres friponnes, ajoutai-je en riant, vous défaire *(1731)*
g. Elle reprit la parole, après *(1731)*

Page 129 :

a. conduits tout droit *(1731)*
b. facilement à la mienne. La *(1731)*
c. des compliments honnêtes *(1731)*
d. qui avait prétexté *(1731)*
e. sienne. Nous fûmes l'un pour l'autre une scène fort agréable

pendant tout l'après-midi. Je *(1731, 1733)* — sienne. Pendant tout l'après-midi, nous jouâmes l'un pour l'autre une scène fort agréable. Je *(1810)*

Page 130 :

a. et elle m'embrassa *(1731)*
b. Elle serait la maîtresse de son cœur et de sa bourse, et pour le commencement de ses bienfaits *(1731)*
c. à sa pensée trois vers *(1783; 1810 revient au texte de 1753)*

Page 131 :

a. qu'il lui avait promis *(1731)*
b. se procura adroitement *(1731)*
c. que deux pour disposer les choses à la recevoir *(1731)*
d. d'inquiétude; parce qu'il paraissait être assuré de tout le reste; il *(1731)*
e. G. M. était plus *raffiné que *(1731)*
f. dangers. Elle s'obstina à terminer l'aventure *(1731)*

Page 132 :

a. l'assurer que rien ne lui serait plus facile que de se rendre à Paris le jour marqué et qu'il pourrait *(1731)*
b. village à l'autre côté *(1731)*
c. C'était le même *(1731)*
d. me retrouver *(1731)*
e. d'inventer un prétexte *(1731)*
f. *La phrase :* c'est ainsi que se nommait notre valet *est omise en 1783; elle est restituée en 1810.*
g. ne me trompez-vous point *(1756, 1759)*

Page 133 :

a. et elle me réitéra *(1731, 1733)* — et me renouvela *(1759)*
b. jusqu'à six heures *(1731)*
c. postai selon *(1731)*
d. confondu parmi une foule de laquais, et occupé à examiner les passants *(1731)*
e. une résolution assurée *(1731)*
f. dire doucement qu'il y avait une jolie demoiselle qui m'attendait *(1731)*

Page 134 :

a. Je reconnus le *caractère *(1731)*
b. de toutes mes idées *(1731)*
c. de présents, et il *(1731)*

Page 135 :

a. qui était auprès de moi *(1731)*
b. qu'elle jouisse tranquillement *(1731)*
c. sentais aucun *(1759)*

Page 136 :

a. dans la chambre à ces paroles *(1731)*
b. changea en une *(1731)*
c. Elle s'approcha pourtant *(1731)*

Page 137 :

a. comment, et à quel *(1759)*
b. qui l'avait *(1731)*
c. heures; qu'ayant suivi *(1731)*
d. rien dit davantage *(1731)*

Page 138 :

b. faire place à un peu de réflexion *(1731)*
a. infortune à quelques autres que *(1731)*
c. j'aurais juré que cela *(1731)*
d. un effet de son amour et de sa *(1731)*
e. pour que je doutasse de *(1731)*

Page 139 :

a. et de le prier de faire *(1731)*
b. sous prétexte *(1759)*
c. même. Je crus *(1759)*
d. de l'inquiétude en allant. Je le mis aussitôt au fait *(1731)*
e. à ce malheur il m'offrit généreusement de ramasser *(1731)*
f. douce dont *(1759 ; erreur manifeste)*
g. Il s'engagea à faire tout ce que je lui demanderais, sans exception *(1731)*
h. cherchâmes en allant de *(1731)*
i. d'un café *(1783, 1810)*

Page 140 :

a. dans un café *(1783, 1810)*
b. et jeta *(1759)*

Page 141 :

a. à vous à considérer *(1759)*
b. et appuya *(1759)*
c. qu'on a trahi et abandonné *(1731)*

Page 142 :

a. que tu es une *(1731)*
b. ton abominable *(1783; 1810 reprend le texte de 1753)*
c. d'avoir le moindre commerce désormais avec *(1731)*
d. à genoux auprès de *(1731)*

Page 143 :

a. passant au contraire tout d'un coup *(1731)*

Page 144 :

a. point à moi à exiger *(1731)*
b. ne réfléchissant *(1753; erreur typographique, par interversion des lettres de* en) — ne réfléchissant pas *(1756, 1759, 1783, 1810; Nous conservons le texte correct donné par 1731)*
c. à votre gré ma joie et ma douleur *(1783; 1810 revient au texte de 1753)*
d. quelque temps à penser à sa *(1731)*
e. la fille qu'il vous a envoyée *(1731)*
f. qui causait *(1731)*
g. renonçait à tout *(1731)*

Page 145 :

a. et y avait *(1759)*
b. pour vous et que *(1783; 1810 restitue les mots omis :* et pour moi)

Page 146 :

a. J'ai ajouté que j'étais si convaincue que vous agiriez pacifiquement que je *(1731)*
b. ne pouvais pas *(1731)*
c. et ayant demandé *(1759; faute évidente)*

Page 147 :

a. aveu à faire à un *(1731)*

Page 148 :

a. qui m'est tout particulier *(1731)*
b. circonstances mêmes *(1731)*

Page 149 :

a. lui quérir *(1731)*
b. Mais je fus surpris que lorsque je lui parlai de la dernière comme d'un badinage, elle insista à me la proposer sérieusement comme une chose qu'il fallait exécuter. Je lui demandai en vain où elle *(1731)*

Page 150 :

a. par où *(1731)*
b. se déshabiller et se coucher *(1731)*
c. tandis qu'il passerait la nuit à boire et à jouer avec ses trois braves *(1731)*
d. moment que *(1731)*
e. obscur, voulant être *(1731)*

Page 151 :

a. seconda adroitement *(1731)*
b. grave tant que les laquais demeurèrent à nous servir. Les ayant enfin congédiés *(1731)*
c. Notre mauvais génie travaillait pendant ce temps-là à nous perdre. Nous étions dans l'ivresse du plaisir *(1731)*
d. et il était d'une extrême vivacité *(1731)*

Page 152 :

a. pour aider à son salut *(1731)*
b. pour le faire *(1731)*
c. espérait le *(1759)*
d. mais étant entré suivi *(1731)*
e. malheureusement entortillée *(1731)*

Page 153 :

a. faut envoyer au gibet *(1783, 1810 : fâcheux contresens, qui montre que les éditeurs ne songent plus au statut privilégié des gentilshommes dans le domaine pénal)*
b. sur le fils, comme sur *(1759)*

Page 154 :

a. le meilleur parti que je pusse prendre *(1731)*
b. Mais il était (*1759 ; faute évidente*)
c. Le *(1731)*
d. avions fait *(1731 ; l'accord du participe est fait en 1753)*

Page 155 :

a. eussiez vus. Ce sont les mêmes *(1731)*
b. j'espère qu'à la fin vous me ferez la grâce de *(1759)*

Page 156 :

a. d'une légère vengeance *(1783 ; 1810 reprend le texte de 1753)*
b. assez tôt *(1783, 1810)*
c. un carrosse tout prêt *(1731)*

Page 157 :

a. de votre sort *(1731)*
b. Je ne l'avais pas entendu ouvrir la bouche *(1731)*
c. se trouvant alors seule *(1759)*
d. tant qu'elle continuerait à m'aimer *(1731)*
e. créature aussi charmante *(1731)*
f. celles que me causait la pensée de l'avenir *(1731)*

Page 158 :

a. ma pauvre maîtresse *(1731)*
b. pension par avance *(1731)*

Page 159 :

a. père, et de le prier *(1731)*
b. je l'ai déjà dit *(1731)*
c. si j'eusse su *(1731)*

Page 160 :

a. le Lieutenant de police *(1731)*
b. néanmoins le *(vit)* *(1731)*
c. que je serais devenu *(1759)*
d. devais point *(1731)*
e. je ne pus même *(1731)*

Page 161 :

a. Lieutenant de police *(1731)*
b. Asseyez-vous. Grâces au *(1731)*

Page 162 :

a. malheureux, dit-il *(1783; 1810 reprend le texte de 1753)*
b. qui vous déshonore. Je vous en supplie, mon père, ajoutai-je tendrement, ayez un peu de pitié *(1783, 1810)*

Page 163 :

a. d'esprit et de bon goût *(1731)*
b. de cacher *(1759)*
c. rien en général dans ma conduite *(1783; 1810 reprend le texte de 1753)*
d. une maîtresse entretenue *(1731)*
e. M. de F. (*1731*)

Page 164 :

a. ma liberté surtout d'une *(1731)*
b. Lieutenant de Police *(1731)*

Page 165 :

a. Mr. le Lieutenant de Police, à qui *(1731)*
b. dans ce temps-là *(1731)*
c. Lieutenant de police *(1731)*
d. donna la parole *(1731)*
e. excuses des injures prétendues que j'avais faites *(1731)*
f. sans faire mention de *(1731)*
g. dérober à *(1759)*

Page 166 :

a. qu'ayant quelques sentiments de bienveillance pour moi *(1731)*
b. que j'en ai encore à *(1783, 1810)*

Page 167 :

a. Lieutenant de Police *(1731)*
b. et à fondre *(1759)*
c. engager à soutenir ma querelle *(1731)*
d. même eût été à peine respecté *(1731)*

Page 168 :

a. aventures. Cela *(1731)*
b. priai ensuite *naturellement de *(1731)*
c. cinq cents livres *(1731)*
d. Je retournai *(1783, 1810)*
e. à cette espérance *(1783, 1810)*
f. Lieutenant de police *(1731)*

Page 169 :

a. j'eusse songé à *(1731)*
b. eu beaucoup de chagrin *(1731)*
c. dangereux et auquel *(1731)*
d. qu'il eût eu part *(1731)*
e. que mon affection *(sic) (1731)*
f. laissait encore *(1783, 1810)*
g. Lieutenant de Police *(1731)*
h. cette ressource très faible *(1731)*
i. pas bien duquel on pouvait se servir *(1731)*

Page 170 :

a. Lieutenant de Police *(1731)*
b. il s'offrit à faire tous ses efforts *(1731)* — Il m'offrit de faire tous les efforts *(1756, 1759, 1783, 1810)*
c. de son logis *(1731)*
d. qu'il ne m'y fît *(1731)*
e. sauvait de ce danger *(1783; 1810 revient au texte de 1753)*
f. parce qu'il commençait à faire nuit *(1759)*

Page 171 :

a. Il voulait savoir *(1731)*
b. vous voir sans vie que de vous voir sans honneur *(1783; 1810 revient au texte de 1753)*

Page 172 :

a. barbare quand on a une fois *(1731)*
b. ton rigoureux et dur *(1783; 1810 reprend 1753)*

Page 173 :

a. donc que la violence *(1759 ; correction peu heureuse)*
b. n'ayant point eu *(1731)*

Page 174 :

a. de ne rien ménager pour *(1731)*
b. et chacun un mousqueton *(1731)*
c. jusqu'au dernier sou *(1751)*

Page 175 :

a. Les mots qu'elle prenait le chemin de Normandie, et que c'était du Havre-de-Grâce *disparaissent de l'édition de 1759 (bourdon), rendant le passage incompréhensible.*
b. il y a environ deux ans *(1731)*
c. faillit à m'ôter *(1731)*
d. cavalier courir vers eux *(1731)*

Page 176 :

a. sommes plus que deux *(1731)*
b. les archers, d'aller *(1731)*

Page 177 :

a. Ils se tenaient toujours néanmoins en posture de défense *(1731)*
b. un peu sur *(1783; 1810 reprend 1753)*
c. je devais bien comprendre *(1731)*

Page 178 :

a. avec les créatures *(1731)*
b. enfin la réunion de tant de charmes *(1783; 1810 revient opportunément au texte de 1753)*

Page 179 :

a. se peindre *(1783; 1810 reprend le texte de 1753)*

Page 180 :

a. du sort le plus cruel *(1783, 1810)*
b. que m'importait *(1759)*
c. si j'étais assuré *(1731)*
d. Ils ne reconnaissent *(1756, 1759, 1783, 1810 : erreur manifeste)*

Page 182 :

a. une rigueur *(1783; 1810 reprend le texte de 1753)*
b. je pourrais attendre sa lettre. Ce ne pouvait être que *(1731)*
c. matin du jour *(1759; correction peu heureuse, du fait de la répétition du mot* jour)
d. représenter quel fut mon *(1731)*
e. Quoi? disais-je *(1731)*
f. Chevalier : finissons *(1731)*
g. à des extrémités horribles, puisqu'on a eu dessein de m'en faire *(1731)*

Page 183 :

a. Voyant que je n'avais point de secours à attendre de *(1731)*
b. On cherchait de tous côtés de jeunes gens *(1731)*
c. Le vent nous fut continuellement favorable *(1731)*

Page 184 :

a. Il fit semblant de *(1731)*
b. de n'y manquer *(1731)*
c. vent. Aucune *(1759)*
d. ayant fait décharger *(1731)*

Page 186 :

a. qui y était à attendre la nôtre *(1731)*
b. autant de maintien *(1783; bizarre impropriété; 1810 reprend le texte de 1753)*
c. nous faire avoir *(1731)*
d. en deux chambres *(1731)*

Page 187 :

a. mettre deux ou trois chaises *(1731)*
b. Les mots assez de courage, et même *sont omis par l'édition de 1759 (bourdon).*
c. que vous l'êtes de moi *(1731)*

Page 188 :

a. pas bien avec *(1731)*
b. à des excès *(1756, 1759, erreur évidente)*
c. parut après cela un lieu de délices *(1759)*

Page 190 :

a. servit à nous ramener peu à peu à l'esprit des idées de piété et de *(1731)*
b. qui se font gloire *(1731)*
c. L'amour, la jeunesse *(1756, 1759)*
d. dans le crime *(1731)*
e. et que nous sanctifiions (*écrit :* santifions) *(1731)*

Page 191 :

a. la présomption de vous solliciter à m'accorder la qualité *(1731)*
b. tu la serais bientôt d'un roi *(1731)*
c. n'avons aucun *(1759)*
d. obstacle à appréhender *(1731)*
e. étaient assurés *(1731)*
f. patience lorsque *(1731)*

Page 192 :

a. dès notre arrivée *(1731)*
b. rien apercevoir *(1731)*
c. j'arrivai dans le fort *(1731)*
d. n'avais aucune *(1731)*
e. qui m'obligeât à *(1731, 1759)*
f. Environ une heure après *(1731)*

Page 193 :

a. toute la ville *(1731)*
b. sur mon épouse *(1731)*
c. *Les mots* par des bêtes féroces, et *sont omis dans l'édition de 1759 (bourdon)*

Page 194 :

a. m'exprimer sa crainte *(1731)*
b. disait en pleurant : hélas, ils vont vous tuer, je ne vous reverrai plus que mort *(1731)*
c. J'eus besoin de quantité d'efforts *(1731)*
d. qu'elle me verrait de retour en un moment *(1731)*
e. sa parole de l'accorder à *(1731)*

Page 195 :

a. dans le dessein d'user jusqu'à la fin de modération, résolu, si l'on en venait aux excès, de donner au nouvel Orléans *(1731)*
b. pût terminer *(1783; 1810 reprend le texte de 1753)*
c. peut-être droit *(1756, 1759, correction malheureuse)*
d. d'un coup l'un et l'autre *(ce texte de 1731 est conforme à l'usage ancien qui prend volontiers* l'un *comme un neutre)*

e. n'étais point *(1731)*
f. j'étais assuré *(1731)*

Page 196 :

a. remède à *(1759)*
b. que la perte de ma chère maîtresse? Ah! souffrons toutes celles auxquelles il faut m'exposer pour *(1731)*
c. lui cacher ni même diminuer le *(1731)*
d. un peu ses forces *(1731)*
e. faiblesse et elle *(1731)*
f. par hasard, nous n'aurions pas le temps de nous éloigner de la ville *(1731)*

Page 197 :

a. quelques liqueurs *(1731)*
b. Quoique j'eusse été si irrésolu sur *(1731)*
c. comme nous un établissement *(1731)*
d. à traverser pour aller chez eux *(1731)*

Page 198 :

a. refusa absolument *(1731)*

Page 199 :

a. ne reprit-elle *(1756, 1759)*
b. en les mettant sous elle *(1731)*
c. la nuit toute entière à veiller auprès d'elle *(1731)*
d. semble se reculer *(1731)*
e. souffle, de crainte de *(1731)*
f. Je ne pris d'abord ces paroles que pour une expression ordinaire *(1731)*
g. consolations que l'amour inspire *(1731)*

Page 200 :

a. et déplorable moment *(1731)*
b. à en mener jamais une *(1731)*
c. Je demeurai deux jours et deux nuits avec la bouche *(1731)*
d. du troisième jour *(1731)*
e. Je repris autant de force *(1731)*
f. encore auprès d'elle *(1731)*
g. terre tout ce qu'elle *(1731)*
h. yeux, dans le dessein *(1759)*

Page 201 :

a. ni de soupir *(1731)*
b. ne mérite point *(1731)*

c. le porta à publier *honnêtement *(1731)*
d. fit chercher aussitôt *(1731)*
e. réveilla en moi quelque sentiment *(1731)*
f. Je ne laissai pas en arrivant d'être enfermé *(1731)*

Page 202 :

a. une funeste *(1731)*
b. après m'avoir poursuivi *(1731)*
c. m'éclaira des lumières de sa grâce et m'inspira le dessein de retourner à lui par les voies de la pénitence. La tranquillité *(1731)*
d. fut suivi depuis de ma guérison *(1759)*
e. entièrement aux exercices de la piété et je continuai à *(1731)*
f. vie sage et régulière le scandale de ma conduite passée *(1731)*

Page 203 :

a. Je pris soin *(1731)*
b. Ce fut peu après cette cérémonie que *(1731)*
c. surprise excessive *(1731)*
d. avait été le dessein *(1731)*
e. pour m'y rendre le service que *(1731)*
f. qu'il fût parti *(1731)*
g. à Saint-Malo qui allait à Québec *(1731)*

Page 204 :

a. l'occasion du vaisseau *(1731)*
b. heureusement auprès de *(1731)*
c. dont il serait satisfait. Il me protesta qu'une si heureuse nouvelle le dédommageait de toutes les traverses *(1731)*
d. Nous avons passé quelques mois *(1731)*
e. de la mort de mon père. Le vent étant *(1731)*
f. de me rendre auprès de *(1731)*
g. qu'il ne manquera pas de se trouver *(1731)*
h. Fin du tome VII et dernier *(1731)*

BIBLIOGRAPHIE

DES ÉDITIONS DE *MANON LESCAUT* PARUES DU VIVANT DE L'ABBÉ PRÉVOST

On a vu[1] *que* l'Histoire du Chevalier des Grieux et de Manon Lescaut *a été publiée pour la première fois, en avril-mai 1731, comme le tome VII des* Mémoires et Aventures d'un Homme de qualité *dont les tomes I et II avaient paru en 1728, les tomes III et IV en 1729, et dont les tomes V et VI accompagnaient le tome VII. La Compagnie des Libraires faisait suivre immédiatement la publication des trois derniers tomes d'une réimpression des quatre premiers, de façon à former l'ouvrage suivant :*

Édition A

1731

Mémoires / Et / Avantures / D'un Homme / De Qualité / Qui s'est retiré du monde / Tome Septième / A Amsterdam / Aux dépens de la Compagnie / MDCCXXXI.

Petit in-12 composé de sept tomes. Les titres sont imprimés en rouge et noir. Aux tomes 1er, 3e, 5e, 7e, le fleuron de la page de titre est une vignette gravée sur cuivre représentant deux

---

1. *Introduction*, pp. LXI-LXIII. On trouvera des renseignements plus détaillés sur les éditions décrites ci-après dans Harrisse, *Bibliographie de Manon Lescaut et Notes pour servir à l'histoire du livre*, Paris, Damascène Morgand et Charles Fatout, seconde édition, 1877, et dans la Bibliographie de l'édition de *Manon Lescaut* par C.-É. Engel et Max Brun, Club des Libraires de France, 1960.

génies sous une balance. Les tomes 2e, 4e et 6e ont un fleuron gravé sur bois. Le tome 7e donne pour la première fois l'Histoire du Chevalier Des Grieux et de Manon Lescaut :

Faux titre. Titre. Avis de l'auteur : pages 1 à 8. Livre 1er : pages 9 à 199.

Livre 2e : pages 200 à 344.

Cette très jolie édition est devenue rare. Voyez la planche IV.

Édition B

1731

Mémoires / Et / Avantures / D'un Homme / De Qualité / Qui s'est retiré du monde / Tome Septième / A Paris / Aux dépens de la Compagnie / MDCCXXXI.

Petit in-12 composé de sept tomes. Titres rouges et noirs.

Tome 1er : Frontispice représentant un magicien assis.

Tomes 1er, 2e, 3e et 4e, à la page de titre un fleuron composé de 13 étoiles.

Tome 5e : Fleuron : une corbeille de fleurs.

Tome 6e : Fleuron : des motifs entrelacés.

Le tome 7e donne Manon Lescaut. *Faux titre. Titre : fleuron constitué par une vignette circulaire où l'on voit un navire dans une tempête. Avis de l'auteur : pages 1 à 8. Livre 1er : pages 9 à 199. Livre 2e : pages 200 à 344.*

Cette édition est une contrefaçon probablement éditée en Suisse.

Édition C

1732

Mémoires / Et / Avantures / D'un / Homme de Qualité / Qui s'est retiré du monde. / Tome 7e (ou 8e) / A Amsterdam / Par la Compagnie, 1732.

Grand in-12 en huit tomes. Les tomes 7e et 8e donnent Manon.

Tome 7e : Titre et Avis de l'auteur : 3 feuillets, ensuite pages 1 à 201.

Tome 8e : Titre, ensuite pages 1 à 153.

Cette édition doit être l'œuvre du libraire Changuion. L'orthographe diffère de celle de l'édition A pour se rapprocher des habi-

tudes typographiques hollandaises. Beaucoup de lettres doubles sont simplifiées. Bizarre *est écrit* bisarre, auxquelles, ausquelles, *etc., etc.*

Édition D

1733

Suite / Des / Mémoires / Et / Avantures / D'un homme / De Qualité / Qui s'est retiré du monde / A Amsterdam / Aux dépens de la Compagnie / MDCCXXXIII.

Grand in-12 donnant Manon.

*Titre, Lettre de l'Éditeur, signée D'EXILES, et tirée, avec quelques modifications de circonstance, du tome V de l'édition A (voir l'*Appendice*) : 6 pages non chiffrées. Avis de l'Auteur : 8 pages non chiffrées. Livre 1*[er] *: pages 1 à 268. Livre 2*[e] *: pages 269 à 469.*

Le fleuron du titre est constitué par onze petits ornements typographiques formant un triangle. Le texte et l'orthographe sont ceux de l'édition A.

Édition E

1733

Suite / Des / Mémoires / Et / Avantures / D'un Homme / De Qualité / Qui s'est retiré du monde / A Amsterdam / Aux dépens de la Compagnie / MDCCXXXIII.

Grand in-12 donnant Manon.

Même description que pour D, mais le fleuron du titre est différent. Il est composé d'un écusson allongé entouré de rameaux.

L'édition E, qui a passé longtemps pour l'édition originale de Manon Lescaut, *suit ligne pour ligne l'édition D, mais les habitudes orthographiques du typographe sont celles de l'édition C (par ex. p. 80* Abé, *p. 91* diférens, etc.)

Édition F

1733

Les / Avantures / Du Chevalier / Des Grieux / Et de / Manon Lescaut / Par Monsieur D*** / A Amsterdam / Aux dépens de la Compagnie / MDCCXXXIII.

Grand in-12. Titre. Avis de l'auteur : 5 pages non chiffrées. Livre 1er : pages 1 à 216. Livre 2e : pages 217 à 409.

Première édition séparée de Manon. *On y trouve des différences de texte par rapport aux autres ouvrages.*

Édition G

1734

Aventures / Du Chevalier / Des Grieux / Et de / Manon Lescaut / Par Mr. de *** / Auteur des Mémoires d'un / Homme de Qualité / A Londres / Chez les Frères Constant / A l'Enseigne de l'Inconstance / MDCCXXXIV.

Petit in-8o. Titre. Avis de l'auteur : pages V à XII. *Livre 1er : pages 1 à 176. Livre 2e : pages 177 à 309.*

Un frontispice gravé représente une jeune femme couronnée, assise sur un trône. Page 217, le nom de l'héroïne est imprimé : Mamom Lescaut.

Édition H

1735

Mémoires / Et / Avantures / D'un Homme / De Qualité / Qui s'est retiré du monde / Tome 7e / A Amsterdam / Chez J. Wetstein et G. Smith / MDCCXXXV.

Petit in-12. Sept tomes. Titres rouges et noirs. Aux pages de titre des tomes 1er, 3e, 5e et 7e, un fleuron finement gravé représentant deux génies et deux sphinx ; au centre la devise : Terar dum prosim. *Aux autres tomes : un fleuron sur bois avec la même devise.*

Le tome 7e donne Manon.

Faux titre. Titre. *Avis de l'auteur : pages 1 à 8. Livre 1er : pages 9 à 191. Livre 2e : pages 192 à 330.*

Très jolie édition imprimée sur un excellent papier filigrané.

Édition I

1737

Suite / Des / Mémoires / Et / Avantures / D'un Homme / De Qualité / Qui s'est retiré du monde / A Amsterdam / Aux dépens de la Compagnie / MDCCXXXVII.

Grand in-12. Deux volumes donnant Manon. *Livre 1er : pages 1 à 220. Livre 2e : pages 3 à 170. Titres rouges et noirs.*

Édition J

1737

Mémoires et Avantures d'un Homme de Qualité, Qui s'est retiré du monde : A La Haye, chez M. F. Merville et J. Vander Kloot, Libraires. MDCCXXXVII.

In-12. Six volumes avec une seule pagination de 479 pages pour les trois premiers tomes et de 500 pour les 4e, 5e, 6e (Catalogue Rossi, Rome, 1896, no 842).

Édition K

1737

Histoire / Du Chevalier / Des Grieux / Et de / Manon Lescaut / Nouvelle Édition / A Amsterdam / Par la Compagnie, 1737.

Grand in-12 en deux volumes.

Tome 1er : Titre. Avis de l'auteur : 3 feuillets non chiffrés. Texte : pages 1 à 201.

Tome 2e : Titre. Texte : pages 1 à 153.

Titre imprimé en rouge et noir, portant des fleurons très bien gravés.

Édition L

1738

Mémoires / Et / Avantures / D'un Homme / De Qualité / Qui s'est retiré du monde / Tome Septième / A Paris / Chez Théodore Le Gras, Grand'salle / Du Palais, à l'L couronnée / MDCCXXXVIII / Avec approbation et privilège du Roy.

Grand in-12 composé de huit tomes, les deux derniers donnant Manon.

Tome 7e : Titre. Lettre de l'éditeur : 6 pages non chiffrées. Avis de l'auteur : 8 pages non chiffrées. Livre 1er : pages 1 à 268.

Tome 8e : Titre. Livre 2e : pages 269 à 470. Table des matières : 12 pages non chiffrées.

Pour les tomes 7e et 8e, la page de titre porte la mention : A Amsterdam / Aux dépens de la Compagnie.

Édition légitime éditée en vertu d'un privilège accordé le 31 décembre 1736 à Hippolyte-Louis Guérin, qui le céda le 22 janvier 1737 à la veuve Delaulne et à Martin et Le Gras.

Édition M

1739

Mémoires / Et / Avantures / D'un Homme de Qualité / Qui s'est retiré du monde / Tome Septième / A Amsterdam / Par la Compagnie, 1739.

Grand in-12 composé de huit tomes, les deux derniers donnant Manon.

Tome 7e : Avis de l'auteur : 6 pages non chiffrées. Livre 1er : pages 1 à 201.

Tome 8e : Livre 2e : pages 1 à 153.

Ces deux tomes ont été faits avec les feuilles de l'édition C de 1732.

Édition N

1741

Mémoires / Et / Avantures / D'un Homme / De Qualité / Qui s'est retiré du monde / Tome Septième / Du Fonds de la Veuve Delaulne / A Paris / Chez Cavelier, Fils, Libraire, rue S. Jacques / A la Ville de Paris / MDCCXLI / Avec approbation et privilège du Roy.

Cette édition est identique à L de 1738. Seules les pages de titre furent changées.

Édition O

1742

Histoire / De / Manon / A La Haye / Chez Pierre Gosse / MDCCLII.

Édition composée avec les feuilles des tomes 7e et 8e de L *de 1738. Les pages de titre sont réimprimées.*

Édition P

1742

Mémoires / Et / Avantures / D'un Homme / De Qualité / Qui s'est retiré du monde / A Amsterdam et à Leipzig / Chez Arkstee et Merkus / MDCCXLII.

Petit in-12. Sept tomes. Le dernier donne Manon. *Titres rouges et noirs, le fleuron représente un soleil couronné.*

Tome 7e : Livre 1er : pages 1 à 199. Livre 2e : pages 200 à 111

Cette édition suit, ligne pour ligne, l'édition A de 1731. Les fleurons intérieurs et les lettres ornées sont différents.

Édition Q

1744

Mémoires / Et / Avantures / D'un Homme / De Qualité / Suivant la copie de Paris / Chez J. Rod Thurneisen / MDCCXLIV.

Petit in-12 en quatre volumes qui, selon Mysie Robertson, *serait copié sur* B *de 1731.*

Édition R

1745

R1 — Mémoires / Et / Avantures / D'un / Homme de Qualité / Qui s'est retiré du monde / Tome septième / A Amsterdam / Par la Compagnie, 1745.

Grand in-12 en huit tomes, les deux derniers donnant Manon. *Titres rouges et noirs.*

Tome 7e : Titre. Livre 1e : pages 1 à 201.

Tome 8e : Titre. Livre 2e : pages 1 à 153.

R2 — Histoire / Du Chevalier / Des Grieux / Et de / Manon Lescaut / Nouvelle édition / Tome 1er (ou second) / A Amsterdam / Par la Compagnie / 1745.

Cet ouvrage correspond exactement aux tomes 7e et 8e que nous venons de décrire. Mais les pages de titre et les premiers feuillets ont été changés. On relève cependant, à la page 13, quelques différences de typographie.

Édition S

1749-1750-1751

Mémoires / Et / Avantures / D'un Homme / De Qualité / Qui s'est retiré du monde / Tome Premier / A La Haye / Chez M. G. Merville et J. Vander Kloot, Libraires. MDCCL.

Grand in-12 en trois tomes.

La première partie de Manon *commence à la page 170 du tome 3e. La seconde partie à la page 283, elle se termine à la page 364.*

Édition assez grossière datée de 1749, 1750 ou 1751.

Édition T

1751

Mémoires / Et Avantures / D'un Homme / De Qualité, / Qui s'est retiré du monde / Tome Septième / Suivant la Copie de Paris / Chez J. Rod. Tourneisen / MDCCLI.

Petit in-12. Sept tomes. Titre rouges et noirs. Le tome 7e donne Manon Lescaut.

Tome 7e : Titre. Avis de l'auteur : pages 1 à 8. Texte : pages 9 à 262.

Édition très soignée, bien imprimée sur papier filigrané mais de qualité inférieure à H *de 1735.*

Édition U

1753

Histoire / Du Chevalier / Des Grieux / Et de / Manon

Lescaut / Première (ou seconde) Partie / A Amsterdam / Aux dépens de la Compagnie / MDCCLIII.

Petit in-8° comprenant deux parties :

Première partie : *Faux titre. Titre comportant un fleuron baldaquiné. Avis de l'auteur : pages 1 à 11. A la page 1, un bandeau représente un château entre deux arbres. Au verso de la page 11, un nota en 13 lignes. Texte : pages 1 à 302. A la page 1, une frontispice de Pasquier. A la page 303 non chiffrée : fautes à corriger.*

Seconde Partie : *Faux titre. Titre avec un fleuron composé d'une corbeille entouré de feuilles d'acanthe. Texte : pages 1 à 252.*

Dans la première partie, on trouve quatre figures de Pasquier et de Gravelot, gravées par Pasquier et J. P. Le Bas. Dans la seconde, quatre figures dessinées et gravées par Pasquier. Voyez la Note sur l'iconographic.

Il y a deux états de certaines gravures. Par exemple, à la page 186 de la première partie, soit planche XXVI de notre édition, la serrure de la porte droite de l'armoire est blanche dans la gravure du premier état et noire dans celle du deuxième.

La plupart des exemplaires sont cartonnés; c'est ainsi qu'au tome premier, page 150, à la septième ligne (page 64, variante c de notre édition), le mot promptement *est remplacé par* légèrement. *Voyez la* Note sur l'établissement du texte.

Malgré la marque d'Amsterdam, qui s'explique par le fait que les romans n'obtenaient à l'époque que des permissions tacites, ce magnifique ouvrage a été publié par le libraire parisien François Didot, fils de Firmin Didot.

Édition V

1753

Histoire / Du Chevalier / Des Grieux / Et de / Manon Lescaut / Première (ou seconde) Partie / A Amsterdam / Aux dépens de la Compagnie / MDCCLIII.

Petit in-8° en deux parties. C'est une contrefaçon de l'édition précédente. La description suivante pourra éviter aux amateurs une désillusion.

Première partie : *Faux titre. Titre : le fleuron comporte trois petits bouquets disposés en triangle. Avis de l'auteur : 11 pages chiffrées. Page 1 : un bandeau rectangulaire ayant au centre une croix pointillée. Au verso de la page 11, un nota en 10 lignes (au lieu de 13). Texte : pages 1 à 302. Page 1 : une image représentant deux têtes couronnées. Il n'y a pas d'errata.*

Seconde partie : *Faux titre. Titre : même fleuron qu'au tome 1*er*. Texte : pages 1 à 252. Page 1 : le bandeau avec deux têtes. Au milieu de la page 252 : une marotte. A gauche, la date 1772, à droite le mot Zapourah.*

Cet ouvrage ne comporte pas, en principe, les figures de U mais elles ont été souvent ajoutées par des amateurs.

Édition W

1756

Histoire / Du Chevalier / Des Grieux / Et de / Manon Lescaut / Première (ou seconde) Partie / A Amsterdam / Aux dépens de la Compagnie / MDCCLVI.

Petit in-12 en deux parties :

Première partie : *Faux titre. Titre : le fleuron représente à droite un arbre, à gauche des édifices. Avis de l'auteur : pages 1 à 11. Page 11 : nota en 13 lignes. Texte : pages 1 à 257. Page 257 : erratum (identique à celui de 1753).*

Seconde partie : *Faux titre. Titre : le fleuron représente une sorte de miroir entre deux feuilles d'acanthe. Avis de l'auteur : pages 1 à 11. Nota. Texte : pages 1 à 210.*

Édition très bien imprimée. Elle contient, en principe, les huit figures de l'édition U de 1753. Le texte est celui de U, avec une trentaine de corrections d'importance mineure. Voyez plus haut.

Édition X

1756

Mémoires / Et Aventures / D'un Homme / De Qualité / Qui s'est retiré du monde / Nouvelle édition / Revue et considérablement augmentée / Sur quelques manuscrits trouvés / Après sa mort / Tome I / A Amsterdam / Et se trouve à Paris / Chez / Martin, rue S. Jacques / Dessaint et Saillant, rue Saint / Jean de Beauvais / Poirion, rue S. Jacques / Durand, rue du Four / Hochereau / Pissot / Quai de Conti / MDCCLVI.

Petit in-12 en six tomes auxquels l'éditeur a ajouté les deux parties suivantes donnant Manon Lescaut :

Histoire / Du Chevalier / Des Grieux / Et de / Manon Lescaut / Première (ou seconde) Partie / A Amsterdam / Aux dépens de la Compagnie / MDCCLVI.

Première partie : *Faux titre. Avis de l'auteur : pages 1 à 11. Au verso de la page 11 : Nota en 13 lignes. Texte : pages 1 à 257 (pas d'erratum).*

Seconde partie : *Faux titre. Titre. Texte : pages 1 à 210. Les fleurons des deux pages de titre représentent une lyre entourée de feuillages.*

Ces deux parties suivent, ligne pour ligne, l'édition W de 1756 mais ne sont pas faites avec les mêmes feuilles.

Édition Y

1757

Mémoires / Et Avantures / D'un Homme / De Qualité / Qui s'est retiré du monde / Tome Premier / A La Haye / Chez M. G. Merville et J. Vander Kloot / Libraires / MDCCLVII.

Grand in-12 en deux tomes :

Tome 1er : divisé en quatre parties : 520 pages.

Tome 2e : divisé en quatre parties : 540 pages.

Les septième (pages 341 à 451) et huitième parties (pages 455 à 540) donnent Manon.

Cet ouvrage doit être fait avec les feuilles d'une édition publiée en 1749.

Édition Z

1759

Mémoires / Et Avantures / D'un Homme / De Qualité / Qui s'est retiré du monde / Nouvelle Édition / Revue et considérablement augmentée sur / Quelques manuscrits trouvés après sa mort / Tome Septième / Contenant / La Première Partie / De l'Histoire du Chevalier Des Grieux et de / Manon Lescaut / A Amsterdam et à Leipzig / Chez Arkstee et Mercus / MDCCLIX / Avec Priv. de S. M. Le Roi de Pol. Elect. de Saxe.

Petit in-12 divisé en huit tomes, les deux derniers donnant Manon.

*Tome 7*e *: Faux titre. Titre. Première partie : pages 1 à 186.*

*Tome 8*e *: Pas de faux titre. Titre. Seconde partie : pages 1 à 154.*

Édition imprimée avec le plus grand soin sur un excellent papier filigrané. Elle fut tirée en un petit nombre d'exemplaires. Mme du Barry l'avait dans sa bibliothèque.

Cet ouvrage rarissime comporte, par rapport au texte de 1756, qui lui sert de base, une centaine de corrections supplémentaires, qui ont été discutées dans la Note sur l'établissement du texte.

A noter, pour en terminer avec les éditions parues du vivant de Prévost,. que l'on trouve, reliée avec les huit tomes précédents, l'édition suivante d'une suite, certainement apocryphe :

Suite de / L'histoire / Du Chevalier / Des Grieux / Et de / Manon Lescaut / Troisième (ou Quatrième) Partie / A Amsterdam / Chez Marc Michel Rey / MDCCLXII.

Petit in-12 en deux tomes, titres rouges et noirs.

Troisième partie : *Faux titre. Titre. Texte : pages 1 à 240.*

Quatrième partie : *Faux titre. Titre. Texte : pages 1 à 216.*

Dans cette curieuse suite, Manon, enterrée par erreur dans le désert américain, ressuscite pour s'embarquer dans des aventures d'un goût douteux. Elle peut désormais conserver, non sans peine, sa vertu, et finit par retrouver son Chevalier. On a attribué cette rhapsodie, soit à Laclos, ce qui est impossible, soit à de Courcelles. Il s'agit simplement d'une entreprise commerciale destinée à exploiter le succès du roman de Prévost.

Selon Quérard, Marc-Michel Rey *aurait publié en 1760 une suite divisée, non en deux, mais en trois parties. Arsène Hous-*

saye a fait rééditer cet ouvrage en 1852 par Gustave Havard. Si l'on en juge par la réédition, le texte de 1760 aurait été différent de celui de 1762. Le roman s'y terminait autrement. Mais on ignore si la version Havard n'a pas été remaniée.

Max Brun.

BIBLIOGRAPHIE DES OUVRAGES CITÉS

I

ÉDITIONS MODERNES DE *MANON LESCAUT*

LESCURE (de). Quantin, Paris, 1879 *(texte de 1753)*.

AYNARD (J.). Bossard, Paris, 1926 *(texte de 1731, variantes de 1731)*.

GREEN (F. C.). Cambridge University Press, 1942 *(texte de 1753)*.

ROBERTSON (Mysie). Basil Blackwell, Oxford, 1943, 2 vol. *(Reproduction photographique du texte de 1753 ; l'introduction n'apporte pas de nouveauté sensible par rapport aux autres travaux de Mysie Robertson.)*

VERNIÈRE (P.). Bibliothèque de Cluny, Paris, s. d. [*première édition,* 1949; *seconde édition,* 195.] *(Texte de 1753.)*

SCHMIDT (A.-M.). Club Français du Livre, Paris, 1949 *(Texte de 1753.)*

MATORÉ (G.). Droz, Genève, 1953 *(texte de 1753, variantes de 1753)*.

ÉTIEMBLE. *Les Romanciers du XVIII*e *siècle.* Bibliothèque de la Pléiade, N. R. F., s. d. [1959] *(texte de 1753, variantes de 1731)*.

ENGEL (C.-É.) et BRUN (Max). Club des Libraires de France, Paris, s. d. [1960] *(texte de 1759, variantes de 1753)*.

II

OUVRAGES ET ARTICLES RELATIFS A L'ABBÉ PRÉVOST ET A *MANON LESCAUT*

BEAUNIER (A.). *La Véritable Manon Lescaut*, *Revue des Deux Mondes*, 1er octobre 1918, pp. 697-708.

BIBLIOTHÈQUE NATIONALE. *Manon Lescaut à travers deux siècles*. Paris, 1963. Catalogue de l'exposition présentée à la Bibliothèque Nationale en 1963-1964.

BRUN (Max). *Contribution bibliographique sur les éditions des* « Mémoires et Aventures d'un Homme de qualité » *et de* « Manon Lescaut ». Article paru dans le *Bulletin du Bibliophile*, 1955, et repris, avec des additions, dans l'édition de *Manon Lescaut* citée plus haut.

BRUNETIÈRE (F.). *L'Abbé Prévost*. Article recueilli dans *Études Critiques*, troisième série.

CELLIER (Léon). *Manon et le Mythe de la Femme*, article paru dans *l'Information littéraire*, 1953.

CHAUDON (abbé Mayeul). *Nouveau Dictionnaire historique* (première édition, 1765), à l'article PRÉVOST.

COCTEAU (Jean). *Manon*. Article paru dans *la Revue de Paris*, octobre 1947.

COIMBRA MARTINS (A.). *L'Histoire du marquis de Rosambert, Mémoires ou Roman?* Article paru dans les *Annales de la Faculté d'Aix*, t. XXXIV, pp. 53-86.

— *O padre Prévost e as suas « Memórias do principe de Portugal »;* article paru dans la *Rivista da Faculdade das Letras de Lisboa*, t. XXII (1956), pp. 234-262.

COOPER (Berenice). *The religious convictions of the abbé Prévost;* article paru dans les *Transactions of the Wisconsin Academy of the Sciences, Arts and Letters*, vol. XLI, 1952, pp. 189-199.

DELHOMMEAU (chanoine Louis). *Le prétendu séjour de l'abbé Prévost à l'abbaye de la Grainetière ;* article paru dans la *Revue du Bas-Poitou,* 1960, pp. 278-284.

DELOFFRE (F.). *Un morceau de critique en quête d'auteur, le jugement du « Pour et Contre » sur « Manon Lescaut »;* article paru dans la *Revue des Sciences Humaines,* 1962, pp. 203-212.

— *Les Fiançailles anglaises de l'abbé Prévost.* Dans *l'abbé Prévost,* Actes du Colloque d'Aix des 20 et 21 décembre 1963, Annales de la Faculté des Lettres d'Aix-en-Provence, 1965.

DUPUIS (Don A. N.). ? . *Pensées de Monsieur l'abbé Prévost, précédées d'un Abrégé de sa vie.* Amsterdam, 1764.

EDMONT (E.). *L'Abbé Prévost à l'abbaye de Jumièges* (1721); article paru dans le *Bulletin des Antiquaires de la Morinie,* 1893, t. IX, pp. 263-264.

ELISSA-RHAÏSS (R.). *Une influence anglaise dans « Manon Lescaut » ou une source du réalisme ;* article paru dans la *Revue de littérature comparée,* octobre-décembre 1927.

ENGEL (Claire-Éliane). *Figures et Aventures du XVIIIe siècle, Voyages et découvertes de l'abbé Prévost* (préface de Paul Hazard). Édit. Je sers, Paris. 1939.

— *La Vie secrète de l'abbé Prévost.* Article paru dans la *Revue des Sciences Humaines,* 1952, pp. 199-214.

— *État des travaux sur l'abbé Prévost.* Article paru dans *l'Information littéraire,* 1958, pp. 146-149.

— *Le Véritable abbé Prévost.* Préface d'André Chamson. Éditions du Rocher, Monaco, 1958.

FRIEDRICH (Hugo). *Abbé Prévost in Deutschland,* Carl Winter, Heidelberg, 1929. (Importante étude, qui précise notamment l'influence exercée par *Manon Lescaut* en Allemagne au XVIIIe siècle.)

FROGER (chanoine L.). *L'Auteur de « Manon Lescaut » au Maine.* Article paru dans les *Annales Fléchoises,* 1906.

GACHOT (Édouard). *L'abbé Prévost à Autouillet,* article paru dans *le Figaro,* 1er août 1926.

GUILHOU (Étienne). *L'abbé Prévost en Hollande, avec des documents nouveaux.* J.-B. Walters, Groningue-La-Haye-Batavia, 1933.

HARRISSE (Henry). *Bibliographie de « Manon Lescaut » et notes pour servir à l'histoire du livre*. Seconde édition, Paris, D. Morgand et C. Fatout, 1877 (première édition, 1875).

— *L'abbé Prévost. Histoire de sa vie et de ses œuvres d'après des documents nouveaux*. Paris, Calmann Lévy, 1896.

— *La Vie monastique de l'abbé Prévost*. Paris, Henri Leclerc, 1903.

HAVENS (George R.). *The date of composition of Manon Lescaut*. Article paru dans *Modern Language Notes*, vol. XXXIII, 1918 (place la date de composition de *Manon Lescaut* en 1722, sans argument décisif).

— *The abbé Prévost and English Literature*, Princeton University Press. Paris, Champion, 1921.

HAZARD (Paul). *Études critiques sur « Manon Lescaut »*. The University of Chicago Press, 1929.

HEINRICH (P.). *L'abbé Prévost historien de la Louisiane. Étude sur la valeur documentaire de* « Manon Lescaut ». Paris, 1907.

LASSERRE (E.). *Manon Lescaut, de l'abbé Prévost*. Malfère, Paris, 1930 (le seul ouvrage, d'ailleurs estimable, consacré à une étude d'ensemble du roman).

LÉGIER-DESGRANGES (H.). *Hospitaliers d'autrefois*. Paris, Hachette, 1952.

— *De la Salpêtrière au Mississippi*. Article paru dans *Miroir de l'Histoire*, juin 1952, nº 29, pp. 83-96, et nº 30, pp. 35-45.

— *La Légende de Manon à la Salpêtrière*. Article paru dans *Médecine de France*, 1958, nº 96, pp. 37-48 (la partie inédite de cette étude nous a été communiquée par l'auteur).

LERNET-HOLENIA (A.). *Die wahre Manon*. Paul Zsolnay Verlag, Hamburg-Wien, 1949 (traduction allemande de *Manon Lescaut*).

MAURER (Karl). *Der récit des Chevalier des Grieux. Eine Betrachtung zur Entstehungsgeschichte des modernen Romans*. Article publié dans *Wort und Text, Festschrift für Fritz Schalk*, Francfort-sur-le-Main, 1963. (Considérations sur le genre du *récit* utilisé par Prévost.)

MAY (Georges). *Le dilemme du roman au XVIIIe siècle.* Yale University Press, Newhaven, et Presses Universitaires de France, Paris, 1963.

MOUTON (L.). *L'Hôtel de Transylvanie.* Article publié dans le *Bulletin de la Société historique du VIe arrondissement,* 1905, pp. 169-224.

NATOLI (Glauco). *Lineamenti di una teoria del romanzo.* Étude parue dans *Figure e problemi della cultura francese* édit. d'Anna, Messine-Florence, 1956.

— *La vera e la false Manon, ibid.* (étudie notamment la suite apocryphe du roman).

NEAULME (E.). *Extraits de plusieurs lettres de l'auteur des « Mémoires d'un Homme de qualité » pour se justifier de ce que la continuation du « Philosophe anglais ou de l'Histoire de M. Cleveland » ne paraît pas encore.* Utrecht, 1732. Réédité par Mme de Labriolle-Rutherford dans *French Studies,* juillet 1955, pp. 230 et suiv.

PICARD (Raymond). *Le sens allégorique de « Manon Lescaut ».* Dans *l'abbé Prévost,* Actes du Colloque d'Aix des 20 et 21 décembre 1963, Annales de la Faculté des Lettres d'Aix-en-Provence, 1965.

PIZZORUSSO (Arnaldo). *La poetica del romanzo in Francia.* Edit. Salvatore Sciascia, Caltanissetta-Roma, 1962.

RAVANNE (?) *Mémoires du chevalier de Ravanne, page de son Altesse le duc Régent et mousquetaire.* A Amsterdam, aux dépens de la Compagnie, 1752, 3 vol. in-12. La première édition, Liège, 1740, dont un exemplaire est conservé à la Bibliothèque Nationale (cote B.N., Ln27 17039a) semble ne pas comporter de tome III, puisque la mention *Fin* figure à la fin du second tome. Ce tome III parut pourtant à peu près à la même date sous un autre titre. Un personnage du temps, Jalabert, signale qu'il l'a lu avec les deux premiers tomes à la date des 11-19 avril 1742 (Genève, Bibliothèque publique et universitaire, ms. Jal. 67, signalé par Mlle F. Weil). Autres éditions, Londres, 1751, Londres 1781.

REMARK (Henry). *« Manon Lescaut » und die Gretchen-episode in « Dichtung und Wahrheit ».* Article paru dans *Gœthe Jahrbuch,* 1957, pp. 138-154. *(Manon Lescaut* considérée comme une source des Ve et VIe livres de *Dichtung und Wahrheit.)*

ROBERTSON (Mysie E. I.). Éditrice des *Mémoires d'un Homme de qualité, tome V (séjour en Angleterre)*. Deuxième édition, Paris, Champion, 1934 (première édition, 1927). Importante préface notamment sur le second séjour de Prévost en Angleterre.

RODDIER (Henri). *Robert Challes inspirateur de Richardson et de l'abbé Prévost.* Article paru dans la *Revue de Littérature comparée*, janvier-mars 1947, n° 81, pp. 5-38.

— *L'abbé Prévost. L'homme et l'œuvre* Hatier-Boivin, 1955.

RUTHERFORD (Marie-Rose). Voir NEAULME.

SAINTE-BEUVE. — *L'abbé Prévost*, article paru dans *la Revue de Paris*, 25 septembre 1831.

— *L'abbé Prévost et les Bénédictins*, article paru dans *le Journal des Débats*, 3 juillet 1847.

— *Le Buste de l'abbé Prévost*, « lundi » paru dans *le Moniteur*, 7 novembre 1853. Ces trois articles sont recueillis dans Sainte Beuve, *les Grands Écrivains du XVIIIe siècle*, édit. Allem, Garnier, 1930, pp. 81-144.

SCHRŒDER (Victor). *Un romancier français au XVIIIe siècle. L'abbé Prévost, sa Vie, ses Œuvres*, Paris, 1898.

SGARD (Jean). *A propos du texte de « Manon Lescaut », éditions de 1756 et de 1759.* Article paru dans *Studi Francesi*, n° 13, 1961, pp. 89-93.

VARENNES (auteur présumé, mais douteux, des *Mémoires* du chevalier de Ravanne). Voir RAVANNE.

VILLIERS (Marc de). *Histoire de la fondation de la Nouvelle-Orléans*, Paris, 1917.

APPENDICE

TEXTES ET DOCUMENTS CONTEMPORAINS

Les pièces qui suivent mettent sous les yeux du lecteur, dans un texte scrupuleusement conforme aux originaux, manuscrits ou imprimés, des documents qui nous ont paru indispensables à des titres divers. Les six premières, présentées suivant l'ordre chronologique, jalonnent l'existence de Prévost entre sa sortie de Saint-Germain-des-Prés et son retour en France. La pièce I est la lettre qu'il adresse au supérieur de l'Ordre, en quittant Saint-Germain. On y relève l'ironie mordante de Prévost à l'égard de Dom Thibauld, accusé d'avoir accepté trop facilement la bulle Unigenitus (voyez p. XLIV, note 1) et les menaces de représailles au cas où on l'empêcherait d'exécuter son dessein. La seconde pièce est une lettre fictive, figurant en tête des trois derniers tomes des Mémoires d'un Homme de qualité : *Prévost cherche avec un soin minutieux à accréditer l'opinion selon laquelle ces* Mémoires *seraient authentiques. (Voyez p. LXXXIX.) La troisième pièce, extraite d'un* Projet d'une traduction de l'Histoire de M. de Thou, *suit la précédente de quelques mois, ou de quelques semaines (elle a été rédigée vers fin mars 1731) : Prévost affecte de négliger les « petits ouvrages » qu'il vient de publier (les* Mémoires*) ou auxquels il s'est engagé à travailler* (Cleveland). *Tout en protestant, au nom de sa conscience, de la pureté de ses intentions au moment où il s'engage dans la voie de l'histoire, il ne manque pas de signaler pourtant que l'on trouvera dans les notes de son ouvrage « assez de sel » pour intéresser une curiosité maligne. La pièce IV est une lettre à Dom Clément de la Rue, dans laquelle Prévost semble amorcer une réconciliation avec les Bénédictins. On y notera l'étrange* *justification alléguée par Prévost : les restrictions mentales avec lesquelles il a prononcé ses vœux — or, ces vœux n'étaient ni contraints, ni sollicités ! La pièce V est la plus ancienne biographie de Prévost, en même temps que l'une des mieux informées. Elle présente en outre l'intérêt d'être exactement datée (du 1er mai 1732) et de figurer en tête d'une traduction de la fin des* Mémoires d'un Homme de qualité *comprenant précisément* Manon Lescaut. *La pièce VI est le fameux article du* Pour et Contre *rédigée vers octobre 1734, c'est-à-dire à un moment où l'exilé préparait son retour en France. En réponse aux violentes attaques de Lenglet-Dufresnoy, Prévost rédige une défense d'une habileté consommée, insistant sur les points sur lesquels il se trouve à l'aise, glissant sur les autres, se donnant le rôle de la victime innocente en butte à d'odieuses persécutions. On voit par cette pièce, comme par la première, quel polémiste redoutable il aurait pu faire si son tempérament l'avait poussé dans cette voie* [1].

La série des pièces comprises sous le titre VII établissent définitivement que la publication de l'édition originale remonte à 1731. On s'est limité aux documents publiés en 1731, mais il aurait été possible d'en citer une demi-douzaine d'autres pour l'année 1732, tirés notamment de la Gazette de Hollande.

Sous le numéro VIII, on trouvera enfin, extrait du Journal de la Régence *de Buvat, la chronique des événements connus à Paris en 1719 et 1720 et se rapportant au « Mississippi ». Les documents officiels sur ces événements ont déjà été évoqués dans l'*Introduction *(pp. VIII-XI) et l'un d'entre eux reproduit (planche VI).*

---

1. Nous aurions aimé donner ici les sept lettres écrites par l'abbé Prévost au libraire Étienne Neaulme en 1731-1732 (voyez p. LVII, note 5). Elles sont en effet très caractéristique de la psychologie de l'écrivain. Mais elles auraient trop alourdi cet *Appendice*, et du reste elles ont été rééditées intégralement par Mme de Labriolle-Rutherford dans la revue *French Studies* en 1955. Voyez la *Bibliographie* sous le nom de Neaulme.

I

Prévost à Dom Thibault, supérieur de l'Ordre des Bénédictins (18 octobre 1728)

Mon Révérend Père,

Je ferai demain ce que je devrais avoir fait il y a plusieurs années, ou plutôt ce que je devrais ne m'être jamais mis dans la nécessité de faire; je quitterai la congrégation pour passer dans le grand ordre. De quoi m'avisais-je, il y a huit ans, d'entrer parmi vous? Et vous, Mon Révérend Père, ou vos prédécesseurs, de quoi vous avisiez-vous de me recevoir? Ne deviez-vous pas prévoir, et moi aussi, les peines que nous ne manquerions pas de nous causer tôt ou tard, et les extrémités fâcheuses où elles pourraient aboutir? J'ai eu chez vous de justes sujets de chagrins. La démarche que je vais faire vous chagrinera peut-être aussi : voyons de quel côté est l'injustice.

Il est certain, mon Révérend Père, que je me suis conduit dans la congrégation d'une manière irréprochable; si j'ai des ennemis parmi vous, je ne crains pas de les prendre eux-mêmes à témoins. Mon caractère est naturellement plein d'honneur. J'aimais un corps auquel j'étais attaché par mes promesses; je souhaitais d'y être aimé, et fait comme je suis, j'aurais perdu la vie plutôt que de commettre quelque chose d'opposé à ces deux sentiments. J'ai d'ailleurs les manières honnêtes et l'humeur assez douce; je rends volontiers service; je hais les murmures et les détractions; je suis porté d'inclination au travail, et je ne crois pas vous avoir déshonoré dans les petits emplois dont j'ai été chargé. Par quel malheur est-il donc arrivé qu'on n'a jamais cessé de me regarder avec défiance dans la congrégation, qu'on m'a soupçonné plus d'une fois des trahisons les plus noires, et qu'on m'en a toujours cru capable, lors même que l'évidence n'a pas permis qu'on m'en accusât? J'ai des preuves à donner là-dessus qui passeraient les bornes d'une lettre, et pour peu que chacun veuille s'expliquer sincèrement, l'on conviendra que telle est à mon égard la disposition de presque tous vos Religieux. J'avais espéré, Mon R. Père, que la grâce que vous m'aviez faite de m'appeler à Paris pourrait effacer des préventions si injustes, ou qu'elle les empêcherait du moins d'éclater. Cependant on m'écrit de Province qu'un visiteur se vantant à table d'avoir contribué à m'y faire venir, en a donné pour raison que j'y serais moins dangereux qu'autre part, et qu'il fallait d'ailleurs tirer de moi tout ce qu'on peut du côté des sciences, puisqu'il serait contre la prudence de me confier des emplois. Un séculier, homme d'honneur et de distinction, m'a assuré par un billet écrit exprès, qu'il avait entendu dire à peu près la même chose à votre révérence. Vous conviendrez, mon Révérend Père, que cela est piquant [1] pour un honnête homme. Tout autre que moi se croirait peut-être autorisé à vous marquer son ressentiment par des injures; mais je vous l'ai déjà dit, ce n'est pas mon caractère. Trouvez bon seulement que j'évite, par ma retraite, une persécution que je mérite si peu. Quittons-nous sans aigreur et sans violence. J'ai perdu chez vous, dans l'espace de huit ans, ma santé, mes yeux, mon repos; personne ne l'ignore, c'est être assez puni d'y avoir demeuré si longtemps. N'ajoutez point à ces peines celles que j'aurais à souffrir si j'apprenais que vous voulussiez vous opposer aux démarches que je fais pour m'en délivrer. Je vous déclare que vos oppositions seraient inutiles, par les sages mesures que j'ai su prendre; je vous respecte beaucoup, mais [2] je ne vous crains nullement, et peut-être pourrais-je me faire craindre si vous en usiez mal; car autant que je suis *(sic)* disposé à rendre justice à la congrégation sur ce qu'elle a de bon, autant devez-vous compter que je relèverais vivement ses endroits faibles si vous me poussiez à bout, ou si j'apprenais seulement que vous en eussiez le dessein. Ne me forcez point à vous donner en spectacle au public. On pourrait faire revivre les Provin-

1. C'est-à-dire : que cela a de quoi piquer...
2. Les mots *je vous respecte beaucoup, mais* sont une addition par-dessus la ligne.

ciales. Il est injuste que les Jésuites en fournissent toujours la matière, et vous jugeriez si je réussis dans ce style-là. Je compte, mon Révérend Père, que sans venir à ces extrémités qui ne feraient plaisir ni à vous ni à moi, vous voudrez bien consentir au changement de ma condition. Vous avez reçu si respectueusement la Constitution [1] que je ne saurais douter que vous ne receviez de même un bref qui vient de la même source [2]. Faites-moi la grâce de m'écrire un mot à Amiens sous cette simple adresse : *A M. Prévost pour prendre à la poste;* ou si vous aimez mieux, prenez la peine d'adresser votre lettre à M. d'Ergny [3], Grand Pénitencier et chanoine, mon parent, qui voudra bien me la remettre. Vous n'ignorez pas d'ailleurs le *petita et non obtenta* [4]. J'ai l'honneur d'être avec bien du respect,

Mon Révérend Père,
Votre très humble et très obéissant serviteur
PREVOST B.

Lundi 18e octobre.

Je ne crois pas qu'on se plaigne de la manière dont je suis sorti de Saint-Germain. Je n'ai pas même emporté mes habits. Un honnête homme doit l'être jusque dans les bagatelles. Vous m'avez entretenu pendant huit ans, je vous ai bien servi : ainsi *autant tenu, autant payé* [5].

---

1. La Constitution ou bulle *Unigenitus* (1713). La querelle relative à l'acceptation de la bulle durait toujours en 1728, et avait touché gravement l'ordre des Bénédictins. Voyez p. XLIV, note 1, et ci-après le document nº V.

2. C'est-à-dire du pape.

3. Louis-Michel Dargnies, né le 30 juin 1683, docteur en Sorbonne, chanoine d'Amiens le 29 décembre 1724, pénitencier le 27 août 1725 et encore au 18 avril 1730 (*Bénéfices de l'Église d'Amiens*; Amiens, 1869, p. 19); auteur anonyme de la *Lettre contenant un récit de la vie de Monseigneur Pierre de Sabatier*, Amiens, 1733, in-8º; mort le 14 mars 1756. Nous ne savons quel était son degré de parenté avec l'abbé Prévost (note de Harrisse, p. 137).

4. Nous ne pouvons préciser d'où vient cette citation, mais le sens en est clair : si une grâce demandée *(petita)* n'a pas été obtenue *(et non obtenta)*, on s'en passe.

5. Lettre autographe, conservée dans les papiers de Dom Grenier,

II

Lettre de l'Éditeur à Messieurs de la Compagnie des Libraires d'Amsterdam

Messieurs,

La mort de M. le Marquis de..., l'illustre sujet de ces Mémoires, me procure la liberté d'en donner la dernière partie au public. Il l'a tenue renfermée sous la clé jusqu'à la fin de sa vie, ou s'il lui a permis de voir quelquefois le jour, ce n'a été que pour quelques moments, et dans les mains de ses meilleurs amis. J'avais l'honneur d'être de ce nombre. Je n'ai pu m'empêcher plusieurs fois de lui reprocher agréablement le scrupule qui lui faisait dérober la conclusion de son ouvrage au public, après avoir souffert que les deux premières parties fussent imprimées il y a deux ans. Il se défendait par deux raisons : la première était la différence qu'il prétendait trouver entre ce dernier ouvrage et les premiers : je suis pardonnable, disait-il [1], de m'être montré moi-même à découvert, et d'avoir révélé mes malheurs et mes faiblesses; mais le serais-je de mettre au jour les irrégularités de la conduite d'autrui? Peut-être ai-je déjà eu tort de les écrire; je serais encore plus coupable de les publier. La sincérité d'un récit, ajoutait-il, ne le rend pas toujours juste et innocent. Il y a des vérités odieuses que la sagesse et la charité doivent cacher. On devient quelquefois plus criminel en manifestant une action mauvaise qu'en la commettant, parce que le plus dangereux effet de certains désordres est le scandale, dont on se charge en les publiant. Monsieur le marquis ajoutait à cette raison, qu'il avait sujet de se repentir de la complaisance qui l'avait fait consentir à l'édition de ses deux premiers volumes : elle lui avait attiré une multitude de visites et de compli-

Bibliothèque Nationale, Manuscrits, *Picardie*, vol. 103, f° 54-55. Voyez la planche I, p. X. Cette lettre a été publiée, avec diverses erreurs de texte, par Sainte-Beuve et par Harrisse.

1. 1733 : me disait-il.

ments; et dans l'âge avancé où il était, avec tant d'amour pour le repos, il regardait comme une charge pesante l'obligation de recevoir des compagnies étrangères, ou de répondre à des lettres indifférentes. Quelque force que ces deux raisons pussent avoir par rapport à lui, la seconde tombe par sa mort, et l'autre ne fait pas sur mon esprit autant d'impression qu'elle faisait sur le sien. Je lui passe le principe sur lequel il raisonnait, étant persuadé comme lui qu'il y a des fautes qu'on ne peut révéler innocemment, parce que leur manifestation entraîne le scandale : mais je ne saurais mettre dans ce rang les aventures de Milady R..., de Milady d'Ar..., de M. Law, de la princesse de R..., etc. Il me semble au contraire que l'exemple de leur mauvaise conduite peut devenir utile : les vices de cette nature servent pour ainsi parler de fanal à la vertu; ils l'éclairent, ils lui montrent les bornes qu'elle ne doit point passer, et les précipices qu'elle trouverait au delà [1].

Je m'imagine donc, Messieurs, qu'en imprimant incessamment cette suite des Mémoires, vous ferez [2] un présent agréable et avantageux au public. On y trouvera plus de variété que dans les deux parties précédentes. Le style n'en est pas moins vif ni moins soutenu. La morale y est aussi pure et plus fréquente, les sentiments aussi tendres, et le fond de la narration aussi intéressant.

Pour ce qui regarde la personne de M. le Marquis de ..., il suffit de lire son ouvrage pour prendre une idée juste de son caractère. Il a peint son cœur dans les sentiments qu'il y a répandus, et le tour de son esprit dans ses réflexions. On reconnaîtra sans peine qu'il a dû être un père tendre, un époux fidèle, un ami zélé et sincère, un guide sage et éclairé et, ce qui fait la perfection de son éloge, un homme solide-

1. Ces termes sont repris dans l'annonce que fit la *Bibliothèque française* des trois derniers volumes. Voyez p. CLVIII.

2. Quoi qu'en dise Harrisse, dans sa *Bibliographie des éditions de Manon Lescaut*, le texte de l'édition de 1733 (édition E de la *Bibliographie* donnée plus haut) est bien le même que celui-ci. Harrisse le présente comme suit : Je m'imagine donc qu'en imprimant cette suite des Mémoires, l'on fera...

ment vertueux [1]. Sa mort a fait verser des larmes à tous ses amis. Ils ne s'en consolent que par l'héritage précieux qu'il leur a laissé, je veux dire le souvenir et l'exemple de ses vertus. J'ai l'honneur d'être, etc.

Messieurs,
Votre etc.

d'Exiles [2].

III

Projet d'une nouvelle traduction de l'*Histoire de Mr. de Thou*, qui s'imprime actuellement chez Gosse et Neaulme.

*Prévost vient d'exposer pour quelles raisons le public attendra, avant d'acheter la traduction de l'*Histoire de M. de Thou *qu'on lui annonce en France, celle qu'il va lui-même donner en Hollande.*

Cependant, comme il ne serait pas raisonnable de nous borner aujourd'hui à des promesses vagues, dont le sens et la fidélité ne pussent être connus qu'après l'exécution, je vais entrer dans un détail qui satisfera davantage.

Qu'il me soit permis de faire remarquer d'abord, que c'est par une disposition toute particulière de la Providence, que je me trouve comme appelé à la traduction de M. de Thou. Pourquoi ne nous flatterions-nous point, nous autres gens de lettres, que le soin de la Providence s'étende jusque sur nos occupations ? Si c'est elle qui préside à l'établissement des empires et à leur décadence, qui règle la durée des choses humaines, et qui est le premier ressort de toutes leurs révolutions, pourquoi refuserait-on de croire qu'elle s'exerce de même dans un ordre plus paisible; et que, comme elle destine

1. Ce passage a été imité par le rédacteur des *Lettres sérieuses et badines*, lorsqu'il rendit compte de l'ouvrage. Voyez p. CLIX, note 2.

2. Rappelons que cette lettre figure en tête des tomes V-VI-VII publiés en 1731 (édition A de la *Bibliographie*). Elle est reprise en tête des éditions D et E de *Manon* seule. Nous en avons collationné le texte sur un exemplaire de l'édition E.

par exemple certains hommes à faire de grandes actions, elle en marque d'autres pour les écrire ? Mais, sans presser cette réflexion dans le sens qui serait le plus flatteur pour un historien, je me contenterai d'observer que c'est en quelque sorte ma destinée de traduire l'Histoire de M. de Thou. Elle me fut proposée en France il y a plusieurs années, et j'en fis pendant quelque temps mon occupation. Étant passé ensuite en Angleterre, la même proposition me fut renouvelée presque aussitôt, et je ne sais à quels légers obstacles il tint qu'elle ne fût exécutée. Deux ans s'écoulent; je viens en Hollande, et j'y suis à peine arrivé que les propositions renaissent, et que je me trouve engagé dans un traité sérieux avec Gosse et Neaulme, libraires à La Haye, qui ne marquent pas moins de zèle pour l'exécution de notre projet, que moi d'ardeur et d'application pour le faire tourner à leur profit, et pour le rendre un jour agréable au public.

Je dois confesser néanmoins que ce n'est qu'après de longues incertitudes, et une mûre délibération, que j'ai consenti à mettre le pied dans la carrière. J'ai pesé l'importance et les difficultés du dessein, et j'ai consulté longtemps mes forces :

... quid ferre recusent,
Quid valeant humeri.

J'ai compris que pour réussir dans une si grande entreprise, il fallait joindre, à la beauté du style et à la fidélité de la traduction, quantité de recherches historiques, de notes, d'éclaircissements et de réflexions; qu'il fallait, si j'ose ainsi parler, devenir moi-même une copie fidèle de M. de Thou; c'est à dire, m'exprimer noblement, mais sans enflure et sans affectation; découvrir hardiment la vérité dans mes notes, mais sans rien laisser échapper d'offensant; remonter aux sources, examiner, creuser, approfondir. Je me suis demandé si j'aurais assez de secours pour trouver la vérité, assez de force pour la dire, assez de modération pour l'exprimer toujours avec un air de désintéressement et d'impartialité, enfin s'il y avait apparence qu'à la fin de mon ouvrage je pusse mériter le témoignage honorable que M. de Thou s'est rendu à lui-même dans son testament, et que si peu d'historiens oseraient se rendre dans la même circonstance : *Ad Dei gloriam et publicam utilitatem, sine odio et gratia, Deum ipsum testor et homines, scripsi.*

Pour ce qui regarde le fond de la traduction, je n'ai pas cru me flatter, ni présumer trop de mes forces, en m'estimant capable de l'exécuter heureusement. Les diverses occupations auxquelles j'ai été employé ne permettront point de douter que je n'aie quelque connaissance de la langue latine, et le succès de quelques petits ouvrages que j'ai écrits en Français me fait espérer pour mon style la même indulgence de la part du public.

Il y a plus de difficultés pour les notes : mais elles se réduisent à deux principales : l'une regarde les secours qui me sont nécessaires pour les composer, livres, Mémoires, actes publics, pièces fugitives... [Prévost espère obtenir des documents grâce au zèle des libraires Gosse et Neaulme et au concours de ses amis de Londres et de Paris.]

La seconde difficulté ne regarde que moi-même. Suis-je assez libre de passions et de préjugés pour prendre le ton d'un écrivain désintéressé ? Expatrié, séparé de mes amis et de mes proches, abandonné du plus grand nombre, qui croira que mon cœur ignore ce que c'est que la haine, et que je puisse me défendre d'en faire passer quelques traits dans mes notes ?

C'est dans mon cœur même que j'ai trouvé de quoi répondre à cette objection. Je sens que je ne hais personne, le Ciel m'en est témoin. Eh ! pourquoi haïrais-je quelqu'un ? Je serais un ingrat. Je n'ai reçu dans toute ma vie que des marques d'estime et d'amitié de toutes les personnes que j'ai connues, et je n'ai pu les attribuer qu'à leur bonté, puisque je n'ignore point le peu que je vaux. Quelle raison aurai-je de les haïr ? Non, je suis l'ami du genre humain. Je me fais gloire de ne haïr personne, et de n'avoir pas non plus d'ennemi. Je suis donc précisément dans la disposition d'esprit et de cœur qui forme un écrivain sincère. Je m'attacherai à la vérité pour l'amour d'elle-même. L'ardeur que j'ai pour elle ne me permettra jamais de la dissimuler, mais la juste distinction que je ferai toujours de ce qui mérite d'être respecté m'empêchera de l'exprimer durement et d'une manière offensante. Ainsi je tâcherai de répandre assez de sel dans mes notes pour les rendre curieuses et intéressantes, sans rien laisser échapper qui mérite le nom de satire et de malignité. *Absque odio et gratia* [1].

IV

Prévost à Dom Clément de la Rue (10 novembre 1731)

Mon Révérend Père,

Comme mon changement ne regarde que l'enveloppe et qu'il n'y en a aucun dans mes sentiments ni dans le fond de mon caractère, je conserve toujours chèrement la mémoire de mes anciens amis, et je suis en Hollande le même qu'à Paris à l'égard de tous ceux à qui je dois de l'estime et de la reconnaissance. Je souhaiterais par le même principe qu'ils conservassent aussi pour moi quelque chose de leur ancienne amitié. Vous êtes, mon Révérend Père, un de ceux que je serais le plus ravi de voir dans ces sentiments. Je n'ai jamais pensé là-dessus de deux façons, et M. le docteur Walker a pu vous rendre témoignage que j'ai célébré mille fois votre mérite dans les meilleures compagnies de Londres avec tout le zèle qu'inspire la vérité et l'amitié. Je fais la même chose en Hollande, où j'ai l'avantage d'être vu aussi de fort bon œil de tout ce qu'il y a de personnes de distinction. On y attend impatiemment votre *Origène*, et je vous assure que dans le grand nombre de lieux où j'ai quelque accès, la moitié de sa réputation y est déjà bien établie. J'ai toujours été persuadé, mon Révérend Père, qu'on ne risque rien à vous louer beaucoup, et que les

1. Prévost continue en donnant le plan sur lequel il travaille. — Le texte cité est tiré de l'article du *Journal littéraire* de l'année 1731, tome XVII, première partie, pp. 252-268, dans lequel il occupe les pages 262 à 265. Le *Journal littéraire*, publié par Gosse et Neaulme, reproduit exactement le texte de la brochure in-quarto qui servait de prospectus à *l'Histoire de M. de Thou*, et qui est perdue.

effets ne peuvent que faire honneur à mon jugement quand votre ouvrage paraîtra. En attendant, s'il y avait quelque chose en quoi je pusse vous rendre mes services, soit ici, soit en Angleterre où j'ai toujours d'étroites relations, je vous offre mes soins avec une sincérité qui se fera connaître encore mieux dans l'occasion. Je les offre de même à vos amis, qui ont été autrefois les miens, à Dom Lemerault, à Dom Thuillier, et je les prie de croire qu'il n'entre que de l'estime et de l'affection dans mes offres. C'est avec beaucoup de chagrin que je me suis vu privé ici du plaisir de voir Dom Thuillier. Je n'appris son arrivée qu'après son départ, et je fus très affligé d'entendre dire à plusieurs personnes qu'il était parti avec l'opinion que j'avais évité à dessein de lui parler et de le voir. Le Ciel m'est témoin que c'eût été pour moi une très vive satisfaction et que j'ai fort regretté de l'avoir perdue. Quelle raison aurais-je eu de le fuir? Je vis, grâces au Ciel, sans reproche. Tel en Hollande qu'à Paris; point dévot, mais réglé dans ma conduite et dans mes mœurs, et toujours inviolablement attaché à mes vieilles maximes de droiture et d'honneur. J'espère les conserver jusqu'au tombeau. Qu'on me rende un peu de justice, on conviendra que je n'étais nullement propre à l'état monastique, et tous ceux qui ont su le secret de ma vocation n'en ont jamais bien auguré. S'il y a quelque chose à me reprocher, c'est d'avoir rompu mes engagements; mais est-on bien sûr que j'en aie jamais pris d'indissolubles? Le Ciel connaît le fond de mon cœur, c'en est assez pour me rendre tranquille. Si les hommes le connaissaient comme lui, ils sauraient que de malheureuses affaires m'avaient conduit au noviciat comme dans un asile, qu'elles ne me permirent point d'en sortir aussitôt que je l'aurais voulu, et que forcé par la nécessité, je ne prononçai la formule de mes vœux qu'avec toutes les restrictions intérieures qui pouvaient m'autoriser à les rompre. Voilà le mystère. Les hommes en jugent à leur façon, mais ma conscience me répond que le ciel en juge autrement, et cela me suffit.

Cependant j'avoue que le respect humain aurait été capable de me retenir dans mes chaînes, si je n'eusse fait réflexion que la moitié du monde vaut bien l'autre, et que la même démarche qui me ferait peut-être perdre quelque estime en France m'en attirerait beaucoup en Angleterre et en Hollande. C'est ce que j'éprouve heureusement. On sait faire ici quelque distinction entre ceux qui se mettent au large par esprit de débauche, et ceux qui ne cherchent qu'à vivre dans une honnête et paisible liberté. J'en ai des preuves tous les jours dans les marques d'amitié et de considération que je reçois de tout le monde. Je vis donc avec beaucoup de tranquillité et d'agréments; l'étude fait ma principale occupation. Je compte de donner incessamment le 1er tome de M. de Thou. Il est fini, mais je suis bien aise d'attendre l'édition latine d'Angleterre. Je suppose néanmoins qu'elle ne tardera pas trop longtemps, car on me presse beaucoup de faire paraître la mienne. J'ai travaillé mes notes avec beaucoup de soin, et je me flatte que cela donnera quelque avantage à ma traduction sur celle dont on nous menace à Paris.

Je vous souhaite, mon Révérend Père, une parfaite santé et beaucoup de contentement et je forme ce souhait avec la même sincérité de cœur que vous m'avez connue lorsque nous demeurions sous le même toit. Permettez que je salue ici très humblement Dom Thuillier [1], Dom Lemerault, Dom Du Plessis, Dom Montfaucon et tous ceux d'entre vos RR. PP. qui ne me haïssent point. Si vous vouliez m'employer à quelque chose pour votre service, mon adresse est : *à M. D'Exiles, chez M. Neaulme, sur la place de la Cour*, à La Haye. J'ai l'honneur d'être avec toute l'estime possible, mon Révérend Père,

Votre très humble et très obéissant serviteur,

LE PRÉVOST.

A La Haye, 10e 9bre 1731 [2]

---

1. Sur Dom Vincent Thuillier, voyez p. LVI.
2. Lettre autographe, papiers de Dom Grenier, Bibliothèque Nationale, Manuscrits, *Picardie*, vol. 103, fos 56-57. Publiée par Sainte-Beuve et par Harrisse, avec quelques erreurs de transcription que nous avons corrigées.

V

Notice en tête de la traduction allemande des *Mémoires d'un Homme de qualité* et de *Manon Lescaut* (1732)

Cette traduction, signalée par Hugo Friedrich, parut en deux fois. En 1730, *ce fut d'abord la traduction des quatre tomes publiés par la Compagnie des Libraires d'Amsterdam, sous le titre :*

Miraculoso / Florisonti, / in denen ganz ungemeinen / Begebenheiten / einer vornehmen / Standes=Person / vorgestellt; / aus dem französischen übersetzet / von / Birkenmayer. / Hamburg, / bey König und Richter, 1730.

La seconde livraison, qui nous intéresse seule ici, parut en 1732. *Elle comportait* 653 *pages pour les trois parties. Le titre en était le suivant :*

Miraculoso / Florisonti, / Oder / der / Begebenheiten / einer Vornehmen / Standes=Person / Fortsetzung und Beschluss, / Aus dem französischen übersetzet / von / Holtzbecher, / Nebst einer Vorrede von *Memoiren* über-/haubt und den wahrhaften Lebens=Umständen / des Verfassers der gegenwärtigen / Hamburg, bey König und Richter, 1732.

La préface, datée du 1er *mai* 1732, *retrace d'abord l'histoire du genre des Mémoires : Mémoires authentiques, comme ceux de Commines, Mémoires apocryphes, parmi lesquels le préfacier range les romans de Daniel Defoe. Plusieurs ouvrages de cette dernière espèce, dit-il, ont été vite oubliés. Puis vient le passage suivant, que nous citons* in extenso *dans l'orthographe originale :*

Er ist aber hohe Zeit, von dem sinnreichen Frantzosen zu sprechen, welchen wir auch diesen Theil eines mit Recht beliebten Buches zu dancken haben. Das betrübte Schicksal der Schriften, deren wir eben erwehnet, scheinet gegenwärtige nicht zu fürchten dörfen. Ihrer sehr geneigten Aufnahme nicht zu gedenken, so zeiget sich in diesem Wercke so viel Scharfsinnigkeit, ein so natürlicher Zusammenhang, so viel bewegliches und artiges, dass man sie mit ungemeinem Vergnügen lieset. Eben daher wird dem Leser nicht unangenehm seyn, zu erfahren, der Marquis de G... heisse eigentlich Mr Prevôt, und sey zwar nicht in die so seltsamen Zufälle, die er von sich erzehlet, jedoch in viele andere gerathen, theils durch sein Verschulden, theils durch sein Temperament.

Er stammet von einem sehr guten Geschlechte ab; gewisse Umstände nöhtigten ihn aber, ins Kloster zu gehen. Allhier verwandelte er die Leibesübungen, denen er bisshero mit besondrer Geschicklichkeit obgelegen, in ein ämsiges Studiren. Er ward aus ein Weltmann ein Benedictiner Mönch der Congregation von St. Maur und widmete sich gäntzlich den Wissenschaften. Die Geschichte und die Alterthümer gefielen ihm vor andern. In diesem Theile der Gelehrsamkeit bekam er eine so vollkommene Einsicht, dass er zu der berühmten Gallia Christiana nicht wenig beygetragen. In der ruhigen Einsamkeit des Kloster=Lebens ward er jedoch sehr gestöret, als, bey den Weltbekannten Constitutions=Streitigtkeiten, ihm zugemuhtet wurde, die so gennante Bullam Unigenitus anzunehmen. Er fand zu grossen Widerspruch in seinem Gemühte, um sich hiezu zu bequemen, und verliess seine Zelle, ohne die päbstliche Vergünstigung abzuwarten. Auf ein so grosses Verbrechen erfolgte ein Bann, ein unfehlbarer Vorbote ewigen Gefängnisses, falls er nicht die Gefahr entgangen wäre. So aber entwich er zeitigens Frankreich und begab sich nach Engelland, seine Person, nicht weniger, als sein Gewissen in Freyheit zu setzen. Um unerkannt zu bleiben, nannte er sich d'Exil, und führet den Nahmen so itzo, weil er nicht gesonnen ist, seine Vater=Stadt wieder zu sehen,

Und schwört, dass er, zum Schimpf der Grossen dieser Welt,
Den Abzug aus Paris vorlängst schon festgestellt.

Man darf sich über diesen Entschluss unsers sinnreichen Frantzosen nicht wundern, er befurchtete mit höchstem Rechte, das *bracchium ecclesiasticum* möchte schwer auf ihn seyn. Wer weiss nicht, wie wenigstens bey der Romisch-Katholischen Geistlichkeit, alle Feindschaften unendlich, und Rache und Unvershönlichkeit die gemeinsten Eigenschaften ihrer blutdürstigen Orthodoxie sind? Verträglichkeit, Liebe und Sanftmuth sind Gottlob! unserer Kirchen in grösserer Masse anheimgefallen. Es zeigen sich ja täglich erbauliche Beyspiele der Evangelischen und protestantischer Freyheit, nach deren Genuss Monsieur d'Exil sich nicht ohne Ursache gesehnet.

Wir glauben billig, er habe sein Kloster aus Zärtlichkeit des Gewissens und nicht des Hertzens, der Seelen und nicht des Leibes wegen verlassen. Zwar hat seinen Religion-Eifer die Liebe in Engelland abgelöst; wir finden aber von dieser keine Spur in seinem Auffenthalt in Frankreich, und wollen ihn keines unerweisslichen Liebes=Verständnisses beschuldigen, aus blosser Lust, einen Roman zu erdichten. Sonst würde es nicht schwerfallen in einer wahrscheinlichen Erzehlung unsern Flüchtling in einem Stand zu setzen, da er aller Selbst=Verläugnung nötig gehabt, und das Gelübde der Keuschheit nicht unerträglich zu finden. Ein einziger unvermehrter Anblick hätte den gefährlichsten Einfluss auf seine feurige Einbildungskraft auch mitten in der Andacht haben, und ihm das Gebet=Buch so wohl entfallen können, als jenem frommen Einsiedler, der der Brandimart in den Armen seiner Geliebten gewahr ward :

Hor stando inginocchiato in oratione
Vide far'a color quel gioco strano :
E vennegli si fatta tentatione
Ch'il Breviario gli cade di mano.

Wir verbleiben aber bey der Wahrheit, und diese entdeckt uns, nach vielen vorgängigen Seufzern, eine geheime Verlobung des Mr d'Exil mit der Tochter eines Englischen Herren, der ihn in sein Haus genommen, damit er der Erziehung seines Sohnes vorstehen, zugleich aber der schönen Peggy D***, so hiess das Fräulein, die Französische Sprache beybringen möchte : Er war aber von zu hohem Geiste, um blosse *Worte* zu lehren, unterwies demnach seine Schülerin in der Liebe, und wusste sich so einzuschmeicheln, dass ihr Herr Vater, einem grösseren Uebel vorzubauen, sich entschliessen musste, sie an einen grossen Herrn zu vermählen, nachdem er vorher Mr d'Exil, der nunmehro die Englische Religion angenommen, wohlbeschencket, und seiner Dienste erlassen hatte. Dieser reisete nach Holland und tröstete sich über den Verlust seiner Schönen durch seine Feder, die der Welt zwey angenehme Bücher, das gegenwärtige und den Philosophe Anglois, geliefert. Anitzt, beschäftigte er sich mit einer Französischen Uebersetzung des *Thuani*, von der man sich vieles zu versprechen, vielleicht aber zu befürchten hat, die zu strengen Gesetze der Geschichte werden seine Einbildungs= Kraft einschränken, um zu mehreren so willkührlichen und lebhaften Erzehlungen, als seine *Mémoires* enthalten, noch Hofnung übrig zu lassen.

Hamburg, den I. Maji 173[illegible] [1]

Voici la traduction de ce passage :

Mais il est grand temps de parler de l'ingénieux Français auquel nous devons aussi la présente livraison d'un ouvrage justement apprécié. Le triste sort des écrits dont nous avons parlé ne semble pas menacer celui-ci. Pour ne rien dire de l'accueil très empressé qu'a reçu cet ouvrage, on y remarque tant de pénétration, une liaison des faits si naturelle, tant de mouvement et tant de grâces, qu'on le lit avec un plaisir peu commun. C'est pourquoi il ne sera pas indifférent au lecteur d'apprendre que le marquis de G... s'appelle en réalité M. Prévost, et que, s'il n'est pas tombé dans les étranges accidents qu'il raconte de lui-même, il lui en est arrivé beaucoup d'autres, partie par sa faute, partie par la faute de son tempérament.

Il sort d'une très bonne famille; mais certaines circonstances l'obligèrent à entrer au couvent. C'est alors qu'il renonça aux exercices du corps, auxquels il s'était adonné jusque-là avec une particulière adresse, pour l'étude la plus

---

1. Le texte de ce document a été donné d'après l'exemplaire de la Bibliothèque Royale de Copenhague.

assidue. D'homme du monde qu'il était, il devint moine bénédictin de la Congrégation de Saint-Maur et se consacra entièrement aux sciences. L'Histoire et l'Antiquité furent ses sujets favoris. Il acquit dans ces domaines une telle compétence qu'il n'a pas médiocrement contribué à la fameuse *Gallia Christiana*. Dans la paisible solitude de la vie claustrale, il se trouva pourtant fortement dérangé lorsque, au moment des fameuses disputes relatives à la Constitution, il lui fut imposé d'adhérer à la bulle dite *Unigenitus*. Il trouva trop de contradiction dans son cœur pour s'y prêter et quitta sa cellule sans attendre la grâce papale. Un tel forfait fut suivi d'un anathème, signe infaillible d'une prison éternelle s'il ne s'était soustrait au danger. Mais il s'échappa à temps de France et se rendit en Angleterre pour assurer la liberté de sa personne non moins que celle de sa conscience. Pour demeurer inconnu, il se fit appeler d'Exil; il a choisi ce nom pour montrer qu'il n'est pas disposé à revoir sa patrie,

> Et il jure qu'à la honte des grands de ce monde,
> Il a depuis longtemps résolu de quitter Paris.

On s'étonnerait à tort de la décision de notre ingénieux Français : c'est à bon droit qu'il craignait de voir le bras ecclésiastique s'appesantir sur lui. Qui ignore que, dans le clergé catholique romain au moins, toutes les inimitiés sont éternelles, et qu'un esprit de vengeance irréconciliable est la vertu la plus ordinaire de sa sanguinaire orthodoxie? Tolérance, amour et mansuétude sont, grâce à Dieu, davantage le partage de nos églises. Nous voyons tous les jours des exemples édifiants de la liberté évangélique et protestante dont M. d'Exil, non sans raison, aspirait à jouir.

Nous croyons volontiers qu'il a quitté son couvent par délicatesse de conscience, non du cœur, par souci de son âme, et non de son corps. Certes, le zèle de la religion fut, en Angleterre, supplanté chez lui par l'amour : mais nous ne trouvons aucune trace de ce dernier pendant son séjour en France, et nous ne voulons nullement, pour le seul plaisir d'inventer un roman, l'accuser de quelque faiblesse amoureuse impossible à prouver. Sinon, il ne serait pas difficile, au cours d'un récit vraisemblable, de placer notre fugitif dans une situation où il aurait eu besoin de toute son abnégation pour ne pas trouver insupportable le vœu de chasteté. Un simple coup d'œil, sans plus, aurait eu l'influence la plus pernicieuse sur son imagination enflammée au milieu même de la méditation, et le livre de prières lui serait tombé des mains, comme à ce pieux anachorète :

> Et voici qu'étant agenouillé en oraison,
> Il vit ces gens-là se livrer à ce jeu étrange :
> Et si forte lui en vint la tentation
> Que le bréviaire lui tomba des mains.

Mais nous nous en tenons à la vérité, et celle-ci nous découvre qu'après bien des soupirs préliminaires, une promesse secrète de mariage fut échangée entre M. Prévost et la fille d'un seigneur anglais qui l'avait pris dans sa maison pour présider à l'éducation de son fils, mais aussi pour inculquer le français à la belle Peggy D***, car tel était le nom de la jeune fille. Mais il était d'un esprit trop élevé pour se contenter d'enseigner seulement des mots. Passant de là à instruire son élève dans l'amour, il s'insinua si bien dans ses bonnes grâces, que le seigneur son père, pour prévenir un plus grand mal, dut se décider à la marier à un seigneur d'importance, après avoir largement dédommagé M. d'Exil, qui avait adhéré entre temps à la religion anglicane, et l'avoir remercié de ses services. Celui-ci se rendit en Hollande et se consola de la perte de sa belle par l'exercice de sa plume, qui a donné au monde deux livres agréables, celui qui est présenté ici et *le Philosophe anglais*. En outre, il s'occupa à la traduction française du *de Thou*, dont on peut attendre beaucoup, mais pour laquelle on a peut-être lieu de craindre que les lois trop sévères de l'Histoire, en bridant son imagination, ne laissent pas espérer beaucoup de récits aussi pleins d'originalité et de feu que ceux que contiennent ces Mémoires.

Hambourg, le 1er mai 1732.

VI

L'apologie du *Pour et Contre* (seconde moitié de 1734)

Le tome II de l'ouvrage de Lenglet-Dufresnoy paru en 1734 *sous le titre de* la Bibliothèque des Romans *contenait une triple attaque contre Prévost. On lisait d'abord ceci à la page* 103, *à propos des* Mémoires d'un Homme de qualité :

Ce roman, qui est assez bien écrit, vient du P. Prévost alors Bénédictin, et depuis prosélyte en Angleterre, en Hollande, à Bâle et partout ailleurs, où il fait de bons tours [1].

Puis, page 116, *à propos de* Cleveland *:*

L'auteur de cet ouvrage était ci-devant Bénédictin, mais ne pouvant aisément pratiquer des romans dans son ordre, il a eu la bonté de se retirer en Angleterre; d'où on l'a chassé, parce qu'il en pratiquait trop. Il s'est ensuite transporté en Hollande, où il a fait ce livre; il avait aussi entrepris la traduction de l'Histoire de M. de Thou. Mais depuis il a eu l'honneur de faire banqueroute, s'est fait enlever par une jeune fille ou femme, est allé à Bâle en Suisse, et de là il est décampé cette année 1733, parce que MM. les Suisses, quoique bonnes gens, n'aiment pas à être trompés par de pareils personnages, qui ont la simplicité de se laisser attraper par des filles.

Enfin dans les Additions, page 360, *à propos de la « Suite des Mémoires d'un Homme de Qualité, ou l'Histoire de Manon Lescot* (sic), *in*-12, *Amsterdam et Rouen,* 1733, 2 *volumes » :*

On voit par ce roman, qui vient encore de M. Prévost, ci-devant Bénédictin, qu'il connaît un peu trop le bas

1. Dans les notes manuscrites de l'exemplaire conservé à la Bibliothèque Nationale (réserve), où Harrisse le consulta, on lit ici : « La plupart des Pères Bénédictins sont assez maltraités dans cet ouvrage, où l'on a fait plusieurs corrections même depuis qu'il est imprimé. »

peuple de Cythère. Quelle incroyable fécondité d'actions et de livres dans cet admirable personnage! On assure qu'ennuyé de vivre parmi les réformés, il cherche à rentrer dans notre communion. Après avoir été soldat, puis jésuite, soldat pour la seconde fois et ensuite jésuite, il s'est fait derechef soldat, puis officier, Bénédictin, et enfin réformé, protestant ou gallican, qu'importe, je crois qu'il ne le sait pas lui-même. Il voudrait aujourd'hui se faire bénédictin de Clugny *(sic)*, sans doute pour aller de là jusqu'à Constantinople prêcher l'Alcoran et devenir Mufti s'il se peut, et fixer ensuite sa retraite au Japon. Outre le nom de M. de Prévost, il prend encore celui de M. d'Exilles [1].

C'est à ces attaques que Prévost répondit dans le numéro XLVII du Pour et Contre, *publié vers décembre* 1734. *Nous reproduisons intégralement ce long passage dans la forme définitive que Prévost voulait lui donner, c'est-à-dire en tenant compte des corrections et additions manuscrites de l'exemplaire de la Bibliothèque Municipale de Lyon, ayant appartenu à Prévost et destiné à servir à une réédition* [2]. *Les variantes du texte imprimé figu-*

1. Dans l'exemplaire désigné ci-dessus, on lit, p. 116, la note manuscrite suivante, qui correspond en gros à l'addition de l'imprimé :

Suite des Mémoires etc. On voit par ce roman, qui est amusant et bien écrit, que M. Prévost, qui en est l'auteur, connaît un peu trop le bas peuple de Cythère. On sait que cet auteur, qui prend tantôt le nom de M. Prévost, tantôt celui de M. d'Exilles, ou de quelque autre selon ses besoins, s'ennuie déjà de s'être jeté parmi les Réformés, et cherche, dit-on, à rentrer parmi nous. Cela est assez dans son caractère. D'abord il se fit soldat, puis Jésuite, soldat pour la seconde fois, ensuite Jésuite. Il s'est fait derechef soldat, officier, bénédictin, enfin réformé ambulant en divers pays. Il pense à se faire bénédictin de Clugni *(sic)*, sans doute pour aller à Constantinople y prêcher l'Alcoran et devenir mufti s'il le peut, et aller terminer sa carrière parmi les bonzes des Indes (...).

Et plus loin :

Enfin il est revenu parmi nous et s'est fait bénédictin de Clugni. Il faut rendre justice à l'auteur; son ouvrage est bien écrit, avec goût, et rempli de caractères vrais et intéressants. C'est dommage qu'il n'ait pas choisi un sujet plus noble. (Tome II, pp. 103-118 de l'exemplaire B.N. Réserve, Y2 6 A.)

2. Voyez plus haut, p. XVII, note 4.

reront en note[1]. *Dans les premières pages de la feuille, Prévost vient de protester contre la publication, par Étienne Neaulme à La Haye, d'un cinquième livre apocryphe de* Cleveland. *Il continue en ces termes*[2] *:*

Quoique je puisse dire en vérité que je n'attache point d'autre prix à ces sortes d'ouvrages que celui qu'ils reçoivent de l'approbation du public, et que je sois disposé à confesser ingénument que ce n'est point la manière la plus utile dont j'eusse pu m'occuper, je n'ai pas laissé d'être extrêmement sensible au succès de mon travail et à l'honneur qu'on m'a fait d'en souhaiter la continuation. Je saisis d'autant plus volontiers cette occasion d'en marquer ma reconnaissance aux honnêtes gens, qu'étant fort jaloux de leur estime, j'ai appris avec chagrin qu'on s'efforce de me noircir dans leur esprit. Alarmé de cette nouvelle, qui m'avait d'abord été marquée sans autre explication, je n'ai pas perdu de temps pour m'éclaircir. On me parlait bien d'un livre imprimé sans approbation où j'étais maltraité, et où quantité de personnes de mérite n'étaient pas plus épargnées. Mais quelle espérance ai-je d'être éclairci par mes yeux, dans un pays où j'ai déjà dit plusieurs fois qu'on ne voit guère arriver de France que les bons livres? J'ai forcé l'obstacle en écrivant à Paris, et je trouve avec joie que tout ce que la malignité a pu inventer pour me nuire, se réduit à quelques calomnies sur lesquelles je n'ai qu'à souffler pour les faire disparaître.

Cependant une juste considération m'arrête, et je n'irai pas plus loin sans l'avoir examinée. Il est question de savoir si le mal que l'auteur m'a voulu faire égale celui que je lui ferai moi-même en manifestant ses calomnies, sans quoi, l'on pourrait m'accuser de quelque injustice, puisqu'un

---

1. Avec des appels numériques, les notes de Prévost sont appelées par a, b, c, etc.

2. Tome IV, pp. 32 à 48. Une protestation contre la réimpression du *Pour et Contre* par Vander Klotten occupe les pp. 25 à 30. Les pp. 30 à 32 sont consacrées à l'affaire de *Cleveland*. Prévost y annonce qu'il va prendre la plume à son tour pour écrire la véritable suite de *Cleveland*, en deux volumes.

ressentiment raisonnable doit toujours être proportionné à l'offense. Ceux qui m'ont fait l'honneur de lire jusqu'à présent mes petites productions savent que le caractère de mon style n'est point l'aigreur et la satire. On se peint, dit-on, dans ses écrits. Cette réflexion serait peut-être trop flatteuse pour moi : mais il est certain que la licence des pays étrangers ne s'est point communiquée à ma plume. J'ai respecté ma patrie. J'ai rendu justice au mérite et à la vertu. C'est une disposition dont je fais gloire, et je veux qu'il en paraisse quelque chose à l'égard même de mes ennemis.

Voyons. Si les accusations de M. Gordon de Percel [a] ont quelque fondement, je dois passer pour un vagabond, qui ai été chassé de Londres, dit-il, d'où je suis passé en Hollande, et de là à Bâle, où Messieurs les Suisses n'ont pas jugé à propos de se fier à moi, ce qui m'a obligé d'en partir en 1733. Il n'explique point mes crimes; mais comme on ne chasse personne sans raison de Londres et de Bâle, c'est dire clairement que j'ai mérité l'affront qu'il suppose que j'ai reçu, et me charger par conséquent et de la honte de quelque crime, et de celle du châtiment. Les inductions n'en seront pas difficiles. Il est clair après cela que je dois perdre le peu d'estime que des suppositions tout opposées avaient pu m'acquérir, et que je me trouve transformé en un très méchant homme.

De l'autre côté, si ces imputations sont absolument fausses, si elles n'ont pas même le moindre degré de vraisemblance, et qu'elles soient l'invention de la malignité ou de quelque autre passion encore plus méprisable, je ne puis découvrir au public l'injure qu'on me fait, sans jeter sur mon accusateur l'horrible tache de la calomnie, et sans le couvrir d'opprobre [1]. Que dis-je? On conclura infailliblement de mon exemple, qu'une infinité de gens de mérite qu'il n'a pas plus ménagés que moi, sont insultés de même

---

a. On me marque que c'est le nom que M. l'abbé Lenglet a pris dans son livre (addition manuscrite).

1. Ce membre de phrase est une addition manuscrite. Un mot a été coupé à la reliure (d'opprobre et...).

aux dépens de la vérité et de la justice. Voilà le procès de M. de Percel tout instruit. Et qui sait quelles en pourraient être les suites? La justice de Paris n'a jamais les yeux ni les oreilles fermées. Témoins le règne de Louis XIII et la Minorité suivante, qui nous fournissent des exemples de calomniateurs exécutés. Cela fait frémir. Quel sort pour un vieil ecclésiastique qui s'attendait sans doute à mourir tranquillement dans son lit?

J'avoue que le cas que je me forme ici a des difficultés qui m'embarrassent. Perdre par mon silence le peu d'estime que je me flatte d'avoir acquis ne serait après tout qu'une privation. Exposer le calomniateur par mes plaintes à la rigueur de la Justice, c'est assurément lui causer un mal positif et des plus réels. Lequel doit donc l'emporter? Mais sans tenir plus longtemps la balance en suspens, je trouve [1] un expédient qui conciliera tout.

1° Je pardonne [2] du fond du cœur à M. de Percel tout le mal qu'il m'a voulu faire, et je proteste devant Dieu et les hommes qu'après m'être expliqué comme on va le voir, il ne m'en restera plus le moindre [a] ressentiment.

2° Je demande grâce pour lui [à la] justice de P[aris] [3].

3° J'adopte en sa faveur la maxime que Hobbes nous donne pour le sixième précepte [b] de la Loi naturelle; c'est-à-dire, qu'après ce que je me dois à moi-même, j'ai sincèrement en vue son amendement futur.

Je me flatte qu'au jugement de tout le monde, je puis déclarer à présent que M. Gordon de Percel, ou tout autre qui s'est déguisé sous ce nom, m'a calomnié d'une manière

a. 'Αθανάτων ὄργην μή φύλαττε, θάνατος ὤν.

b. In ultione spectandum est, non malum praeteritum, sed bonum futurum... Violatio legis hujus, crudelitas solet appellari. Hobbes, *de Cive*, cap. 3, art. XI.

1. Tout ce passage, depuis *Voilà le procès*... se réduit dans l'imprimé à quelques lignes : Voilà le procès tout instruit.

J'avoue que le cas que je me forme ici a des difficultés qui m'embarrassent. Mais je trouve...

2. L'imprimé, qui n'a pas les 1°, 2°, etc., porte ici : Je pardonne d'abord...

3. Cette ligne est une addition manuscrite.

lâche et fort indigne d'un honnête homme [1]. Je n'ai de ma vie été à Bâle en Suisse, où il me fait recevoir si mal par les habitants, où il les fait raisonner si agréablement sur mon compte, et d'où il assure que je suis parti en 1733. Je n'ai même jamais mis le pied en Suisse, ni eu le moindre dessein de l'y mettre. C'est de quoi tous ceux de qui je suis connu en Angleterre et en Hollande peuvent rendre témoignage, puisque depuis environ six ans que j'ai quitté Paris, j'ai toujours été sous leurs yeux. En second lieu, c'est si peu la violence qui m'obligea de quitter Londres pour passer en Hollande, que je partis chargé de présents, de faveurs et de caresses. Qu'il me soit permis de le dire, par le droit que donne une apologie, j'eus la satisfaction d'emporter les regrets de vingt seigneurs qui m'honoraient de leur bienveillance et de leur protection, et ceux d'une infinité d'honnêtes gens qui m'avaient accordé leur estime et leur amitié. Mon accusateur sera surpris si j'ajoute que c'est un avantage dont le ciel m'a favorisé dans toutes sortes de lieux; et si je retournais à Paris, comme il assure que j'y pense, il aurait peut-être la mortification de m'y voir obtenir de ma bonne fortune et de la faveur des honnêtes gens mille grâces que je ne puis espérer de mon mérite. Il attendra donc pour savoir les raisons qui me firent quitter Londres que je juge à propos de les expliquer. Mais, ce qui suffit pour la nécessité qu'il m'impose de lui répondre, je le défie de trouver la moindre chose qui puisse donner une ombre de vraisemblance à sa calomnie [2], et je suis prêt à prouver par cent témoignages honorables que je n'eus point d'autre motif pour quitter l'Angleterre que mon choix et ma volonté.

A l'égard des autres traits dont M. de Percel a composé mon éloge, je veux l'aider généreusement, et lui fournir des Mémoires sur lesquels il puisse faire plus de fond qu'on n'en doit faire sur les siens. Il m'attribue un zèle extraordinaire pour le service du Roi et de la patrie. C'est me faire honneur sans doute, et je n'ai à désavouer que la multi-

1. L'imprimé porte seulement : d'une manière indigne.
2. L'imprimé porte : aux faits qu'il avance.

tude d'étendards sous lesquels il me fait passer successivement. Il est vrai que me destinant au service, après avoir été quelques mois chez les RR. PP. Jésuites [1], que je quittai avant l'âge [2] de seize ans, j'ai porté les armes dans différents degrés, et d'abord en qualité de simple volontaire, dans un temps où les emplois étaient très rares (c'était la fin de la dernière guerre), dans l'espérance commune à une infinité de jeunes gens, d'être avancé aux premières occasions. Je n'étais pas si disgracié du côté de la naissance et de la fortune, que je ne pusse espérer de faire heureusement mon chemin. Je me lassai néanmoins d'attendre, et je retournai chez les PP. Jésuites [3], d'où je sortis quelque temps après pour reprendre le métier des armes avec plus de distinction et d'agrément. Quelques années se passèrent. Vif et sensible au plaisir, j'avouerai, dans les termes de M. de Cambrai, que la sagesse demande bien des précautions qui m'échappèrent. Je laisse à juger quel devait être, depuis l'âge de vingt jusqu'à vingt-cinq ans, le cœur et les sentiments d'un homme qui a composé le Cleveland à trente-cinq ou trente-six. La malheureuse fin d'un engagement trop tendre me conduisit au *Tombeau :* c'est le nom que je donne à l'Ordre respectable où j'allais m'ensevelir, et où je demeurai quelque temps si bien mort, que mes parents et mes amis ignorèrent ce que j'étais devenu.

Cependant le sentiment me revint, et je reconnus que ce cœur si vif était encore brûlant sous la cendre. La perte de ma liberté m'affligea jusqu'aux larmes. Il était trop tard. Je cherchai ma consolation pendant cinq ou six ans dans les charmes de l'étude. Mes livres étaient mes amis fidèles, mais ils étaient morts comme moi. Enfin, las d'un joug dont je ne m'apercevais pas, je pris l'occasion d'un petit mécontentement que je reçus du R. P. Général et de quelques facilités qui me furent offertes pour le secouer tout à fait [4].

---

1. Les RR. PP. J. (imprimé).
2. A l'âge (imprimé).
3. PP. J. (imprimé).
4. L'imprimé dit seulement : Enfin, je pris l'occasion d'un petit mécontentement, et je me retirai.

On voit, dans un récit si simple et si ingénu, le véritable fond de mon caractère. Je rougis si peu de ce que l'accusateur me reproche, que j'affecte de m'en parer comme d'un titre d'honneur. Quoique l'amour de la liberté m'ait fait quitter la France, la Flèche et Saint-Germain, où j'ai fait mon séjour, sont des noms chers à ma mémoire. La conduite que j'y ai tenue ne me laisse à craindre aucun reproche, et les bontés qu'on y a eues pour moi excitent encore ma plus vive reconnaissance.

Suivons M. de Percel jusqu'à la fin. Il me reproche d'avoir laissé quelques dettes en Hollande. S'il peut prouver que je les ai perdu de vue un seul moment, et que tous mes soins ne se rapportent pas au dessein de les payer, je me reconnais coupable. Mais si les promesses que j'ai faites à mes créanciers sont si sincères, que je ne crains pas d'en prendre ici le Ciel et le public à témoin, je ne vois dans mes dettes qu'un accident ordinaire, et dont on n'a jamais fait un crime à personne. Ajoutez qu'elles font honneur à la bonté de mon âme, si elles n'en font point à mon économie; car c'est une chose assez connue, que ma fortune a toujours surpassé mes besoins, et que j'avais peu d'embarras à craindre pour moi-même si j'eusse été moins sensible à ceux d'autrui.

Je me suis laissé enlever par *une femme ou une fille*. M. de Percel n'est pas sûr lequel c'est des deux. Jupiter tout-puissant! Quelle étrange accusation! M'a-t-il jamais vu! Croit-il qu'un homme de ma taille s'enlève comme une plume? Se figure-t-il d'ailleurs que j'ai de quoi charmer le beau sexe, jusqu'à le rendre capable de violence pour s'assurer de mon cœur? C'est Médor, ou Renaud, dont il a cru retracer l'aventure. Il n'y manque que l'enchantement. Mais je vois bien qu'il faut encore aider M. de Percel, et lui faire prendre une plus juste idée de mon caractère. Ce Médor si chéri des belles, est un homme de trente-sept ou trente-huit ans, qui porte sur son visage et dans son humeur les traces de ses anciens chagrins; qui passe quelquefois des semaines entières sans sortir de son cabinet, et qui y emploie tous les jours sept ou huit heures à l'étude; qui cherche rarement les occasions de se réjouir; qui résiste même à celles qui lui sont offertes, et qui préfère une heure d'entretien avec un ami de bon sens, à tout ce qu'on appelle plaisirs du monde et passe-temps agréables. Civil d'ailleurs, par l'effet d'une excellente éducation, mais peu galant; d'une humeur douce, mais mélancolique; sobre et réglé dans sa conduite. Enfin plus propre aujourd'hui que jamais à la solitude d'un cloître, si l'amour de la liberté et de l'indépendance n'était pas sa passion dominante [1]. Je me suis peint fidèlement, sans examiner si ce portrait flatte mon amour-propre ou s'il le blesse; c'est M. de Percel qui doit juger à présent dans quel degré je suis capable de plaire aux dames [2].

Mais n'aurait-il pas voulu rire? Et quoique assez peu versé aux figures délicates [3], son dessein ne serait-il pas de faire entendre que c'est moi-même qui suis le ravisseur? Il me semble que je puis faire cette supposition sans témérité, à l'égard d'un homme qui m'a fait faire gratuitement le voyage de Bâle, qui m'a fait chasser de Londres, et qui a tracé de moi un portrait si peu ressemblant? Je veux l'instruire à fond de l'aventure, afin de le satisfaire dans toutes sortes de sens. Pendant mon séjour à La Haye, le hasard me fit lier connaissance avec une demoiselle de mérite et de naissance, dont la fortune avait été fort dérangée par divers accidents qui n'appartiennent point au sujet. Un homme d'honneur, qui faisait sa demeure à Amsterdam, lui faisait tenir régulièrement une pension modique, sans autre motif que sa générosité. Elle vivait honnêtement de ce secours, lorsque son bienfaiteur se trouva forcé, par l'état de ses propres affaires, de retrancher quelque chose à ses libéralités. J'appris ce changement, qui devait la mettre dans le dernier embarras. J'en fus touché. Je lui offris tout ce qui était en mon pouvoir, et je la fis consentir à l'accepter. Diverses raisons m'ayant porté quelques mois après à quitter La Haye pour repasser en Angleterre, je lui fis connaître la nécessité de mon départ, et je lui promis que dans quelque lieu qu'elle voulût faire sa demeure,

1. Cette phrase tout entière est une addition manuscrite. L'imprimé se terminait par : sobre enfin et réglé dans sa conduite.
2. Les deux derniers mots ajoutés en manuscrit.
3. Cette première proposition est une addition manuscrite.

j'aurais soin de pourvoir honnêtement à son entretien. Elle n'avait aucune raison d'aimer La Haye, où elle ne pouvait vivre que tristement sans biens de la fortune; elle me proposa de la faire passer à Londres, dans l'espérance qu'avec toutes les qualités et tous les petits talents qu'on peut désirer dans une personne bien élevée, je pourrais lui faire trouver par l'entremise de mes amis une retraite honorable et tranquille auprès de quelque dame de distinction. J'y consentis. Elle a mérité effectivement, par sa conduite et ses bonnes qualités, l'estime d'une infinité d'honnêtes gens qui s'intéressent en sa faveur; et moi qui ne lui ai jamais trouvé que de l'honnêteté et du mérite, je n'ai pas cessé de lui rendre tous les bons offices qui ont dépendu de ma situation.

M. de Percel doit être content de ce détail. Je lui fournis libéralement de quoi faire une nouvelle édition de son livre augmentée et corrigée; à moins que, sans y faire de changement, il n'aimât mieux joindre cette feuille à mon article en guise de commentaire. Ne lui refusons pas non plus l'éclaircissement qu'il désire sur ma religion. Je suis bien éloigné, sans doute, de cette hauteur de perfection à laquelle il me fait connaître qu'il est parvenu. Le don de prophétie est une faveur d'en haut, qui ne s'accorde point à tout le monde, et qu'il faut mériter par d'autres vertus que les miennes. Pour lui qui paraît être en communication étroite avec le Ciel, il prédit que je passerai quelque jour à Constantinople, pour tâcher d'y devenir mufti (il ne décide pas néanmoins si je le serai) et que de là je pourrai gagner le Japon pour y fixer tout à fait mes courses et ma religion. Raillerie à part, je croirais M. de Percel fort heureux, et les Japonais aussi, s'ils étaient attachés à ma religion [1] avec autant de bonne foi et de simplicité que moi. Toujours est-il certain que, dans une nation où l'incrédulité est fort à la mode, discours, lectures, exemples [2] n'ont

1. *Sic.* Il faut sans doute penser à l'évangélisation du Japon au XVIIe siècle.

2. L'imprimé porte seulement : Toujours est-il certain que ni discours, ni lectures, ni exemples...

jamais diminué la vénération et l'attachement que j'ai pour la religion chrétienne; j'entends celle qui ordonne tout à la fois la pratique de la morale et la croyance des Mystères, qui recommande l'amour de Dieu et celui du prochain, et qui défend surtout la calomnie et la détraction. Ce dernier point me fait craindre qu'il n'y ait quelque différence entre M. de Percel et moi sur les articles.

A présent que j'ai satisfait à toutes les parties de sa satire, n'appréhende-t-il pas que je ne passe de la défensive à l'attaque, et que je ne réjouisse un peu le public à ses dépens? *Novimus et qui te...* Mais qu'il cesse de craindre. Cette même religion que je dois prêcher au Japon, et mon caractère naturel, me défendent de le décrier plus qu'il ne l'est déjà [1]. Je me souviens des trois articles par lesquels j'ai commencé. J'observe le premier, je renouvelle le second, et je suis [2] persuadé avec Hobbes que la violation du troisième [3] changerait la justice [4a] en cruauté. D'ailleurs, j'ai sur M. de Percel trop [b] d'avantage, et je ne serais pas généreux d'en user. S'il me reste quelque chose à faire, c'est de chercher par quelle raison, par quelle offense, par quel outrage, j'ai pu lui causer cette violente inflammation de bile, dont il semble que les noires vapeurs aient obscurci sa raison. Nous ne nous sommes jamais vus. J'ai lu ses ouvrages, mais je n'en ai jamais publié mon

---

a. *Violatio legis hujus, crudelitas solet appellari.* Ubi Supra.

b. Je suis au point où le vieux comte de Toulouse était avec Argante.

> Et in due parti, o tre, forate, e fatte
> L'armi nimiche ha gia tepide e rosse;
> Et egli ancor le sue conserva inbatte,
> Ne di cimier, ne d'un sol fregio scosse.
>
> Il Tasso, Cant. 7 [XCI].

1. L'imprimé porte seulement : me le défendent.

2. L'imprimé ne fait pas allusion au second article. Soit le texte : Je me souviens des articles par lesquels j'ai commencé. J'observe le premier, et je suis...

3. Par erreur, Prévost laisse subsister ici le texte imprimé : du second.

4. Nous corrigeons. Le *Pour et Contre* porte : changerait de justice...

sentiment, il a lu les miens, et quand il n'y aurait trouvé aucune raison de m'estimer, je suis sûr du moins qu'il n'en a vu aucune de me haïr. Cependant on ne hait point sans raison.

Je me perds dans cette recherche, car il est sûr que je n'ai jamais offensé M. de Percel. Voici bien quelques circonstances qui ont rapport à lui, et auxquelles je me souviens d'avoir eu part indirectement. Je laisse à juger au public si elles ont dû m'attirer sa haine.

1° Étant à Amsterdam en 1731, on me proposa de retrancher de la *Méthode pour étudier l'Histoire* [1] toutes les inutilités qui sont dans cet ouvrage, et d'y insérer certaines choses qu'on jugeait nécessaires pour le rendre bon. Je ne marquai point d'inclination pour cette entreprise, par la seule raison de causer du chagrin à l'auteur. On lui a peut-être appris cette espèce de refus, sans lui en apprendre le motif.

2° Dans le temps que le *Marot* de M. de Percel s'imprimait à Amsterdam, M. C... [2], homme d'esprit et de savoir, qui corrigeait cet ouvrage, me fit la grâce de me consulter sur la préface, qu'il se faisait un scrupule d'imprimer, parce qu'elle contenait des satires [a] contre quelques personnes respectables. Je répondis, aussi sincèrement que je le pensais, que son scrupule me paraissait juste : et que malgré la nécessité où se trouve quelquefois un correcteur de Hollande de n'y pas regarder de si près, il était obligé néanmoins de faire toujours une juste distinction de certains livres. Je mettais dans ce rang, sans exception, tous ceux qui attaquent ouvertement et de dessein formé la religion chrétienne, les bonnes mœurs, et l'honneur du prochain. Peut-être que M. C... a fait quelques retranche-

a. On voit que c'est un vieux mal dans M. de Percel. Témoin encore les cartons de sa *Méthode : Naturam expellas furcâ...* (Seule la première phrase de cette note est dans l'imprimé.)

1. L'imprimé porte : *la Méthode etc.* Une annonce du journal *Historia Literaria* annonce d'Amsterdam (mars 1731, p. 300) que les libraires Changuion et Humbert sont en train d'imprimer l'ouvrage.

2. Camusat, apparemment.

ments à la préface du *Marot*, et que M. de Percel a su que j'y ai contribué par mon conseil.

3° M. de Percel ayant offert ses services, par une lettre écrite de Paris [1], aux libraires de La Haye qui s'étaient associés avec moi pour la traduction de M. de Thou, ils m'envoyèrent la copie de cette lettre. Elle contenait, avec l'offre de plusieurs pièces qui m'étaient, ou inutiles, ou assurées d'autre part, quelques remarques que je ne trouvai point justes, et sur lesquelles je pris la liberté de faire civilement mes réflexions, qui furent envoyées à l'auteur. Peut-être que le tour civil de ma lettre ne l'a point consolé du refus que j'ai fait de ses offres.

4° Enfin, je me souviens d'avoir fait revenir dans mes notes sur le *de Thou*, une des remarques que M. de Percel avait envoyées, et d'avoir témoigné que je la croyais fausse. Peut-être n'a-t-il pas trouvé bon que je l'aie contredit [2].

C'est apparemment pour se venger de ces quatre offenses [a], que M. de Percel s'est chargé publiquement du crime de calomnie [3].

VII

Documents de 1731 relatifs à la publication de *Manon Lescaut*

18 avril 1731 [4]. « *Nouvelles Littéraires*. La compagnie des Libraires d'Amsterdam imprime les livres suivants :

---

a. De deux choses l'une. Il pèse mal, ou il n'a pas de balance. La balance de la vérité, suivant un auteur anglais *(Tillorson's sermon on the conscience)*, c'est la raison. Celle de la justice, c'est la conscience. [Note ajoutée en manuscrit.]

1. Les mots *de Paris* sont une addition manuscrite.

2. Cette remarque donnerait à entendre que la feuille XLVII du *Pour et Contre* est postérieure à la publication du tome premier de *l'Histoire de M. de Thou*, qui eut lieu tout à la fin de 1733.

3. L'imprimé disait seulement : que M. de Percel a cru devoir me traiter comme il l'a fait.

4. Cette date est fournie par la *Gazette d'Amsterdam*, qui annonce à ce jour la mise en vente du numéro de la *Bibliothèque raisonnée*.

1... 2... 3... La suite des *Mémoires d'un homme de qualité qui s'est retiré du monde*, in-12, 3 vol. Cette suite est du même auteur qui a donné les premiers volumes, qui ont été si bien reçus du public. 4. *Voyage... du P. Labat.* 5... (*Bibliothèque raisonnée des Ouvrages des Savants de l'Europe*, t. IV, première partie, janvier-février-mars 1731, p. 228.)

Vers avril-mai 1731 [1]. « Livres qui se trouvent chez H. du Sauzet : ... *Suite des Mémoires d'un Homme de qualité*, 12°, 3 vol. » (*Bibliothèque Française*, t. XV, seconde partie, catalogue au verso, non numéroté, de la page de titre.)

« H. du Sauzet débitera dans peu (...) On trouve chez le même libraire la suite des *Mémoires d'un Homme de Qualité*, 12°, 3 vol., aux dépens de la Compagnie, qui réimprime les quatre premiers volumes de ces Mémoires. Les nouveaux volumes sont encore plus intéressants que ceux qui ont paru d'abord. » (*Ibid.*, tome XV, seconde partie, page 368.)

22 mai 1731. « François Changuion, libraire à Amsterdam a imprimé et débite (...). On trouve chez le même (...) *Memoires d'un Homme de Qualité* qui s'est retiré du Monde, tome V, VI et VII, 12°. » (*Gazette d'Amsterdam*.)

5 juin 1731. Même annonce dans les mêmes termes.

12 juin 1731. Même annonce dans les mêmes termes.

19 juin 1731. « Pierre Mortier, libraire à Amsterdam, donne avis qu'il imprime et débitera dans peu (...). On trouve chez le même le *Grand Dictionnaire Historique et Critique* de M. Bayle (...) la Suite des *Mémoires d'un Homme de Qualité*, tome V, VI et VII... » (*Gazette d'Amsterdam.*)

26 juin 1731. Même annonce dans les mêmes termes.

Juillet 1731. « Catalogue etc. [2] *Suite et Conclusion des Mémoires d'un Homme de Qualité qui s'est retiré du monde*, tome 5, 6 et 7. Amst. 1731. » (*Historia Literaria*, de Londres. Tome II, page 510, numéro XI.)

---

1. Cette date est fournie par la *Gazette* du 13 avril 1731 : « H. du Sauzet donnera dans peu la 8e (erreur typographique pour 2e) partie du tome XV de la *Bibliothèque française*. »

2. Conformément à l'usage du journal, cet *etc.* désigne le catalogue des livres reçus pendant les deux derniers mois (ici juin et juillet), car *Historia Literaria* paraît tous les deux mois.

Juillet 1731. « Catalogue des Livres Nouveaux : ...*Mémoires et Aventures d'un Homme de Qualité*, 7 tomes, 12°. — id., tome 5, 6, 7. » (*Bibliothèque raisonnée*, etc., t. VI, seconde partie.)

Vers juillet 1731 [1]. « Nouvelles Littéraires de France (...) Elle est fort contente aussi des Mémoires d'un Homme de Qualité (...). Voilà en peu de mots quel est le marquis de Renoncourt dans les six volumes de ses Mémoires. Le septième, où le chevalier des Grieux raconte ses aventures, etc. » (*Lettres sérieuses et badines*, t. V, seconde partie, lettre XXIII, pp. 442-445 [2].)

Vers août 1731 [3]. « Comme je sais que vous avez donné des éloges aux *Mémoires d'un Homme de Qualité* (...) je crois que vous serez bien aise d'apprendre que l'auteur, transplanté en Hollande, vient d'en publier deux nouveaux volumes [4]. Il a profité de cette liberté dont il vante les avantages dans son projet de traduction de M. de Thou. Cette suite est en général intéressante. Mais l'auteur, selon sa coutume, s'appesantit sur les détails, se livre à la passion de moraliser; d'ailleurs sa morale est trop affectueuse; ce ton me paraît plutôt convenir à un prédicateur qu'à un romancier. » (*Nouvelliste du Parnasse*, Lettre XXVIII, t. II, pp. 280-281.)

Vers octobre-novembre 1731 [5]. « Nouvelles d'Amster-

---

1. La XXIIIe feuille hebdomadaire des *Lettres sérieuses et badines* est en principe de juin. Le tome V (2) n'est pas annoncé dans la *Gazette*, mais le Supplément qui lui fait suite est annoncé le 14 septembre 1731. Cela confirme que la lettre ou feuille XXIII a dû paraître à peu près à la date normale, et dans le recueil également à la date normale, juillet-août 1731.

2. On a vu plus haut des détails sur cet article (p. CLIX).

3. La lettre XVIII du *Nouvelliste* était du 10 mai. A raison d'une lettre par semaine, on est ici vers le 10 août.

4. Les tomes V et VI, parus en France chez la veuve Delaulne. Cet article montre bien que *Manon Lescaut* n'est pas encore publiée en France. Le numéro XXXIII du *Nouvelliste*, qui contient un long compte rendu sur les *Mémoires* (tome III, pp. 3-18), n'y fait toujours aucune allusion.

5. Le numéro XV (2) de la *Bibliothèque Française* avait paru, avec un retard exceptionnel, en avril 1731. Le numéro XVII (1) est

dam (...) 5° Suite des *Mémoires et Aventures d'un Homme de Qualité qui s'est retiré du monde.* In-12, 3 vol., 1731. Cet ouvrage est très amusant et se fait lire avec plaisir, quoique le style ne soit pas également soutenu partout. On y trouve beaucoup de variété, une morale pure, des sentiments fort tendres, et des aventures fort extraordinaires. On peut mettre dans ce rang celles de Mylady R., de Mylady d'Av., de M. Law, de la princesse de R., et surtout celle du Chevalier des Grieux, qui paraissent incroyables. L'auteur n'a pas fait difficulté de publier les fautes de toutes ces personnes, persuadé que l'exemple de leur mauvaise conduite peut devenir utile. Les vices de cette nature, dit-il, servent pour ainsi parler de fanal à la vertu; ils l'éclairent, ils lui montrent les bornes qu'elle ne doit point passer et les précipices qu'elle trouverait au-delà [1]; M. d'Exiles, auteur de cet ouvrage, travaille à une traduction française de M. de Thou, dont on verra bientôt le premier volume. » (*Bibliothèque française*, t. XVI, première partie, pp. 182-183.)

« Livres nouveaux qui se trouvent chez H. du Sauzet; (...). *Mémoires d'un Homme de Qualité, avec la suite,* 12°, 7 vol.» (*Ibid.*, même numéro, au verso.)

26 novembre 1731. « Les *Mémoires d'un Homme de Qualité* et le *Cleveland* sont deux excellents ouvrages d'un même auteur qui s'est déjà fait connaître par plusieurs beaux endroits... » (*Le Glaneur historique, moral littéraire et galant,* de J. B. de la Varenne, nombre LXXIX, du 26 novembre 1731.)

1731. « Catalogue des Livres imprimés chez Frédéric Bernard, ou dont il a nombre... *Aventures d'un Homme de Qualité,* sept vol. in-12. » (Catalogue placé en tête du t. I des *Mémoires du cardinal de Retz*, nouvelle édition, publiée

---

annoncé le 17 juin 1732. Le XVI (1) doit donc dater d'octobre-novembre 1731 environ, et le XVI (2) du début de 1732. Un *terminus a quo*, pour le numéro XVI (1), qui nous intéresse ici, est le fait qu'il annonce, en vente chez H. du Sauzet, « *le Nouvelliste du Parnasse*, 12°, 2 vol. ». Or, le tome II du *Nouvelliste* n'est pas achevé avant septembre 1731.

1. Sur ce passage, tiré d'une Lettre de l'Éditeur des *Mémoires*, en tête du tome V, voyez plus haut, document n° II.

en 1731 par Frédéric Bernard, un des libraires associés de la Compagnie des Libraires d'Amsterdam.)

VIII

Extraits du *Journal de la Régence* de Buvat relatifs au Mississippi

Mars 1719 (entre le 12 et le 16). Quelques avis venus des îles du Mississippi assurèrent que plus de quinze cents Français des deux sexes avaient été hachés par les sauvages de cette contrée, qui étaient venus en très grand nombre les surprendre dans leurs nouvelles habitations. (T. 1, p. 363.)

12 mai 1719. Le sieur Law obtint du Roi la permission de faire à Mississippi un enclos de huit lieues de circonférence pour en former une ville, et pour cet effet on y devait envoyer toutes sortes d'ouvriers; il devait avoir la vice-royauté de ce pays après le sieur Crozat, à qui le feu Roi l'avait donnée pour l'espace de quatorze années qui devaient bientôt expirer. (T. I, p. 386.)

12 mai 1719. Le Roi accorda à la compagnie d'Occident la permission de prendre les jeunes gens des deux sexes qui s'élèvent dans les hôpitaux de Bicêtre de la Pitié, de l'Hôpital général et des enfants trouvés et les autres gens qu'on y avait enfermés; la compagnie ayant représenté que les filles débauchées qu'on avait transportées à Mississippi et dans les autres colonies françaises y avaient causé beaucoup de désordres par leur libertinage et par des maladies vénériennes qu'elles y avaient communiquées, ce qui avait causé beaucoup de préjudice au commerce et à la compagnie. (T. I, pp. 386-387.)

Août 1719. Les actions de la compagnie du Mississippi étaient si lucratives pour les actionnaires, qu'un officier, pour y avoir mis des billets de l'État pour la valeur de quarante mille livres, se trouva avoir eu pour sa part de quoi acquitter une somme de quarante mille écus qu'il devait, et qu'il lui restait encore cinquante mille écus. (T. I, p. 420.)

Août 1719. On tira des hôpitaux de Bicêtre et de la Salpêtrière cinq cents jeunes gens des deux sexes pour les embarquer à la Rochelle et les transporter au Mississippi. Les filles étaient dans des charrettes et les garçons allaient à pied, avec une escorte de trente-deux archers. (T. I, p. 422.)

4 septembre 1719. On apprit (...) de la Rochelle que les cent cinquante filles qu'on y avait envoyées de Paris pour être transportées au Mississippi s'étaient jetées comme des furies sur les archers, leur arrachant les cheveux, les mordant et leur donnant des coups de poing, ce qui avait obligé les archers de tirer leurs fusils sur ces pauvres créatures, dont six avaient été tuées et douze blessées; ce qui avait intimidé les autres de telle sorte qu'elles se laissèrent embarquer. (T. I, p. 426.)

Septembre 1719. Ce qui donna peut-être lieu aux chansons [contre Law] qui viennent d'être rapportées, ce fut que le sieur Law était allé à l'Hôpital de la Salpêtrière, et qu'après avoir demandé aux supérieures de la maison un certain nombre de filles qu'on y avait élevées et non de mauvaise vie, avec un pareil nombre de garçons, pour être mariés au Mississippi, en leur faisant espérer une bonne dot à chacun, il avait promis un million à cet hôpital, pour le dédommager du profit que ces jeunes gens pouvaient faire à la maison par leur travail. (T.I, p. 434.)

Octobre 1719. Le 8, on fit partir trente charrettes remplies de demoiselles de moyenne vertu, qui avaient toutes la tête ornée de fontanges de rubans de couleur jonquille, et un pareil nombre de garçons qui avaient des cocardes de pareille couleur à leurs chapeaux, et qui allaient à pied. Les donzelles, en traversant Paris, chantaient comme des gens sans souci, et appelaient par leur nom ceux qu'elles remarquaient pour avoir eu commerce ensemble, sans épargner les petits-collets, en les invitant de les accompagner dans leur voyage au Mississippi. (T. I, p. 441.)

Octobre 1719. Les actions de cette Compagnie (des Indes) se négociaient alors publiquement, depuis quelque temps, en la rue Quincampoix, à Paris, où il y avait depuis le matin jusqu'au soir un si grand concours de personnes des deux sexes et de toutes conditions, et même d'ecclésiastiques, qu'on avait beaucoup de peine à passer au travers de cette rue, qui est fort longue et assez étroite. (T. I, p. 453.)

Novembre 1719. Le 10, on fit partir de Paris trois cents filles et autant de jeunes garçons pour la Rochelle, et pour être de là transportés au Mississippi. (T. I, p. 465.)

Mars 1720. Le 27, on fit partir six cents jeunes gens des deux sexes tirés des hôpitaux de Paris, et on leur fit prendre le chemin de Rouen pour y être embarqués jusqu'à la Rochelle, et de là transportés au Mississipi. Les garçons marchaient à pied enchaînés deux par deux, et les filles étaient dans des charrettes. Cette troupe était suivie de huit carrosses remplis de jeunes gens bien vêtus, dont quelques-uns étaient galonnés d'or et d'argent. Et tous étaient escortés par une trentaine d'archers bien armés. (T. II, p. 40.)

Mai 1720. Le 4, on publia une ordonnance du Roi, rendue le 3, qui défendait, sous peine de la vie, à toutes personnes de troubler les archers nouvellement établis pour arrêter les vagabonds, gens sans aveu, et les pauvres mendiants valides ou invalides, et pour les conduire à la prison la plus prochaine, pour les plus jeunes être envoyés dans les colonies françaises de l'Amérique et du Mississippi, et les invalides et les plus avancés en âge être enfermés dans les hôpitaux. Lesquels archers devaient être vêtus d'un habit uniforme avec une bandoulière et avoir un exempt à leur tête par brigade, avec défense à eux sous de grosses peines d'arrêter aucun bourgeois, artisan ni manœuvre, ni autre personne non mendiante, parce qu'ils avaient déjà enlevé plusieurs personnes des deux sexes qui n'étaient pas de leur compétence (...) afin de profiter d'une pistole par personne que la Compagnie des Indes leur avait promise, outre les vingt sols par jour qu'ils avaient de gages, ce qui avait causé de grands désordres en cette ville, la populace et les gens de boutique s'étant plusieurs fois soulevés contre la mauvaise foi de ces archers, dont plus de vingt avaient été tués, et un plus grand nombre dangereusement blessés et portés à l'Hôtel-Dieu. (T. II, p. 78.)

Mai 1720. On fit alors à la Monnaie de Paris un essai de la mine d'argent venue du Mississippi, laquelle avait rendu quatre-vingt-dix marcs de fin par quintal, ce que celles du Potose n'avaient jamais excédé. (T. II, p. 80.)

Mai 1720. On publia [un arrêt du Conseil d'État] par lequel le Roi étant informé que la Compagnie des Indes était en état de faire travailler à la culture et au défrichement des terres de la Louisiane ou du Mississippi, par le grand nombre de nègres qu'elle y fournissait alors, et que d'ailleurs il se présentait un grand nombre de familles françaises et étrangères, d'Allemagne, de Suisse et d'Italie, pour y aller s'établir dans les concessions que la Compagnie avait accordées à différents particuliers et à ces familles, et que les concessionnaires refusaient de se charger des vagabonds et des criminels pour leur fainéantise et pour la corruption de leurs mœurs et de leurs mauvaises habitudes, Sa Majesté ordonnait que dorénavant les vagabonds, gens sans aveu, fraudeurs et criminels, seraient envoyés dans les autres colonies françaises de l'Amérique. (T. II, pp. 82-83.)

Mai 1720. Les cent cinquante archers nouvellement établis commencèrent à paraître, le 10 de ce mois, avec un habit bleu tout neuf, un chapeau bordé d'argent et une bandoulière bleue au derrière de laquelle on avait brodé une fleur de lys jaune, chacun armé d'un fusil, d'une épée, d'une baïonnette et de deux pistolets de poche, divisés par brigade de douze hommes chacune avec un exempt de la prévôté à la tête, y ayant aussi deux archers de la prévôté à chaque brigade, qui servaient de caporaux.

On assurait qu'en moins de huit jours ils avaient enlevé plus de cinq mille personnes des deux sexes, vagabonds, gens sans aveu, libertins, libertines, et autres qui n'avaient jamais fait profession de mendier, comme artisans et maneuvres, et même une centaine de filles nouvellement venues à Paris pour se mettre en condition chez des bourgeois, qui couchaient le soir à l'hôpital des filles de Sainte-Catherine de la rue Saint-Denis, proche Saint-Opportune, où ces religieuses les reçoivent trois jours de suite, les couchent et leur donnent à souper et à déjeuner, suivant une ancienne fondation, pour faciliter à ces pauvres filles le moyen de trouver quelque condition, et où plusieurs bourgeois ou bourgeoises en allaient choisir pour les servir en leur assignant des gages. (T. II, pp. 87-88.)

NOTE SUR L'ICONOGRAPHIE

Les planches (voyez la table, p. 339) sont commentées, non dans l'ordre où elles se succèdent à l'intérieur du volume et où elles sont numérotées, mais dans l'ordre méthodique, soit :

— L'abbé Prévost : planches II, III, I et IV.

— Le cadre matériel et social : planches XX, XXV, XVIII, XVII, IX et XXI.

— Arrestation et déportation des filles de joie : planches XXVII, V, XXVIII, VI, VII et VIII.

— Le Mississippi, mythologie et géographie : planches XXX, XXXI et XXXII.

— L'illustration : planches X, XXII, XXIII, XXIV, XXVI, XXIX, XXXIII, XIX, XI, XII, XIII, XIV, XV et XVI.

L'abbé Prévost

*Le seul portrait de l'abbé Prévost (*pl. II*) dont l'authenticité soit indiscutable est celui qui fut, comme on peut le lire au bas de la gravure correspondante, « dessiné à Paris d'après nature et gravé à Berlin par G. F. Schmidt, graveur du* Roi, *en 1745 » pour être placé en tête du premier tome de la monumentale* Histoire des Voyages *(Paris, Didot, 1746, in-4°.) C'est ce dessin original* d'après nature *(au Musée de Tours), plus direct et plus vivant que la gravure qui en a été tirée, que nous reproduisons. En dépit de son caractère officiel — l'auteur de l'*Histoire des Voyages *pose pour la postérité — ce portrait affecte un naturel qui va jusqu'au négligé élégant de la soutane déboutonnée et qui bâille. Prévost donne une impression de vivacité spirituelle, surtout dans le regard des yeux clairs, de force dans la carrure que l'embonpoint n'alourdit* *pas trop, de dignité aussi dans le port de la tête. C'est ici l'homme « arrivé », l'aumônier du Prince de Conti, et non pas l'exilé, auteur, quatorze ans plus tôt, de* Manon Lescaut, *et dont nous ignorons le visage.*

*Ce visage inconnu, une peinture conservée à Hesdin et appartenant à la famille Landrieux (*pl. III*) pourrait-elle nous le restituer ? La chose est douteuse. Une tradition locale affirme qu'elle représente notre abbé, mais les traits ne rappellent que d'assez loin ceux de la gravure, et il est très possible qu'il s'agisse de son frère, l'abbé de Blanchelande, dont il est question dans l'*Introduction, *page* XIV. *Du reste, la formidable perruque semble caractéristique d'une mode plus tardive. Quoi qu'il en soit, la facture est gauche et de mauvaise qualité.*

*En revanche, l'écriture de Prévost est bien connue. L'on n'a pas conservé une seule ligne autographe des romans — ce qui est normal à l'époque — mais on possède plusieurs lettres. Nous reproduisons (*pl. I*) la première page de la fameuse lettre du 18 octobre 1728 qu'il adressa, lors de son départ de Saint-Germain-des-Prés, à son supérieur. Nous l'utilisons à diverses reprises et nous la publions* in extenso *dans l'*Appendice. *Parmi ceux dont nous disposons, c'est — avec celui de la lettre du 10 novembre 1731 au* P. *de la* Rue *— l'autographe chronologiquement le plus proche de la rédaction de* Manon. *La* planche IV, *d'autre part, reproduit la page de titre de ce qui constitue l'édition originale de* Manon Lescaut.

Le cadre matériel et social

Le décor parisien de Manon Lescaut *a souvent disparu. Non seulement les édifices ont été démolis, mais parfois, il ne nous en a été conservé aucune image ; par exemple, il n'a pas été possible d'identifier le café de Féré au pont Saint-Michel, où des Grieux va se morfondre en attendant Manon (p. 133). Le document qui restitue le mieux l'aspect de certains quartiers de Paris est le plan dressé en 1734-1739 sur l'ordre de Turgot, Prévôt des Marchands. Bien qu'il soit postérieur d'une quinzaine d'années à l'époque où se passe le roman, sa valeur d'évocation est grande, car il s'agit d'une vue à vol d'oiseau, et les édifices sont dessinés avec une certaine précision. La* planche XX *(p. 77) représente le quartier de Saint-Lazare, au faubourg Saint-Denis. Après avoir franchi la porte Saint-Denis, on arrive à la Grille Saint-Denis (à l'extrême droite), à la hauteur de l'actuelle rue des Petites-Écuries; les bâtiments de Saint-Lazare commencent à la rue de Paradis (mais les deux bâtiments parallèles au faubourg Saint-Denis et qui vont de la rue de Paradis jusqu'au clocher n'existaient pas encore à l'époque où se passe l'action du roman) : c'est un ensemble complexe de constructions diverses servant de maison religieuse, de prison, de maison de retraite et aussi de ferme pour l'exploitation agricole de l'immense Enclos Saint-Lazare, dont la surface était plus grande que celle du jardin des Tuileries. Ce qui restait de la façade sur la rue, au 107 rue du Faubourg-Saint-Denis, au coin du boulevard de Magenta, a été détruit en 1940. En examinant ce plan, il est aisé de se représenter l'évasion de des Grieux (p. 97), que Lescaut et ses compagnons attendent dehors, cachés peut-être* à quatre pas *dans la petite rue Saint-Laurent.*

La planche XXV, page 132, reproduit une autre section du Plan de Turgot. *On reconnaît sur la Seine le pont Saint-Michel, avec ses maisons : le café de Féré était peut-être l'une d'elles, s'il ne se trouvait pas sur la place attenante. On voit également où des Grieux poste son fiacre, et le chemin qu'il prend pour aller à la Comédie (angle inférieur droit), et en revenir (pp. 132 et 133). A l'extrême gauche, en haut, l'on distingue, au bord de la Seine, la prison du Petit-Châtelet. Enfin, en remontant la rue des Cordeliers vers la rue La Harpe (angle supérieur droit), l'on aperçoit à droite la coupole de l'amphithéâtre de dissection de Saint-Côme (nº 5 de l'actuelle rue de l'École-de-Médecine, où se trouve aujourd'hui l'Institut des Langues Modernes de la Sorbonne) : on comprend assez quel était ce* trajet de Saint-Côme *que redoutaient les prostituées. (Voyez les petits vers au bas de la gravure d'après Watteau,* pl. VIII.*)*

La délicieuse gravure de la planche XVIII *est la quatrième d'une série de* Vues de Paris *(cinquième planche en comprenant le titre) gravées par Jeanne Françoise et Marie Jeanne Ozanne (à Paris, chez la veuve Chereau, rue Saint-Jacques, aux Deux Piliers d'Or). C'est « une vue des Tuileries prise de l'entrée du Pont Royal ». On aperçoit donc le quai des Tuileries dans la direction de l'actuelle place de la Concorde. Le jardin est à droite ; un fiacre attend à la porte. On évoque sans peine — bien que la gravure soit assez tardive (vers 1775-1780, semble-t-il) — le rendez-vous « à la petite porte du jardin des Tuileries » (p. 49).*

*L'ancien village de Chaillot (voyez p. 48 et la note) couvrait approximativement la surface triangulaire délimitée de nos jours par les avenues des Champs-Élysées et de la Grande-Armée, les avenues de Malakoff et Raymond-Poincaré, le Trocadéro et la Seine. La vue gravée par Le Veau — à l'époque de Louis XVI, mais l'aspect général n'avait pas changé — (*pl. XVII*) est prise de l'extrémité ouest du Champ-de-Mars, vers le bout de l'actuelle avenue de Suffren. Le couvent des Minimes de Passy était situé à l'emplacement des rues Le Nôtre et Chardin; la Maison des Dames de Sainte-Marie de Chaillot à l'emplacement du Palais de Chaillot; la Savonnerie (à l'extrême droite) vers l'actuel n° 18 de l'avenue de New-York. On voit donc ici la rive droite de la Seine depuis l'Alma au loin à droite, jusqu'au début de ce qui est maintenant le quai du Président-Kennedy.*

*Le milieu matériel et social dans lequel se déroule l'action du roman est souvent plus difficile encore à se représenter que le décor parisien. Toutefois une photographie du XIX*e *siècle (Bibliothèque d'Amiens) nous a conservé un aspect de la cour de l'hôtellerie d'Amiens (*pl. IX, *p. 18), aujourd'hui détruite, où était l'arrivée du coche d'Arras. C'est là que des Grieux rencontre Manon pour la première fois (p. 19). La* planche XXI, *page 80, donne une idée de ce qu'étaient les* indignités *redoutées par des Grieux à son entrée à Saint-Lazare (ibid.) ; elle reproduit un détail d'une gravure anonyme représentant l'abbé Desfontaines (1685-1745) fessé pour sodomie à la prison de Bicêtre, où existaient les mêmes indignités qu'à Saint-Lazare.*

Arrestation et déportation des filles de joie

En revanche, les gravures et documents concernant les arrestations de filles de joie, leur détention et leur déportation en Amérique — on disait indistinctement : les Iles — sont nombreux, car ces faits ont frappé l'imagination et ils ont immédiatement trouvé une expression artistique ou — on le voit assez dans Manon Lescaut *— littéraire. Les rafles et arrestations des filles qu'on* dirigeait ensuite vers la Salpêtrière ont continué pendant tout le XVIIIe siècle et ont constitué en quelque sorte un sujet de genre pour la peinture de l'époque. En voici trois exemples.

Une gravure de Cl. Duflos (1757) (pl. XXVII, p. 153) reproduit un tableau de Jeaurat qui figura au Salon de 1755. Dirigés par un magistrat, des archers sont en train d'arrêter une fille qu'ils ont tirée d'une maison de rendez-vous. La Saint-Rémy, dont il est question dans l'écriteau fixé sur le portail, évoque, dans *le Paysan Parvenu* (1734) de Marivaux (éd. Deloffre, Garnier, pp. 217 à 241), Mme Rémy, qui exerce le même métier qu'elle dans un faubourg de Paris. L'entremetteuse elle-même, semble-t-il, (ou la matrone) a pris à partie le magistrat, qui lui répond. La fille se contente de lever les bras au ciel; elle est saisie à bras-le-corps par un archer, qui va la faire monter dans le fiacre destiné vraisemblablement à la conduire à la Salpêtrière. Des paysans et paysannes des faubourgs, tenus en respect par les archers, regardent d'un air ému ou narquois cette scène mouvementée, où la vérité du détail le dispute à l'humour.

La peinture anonyme (pl. V) conservée au Musée Carnavalet, représente, elle, un enlèvement collectif, une véritable rafle en pleine ville, dans un quartier où les filles galantes ont toujours été nombreuses, rue Saint-Martin (voyez l'inscription à gauche). Rassemblées au préalable dans un petit bâtiment public (aux armes royales) qui sert ici de poste de police, les filles en sont extraites une à une par des archers qui les font monter dans deux charrettes découvertes, identiques à celle qui figure sur le tableau de Jeaurat commenté ci-dessous (pl. XXVIII) : la première est déjà pleine : on est en train de charger la seconde. La scène est nocturne, avec quelque chose d'insolite dans l'atmosphère. Elle est relativement calme, ce qui ajoute à l'accablement général : peu de gestes; on est sensible toutefois au pathétique de la fille qui cache la tête dans ses bras. Des curieux de tous côtés, et même des fenêtres voisines, regardent la scène; au premier plan, ce sont surtout des artisans et gens du peuple, en petit nombre à cette heure de nuit : les archers les empêchent d'approcher avec des gestes menaçants et brutaux; à droite, ce sont surtout des gens du monde. Malgré la mauvaise qualité artistique du tableau et la gaucherie parfois des attitudes, l'ensemble, très suggestif, donne une impression plus émouvante encore que pittoresque de réalité vécue.

*Il y a beaucoup plus de talent, mais peut-être moins de vie concrète, dans un second tableau de Jeaurat (*pl. XXVIII, *p. 164), conservé à Carnavalet. On aperçoit ici en mouvement la charrette de filles qu'on vient de voir charger ci-dessus* (pl. V). *Le peintre l'a représentée en route vers la Salpêtrière, au moment où elle va franchir la Porte Saint-Bernard, après le pont de la Tournelle. Sur ce monument, dont l'architecte Blondel avait fait en 1674 un arc de triomphe et qui fut détruit vers 1787, on reconnaît les bas-reliefs de J. B. Tuby. Les quelque dix-sept ou dix-huit filles qui sont sur la charrette ne paraissent pas affectées outre mesure par leur sort. L'une prend par le menton un des archers qui sont montés avec elles; l'autre à l'avant semble charger d'une commission deux chiffonnières qu'un archer repousse; une troisième à l'arrière communique avec un personnage qui lui fait des signes et dont on ne voit que les bras levés; une seule semble soucieuse de se dissimuler aux regards — encore son attitude reste-t-elle ambiguë. Les archers au premier plan ont l'air de poser pour le peintre; ils manquent de naturel. Mais le tableau est la représentation fidèle d'une scène qui était devenue assez fréquente dans le Paris d'alors.*

Parmi ces filles envoyées à la Salpêtrière, un certain nombre, jusqu'à l'époque de Manon Lescaut, *ont été, on le sait, déportées en Amérique. Le document reproduit à la* planche VI *est un fragment d'une liste datée du 27 juin 1719, qui se termine ainsi : « Cet état contient les noms de 209 personnes enfermées à la Salpêtrière qui seraient propres à envoyer aux Iles, ces femmes ne pouvant causer que beaucoup de mal dans le public, étant d'une dépravation de mœurs extraordinaire » (Bibliothèque de l'Arsenal, Archives de la Bastille, ms. 12692, f° 1 v° du cahier). Le n° 9 est Marie-Antoinette Néron, qui devait devenir la maîtresse de Cartouche et dont il est question dans l'*Introduction, *page* x. *Voici les motifs indiqués à la droite du document : 8.* Pour débauches avec un homme marié qui a ruiné sa famille. La famille de cette fille prie qu'on la fasse aller aux Iles — *9 et 10.* Ce sont deux petites prostituées et deux larronnesses des plus dangereuses. L'aînée a eu un enfant du valet du bourreau dont elle est accouchée en cette Maison — *11.* C'est une franche larronnesse et une fille des plus prostituées — *12.* Pour vol et prostitution publique — *13.* C'est une fille des plus prostituées, très recommandée par Mgr l'Archevêque de Meaux pour aller aux Iles.

La planche VII *reproduit une gravure populaire qui remonte, semble-t-il, à 1680-1685 (voyez l'*Introduction, *p.* IX*). Les filles sortent de l'Hôpital Général ou Salpêtrière, où elles étaient enfermées et qui est figuré au fond (à gauche du cartouche), pour monter sur des coches d'eau qui les conduiront au port d'embarquement. Une quinzaine de filles sont figurées de façon gauche mais assez distincte, avec leur nom ou leur surnom. Dans l'angle supérieur gauche, on voit le frère de la belle Du Buisson — on songe à Lescaut — faisant ses adieux à sa sœur. Dans les couplets mis au bas de la gravure, on note que les soins de la médecine importent plus que ceux de l'amour.*

L'étonnante gravure de la planche VIII *est d'après un tableau de Watteau, maintenant disparu, qui était vraisemblablement contemporain des déportations de 1719-1720 (dans le tirage avant la lettre de la Bibliothèque Nationale, Est., Db. 15, on devine, dans une légende portée à la plume, ce titre significatif :* Départ pour le Mississippi). *Il s'agit d'une composition bouffonne où le chef des archers, avec une politesse affectée qu'il souligne dans une révérence burlesque, invite une fille, présentée par sa « matrone », à l'embarquement, non pour Cythère, mais pour les Iles. On aperçoit à gauche une fille que soutient son amant désolé. Sur Saint-Côme, voyez la* planche XXV, *et, plus haut, la note correspondante.*

LE MISSISSIPPI, MYTHOLOGIE ET GÉOGRAPHIE

La gravure de la planche XXX, *page 179, rentre probablement dans le cadre de la propagande faite en 1718-1720 par la Compagnie du Mississippi que Law avait fondée. Elle rassemble dans une scène composite une grande partie de la mythologie des rapports entre Français et Indiens en Amérique. Elle se lit de droite à gauche : les Indiens coiffés de plumes arrivent de leur forêt natale, symbolisée par les deux cocotiers où perche un perroquet et où grimpe une sorte de singe ; ils sont aussitôt dirigés vers les bienfaits de la civilisation. Toutefois il ne leur est pas déconseillé d'apporter les fruits de la terre (voyez la femme aux deux paniers vers la droite), de la volaille ou de la viande de boucherie (à terre). Au centre, légèrement à droite, un Indien semble apprendre à lire, et peut-être aussi à parler français (il désigne les objets du doigt). Légèrement à gauche, un Indien debout et un autre penché boivent le vin ou l'alcool qu'un Français continue à tirer d'un tonneau. A gauche une Indienne convertie adore un crucifix qu'élève un prêtre, tandis qu'un Indien, assisté d'un autre missionnaire, fait son instruction religieuse dans un gros livre. A l'extrême gauche, une prison : serait-ce là l'aboutissement de la civilisation? On note, au second plan, une scène de retrouvailles entre un résident et un voyageur nouvellement débarqué du bateau qui est au centre.*

Le plan de la planche XXXI, *entre les pages 179 et 180, ainsi que la carte de la* planche XXXII, *entre les pages 197 et 198, sont tirés du tome XIV de l'*Histoire des Voyages *de l'abbé Prévost (Paris, Didot, 1757, in-4°). La Nouvelle-Orléans, commentait Prévost (p. 742), « n'était composée en 1722 que d'une centaine de baraques placées sans beaucoup d'ordre, d'un grand magasin bâti de bois, et de deux ou trois maisons un peu plus apparentes. Qu'on se figure* [...] *deux cents personnes envoyées pour former une ville, qui sont campées au bord d'un grand fleuve, où elles n'ont encore pensé qu'à se mettre à couvert des injures de l'air, en attendant qu'on leur dresse un plan, et qu'on leur bâtisse des maisons. L'ingénieur [envoyé là-bas] remplit une partie de cette attente; c'est-à-dire qu'il laissa aux habitants un plan fort beau et fort régulier [celui qu'on reproduit ici]; mais le P. de Charlevoix douta de l'exécution. » Dans le roman (p. 185), il s'agit plus de la ville réelle que de la ville imaginaire du beau plan. Au contraire, Prévost n'a guère tenu compte de la carte réelle de la Louisiane, sauf lorsqu'il fait allusion (p. 197) aux montagnes escarpées (les Apalaches) qui séparent ses héros des Anglais (de Georgie et de Caroline). Le désert aride et plat qu'il imagine ne correspond pas à ce pays fortement irrigué et même marécageux, que les nombreux cours d'eau indiqués sur la carte auraient dû lui révéler.*

L'illustration

Les premières éditions de Manon Lescaut *ne sont pas illustrées. C'est seulement pour l'édition de 1753, revue et corrigée par Prévost lui-même, que l'éditeur, apparemment sûr du succès, se décida à faire les frais relativement importants de huit planches —*

et d'un bandeau qui est reproduit et commenté plus haut, à la page 9. Il les commanda à deux graveurs de talent bien différent : Pasquier et Gravelot. Les six illustrations de Pasquier sont en général gauches, sans finesse comme sans esprit, avec des attitudes un peu raides : c'est de l'illustration courante et « commerciale ». Les deux gravures de Gravelot sont d'une tout autre qualité. Les deux illustrateurs ont du moins ceci de commun qu'ils ont choisi comme sujets des scènes dramatiques, où ils trouvaient de l'expression et du mouvement : scène de la rencontre, scène du parloir, scène comique chez le vieux G...M..., scène des retrouvailles à la Salpêtrière, scène de la confusion du Prince italien, scène de l'arrestation, scène des retrouvailles sur la charrette, scène de l'ensevelissement. Ils auraient pu songer à bien d'autres encore, celles de l'arrivée de la charrette à Pacy (qui fait le début du roman), de l'évasion de Saint-Lazare ou de la Salpêtrière, de l'assassinat de Lescaut, du duel avec Synnelet, etc. Mais la plupart des scènes auxquelles ils se sont arrêtés s'imposaient.

*L'illustration de Pasquier qui a pour sujet la rencontre à l'auberge d'Amiens (*pl. X, *p. 19) — on comparera le décor avec celui de la* planche IX *— n'est pas dépourvue d'un certain charme anecdotique. A la vérité, les trois personnages, Manon, des Grieux et le « vieil Argus » (voyez p. 21), sont plantés comme des mannequins ; mais le déchargement des bagages, que le Chevalier semble montrer — pour quelle raison ? — d'un geste d'automate, a une certaine vie, et le petit bâtiment équipé d'une poulie et surmonté de feuillage a quelque pittoresque.*

*L'illustration suivante de Pasquier (*pl. XXII, *page 102) représente des Grieux retrouvant Manon dans sa cellule de la Salpêtrière. Il s'agit d'exprimer avant tout l'ardeur du sentiment qui précipite les deux amants dans les bras l'un de l'autre. On notera la vivacité du mouvement (le Chevalier a laissé tomber son chapeau, Manon a jeté à terre son travail), et aussi la symétrie des attitudes, qui figure la réciprocité de l'amour. La scène, comme le dit le texte (p. 103), « attendri[t] M. de T... », dont l'attitude exprime également la surprise et l'admiration. Le geôlier, par la porte qu'il vient d'ouvrir, regarde aussi : « Il avait été témoin de notre entrevue, notera des Grieux ; ce tendre spectacle l'avait touché. » Les détails du costume de Manon et du triste décor doivent encore ajouter à l'attendrissement du lecteur : la cellule est sombre,* *il y a de gros barreaux à la fenêtre qui est munie en outre d'un grillage à l'extérieur, les murs sont nus, le mobilier se compose d'une chaise grossière, Manon est vêtue avec la plus grande pauvreté, elle est chaussée de sabots ; on voit à terre les bas de laine (les pelotes sont dans une corbeille) qu'elle était en train de tricoter à quatre aiguilles quand des Grieux est entré.*

*La scène de la confusion du Prince italien a été également dessinée par Pasquier (*pl. XXIII, *p. 122). Dans l'embrasure de la porte qu'elle vient d'ouvrir, Manon, d'un geste assez gracieux, tend le miroir à un grand homme maigre, le Prince, tandis que de l'autre main, elle tient les cheveux de des Grieux. Celui-ci est vêtu d'une sorte de robe de chambre. Au-dessus de la porte, un trumeau représente les jeux de trois petits Amours ; derrière le Prince, on aperçoit une commode Louis XV. L'ensemble est médiocre, peu expressif et maladroit.*

*La même scène a été traitée également par Marillier dans une gravure (*pl. XXIV, *p. 123) pour les* Œuvres Choisies *de Prévost en trente-neuf volumes (1783). Elle est très supérieure à celle de Pasquier. La piquante silhouette de Manon se détache sur le cadre de la porte que l'illustrateur a eu la bonne idée d'ouvrir vers l'intérieur. L'élégant des Grieux, qui apparaît en manches de chemise, a l'air un peu gêné de cette situation. Le Prince, de teint basané et de « mauvaise mine » comme le veut le texte, fait un geste d'humeur. C'est ici une interprétation à la fois exacte et spirituellement animée du thème fourni par Prévost.*

Sur la planche XXVI, *page 152, Pasquier a figuré l'arrestation de des Grieux et de Manon dans la maison meublée pour Manon par le jeune G... M... ; Manon est déjà couchée dans le lit où le Chevalier s'apprêtait à la rejoindre (les rideaux du lit ne sont pas encore tirés). Le vieux G... M..., furieux, lui montre le collier de perles qu'elle vient d'obtenir du fils, après l'avoir naguère extorqué au père ; dans la main droite, il tient le sac d'or contenant les dix mille francs offerts par le jeune G... M... à sa maîtresse (p. 144). Manon fait un geste, fort inexpressif, de surprise ou de dénégation. Des Grieux, assis en spectateur, est en chemise de jour et sans culotte, il a déjà mis son bonnet de nuit. Son expression molle ne correspond guère aux fières paroles que Prévost met dans sa bouche. Un des trois archers qui complètent la scène lui met la main sur l'épaule pour l'inviter à se taire, ou à s'ha-*

biller ; les deux autres conversent au second plan. Le décor, de style Louis XV contemporain de l'illustrateur, est luxueux ; le jeune G...M... n'a pas lésiné: une pendule très ornée au mur, des bouquets de plumes sur le baldaquin, un dessus de porte très décoré avec un trumeau, etc. Malgré le désir évident qu'a eu l'illustrateur de l'animer, toute cette scène reste froide.

La planche XXIX, page 178, due également à Pasquier, représente Manon sur sa charrette. C'est le moment où elle revoit des Grieux et comprend qu'il ne l'a pas abandonnée. Le visage passionné de Manon est situé très exactement au milieu de la gravure dont il constitue évidemment le centre d'intérêt. Comme le texte l'indique, Manon se penche vers des Grieux hors de la voiture, qui est bâchée. A côté de Manon se trouve une compagne ; on en aperçoit une autre dans l'ombre. Deux archers armés à cheval et le cocher, le fouet en main (de dos, au premier plan), encadrent la scène. Le cheval que des Grieux vient de quitter attend son cavalier. Au second plan, une deuxième charrette est en mouvement ; l'ordre de marche comporte deux archers derrière, deux archers devant de part et d'autre, et le cocher. Un troisième plan, conventionnellement campagnard, avec une petite église et une butte plantée de quelques arbres, permet de situer la scène. Le goût de Pasquier pour le détail familier apparaît dans le chien qui se gratte, aussi bien que dans la décoration populaire du harnais du cheval vers la droite. Mais l'ensemble de la gravure reste d'un dessin médiocre et souvent confus.

La scène pathétique de l'ensevelissement (pl. XXXIII, p. 200) a été traitée par Pasquier avec discrétion. L'illustrateur a suivi fidèlement les indications du texte. Les vêtements dont des Grieux s'est dépouillé servent de matelas (p. 199) et aussi de couverture au corps de Manon. Le Chevalier, avec l'expression du désespoir (d'ailleurs mal rendue) sur le visage, creuse une fosse avec ses mains ; au premier plan, à gauche, son épée brisée, et, à droite, le fourreau de son épée, et son chapeau. Toutefois le désert, figuré de façon fort rudimentaire, semble plus accidenté que ne le dit Prévost ; une maigre végétation y pousse çà et là. Toute l'attention du graveur, à juste titre, s'est concentrée sur des Grieux ; mais, l'effet cherché n'est pas atteint, et, si l'on ne se réfère pas au texte, on comprend mal ce que fait dans la campagne ce personnage soucieux, à quatre pattes, à côté d'une femme qui dort.

Les deux illustrations de Gravelot gagnent encore à être ainsi mêlées et confondues avec celles de Pasquier. La scène de la présentation de des Grieux au vieux G... M..., en tant que frère de Manon, (pl. XIX, *p. 76, reproduite sur la couverture de la présente édition) est certainement une des meilleures gravures d'illustration du XVIII*e *siècle. Le Chevalier, qui joue son rôle de petit jeune homme arrivant de sa province, est debout au centre, les yeux baissés, l'air emprunté et timide, tenant gauchement son chapeau sur l'estomac. A droite, Lescaut, très à l'aise, le chapeau sous le bras, présente à G... M... le jeune garçon. A gauche, le vieux G... M..., qui ne semble pas avoir beaucoup plus de quarante ans, oblige des Grieux à relever la tête en lui « haussant le menton avec la main », comme on ferait pour un enfant, et il prononce ces mots, qui se trouvent être fort ridicules : « Je lui trouve de l'air de Manon » (p.77) ; d'un geste de protecteur et de propriétaire, il a posé la main droite sur l'épaule de Manon. Celle-ci est assise très droite, dans une robe somptueuse ; Gravelot a particulièrement soigné son petit visage spirituel et charmant, que l'on voit de profil ; de la main gauche, elle indique vaguement son « frère ». Le décor comprend un paravent, une armoire à vaisselle ouverte où un laquais prend des plats, et une petite table dont on aperçoit le bout à l'extrême gauche. Gravelot a le don, qui était refusé à Pasquier, d'animer ses personnages ; la scène, qui n'est nullement comique en elle-même (le comique ne devient sensible que par référence au texte), donne un sentiment de grâce vivante et d'élégance.*

*Le même graveur s'est chargé également, peut-être avec un peu moins de bonheur, d'illustrer la fameuse scène du parloir (*pl. XI*). Dans le cadre austère de Saint-Sulpice : murs lambrissés, mais nus, colonnes qu'on aperçoit par la porte entrouverte, des Grieux revoit Manon. Celle-ci, conformément au texte, est assise ; elle s'adresse à des Grieux avec un regard touchant, presque suppliant, que souligne le geste de la main gauche ; elle est couverte de bijoux et de dentelles, elle tient un éventail dans la main droite ; sa robe luxueuse est largement étalée. Son visage, un peu fort et marqué, est celui d'une femme d'une trentaine d'années au moins ; la Manon toute jeune et fraîche de l'autre gravure de Gravelot, il est curieux de le constater, ne ressemble nullement à celle-ci. Des Grieux, en soutane et rabat, reste debout, comme le dit le* texte, « le corps à demi tourné, n'osant l'envisager directement ». Le haut du corps est en effet penché vers Manon, tandis que le reste du corps, en particulier le bras droit qui tient le chapeau, semble s'orienter vers la porte ouverte. Gravelot a donc souligné, plus encore que Prévost, l'aspect dramatique de la scène : des Grieux va-t-il s'enfuir ou écoutera-t-il Manon ? En dépit de l'interprétation contestable du physique de Manon, la fidélité au texte, la souplesse des gestes et la justesse des attitudes font de cette gravure une excellente illustration.

Telles sont donc les huit illustrations de l'édition de 1753, auxquelles nous avons joint l'unique illustration de 1783. Mais de la fin du XVIIIe siècle jusqu'à nos jours, le roman de Prévost a inspiré de très nombreux illustrateurs. Il était intéressant d'étudier comment telle scène avait pu être interprétée, d'une génération à l'autre, dans les styles et par les talents les plus divers. Plutôt que par exemple la scène de l'ensevelissement, qui prête dangereusement à la déclamation facile, nous avons choisi celle du parloir. A l'illustration de Gravelot (que nous avons pour cette raison commentée en dernier lieu, bien qu'elle fût, dans le roman, antérieure à la gravure de la planche XIX) on pourra donc comparer cinq autres illustrations sur le même thème, qui s'échelonnent de 1797 à 1892.

Par opposition à Gravelot, et aussi à la plupart des illustrateurs qui suivront, Lefèvre (pl. XII), dans l'édition Didot (1797, petit in-12), n'a pas pris pour thème de sa composition le moment où Manon s'assied, mais celui où, tout au début de la scène du parloir, les deux personnages viennent d'être mis en présence. Leur embarras est bien rendu, ils regardent tous deux à terre, et le dialogue n'a pas encore commencé. Des Grieux est en soutane et rabat, Manon a une robe luxueuse d'époque Louis XVI avec une montre pendue à un ruban. Les visages, un peu secs, manquent de jeunesse. Le parloir lambrissé est meublé de quelques chaises ; au mur, un tableau représente un Christ en croix : c'est une indication que certains illustrateurs reprendront par la suite.

Avec la gravure de Dessenne (pl. XIII), tirée d'une réédition de 1818 (in-18), on quitte résolument le XVIIIe siècle. Si la robe de Manon est d'un style XVIIIe, c'est d'un XVIIIe siècle revu par la Restauration. Toutefois la scène reste assez près de l'interprétation de Gravelot. Dessenne a surtout ajouté de l'émotion, de la passion, et il l'a fait de façon appuyée, un peu grossière.

Des Grieux détourne la tête, mais pose la main sur le bras de Manon ; celle-ci lui lance un long regard implorant et lui prend le bras. Le parloir est meublé de chaises en faux Louis XV ; il y a au mur un portrait d'ecclésiastique. La gravure rappelle la raideur un peu primitive des vignettes de l'Empire, mais elle annonce déjà l'interprétation romantique.

*C'est celle de Tony Johannot (*pl. XIV,*) dans la riche édition illustrée qui paraît en 1839 (Paris, Bourdin, in-8°). Par opposition aux gravures sur cuivre que nous avons vues jusqu'alors, c'est ici le procédé de la gravure sur bois qui est employé pour la première fois : les effets ont plus de flou ; ils sont plus larges et plus marqués. Une telle technique sert à merveille l'intention très évidemment théâtrale de Johannot. Des Grieux, qui est en culotte et non plus en soutane (peut-être pour que le lecteur, à cette époque de renaissance religieuse, soit moins choqué), se détourne comme s'il avait vu un serpent ; il ne peut néanmoins s'empêcher de regarder Manon, mais, comme le dit le texte, sans oser « l'envisager directement ». Manon est devenue ici une belle pénitente ; sa tête baissée fait valoir la ligne de son cou et son décolleté ; ses bras abandonnés soulignent son accablement ; l'élégance mousseuse de sa robe représente un bel exploit technique. La couleur locale n'est pas négligée. Au mur, un Christ se tord sur la croix, juste entre les deux amants ; au-dessous, un prie-Dieu sculpté que le graveur anglais Thomson semble n'avoir pas compris et dont il a fait une sorte de saloir, au demeurant peu intelligible ; deux tableaux religieux, dont la forme évoque celle de certains Primitifs italiens, redevenus alors à la mode, complètent le décor. Cette interprétation orientée vers la déclamation lyrique constitue une brillante étape du roman vers l'opéra.*

*L'illustration de Le Nain (*pl. XV*) pour l'édition Charpentier (Paris, 1881, in-18) pousse cette tendance presque jusqu'à la parodie (involontaire). Le graveur a inscrit au bas de sa planche : del [ineavit] et sc [ulpsit] ; il a été sage en ne mettant pas : inv [enit], car il a copié sans pudeur l'illustration de Johannot, qu'il s'est contenté d'inverser tout en la simplifiant et en accentuant l'effet théâtral. Des Grieux, aminci, se détourne en mettant une main sur les yeux et sa silhouette déclamatoire se détache sur un mur nu ; Manon, d'ailleurs très enlaidie, courbe encore plus la tête ; le Christ sur le mur est plus grand ; le prie-Dieu n'est pas sculpté.*

La gravure. qui est sur cuivre, n'a pas la liberté de l'illustration de Johannot, dont elle est une reprise très appauvrie. Au lieu de se reporter au texte pour y trouver une inspiration neuve, le graveur, comme il arrive souvent, s'est référé aux illustrateurs qui l'avaient précédé.

Au contraire, Rossi *(*pl. XVI*) qui a illustré* Manon *pour la Petite Collection Guillaume (Paris, 1892, petit in-12) a tenté une mise en scène originale, où il s'est vraisemblablement souvenu de l'opéra autant que du roman. Des Grieux est accoudé sur le dossier du fauteuil de Manon ; les deux personnages ont la tête penchée et le front dans la main, ce qui exprime leur préoccupation. Manon, très décolletée, dégage une sensualité qui n'est pas infidèle au texte.* L'*éclairage est concentré sur le couple : on n'aperçoit rien du parloir. La couleur locale n'apparaît que dans le dossier du fauteuil d'un style copié* XVIIIe *et dans les costumes d'un* XVIIIe *d'opéra-comique. On l'aura noté : tout en restant fidèles au texte, les bons illustrateurs, Dessonne, Johannot ou Rossi, ont su voir Manon et des Grieux avec les yeux de leur temps. Ils ont ainsi fait ressortir la valeur permanente de la création de Prévost.*

GLOSSAIRE [1]

Abîmer. « Faire périr, ruiner, perdre entièrement » (Richelet) : *une [importunité] qui nous abîma sans ressource* (52).

Abord. Voyez D'abord.

Académie. Maison de jeux; voyez p. 64 : *académie d'exercices*, voyez p. 113 et note 2.

Admirable. Digne de surprise, d'étonnement : *C'est quelque chose d'admirable que la manière dont la Providence enchaîne les événements* (107).

Admiration. Étonnement : *Nos postillons et nos hôtes nous regardaient avec admiration* (15); *C'étaient des marques d'admiration sur mon amour* (180).

Admirer. « Être surpris, être étonné » (Richelet) : *...on admirait qu'une fille aussi jolie que Manon eût pris le parti de fuir avec un valet* (115) Comparer p. 188.

Adresse. « Finesse, ruse, subtilité, fourbe maligne » (Richelet) : *Je vous demande le secours de votre adresse* (97). Voyez pp. 94, 146, 204.

Affaire. Encore masculin dans la langue classique. Voyez p. 10, var. a.

Agréablement. « Avec esprit » (Richelet) : *je le raillais agréablement* (65).

Aimable. Digne d'être aimé. Voyez pp. 126, 145.

Allée. « Passage pour entrer dans un corps de logis » (Richelet.) Voir p. 114.

Appartement. « Un appartement, dans une maison, est composé d'un ensemble comprenant chambre, antichambre et cabinet » (Richelet); voyez p. 67. Au singulier comme au pluriel, le mot désigne la partie du logement personnellement occupée par les maîtres; voyez pp. 140, 68 et 144.

1. Presque toutes les définitions qui suivent sont tirées, soit, chaque fois qu'il était possible, du *Manuel lexique* de l'abbé Prévost lui-même (édition de 1755, comprenant le supplément), soit, à défaut, du Richelet, édition de Rouen, 1719.

APPRÊTER à rire. La locution est courante à l'époque au lieu de *prêter à rire*. Richelet l'explique comme « faire tout ce qu'il faut » pour que les autres rient. Voyez p. 105.

ASCENDANT. « En termes d'astrologie, l'ascendant est le signe du Zodiaque qui monte sur l'horizon au premier instant de la naissance d'un homme ou d'une femme. Les astrologues lui attribuent beaucoup d'influence sur tous les événements de la vie. » (Prévost, *Manuel lexique,* qui cite aussi le sens figuré, soit « la supériorité et l'espèce d'emprise qu'on prend sur quelqu'un ».) Au sens propre : *l'ascendant de ma destinée qui m'entraînait à ma perte* (20); *qu'on m'explique donc par quel funeste ascendant on se trouve emporté tout d'un coup loin de son devoir* (42).

ASSIGNATION. « Rendez-vous » (Richelet). Voyez pp. 132 et 146.

AVARE. Cupide, intéressé. Voyez p. 128, var. e.

AVARICE. « Vice contraire à la libéralité » (Richelet), c'est-à-dire en fait cupidité. Employé trois fois à propos des archers, pp. 14, 179 et 180.

AVENTURIER. Dans le roman traditionnel, ce mot désigne, sans aucune nuance défavorable, les personnages qui s'en vont par les chemins en quête d'aventures héroïques ou galantes. C'est la valeur qu'il a ici, p. 17.

BALANCER. « Être irrésolu, incertain et indéterminé; hésiter, ne savoir de quel côté pencher. » (Richelet.) Voyez pp. 20, 33, 53, 60, 73, 97, 115, 147, 152, 191.

BRAVE. « Se prend aussi en mauvaise part, et se dit d'un bretteur, d'un assassin, d'un homme qu'on emploie à tout. Cette courtisane a plusieurs *braves* qui la protègent. » (Furetière.) Voyez pp. 150, 169, 174, 176.

BRIDE EN MAIN (aller). Voyez p. 98 et note 1.

CARACTÈRE. « Écriture de quelque personne particulière. » (Richelet.) Voyez p. 134, var. a.

CATASTROPHE. « Conclusion d'une pièce de théâtre, où l'intrigue se dénoue et s'explique ouvertement. De là vient qu'on nomme aussi catastrophe la fin ou le dénouement de toutes sortes d'aventures, surtout des aventures tragiques. » (Prévost, *Manuel lexique.*) C'est exactement l'emploi dans le passage suivant : *Je cédai à ses instances, malgré les mouvements secrets de mon cœur qui semblaient me présager une catastrophe malheureuse* (150).

CHAPELLES (faire de petites). Voyez p. 77 et note 1.

CHARME. « Ce mot signifie, dans le propre, un enchantement ou l'effet d'un pouvoir qui surpasse celui de la nature » (Prévost, *Manuel lexique*) : *il l'a séduite par un charme ou par un poison* (35). Le *Manuel lexique* signale aussi le sens affaibli : « on l'applique à tout ce qui est capable d'attacher fortement le cœur ou l'esprit, par les agréments qui peuvent plaire à l'un ou à l'autre ». Ici : *Le charme de votre présence* (74). Rapprocher les curieuses réflexions de Prévost à l'article *philtre* du *Manuel lexique :* « Mot grec, formé du verbe qui signifie aimer. On a donné ce nom à certaines drogues qu'on fait prendre pour inspirer de l'amour. Quoique l'imposture abuse quelquefois de la crédulité des esprits simples, l'expérience ne permet pas de douter qu'il n'y ait des influences d'un corps sur un autre qui peuvent produire ce qu'on appelle des penchants et des aversions, mais il est certain : 1° Que ces sentiments, quoique indélibérés, n'ont jamais la force de nous faire agir malgré nous; 2° que ce ne peut pas être l'introduction d'un corps étranger qui les produise; 3° que quand cet effet pourrait être produit par un corps étranger, il ne pourrait l'être constamment, c'est-à-dire, qu'il ne durerait pas plus longtemps que la cause, qui se détruirait nécessairement par son action même; et par conséquent, que s'il y avait des philtres ils demanderaient d'être constamment renouvelés, sans quoi leur impression s'évanouirait aussitôt. Concluons que les seuls philtres qu'on puisse reconnaître sont les influences immédiates d'un sexe sur l'autre, soit par le seul instinct de la nature, qui les porte l'un vers l'autre, et qui peut être fortifié par des rapports mutuels d'esprits et d'humeurs; soit par les charmes de la beauté, de l'esprit et des autres qualités naturelles ou acquises, qui agissent tout à la fois sur les sens et sur l'imagination; soit encore plus par la force de ces deux causes réunies. Ainsi, pour être aimés des personnes d'un sexe différent du nôtre, rendons-nous aimables, et laissons faire le reste à la nature qui est d'elle-même un assez bon philtre. »

COLORER. « Excuser, couvrir de quelque prétexte » (Richelet). Voyez p. 93.

COMBINER. Prévost définit dans le *Manuel lexique* le dérivé *combinaison* comme une « comparaison de choses pour les compter ou les arranger », ce qui confirme le sens exposé p. 101, note 2.

COMMERCE. « Fréquentation » (Richelet) : *j'aime mieux mourir (...) que d'avoir désormais le moindre commerce avec toi* (142). Au sens de commerce charnel, voyez p. 173.

COMPLIMENT. « Honnêtetés de parole qu'on dit à quelqu'un qu'on honore ou qu'on feint d'honorer » (Richelet). Voyez pp. 52, 96 (ironique) et 165.

CONCIERGE. Voyez p. 101, note 3.

CONSTANT. « Qui est certain, sûr » (Richelet) : *des apparences si constantes* (122). Mais *constamment* est employé au sens moderne, p. 198.

CONTRE-ALLÉE. « Une contre-allée est une petite route « à côté d'une grande » (Prévost, *Manuel lexique).* Voyez p. 119.

D'ABORD. Parfois encore au sens classique de « dès l'abord » : *elle m'apprit* (...) *qu'elle avait capitulé d'abord* (46). Voyez p. 182.

DÉLECTATION. « Terme théologique, qui signifie plaisir, goût qu'on prend à faire quelque chose. Dans le système des deux délectations, celles de la grâce sont opposées à celles de la nature, et les plus puissantes l'emportent. » (Prévost, *Manuel lexique.*) Voyez p. 46 : *Je me sens le cœur emporté par une délectation victorieuse.*

DÉLICATESSE. « Bizarrerie scrupuleuse et raffinée. » (Richelet.) Voyez p. 106.

DEMEURE. Désigne encore, conformément à l'étymologie, « le fait de demeurer » dans le passage suivant : *d'autant mieux, a-t-il dit, que cette demeure ne saurait vous être inutile* (89).

DÉPLORABLE. Les équivalents latins donnés par Richelet *(miserandus, miserabilis)* permettent de prévoir l'application de ce terme à des personnes, ce qui reste pourtant rare : *cette déplorable troupe* (175).

DÉVELOPPER. Expliquer, éclaircir, découvrir (Richelet) : *J'entrai dans le premier café, et (...) j'appuyai ma tête sur mes deux mains pour y développer ce qui se passait dans mon cœur* (28).

DISGRACE. « Le malheur d'une personne. » (Richelet.) *Voilà un jeune homme, ajouta l'archer, qui pourrait vous instruire mieux que moi sur la cause de sa disgrâce* (12).

DOMESTIQUE. L'ensemble de la domesticité : *le seul valet qui composait notre domestique* (119).

ÉCU. Voyez p. 22, note 3.

ÉMOTION. « Trouble, sédition. » (Richelet.) Voyez p. 193.

ÉMOUVOIR. « Émouvoir le peuple, c'est le pousser à la sédition. » (Richelet.) Voyez p. 193.

ÉQUIPAGE. « Bagage, meuble, équipement » (Richelet) : voyez pp. 19, 24, 132. Désignant la voiture et les chevaux, pp. 62, 70, 118 et 65, var. f.

FIACRE. Voyez p. 107, note 1. Défini dans le *Manuel lexique :* « Nom qu'on donne, dans Paris, aux carrosses de louage qu'on trouve continuellement dans les places marquées par la Police. »

FIDÈLE. Employé avec le sens que Richelet définit pour fidélité : « vertu qui consiste à ne pas manquer à son devoir » (Richelet). Se dit particulièrement d'un domestique de confiance : *C'était un garçon fidèle, mais simple et grossier* (154).

FIDÉLITÉ. En un autre sens que ci-dessus : « Sorte de vertu qui consiste à observer exactement et sincèrement ce qu'on a promis. » Ici : *Il eut la fidélité de la porter exactement* (il s'agit d'une lettre) (94). Même expression, employée peut-être ironiquement, p. 52. Voyez aussi p. 149.

FILER LA CARTE. L'expression, qui a déjà été expliquée p. 64, note 2, figure dans le *Manuel lexique* avec la définition suivante : « tirer chaque carte avec assez d'attention pour la reconnaître par l'envers et se procurer adroitement les bonnes ».

FIN. « Ce mot se dit des traits du visage et de la taille. Il veut dire *délicat, bien fait, beau.* » (Richelet.) Appliqué une fois à des Grieux : *je découvris dans ses yeux, dans sa figure et dans tous ses mouvements, un air si fin et si noble que je me sentis porté* [...] *à lui vouloir du bien* (13); et une fois à Manon : *C'était un air si fin, si doux, si engageant, l'air de l'Amour même* (44). Autre sens : rusé, adroit (Richelet, qui cite *jouer au plus fin*) : *G... M... était plus fin que son père* (131). Voir RAFFINÉ. Voyez p. 135.

FORTUNE. Prévost consacre un article du *Manuel lexique* au mot *fortune* : « Mot tiré du latin, qui signifie *hasard.* Les Anciens représentaient la Fortune sous la forme d'une femme, tantôt assise, et tantôt debout, tenant un gouvernail, avec une roue à côté d'elle, pour marquer son inconstance; et dans sa main une corne d'abondance. » En ce sens de hasard, destin, surtout favorable : *si la fortune nous eût manqué* (193). Notamment au sens de destin individuel, favorable ou défavorable : *un homme de ma naissance et de ma fortune* (110); *il fallait plier sous le poids de ma fortune* (155). Au sens de « bonheur, agrandissement » (Richelet), c'est-à-dire d'élévation sociale ou matérielle : *Laissons au Ciel le soin de notre fortune* (187); *notre petite fortune s'arrangea* (189). — Enfin, au sens plus archaïque d'aventure (Richelet) ce qui produit une sorte de pléonasme dans cette phrase : *Un lecteur sévère s'offensera peut-être de me voir reprendre la plume, à mon âge, pour écrire des aventures de fortune et d'amour* (6-7). Voyez pp. 19, 175, 176.

FRIPERIE. Voyez p. 47, note 2.

GALANTERIE. Du sens donné par Richelet, « manière civile et agréable de dire ou de faire les choses », on passe à celui du texte, où le mot désigne l'action elle-même : *Cette galanterie se fit de si bonne grâce que je crus pouvoir en profiter sans honte* (116).

GÉNÉREUX. Au sens classique, « bien né, de bonne race » : *un sang généreux ne se dément jamais* (195).

GÉNÉROSITÉ. « Grandeur d'âme » (Richelet) : *...par un excès de générosité qui le rend supérieur à cette honte* (111).

GÉNIE. « On n'entend à présent, par *génie,* qu'une disposition naturelle qui nous donne un goût, une pente particulière pour quelque chose » (*Manuel lexique*) : *par un tour naturel de génie qui m'est particulier, je fus touché de l'ingénuité de son récit* (147-148).

GLORIEUX. « Superbe, fier, orgueilleux », dit Richelet, qui donne aussi « vain » pour expliquer le mot employé comme substantif : *Je suis toute glorieuse de l'invention* (128).

GRELUCHON. Quoique ce mot ne figure pas dans *Manon Lescaut,* nous donnons ici l'article que Prévost lui a consacré dans le *Manuel lexique,* car on l'a employé plusieurs fois dans le commentaire (pp. CXXIII, 71, note 1, 145, note 1) : « Nom d'usage moderne, qu'on donne à l'amant secret et favorisé d'une femme qui passe pour en avoir un autre. Entre les femmes d'une conduite libre, qu'on appelle, dans ce siècle, maîtresses entretenues, il entre, dans l'idée de *greluchon,* d'être favorisé gratis, tandis qu'elles se font payer par un autre. C'est un diminutif du vieux mot *grelu,* qui a signifié *gueux*. Ainsi *greluchon* est un petit *gueux*. » (Supplément à la première partie.)

GROSSIER. « Qui a peu d'esprit. Qui est peu civilisé. Rustique. » (Richelet.) Ici : *C'était un garçon fidèle, mais simple et grossier.* » (154).

GUICHETIER. « Celui qui a soin de la porte d'une prison. » (Richelet.) Voyez p. 165.

HONNÊTE. « Qui a de l'honnêteté (voir ce mot), de la civilité et de l'honneur. » (Richelet.) Cette première définition convient plus ou moins à la plupart des exemples, mais la nuance doit être précisée dans chacun d'entre eux. L'un de ceux auxquels elle s'applique le mieux est le suivant : *Les uns prennent part aux richesses des grands en servant à leurs plaisirs : ils en font des dupes ; d'autres servent à leur instruction : ils tâchent d'en faire d'honnêtes gens* (54). De même : *Qu'un père est malheureux, lorsque, après avoir aimé tendrement un fils et n'avoir rien épargné pour en faire un honnête homme, il n'y trouve, à la fin, qu'un fripon qui le déshonore* (162) ! Voyez encore, dans la bouche du supérieur parlant de des Grieux : *Il est si doux, d'ailleurs, et si honnête, que j'ai peine à comprendre qu'il se soit porté à cet excès sans de fortes raisons* (85). Le sens, dans ce dernier exemple, est « bien élevé ». Page 99, *s'il est honnête homme* se traduirait peut-être par « s'il sait vivre », et *Je le priai, d'un ton honnête, de m'écouter un moment* signifie « d'un ton poli », presque humble, dans la circonstance (155). La valeur sociale est parfois davantage en évidence. Elle est nette lorsque des Grieux assure que *les deux tiers des honnêtes gens de France* se font honneur d'avoir une maîtresse (163). Voyez aussi p. 71. Elle est au contraire supplantée par la valeur moderne dans d'autres exemples. Ainsi, lorsque des

Grieux est reçu parmi les *Confédérés* : *On prétendit qu'il y avait beaucoup à espérer de moi, parce qu'ayant quelque chose dans la physionomie qui sentait l'honnête homme, personne ne se défierait de mes artifices* (62-63). Une variante est significative dans un autre passage. Prévost avait écrit en 1731, à propos de Lescaut visitant des Grieux à Saint-Lazare : *Son air était grave, il n'y a personne qui ne l'eût pris pour un honnête homme.* Il corrige en 1753 : *pris pour un homme d'honneur* (95, var. c). On voit par cet exemple que la notion d'*honnête homme* commence à être ambiguë à l'époque, et que l'on sent le besoin de recourir à des équivalents plus clairs. Appliqué à des choses, *honnête* tend vers le sens de convenable, décent, ainsi dans l'expression *honnête récompense* (120, cf. 71). Emploi ironique, lorsque des Grieux fait voir au Père supérieur une *honnête raison de silence* sous la forme d'un pistolet (96). Le sens est sans doute proche d'honorable, sans lésine, dans un dernier exemple, lorsque des Grieux dispose avec Manon de l'usage des soixante mille francs de M. de B. : *Deux mille écus nous suffiront chaque année, si nous continuons de vivre à Chaillot. Nous y mènerons une vie honnête, mais simple* (49). Voyez pp. 73, [illegible], [illegible].

HONNÊTEMENT. « Avec civilité » (Richelet) : *il me répondit honnêtement* (13). De même p. 164. Souvent étendu au sens de « décemment, convenablement », à partir d'exemples comme le suivant, dans lequel *répondre* à un sens général : *Je l'ai assuré* (Manon parle à des Grieux de G... M...) *que, du caractère dont je vous connaissais, je ne doutais point que vous n'y répondissiez honnêtement* [à ses offres de service] (146); de même : *Je lui ai dit que vous (...) en aviez toujours usé si honnêtement avec moi, qu'il n'était pas naturel que je pusse vous haïr* (145). Signifie à peu près honorablement, correctement, dans les passages suivants : *Je crus (...) que (...) je pourrais fournir assez honnêtement à son entretien pour l'empêcher de sentir la nécessité* (53); *il m'a recommandé de vous traiter honnêtement* (89); *il eut soin de nous faire nourrir honnêtement* (184). Voyez p. 201, var. b.

HONNÊTETÉ. « Civilité » (Richelet) : *Je reçus son compliment avec honnêteté* (52); *M. de T... eut l'honnêteté d'ajouter* (115)... Voyez p. 10[illegible], var. b.

HORREUR. Sens latin et classique, désignant une impression physique de « chair de poule ». Voyez p. 45.

INDUSTRIE. Dans l'un des sens définis par Richelet, « esprit de faire quelque chose », et spécialement un esprit de ruse ingénieuse : *Je mis mon industrie à toutes les épreuves* (88); *Je résolus d'employer toute mon industrie pour la voir* (138). Au second sens attesté par le même, « adresse », c'est-à-dire, en fait, forme d'activité peu scrupuleuse, proche de l'escroquerie ou du moins de la fourberie : *Je crus qu'il ne me serait pas impossible de cacher notre perte à Manon, et que, par industrie ou par quelque faveur du sort, je pourrais fournir assez honnêtement à son entretien pour l'empêcher de sentir la nécessité* (53). Appliqué spécialement au fait de tricher au jeu : *je me réduisis à jouer dans quelques assemblées moins décriées, où la faveur du sort m'épargna l'humiliation d'avoir recours à l'industrie* (118). Voyez aussi la *Ligue de l'Industrie,* p. 62.

INFLUENCE. Encore proche du sens astrologique traditionnel : « sorte d'écoulement matériel que l'ancienne physique supposait provenir du ciel et des astres et agir sur les hommes et sur les choses » (Littré). En présence de Tiberge, le cœur de des Grieux s'ouvre : *comme une fleur s'épanouit à la lumière du soleil, dont elle n'attend qu'une douce influence* (57).

INGÉNUITÉ. « Aujourd'hui ingénu a le même sens que simple [voir ce mot], naïf, sans déguisement. Ingénuité est le substantif. » *(Manuel lexique.)* Voyez ici, dans la bouche de des Grieux rapportant le récit de Manon après l'affaire du jeune G... M... : *Je fus touché de l'ingénuité de son récit, et de cette manière bonne et ouverte avec laquelle elle me racontait jusqu'aux circonstances dont j'étais le plus offensé* (148).

JOLI. Mot à la mode, qui signifie parfois *plaisant, amusant : elle ne trouvait rien de si joli que ce projet* (149). Voyez p. 177.

JOUR. « C'est une affaire où je ne vois point de jour, c'est-à-dire aucun endroit pour être terminée. » (Richelet.) Ici : *je ne vois pas le moindre jour à l'espérance* (14); *je ne voyais pas le moindre jour à sa sûreté* (196). Prévost, qui aime cette expression, l'emploie encore pages 21, 98 et 168.

LIBERTIN. Le Supplément du *Manuel lexique* définit ainsi le libertinage : « Excès de liberté qui en est un abus, et qui est par conséquent un désordre. Il se dit particulièrement du dérèglement des mœurs, et ne se dit guère que des jeunes gens, comme *libertin.* Mais il y a aussi un libertinage d'esprit, d'idées, de principes de religion, qui est de toutes sortes d'âges. » C'est le second sens qui apparaît dans ces deux exemples du texte : *Si vous avez cru trouver ici* (...) *un libertin réveillé par les châtiments du Ciel...* (90); *cette comparaison* (...) *est une idée des plus libertines et des plus monstrueuses* (91). Voyez p. 190.

MALICE. Voyez MALIGNITÉ.

MALIGNITÉ. Nous avons renvoyé de MALICE à MALIGNITÉ, comme le fait Prévost lui-même dans son *Manuel lexique,* parce qu'il définit ces deux termes l'un par rapport à l'autre : « Dans le sens moral, malignité signifie une disposition de l'âme qui porte à faire du mal avec envie de nuire. Aussi malignité emporte beaucoup plus que malice, qui ne signifie que disposition à se réjouir aux dépens d'autrui par des ruses badines et agréables. Aussi la malice se nomme-t-elle malice noire, quand elle est poussée si loin qu'elle touche à la malignité. Il y a la même différence entre *malin* et *malicieux*. » En fait, *malignité* est employé une fois avec un sens fort, par référence à l'astrologie (cf. *influence maligne*, voyez INFLUENCE) : *je le priai de plaindre la malignité de mon sort* (60). Mais le reste du temps, Prévost semble employer à peu près indifféremment « malice » et « malignité » : *elle pèche sans malice* (148); *il me dit (...) qu'à la vérité il était aisé de remarquer qu'il y avait, dans mon affaire, plus d'imprudence et de légèreté que de malice* (160); *il comprit qu'il y avait plus de faiblesse que de malignité dans mes désordres* (93).

MARCHANDER. « Familièrement. Ne pas marchander quelqu'un, ne pas l'épargner. » (Littré, qui cite Scarron, Molière, etc.) *Je ne le marchandai point ; je lui lâchai le coup au milieu de la poitrine* (97).

MÉDIOCRE. « Qui est entre le trop et le trop peu. » (Richelet.) *Elle m'aurait préféré à toute la terre avec une fortune médiocre* (61).

MINE. Les expressions « bonne mine, mauvaise mine » désignent une physionomie agréable ou peu heureuse, mais sans idée de mauvaise santé ou d'air inquiétant : *Je vis un homme fort bien mis, mais d'assez mauvaise mine* (123).

MODESTIE. A encore le sens de « pudeur » qui n'est déjà plus enregistré par Richelet : *L'effort qu'elle faisait pour se cacher était si naturel, qu'il paraissait venir d'un sentiment de modestie* (12). Page 15, le mot semble avoir exactement le sens moderne.

MONDE. Usage du monde : *C'est dommage que cet enfant-là n'ait pas un peu plus de monde* (77); *Sa réponse fut celle d'un homme qui a du monde et des sentiments* (100).

MORTIFIANT. Le mot est employé par Prévost dans le sens quasi technique qu'il définit ainsi dans le *Manuel lexique* pour *mortification* : « Mot formé du latin qui se dit des pénitences et des austérités par lesquelles on tourmente et on affaiblit le corps, dans la vue d'expier ses péchés, ou pour diminuer la révolte des sens contre les lois évangéliques ». Ici : (...) *l'amour (...) ne promet du moins que des satisfactions et des joies, au lieu que la religion veut qu'on s'attende à une pratique triste et mortifiante* (92).

MOUVEMENT. Non pas « geste », mais « transport » : *je ne sentais nul de ces mouvements violents dont j'avais été agité dans les mêmes occasions* (135). Voyez p. 121. Sens moins net p. 70.

NATURELLEMENT. Franchement, sans détour. Très fréquent, voyez pp. 30, 37, 81, 100, 128, 148, 162, 177, 201, 168, var. b. Exemple : *Je racontai naturellement ma pitoyable aventure* (201).

NEUF. « Simple, niais » (Richelet) : *C'est un enfant fort neuf* (76).

PISTOLE. Voyez pp. 27, note 1; 60, note 2; 169.

POLITESSE. Délicatesse, raffinement, comme dans l'exemple de La Rochefoucauld cité par Richelet : « La politesse de l'esprit consiste à penser des choses fines et délicates. » Voyez ici : *Si les personnes d'un certain ordre d'esprit et de politesse veulent examiner quelle est la matière la plus commune de leurs conversations* (5)... Se rapproche peut-être quelque peu du sens moderne une autre fois : *G.... M... l'avait reçue avec une politesse et une magnificence au delà de toutes ses idées* (134). Voyez p. 186.

PORTE-MANTEAU. Voyez p. 16, note 1.

PRÉVENIR. « Aller au-devant d'une chose. » (Richelet.) Ici : *Je me retins, dans l'espérance qu'il lui arriverait peut-être de me prévenir, en m'apprenant tout ce qui s'était passé* (29).

PROPRE. Non pas tout à fait « élégant », mais « décent, de bon goût » : *une table propre, mais frugale et modérée* (40).

PROPREMENT. Même sens que le précédent. *Je la fis servir aussi proprement que si j'eusse été dans la meilleure fortune* (109). De même p. 100. Parfois un peu moins fort et signifiant seulement « correctement » : *Je lui demandai encore si elle avait été entretenue proprement* (102). Voyez p. 64, var. c.

PROPRETÉ. Élégance sobre et de bon goût : *Il lui avait montré tous les appartements, qui étaient d'un goût et d'une propreté admirables* (144). Voyez aussi p. 64, var. d.

RACE. Lignée : *Ne le prendrait-on pas pour le plus honnête homme de sa race* (162)?

RAFFINÉ. « Adroit. Fin. Rusé. » (Richelet.) Voyez une variante de l'édition originale : *G. M. était plus raffiné que son père* (p. 131, var. e).

RAFRAÎCHIR. « C'est (...) remettre du travail et de la fatigue qu'on a soufferts. » (Richelet.) En fait, c'est aussi prendre des rafraîchissements (voir le suivant). Ici : *nous prîmes le temps de nous rafraîchir* (24).

RAFRAICHISSEMENT. « C'est tout ce qui sert à réparer les forces, comme pain, viande, etc. » (Richelet.) Ici : *Je n'avais dessein que de faire tenir quelques rafraîchissements à Manon* (165).

RÉFORMER. Voyez p. 70, note 2.

RÉGLÉ. « Qui n'agit point par caprice. Bon. Sage. Vertueux. » (Richelet.) Ici; *Je ne prétends pas (...) passer pour l'homme le plus réglé de notre race* (162).

Remettre. Reconnaître : *je le remis aussitôt* (16); de même pp. 44, 153. — Différer (Richelet). En ce sens, Prévost construit ce verbe transitivement avec un nom de personne : *je l'ai remis jusqu'à présent à la ville* (75, cf. note 1); *elle me remit à la lecture* (134, cf. note 3). — Il emploie aussi volontiers la construction *remettre à* plus infinitif, qui est classique (exemple de Pascal dans Richelet) : *elle me dit qu'il fallait (...) remettre à nous arranger dans un lieu plus sûr* (47). Voyez aussi pp. 88, 89, 98, 196.

Ressentiment. Non pas « ressouvenir d'une injure qu'on nous a faite », mais « colère qu'on a pour quelque déplaisir reçu » (Richelet). Ici : *J'en eus tant de ressentiment, que j'eusse couru sur-le-champ à la vengeance si* (51)... — Autre sens : « ressouvenir d'une grâce reçue (...) reconnaissance » (Richelet). Ici : *...cette vue, jointe au vif ressentiment de l'étrange extrémité où je m'étais réduit pour elle* (184).

Rêverie. « Action de l'esprit qui pense, rêve et songe profondément à quelque chose » (Richelet). Voyez p. 60. *Rêver* a le même sens p. 31.

Sauver. « Épargner, délivrer » (Richelet) : *Cependant je trouvai une voie qui me sauvait du danger* (170). — *Se sauver* s'emploie aussi dans un sens faible d'*échapper à une objection à une contradiction* : voyez p. 91.

Scolastique. « D'école. Les usages scolastiques sont les usages des écoles. » *(Manuel lexique.)* Cf. *éloquence scolastique* (20); *année scolastique* (41, cf. note 2).

Sentiments. Richelet explique l'expression *avoir des sentiments* comme « avoir de l'honneur de la générosité », et Marivaux l'emploie en ce sens (*le Paysan parvenu*, édit. Garnier, pp. 246-247). Ici : *S'il est honnête homme, et qu'il ait des sentiments* (99); *sa réponse fut celle d'un homme qui a du monde et des sentiments* (100).

Simple. « Peu fin, niais » (Richelet) : *C'était un garçon fidèle, mais simple et grossier* (154).

Simplicité. « Candeur. Sincérité. Naïveté. Ingénuité. » (Richelet). Voyez pp. 27, 74, 129, 137.

Solitude. Retraite. Voyez pp. 15 et 39, note 2.

Soumission. Au pluriel, marques de respect et de soumission : *je m'abaissai, pour le toucher à des soumissions qui m'auraient fait mourir de honte si je les eusse faites pour toute autre cause* (194).

Surtout. Voyez pp. 105, note 1; 181, note 1; 189, note 1.

TEMPÉRAMENT. « Accommodement » (Richelet) : *Cependant nous trouvâmes un tempérament raisonnable, qui fut* (48)... — On dirait en français moderne *moyen terme.*

TEMPS. « En termes de manège et d'escrime, temps se dit aussi d'une mesure juste de certains mouvements. » *(Manuel lexique.)* Voyez p. 195, note 2.

TENTER. « Éprouver » (Richelet) : *...en m'empêchant de tenter les dispositions de mon père, et de faire des efforts pour lui en inspirer de favorables à ma malheureuse maîtresse* (164).

TREMBLEMENT. Appréhension et crainte qui fait trembler. (Richelet, qui cite Pascal : « Les plus justes doivent demeurer dans la crainte et dans le tremblement. ») Ici : *j'attendais, les yeux baissés et avec tremblement, qu'elle s'expliquât* (44).

VERT (prendre sans). *Jouer au vert* était un « jeu d'enfants, où ceux qui jouent s'engagent à avoir toujours sur eux quelque feuille verte cueillie de la journée » (Richelet). C'était surtout une coutume de premier mai. En conséquence, *prendre sans vert* se disait couramment au sens de *prendre au dépourvu.* Ici : *c'est par sa direction (...) que ton frère a trouvé le moment de te prendre sans vert* (34).

VOLTE-FACE. Terme de jeu. Voyez p. 64 et note 2.

INDEX DES NOMS DE PERSONNES ET DES MATIÈRES[1]

1. Cet index ne comprend, ni les noms de personnes cités dans la *Bibliographie*, ni les noms de personnages du roman. Il est essentiellement un répertoire de l'*Introduction* et des notes. Les articles renvoyant à la biographie de Prévost sont distingués par un astérisque.

TABLE DES PLANCHES

TABLE DES MATIÈRES

ACHEVÉ D'IMPRIMER
PAR L'IMPRIMERIE
TARDY QUERCY S.A.
A BOURGES
LE 10 MARS 1980

Numéro d'éditeur : 2037
Numéro d'imprimeur : 9593
Dépôt légal : 1er trim. 1980

Printed in France

prolepses 20 43 51 65 75 78 107 110 124
132 150 151 191

•

! DG's bad faith 13 85 97 98
reversal of
sitn in his
mind

benign authy figures

105-6 comic bathos

DG's loss of control 153 cc 106

prisons SL, Hôp, Chlt

(see n. p. 169)

libertin 190 90-1

island 193

states of frenzy & of catatonia